The GOING DOWN of the SUN

Dol Fodha na Grèine

Do shliochd an fheadhainn a bha thall 's a chunnaic 's a dh' fhuiling

For the descendants of those who suffered

Sgiogarstaigh
Eòrodal
Adabroc
Am Port
An Cnoc Àrd
Na Còig Peighinnean
Eòropaidh
Lìonal
Tàbost
Suaineabost
Cros
Dail bho Thuath
Dail bho Dheas
Gabhsann
Mealbost
Am Bail' Àrd
Borgh
Siadar Iarach
Siadar Uarach
Baile an Truiseil

The GOING DOWN of the SUN

The Great War and a rural Lewis community

Dol Fodha na Grèine

Buaidh a' Chogaidh Mhòir – Nis gu Baile an Truiseil

Deasaichte le Dòmhnall Alasdair Moireasdan
Le taic bho Anna NicSuain agus Iain G Dòmhnallach

acair

Tha na foillsichearan taingeil airson a h-uile cuideachadh a fhuaireas bho iomadh buidheann ann a bhith ag ullachadh an leabhair seo. Tha sinn gu h-àraidh taingeil don h-uile neach a thug seachad dealbhan, sgrìobhaidhean agus cuimhneachain.

Tha na foillsichearan taingeil airson an taic-airgid a fhuaireas bho:

Bòrd na Gàidhlig

Comhairle nan Eilean Siar

Maoin Dualchais a' Chrannchuir

Riaghaltas na h-Alba

Comhairle nan Leabhraichean

Maoin Cuimhneachaidh Mhurchaidh Mhic Amhlaigh

Cuimhneachan air Alasdair MacNeacail, Aird Dhail

A' chiad fhoillseachadh ann an 2014 le Acair Earranta,
An Tosgan, Rathad Shìophoirt, Steòrnabhagh, Eilean Leòdhais HS1 2SD

An dàrna foillseachadh ann an 2015 le Acair Earranta

www.acairbooks.com
info@acairbooks.com

www.eachdraidhnis.org

Am mapa air td 25 agus a chòmhdaich le cead bho FirstWorldWar.com

Deilbhte agus dèanta le Acair

Deasachadh: Dòmhnall Alasdair Moireasdan, Anna NicSuain
agus Iain G Dòmhnallach

Dealbhachadh: An teacsa Graham Starmore, Windfall Press
            An còmhdach Jade Starmore

Chuidich Comhairle nan Leabhraichean am foillsichear
le cosgaisean an leabhair seo.

Tha Acair a' faighinn taic bho Bhòrd na Gàidhlig.

Gheibhear clàr catalog CIP airson an leabhair seo ann an
Leabharlann Bhreatainn.

Clò-bhuailte le Hussar Books, A' Phòlainn

ISBN/LAGE 978-0-86152-543-0

Am Marbhrann

Nach iomadh seud gu bòidheach rèidh-ghlan, ùr
   Tha taisgt' an iùc an doimhneachd grunnd a' chuain;
Nach iomadh ròs tha fàs nach fhaic an t-sùil,
   'S a mhìlseachd spùinnt' le gaoth nan stùcan bhuain.

Bhon leabhar aig Dòmhnall Iain Dòmhnallach à Uibhist a Deas, *Chì mì*

The Elegy

Full many a gem of purest ray serene,
   the dark unfathom'd caves of ocean bear:
Full many a flower is born to blush unseen,
   and waste its sweetness on the desert air.

Thomas Gray (1716-1771), *Elegy written in a Country Churchyard*

'S e uabhas a th' ann an cogadh sam bith – fuil ga dhòirteadh agus daoine gan reubadh às a chèile – 's e cùis uabhais a th' ann. 'S iomadh uair a bhithinn a' smaoineachadh, 'Dè a' chiall a th' aig a seo? Carson a tha mise ann an seo? Dè tha mi dèanamh?' Chanadh rudeigin rium, 'O well - nach eil thu dìon na rìoghachd dham buin thu?' 'S bhithinn a' cantainn rium fhìn nach robh fios gu dè man a bhiodh sin fhathast, agus cha robh coltas gu robh càil a' dol a thighinn gu crìoch. Bha sinn a' dol air adhart mar sin co-dhiù, ach mu dheireadh, airson cùisean a dhèanamh nas giorra, thàinig fios a-nuas sgur a' losgadh, sgur a chleachdadh nan innealan-cogaidh, gu robh sìth air a dhèanamh, agus chaidh ar cruinneachadh nar buidheannan an siud 's an seo, … sinne ann an gàradh-ùbhlan agus bha e brèagha, fàileadh cùbhraidh nan ùbhlan nar beathachadh…

Calum Aonghais Tharmoid

… war is a horrible thing, shedding blood and innocent people being torn to pieces - and for what purpose? I used to think, 'What am I doing here and why?' But then I thought, 'Oh, you're doing your best to fight and save your King and Country'. We kept on like that, doing our best, often wondering how it would all end. At long last, word reached us asking to stop fighting and to drop all our arms, as peace was declared. We were then asked to gather in groups. Our group happened to be in a garden full of apple-trees. The fragrance of these apples was lovely, sufficient to restore and renew our lives…

Malcolm Morrison

Clàr-Innse

Contents

Prologue

To attempt to gather together the complex local strands of the Great War to create an account that would do justice to the contribution of the people of our villages, seemed a daunting task when Acair first approached me last year. But, thanks to the rich archive, including primary source material, and extensive genealogical records at Comunn Eachdraidh Nis, it all started to look distinctly possible. Add in the early work of William Grant and the correspondents who produced that remarkable book, 'Loyal Lewis Roll of Honour 1914-1918', together with the authoritative records of the Commonwealth War Graves Commission, and it seemed less of a challenge.

There is nothing new in this volume and I cannot claim any title to the unfolding story brought together in its pages. From the outset my aim has been to produce a book which would honour all who served but at the same time be mindful to avoid glorifying the conflict – the Great War surely can be described as one of the most inglorious and brutal episodes in the history of mankind. At a distance of 100 years there is a need to temper the triumphalism that was evident in some of the accounts written after the war and to some extent the narrative extracts from 'Loyal Lewis' that I have selected could be judged as showing excessive glorification.

It has been an emotional roller-coaster trying to gather together the many elements of the story. The high drama of action and victory in battle is quickly followed by the low point of the death of a young man and the anguish and sorrow when the news reaches home.

My thanks to all who have helped me on this journey and encouraged me along the way. It was the willingness of families, relatives and friends to contribute information, and assist in many other ways that made it possible to bring this amazing story together. Truly this book is a reflection of the love, honour and respect that exists for those who served in the Great War.

Gratitude is also extended to those who have been involved in erecting the local war memorials and who continue to look after these fine visible reminders in our communities of the great sacrifices made.

Let us all therefore keep in remembrance those who served on land, and sea, and in the air and who have left us an inheritance free from the tyranny that still exists in many nations of the world.

Despite all the care taken in the preparation, I expect there are a number of errors and omissions for which I am entirely accountable and offer my apologies.

Donald A Morrison, June 2014

Bàgh Sgiogarstaigh Skigersta Bay
[photo Terry Turner]

Thirty-three young men from the little village of Skigersta served in the Great War. From the eighteen villages round the coast to Ballantrushal there were some nine hundred on active service.

BIBLIOGRAPHY

Books

Caimbeul, Aonghas, *A' Suathadh Ri Iomadh Rudha*, Gairm, Glaschu, 1973
Caimbeul, Aonghas, *Bàrdachd a' Bhocsair*, Macdonald, Edinburgh, 1978
Caimbeul, Tormod, *An Naidheachd Bhon Taigh*, Cànan, Inverness, 1994
Campbell, Gordon, *My Mystery Ships*, Hodder & Stoughton, London, 1928
Comunn Gàidhealach Leòdhais, *Eilean Fraoich – Lewis Gaelic Songs*, Acair 1982
Dòmhnallach, Dòmhnall Iain, *Chì mi*, Eadar-theangachadh is deasachadh
   Bill Innes, Birlinn 1998
Grant, William, Editor, *Loyal Lewis, Roll of Honour*, Stornoway Gazette, 1920
Hastings, Max, *Warriors*, Harper Press, London, 2010
Hutchinson, Roger, *The Soap Man*, Birlinn Ltd, Edinburgh, 2003
Lawson, Bill, *Croft History, Isle of Lewis Volume 19*
Macdonald, Donald, *Lewis: A History of the Island*, Gordon Wright, Edinburgh, 1978
Macleod, Ian, *I Will Sing To The End*, Coco's Publications, London, 2005
Macleod, John, *When I Heard The Bell*, Birlinn Ltd, Edinburgh, 2009
Mcleod, William A, *The Boatswain's Manual*, Brown, Son & Ferguson, Glasgow, 1944
Moireach, Murchadh, *Luach Na Saorsa*, Gairm, Glaschu, 1970
Murray, Donald S, *West-coasters*, Cuan Ard Press 2000
Nic a' Ghobhainn, Màiri, *Sheòl Mi 'n-Uiridh*, Clàr, Inverness, 2009
Robson, Michael, *Rona: The Distant Island*, Acair, Stornoway, 1991
Ross, Ishobel, *Little Grey Partridge*, Aberdeen University Press, 1988
Wilkie, Jim, *Metagama*, Birlinn Ltd, Edinburgh, 2001

Publications

Air a' Mhisean, Stornoway Gazette 1998
An Cogadh Mòr, 1914-1918, Acair, 1982
Eilean An Fhraoich Annual, Stornoway Gazette
Cladh Ghabhsainn, Comunn Eachdraidh Nis 2013
Leabhar nan Comharraidhean, Comunn Eachdraidh Nis
Macaulay, Rev. Murdo, *Free Church Ministers in Lewis 1843–1993*, Stornoway Gazette
Macdonald, Alasdair, *Ness Cemetery Record from 1914*, 2011
Mackenzie, Colin Scott, *The Last Warrior Band*
MacPhàrlain, Murchadh, *An Toinneamh Dìomhair*, Stornoway Gazette
NicÌomhair, Màiri A., *Ceòl agus Deòir*, Stornoway Gazette
Roll of Honour1939-1945, Ness to Bernera, Stornoway Gazette
The Stornoway Gazette, Ness News extracts 1917–1923
The Highland News, 1914-23

Websites

www.naval-history.net
www.firstworldwar.com
www.westernfrontassociation.com
www.nationalarchives.gov.uk

An Cogadh

Le Murchadh MacIlleMhoire, Siadar
'Fear Siubhal nan Gleann'

Tha 'n saoghal uile air criothnachadh,
'S air mhisg le fìon nam blàr;
Tha cathair àrd aig Fineachas
Tha 'g ithe suas ar là;
Tha sluagh san Eòrp air cruinneachadh
'S na gunnachan 's iad làn:
A rinn an là seo muladach,
Nach duilich mar a tha.

Tha Gàidheil nam beann àrd againn
Toirt bàrr sa chòmhraig chruaidh;
Bho Chanada tha sàr fhearaibh
San Fhraing sna blàir toirt buaidh;
Tha laoich ann bho Astràilia
'S bho Stàtainn mhòr nan cruach;
An-diugh air tòir an nàmhaid sin,
Thug cìoch nam blàr dha shluagh.

Tha Frangach calma cuideachd ann
'S an Ruiseanach san t-strìth,
Tha 'n Eadailt 's na tha cuideachadh
Ag ullachadh na sìth;
O, latha, greas 's an sguirear dheth,
'S lann Uilleim 'm bi fo chìs,
'S nach cluinnear fiamh air leanaban
Ro rìgh talmhaidh tha gun chridh'.

Gach olc is mort a ghnìomhaich e
Chan iarrainn chur nam dhàn,
Ro mhaslach air son bhriathran iad
Bho theanga gheur nam bàrd;
'S an leabhar cha bhi dìochuimhn'
Air a ghnìomharan 's a thàir;
'S ma gheibh e duais a dhèanadais,
Chan iarrainn crìoch a là.

Tha Sìth a-nis na fògarrach,
'S gun chèol na h-àite tàimh;
Tha trioblaidean is dòrainnean
Is bròn air dhol na h-àit;
Rinn pròis is gaol na glòire sin,
Bhith toirt an còir bho chàch
Le armailtean an òrdugh,
A h-àite còmhnaidh fàs.

Ro-ràdh

Introduction

Thairis air a' cheud bliadhna mu dheireadh thathar air iomadach leabhar a chur an clò mun Chogadh Mhòr. Cha robh e a-riamh cho furasta 's a tha e an-diugh fiosrachadh fhaighinn mun chogadh, gu h-àraid tron eadar-lìon.

Tha cuid de luchd-eachdraidh den bheachd gur e sgrios uabhasach air beatha dhaoine a bh' anns a' chogaidh, ach tha feadhainn eile làn-cinnteach gu feumadh Breatainn a dhol an sàs ann seach gu robh ceartas air an taobh, agus airson saorsa na rìoghachd a dhìon. Gun teagamh, ann an 1914 bha sluagh Bhreatainn a' faireachdainn gu feumadh an rìoghachd a dhol a chogadh an aghaidh na nàmhaid. Anns an Fhaoilleach 1915 bha còrr air millean duine air soidhnigeadh an àirde airson pàirt a ghabhail sa chòmhstri.

Timcheall air 1916, nuair a bha daoine a' cluinntinn mu na h-uabhasan a bha a' gabhail àite air an Aghaidh an Iar agus Mesopotamia, agus naidheachd a' bhròin a' tighinn gu dachaigh an dèidh dachaigh, cha robh daoine idir cho cinnteach mu adhbhar agus moraltachd a' chogaidh.

Thàinig cruaidh-fhortan eagalach air an eilean againn ri linn a' chogaidh. Mus robh e seachad bha còrr air mile neach air an call, agus chuir Call na h-Iolaire aig a' Bhliadhn' Ùir 1919 clach-mhullaich uabhasach air a h-uile càil. B' e seo cuspair bròin bu chianail a thàinig a-riamh air an eilean.

Tha an leabhar seo a' cuir urram air na naoi ceud neach bhon sgìre, eadar Sgiogarstaigh agus Baile an Truiseil, a ghabh pàirt anns a' chogadh. Bhathar fortanach, nuair a thòisich Comunn Eachdraidh Nis ann an 1977, gu robh feadhainn de na laoich fhathast còmhla rinn. Tha na còmhraidhean a chaidh a chlàradh leothasan na phàirt chudromach den leabhar.

Tha Clàr nan Gaisgeach a' toirt fiosrachadh seachad air na naoi ceud duine-uasal a dh'fhàg ar sgìre airson a dhol an sàs ann an cogadh fad às. 'S e cuimhneachan cùbhraidh agus prìseil a th' againn orra gu lèir.

An Taigh-Solais Butt of Lewis Lighthouse
Erected in October1862, the red-brick tower has been a silent witness to many tragedies in the great waters of the Atlantic. HMS *Otway*, an armed merchant cruiser which had once been a luxury ocean liner, was torpedoed and sunk north of the Butt in July 1917.

Over the past one hundred years much has been written about the cocktail of circumstances that led to the Great War, the chaos and confusion of its battles, and – closer to home – that cruel conclusion on the Beasts of Holm. Eminent historians, academics, politicians, commentators and journalists have published volume upon volume, and, in recent times, the internet has produced pages without number about the conflict. An information chain-reaction of nuclear proportions is available to us as we scroll through the global networks of public, academic and government facts and statistics about the Great War, not to mention the fall-out of private speculation and judgement from Google every time we hit the 'search' button.

Some commentators are of the view that the First World War was a futile waste of human life that could not be justified by the cause of freedom and democracy. But many others believe that our nation would have fallen victim to a brutal tyranny if the aggressor had prevailed. The debate continues even one hundred years on but now it seems that just a minority of academic historians support the view that Britain should have remained neutral in 1914.

Whatever the opinions are now, back in 1914 the British people recognised it as a just cause. By January 1915 over one million men from the British Isles had enlisted, most of them signing up as an act of patriotism. In the towns and villages, the highways and hedges, there was an infectious enthusiasm to serve, and little evidence of a laodicean attitude amongst the people. The vast majority of them gladly went to war believing that the cause was right.

By 1916 - confronted with the reality of the horror of the Western Front and Gallipoli, the threat from enemy submarines and zeppelins - people began to question the morality and continued justification for the conflict.

So when early in 1916 conscription was introduced, although many young men still saw it as their duty to serve the king, the gung-ho attitude of 1914 had largely evaporated.

In Lewis, at the start of the Great War, the population was around 29,500. Thousands of islanders responded to the call of King and Country and, by the time it was all over, more than a thousand had perished.

It all began on Sunday 2 August 1914 when the postman delivered call-up instructions to those indentured to the realm through the Royal Naval Reserve and the Militia

– they were bonded through acceptance of the 'King's Shilling' - 'Tastan eàrlais an Rìgh'. Fathers, husbands, sons and brothers left their simple dwellings strung out along the north-west seaboard of Lewis to defend their island nation.

It ended for some with death in the horror of the trenches, or in the hidden depths of the cruel sea; others returned home; some maimed, some crippled, many wounded, and all of them scarred and traumatised. Some survived into old age and their memories were captured in the vernacular style of the seanchaidh by the fledgling Comunn Eachdraidh back in the 1970s.

Some 900 men and several women from the coastal villages between Skigersta and Ballantrushal were on active service during the war years. This book is the story of that generation of our people caught up in a distant war in which mustard gas and machine-guns, zeppelins and submarines, torpedoes and tanks, artillery shells and aeroplanes were the instruments of death in a new and terrible age.

Was there a man dismay'd?
Not tho' the soldier knew
Someone had blunder'd:
Theirs not to make reply,
Theirs not to reason why,
Theirs but to do and die:
Into the valley of Death
Rode the six hundred.

Alfred, Lord Tennyson
'The Charge of the Light Brigade'

Clach an Truiseil The Stone of Sorrow [photo Terry Turner] The tallest monolith in Scotland - a lonely sentinel to the countless generations of villagers that have passed by, including the noble 900 on their way to war. Its name means 'Stone of Sorrow' which is thought to relate to local traditions that it is the grave of a Viking princess or that it marks the site of a battle between the Morrisons of Ness and the MacAulays of Uig.

1

An Àireamh

Am baile, an nèibhidh agus rèisimeid an fhèilidh

The Roll Call

The village, the navy and the kilted regiment

An Àireamh

Le sin, nuair thigeadh na fir-chòmhraig cuairt dhachaigh air fòrladh, cha robh sinn idir gan co-choimeas ri cunnart-bàis, leònadh, lèireadh ana-cothrom, salchair is clàbar-puill an t-saighdear-cath, no ri gàbhadh luaisgeanach agus bagraidhean bàthaidh an t-seòladair. 'S e bha thu faicinn gaisgich, luchd-dìon rìoghachd a' cheartais agus na còrach. Bha thu a' dèanamh dealbh den t-saighdear fo làn armachd, fhuil air ghoil is inntinn air bhoil le colgaiche is dalmachd a' Ghaidheil sa chonnspaid dhian, ri cur crith is fiamh an cridhe a nàmhaid.

Aonghas Caimbeul 'Am Puilean'

And so it was when the men of war returned home on leave we did not see them as those who had come from the grim despair, horror and mud that was the soldier's lot, or from the peril of the tempest that threatened to engulf the sailor. We saw heroes, who were defending the just and righteous nation. We imagined them as armed warriors, whose minds and bodies were full of the passion and boldness of the Highlander, defending us, and bringing fear and trembling to the enemy.

Angus Campbell

An Àireamh
The Roll Call

	Royal/Merchant Navy	RNR	Seaforths	Gordons	Camerons	Ross Mountain Battery	Lovat Scouts/ Scottish Horse	Highland Light Infantry	Argyll & Sutherland Highlanders	Canadians	Other Colonies	Other Units	Total	Lost
Skigersta	4	11	8	1	2	0	0	1	0	4	0	2	33	6
Eorodale	1	11	7	1	1	0	0	0	0	2	0	1	24	9
Adabrock	0	17	5	1	0	0	0	1	0	1	0	3	28	7
Port	6	16	1	2	0	0	0	0	1	2	5	5	38	4
Knockaird	1	15	6	1	1	0	0	0	0	0	0	2	26	7
Fivepenny	2	19	10	1	3	0	0	0	1	2	0	3	41	14
Eoropie	0	23	9	1	4	0	0	0	1	1	0	3	42	8
Lionel	7	33	21	1	0	1	0	1	0	3	3	2	72	18
Habost	1	38	27	3	3	0	1	0	0	8	2	6	89	22
Swainbost	1	34	13	0	4	1	3	0	0	5	2	11	74	15
Cross	1	21	11	0	0	0	1	0	1	6	1	6	48	9
North Dell	0	9	10	0	0	0	0	0	0	8	0	4	31	6
South Dell	3	42	35	2	2	1	0	0	0	3	2	4	94	27
Mid-Borve	0	5	4	3	4	0	0	0	0	0	0	1	17	3
Borve	2	25	14	6	7	0	0	0	0	7	2	6	69	17
Lower Shader	4	42	10	2	8	1	0	0	0	3	1	2	73	17
Upper Shader	0	28	10	1	5	0	0	0	0	7	3	5	59	13
Ballantrushal	5	18	13	1	3	1	0	1	2	2	0	6	52	14
TOTAL	38	407	214	27	47	5	5	4	6	64	21	72	910	216

The Royal Naval Reserve (RNR) was founded in 1859 as a reserve of professional seamen from the Merchant Navy and fishing fleets who could be called upon during times of war to serve in the regular Navy. In 1910, the RNR (Trawler Section) was formed to actively recruit and train fishermen for wartime service in minesweepers and war ships.

On mobilisation in 1914, the RNR consisted of 30,000 officers and men deployed in destroyers, submarines, auxiliary cruisers and Q-ships. Others served in larger units of the battle fleet including a large number lost at the Battle of Jutland. Fishermen of the RNR Trawler section served with distinction on board trawlers fitted out as minesweepers for mine clearance operations throughout the war where they suffered heavy casualties and losses.

Some RNR ratings served ashore alongside the RN and RNVR contingents in the trenches of the Somme and at Gallipoli with the Royal Naval Division. The RNR had an exceptional war record, being awarded 12 Victoria Crosses.

In an article in the '*Old Stornoway*' series in the *Stornoway Gazette* of 28 January 1966, W H Macdonald of Lewis Street recalls that the RNR recruits …

"after undergoing training at the local barracks, which included among other duties, the manipulation of naval guns, use of rifles, small arms, cutlasses (for emergency and boarding parties), physical training and general seamanship, the men were sent for further training to the Naval Depots at Chatham, Portsmouth and Sheerness in the south of England. From these depots they were subsequently posted for deep-sea training to battleships and battle cruisers, with such awe-inspiring and legendary names as H.M.S. Indomitable, Invincible, Implacable, Temeraire, Ramilies, Blenheim, Iron Duke, Lion, Good Hope, Black Prince, Arethusa, Hindustan. Among such 'Ironclads' and 'Dreadnoughts', these men gave yeoman service, especially in the naval battles of the 1914-18 War, including Heligoland, the Dogger Bank and Jutland, where the German navy was defeated on May 31st 1916. Many of them lost their lives in these naval encounters."

Writing of the *Iolaire* he comments:

"Some two hundred gallant Lewismen lost their lives in this unforgettable tragedy, thus bereaving many Island homes of beloved fathers, husbands, sons, and brothers. The irony of this disaster is even more poignant when one realises that these heroic men perished within veritable sight of their homes and many there are who mourn their loss until this day. Indeed, as long as Island history lasts, the events of that terrible New Year's Eve will be remembered, and remembered with tears."

Above: *Balaich an RNR*
Dòmhnall Beag An Torra, 31 Borve and
Tarmod Dh'll Duinn, 5 South Dell

Right: *Balaich Thàboist*
L-R: *Murchadh Beag* (*a sgrìobh 'An Caiora'*), Murdo Morrison, 25 Habost;
Dòmhnall Ruadh Fhionnlaigh Tharmoid Sheonaidh, Donald Macritchie, 34 Habost;
Ailig John 'n Duibh, Alexander John Campbell, 41b Habost
(*Chaidh Dòmhnall agus Ailig John a chall air an Iolaire*)

The Services

1 The Royal Naval Reserve

Over 3000 Lewismen were on active service in the RNR in the Great War. 407 from our villages were in the RNR, with another 38 in the Royal Navy and Merchant Navy.

Donald Maclean, 15 Fivepenny,
killed in action near Ypres, age 17

2 The Seaforth Highlanders

The Regiment raised a total of 17 Battalions during the course of the First World War. On 22 August 1914 the 2nd Battalion was mobilised as part of the British Expeditionary Force, landed in France and engaged in various actions on the Western Front.

All service battalions fought in most theatres of operations, receiving 60 Battle Honours and 7 Victoria Crosses losing 8,830 men during the war.

Around 950 of the Lewismen on active service in the Great War were in the Seaforths – 214 were from the Skigersta to Ballantrushal district.

3 The Colonials

A footnote in Colin Scott Mackenzie's 'The Last Warrior Band' tells that Lewismen from all over the world flocked to enlist. 'Some travelled vast distances through trackless forests and rugged mountains to join up. Some came back to Britain to answer their homeland's call. Others joined Canadian, Australian, New Zealand, South African, Colonial and the US Forces, wherever they happened to be.'

The Lewis Canadians raised 559 volunteers with 64 listed as connected with our own villages and listed in the Roll of Honour. 21 served with other Colonial forces.

4 The Cameron Highlanders

The Regiment raised 13 Battalions and gained 57 Battle Honours and 3 Victoria Crosses, losing 5,930 men during the war.

220 Lewismen were in the Camerons including 47 from our villages.

Dòmhnall Chaluim Ruairidh,
Donald Morrison, 2 Habost, M.M. Canadians

Right: *Tarmod a' Bhocs*, Norman Maciver, 17 Borve, Camerons

Far Right: *Sandaidh Dh'll Bhàin*, Alexander Morrison of the Gordon Highlanders, 37 Habost and Cliff House, Port

Above: a postcard from the front

5 The Gordon Highlanders

The Regiment raised a total of 21 battalions and was awarded 57 battle honours, 4 Victoria Crosses and lost 8,870 men in the Great War.

Over 200 Lewismen served in the Gordons with 27 of them from our own district.

6 The Argyll and Sutherland Highlanders

The Regiment raised a total of 16 Battalions and was awarded 68 Battle Honours, 6 Victoria Crosses and lost 6,900 men during the course of the First World War. Six from the district served, sadly two of them were lost: Murdo Mackenzie, 16 Port [d.16 March 1918] and Alexander Macleay, 10 Ballantrushal [d. 12 October 1917].

John Macleod, 19 Fivepenny; Donald Mackenzie, 2 Port; Donald Macleod, Eoropie and Glasgow; Angus Macleod, 28 Cross; and Donald Macleay 10 Ballantrushal survived.

7 The Ross Mountain Battery

The Lewis contingent of the RMB which answered their country's call in the summer of 1914 numbered around 150 men. They served in Gallipoli, Sinai and Salonika and fought more or less together as a unit throughout the war. There were just four of our own boys in the RMB: Angus Macritchie, 33 Swainbost; John Morrison, 19A South Dell; Donald Morrison, 7 Lower Shader; John Macritchie, 6 Ballantrushal. Donald Mackay of 9 Upper Barvas, who was head teacher at Lionel School for many years, also served as a gunner with the Ross Mountain Battery and was awarded a Gold Medal for valour by the King of Serbia.

'The Last Warrior Band', an exhaustive 3-volume treatise by Colin Scott Mackenzie, pays 'homage to the heroes of the Ross Mountain Battery'.

8 Lovat Scouts

The Lovat Scouts was originally a Highland Mounted regiment raised by Lord Lovat. A memorial to the regiment is in the town square in Beauly.

The regiment was in action at Gallipoli in September 1915 and remained at Gallipoli until the final evacuation with Major Campbell of the Lovat Scouts being the last soldier to leave Suvla bay on 20th December 1915. From Gallipoli the Scouts were to remain in the Mediterranean, fighting in Egypt and Macedonia until June 1918 then onto the Western Front in July 1918.

481 Lovat Scouts lost their lives in WW1.

Above: *Ailig Uilleim Sheòrais*, Alexander Macleay, 10 Ballantrushal, killed in action France serving with the Argylls

Right: *Iain Tharmoid Bhàin* of the RMB, ('Hero'), John Morrison, South Dell

Above Right: Angus Gunn of the Lovat Scouts, 'Inch', 34 Cross

Murdo Macdonald (Murchadh Alasdair Uilleim) of 6a Port who had emigrated to New Zealand in 1912, joined the New Zealand Expeditionary Force as a Private in December 1915 arriving in France in March 1916. He was promoted though the ranks and later commissioned as 2nd Lieutenant in the New Zealand Rifle Brigade.

Murdo was decorated for conspicuous gallantry in the face of enemy and awarded the Military Cross, which is fourth in the order of precedence of WWI gallantry awards. The citation published in the *London Gazette* of 13 September 1918 reads:

'His Majesty the KING has been graciously pleased to approve of the following Awards …
2nd Lieut. Murdo Macdonald N.Z. Rifle Brigade:–
For conspicuous gallantry and devotion to duty. He led a silent raid against an enemy post but was held up by machine gun fire and had to withdraw. He then made a fine personal reconnaissance, reorganised his party, and with great skill and determination again led them forward, rushing the post and capturing prisoners and two machine guns.'

Murdo returned to New Zealand, married around 1920 and had five children.

Murdo Nicolson Macdonald, Military Cross

The Military Cross

Donald, Angus, Calum and Roderick represent the 216 soldiers and sailors from the villages who are 'numbered among those who at the call of King and Country, left all that was dear to them, endured hardness, faced danger, and finally passed out of the sight of men by the path of duty and self-sacrifice, giving up their own lives that others might live in freedom'.

Donald

Donald died of wounds in Mesopotamia on 24 April 1916, age 24 - a Sergeant with the 1st Seaforth Highlanders.

In 1915 he was on the Western Front and was awarded the DCM and Russian Cross of the Order of St George for conspicuous gallantry. In that action on 10 March at Neuve Chapelle he attacked the enemy in their trenches and drove them out.

His grave is in the Amara War Cemetery, Iraq.

He was a son of John and Mary.

Angus and Donald

Angus and Donald were in the Royal Naval Reserve on HMS *Invincible* and were lost at the Battle of Jutland, on 31 May 1916. They are both honoured on the Chatham Naval Memorial.

Angus, age 32, was the husband of Jessie, father of Kenneth and Angus, and son of John and Margaret. Jessie also lost two brothers, Donald and Allan in the Great War, and her young son Angus was just a year old when he died in August 1917. Jessie died in 1921 age 32.

Donald was the husband of Mary, father of Donald, Catherine and Dolina and son of Norman and Catherine. Donald was just 3 years of age, Catherine, 1, and Dolina had not been born, when their father was lost. Their mother, Mary, died in 1929.

Agus tiormaichidh Dia gach deur on sùilean; agus cha bhi bàs ann nas mò, no bròn, no èigheach, agus cha bhi pian ann nas mò; oir chaidh na ciad nithean thairis.
Taisbeanadh Eòin

He will wipe away every tear from their eyes, and death shall be no more, neither shall there be mourning, nor crying, nor pain anymore, for the former things have passed away.
From the Book of Revelation

Calum

Calum went to France with the Seaforths in 1914, where he was Mentioned in Despatches. He subsequently served in Mesopotamia where he was so severely wounded that he was discharged. He re-enlisted in the RNR and destroyed two Zeppelins in the North Sea while Gunner on HMT *Iceland* only to be lost on the *Iolaire* on 1 January 1919, aged 27.

Calum is buried in Barvas (St Mary) Old Churchyard where he is remembered with honour and commemorated in perpetuity on the familiar memorial of the Commonwealth War Graves Commission.

Donald and Roderick

In October 1914 the 2nd Gordon Highlanders defended the cross-roads east of the village of Gheulvelt. It was during this action on 29 October that Donald was killed. He was 21 years old. He has no known grave and is remembered on the Menin Gate Memorial. Donald's brother, Roderick, a private soldier with the Seaforth Highlanders, was killed in action on 20 August 1917. He was also 21 years old and is remembered on the memorial wall at Tyne Cot along with 34,952 other soldiers who have no known grave.

Donald and Roderick were the sons of Duncan and Mary.

Nuair bhiodh òganaich cruinn,
Dhèanta grìosach bhuntàt',
"Siùdaibh, seasaibh," siud chluinnt'
"Ach am faic sinn eil àird'
A' mhailisidh nis oirnn,
'S gu Fort Dheòrs' thèid ma tha –
A mhailisidh an rìgh."

Ghabh mo ghràdh-sa Dimàirt
Do mhailisidh Fort Dheòrs'
Fèileadh-beag 's seacaid bhàn
Air bidh 'n àit' pheitein mhòir,
'S briogais thartain ghlan gheàird
Air an àit' na tè chlò
Am mailisidh an rìgh.

"Cha bhi uat mi ach ràith,"
Thuirt e 'n sgath bhlàth na cruaich;
"Bidh mi còmh' riut, a ghràidh,
Mun tig càch às a' Bhruaich;
'S dòch' gu feuch mi mo làmh
Ann an gàrraidhean Chluaidh
Ma bhios rigears gan dìth."

Sheòl i, Sìle nan stuagh,
'S mòran sluaigh innt' air bòrd,
Cuid gu iasgach na Bruaich
'S tuath gu Sealtainn nan òb;
'S cuid a' falbh, mar mo luaidh,
A' chiad uair gu Fort Dheòrs'
A mhailisidh an rìgh.

Fhuair mi dhealbh an cèis dhùint'
'S chroch sa chùlaist le uaill,
Agus litir ag inns,
"Tha gach nì dhomh cho nuadh.
Moch gar dùsgadh bidh phìob
Nuair as fìor throm ar suain
Am mailisidh an rìgh."

"On tha 'n cosnadh car gann,"
Thuirt e rium, "dhomh as fheàrr
Ghallaibh dhol nuair bhios m' àm
Anns a' champa seo 'n àird,
Agus gabhail aig na Goill
Na mo chuibhlear am bàt' –
Seadh, ma ghabhas iad mi."

Naoi Ceud Deug 's Ceithir Deug,
Tighinn fo dhias nuair bha 'n t eòrn',
Caismeachd airm chualas cian:
Geilt is fiamh chuir e oirnn.
Teachd tha stoirm, dhubh e ghrian,
Mar bheul-oidhch' rinn tràth-nòin
'S e ri fògradh ar sìth.

Bhris an stoirm 's an tuil dhòirt
'S air an Eòrpa rinn tigh'nn;
Tuil fhuil dhearg nam fear òg –
Seadh, fir òg nan ciabh mìn;
Thraogh is thràigh chun an fheòir
Fuil an cuislean 's an crìdh',
Dh'fhuaraich, reoth 's chaill a clì.

Cuig' a riamh ghabh mo ghràdh
Tastan eàrlais an rìgh?
'S gann gun bhris fo làn-bhlàth
'S bha sa bhlàr na thosd sìnt':
Air a' bhuaidh 's daor a phàigh
Le fuil bhlàth dhearg a chrìdh' –
'S daor thu, bhuaidh, daor do phrìs.

Thuit blàth-bhraon air an raon
'S nigh aog-aodann nan òg;
Shèid a' chaomh-osag chaoin
Orr' is thiormaich is phòg,
'S i ri osnaich os cionn
Oigfhir ghrinn an fhuilt òir –
O mhailisidh mo chrìdh'!

Colla, Fionnlagh is Dòmh'll,
Ruairidh òg is Iain Bàn,
Aonghas, Ùisdean 's Niall Mòr –
Chòrr cha shloinn mi am dhàn
'N-dè nam balachain san dròbh,
'N-diugh gun deò anns an àr –
O mhailisidh mo chrìdh'!

Tha chruach mhònach na luath,
Theich am fuachd, thill am blàths;
Thill luchd-cutaidh na Bruaich;
'S fhada, buan leam tha 'n ràith
Gheall mo ghràdh bhiodh e bhuam
Aig a' chruaich 'n oidhch' a dh'fhàg –
O mhailisidh mo chrìdh'!

Chaidh na geòidh tarsainn tuath,
Thug na geòidh mach an àil,
Thill gu deas mar as dual,
Àrd len àil air an sàil;
Ach cha phill e, mo luaidh,
Ach nam bhruadar a mhàin –
O mhailisidh mo chrìdh'!

Bho: *Naoi Ceud Deug 's Ceithir Deug*
Le: Murchadh MacPhàrlain
(*Bàrd Mhealaboist an Rubha*)

2

Clàr-ama a' Chogaidh Mhòir

Chronology of the Great War

1914 to 1920

Cuig' a riamh ghabh mo ghràdh. Tastan eàrlais an rìgh?

ANGUS MURRAY
Aonghas Dh'll Mhurchaidh Ruaidh
8 Swainbost
Died of wounds, aged 18

JAMES MACRITCHIE
Seumas Mhurchaidh Mhòir
5 Swainbost
Killed in action, aged 18

Tha an clàr-ama seo, de nithean cudromach a thachair tro bhliadhnaichean a' chogaidh 1914-18, air a tharraing bho ghrunn chlàran-sgrìobhte eachdraidheil.

Tha e ri toirt a-steach thachartasan a tha a' buntainn ris an fheadhainn às na bailtean againn fhìn a bha an sàs sa chogadh, còmhla ri suidhichidhean sònraichte a tha a' toirt aithris gur e cogadh cruinneil a bh' ann. Cuideachd, tha co-dhùnaidhean agus atharrachaidhean cudromach a thachair ann an saoghal poilitigs agus armailteach air an gabhail a-steach dhan chlàr-ama.

Tha ainmean agus geàrr-chunntas air na daoine caomh againn fhìn a fhuair bàs anns a' chogadh an seo. Chì sibh ainmean nam fear òg a thuit le chèile sa bhlàr, no a chaidh a-mach à sealladh dhaoine bhon aon soitheach.

Tha tuilleadh fiosrachaidh air iomall nan duilleag mu dheidhinn thachartasan agus nithean sònraichte a ghabh àite. Chaidh cuid dhen fhiosrachadh sin a tharraing bho làraich-lìn neo-oifigeil ach chaidh a dhearbhadh cho math 's a b' urrainn dhuinn.

This chronological record of landmark events of the war years 1914-20 has been compiled from a number of historical sources.

It includes events relevant to those who were on active service from our own villages, along with key incidents which illustrate the global nature of the conflict. Also included are some important political and military decisions and strategic changes made as the war progressed.

The names and brief details of our own war dead are set into the time-line. Here you can see the names of young men who fell together in battle or were lost from the same ship.

More details of some of the incidents and events are included in the margins. In some cases the research has been drawn from unofficial websites but has been checked as far as possible with verified records.

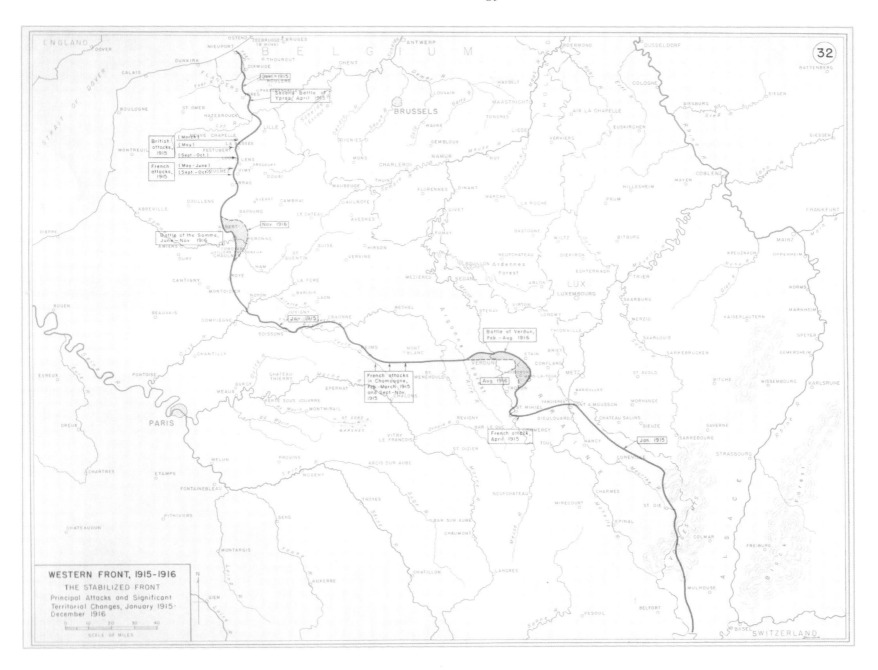

Toiseach a' Chogaidh

Anns a' bhliadhna naoi ceud deug is ceithir deug bha luaisgean ann
Bha ghaoth ro threun a chaidh a shèideadh leis a' Cheusar uabhasach
Bha prìomh na cùis a-staigh na rùn is dhùisg siud fo làn armachd e
'S e rìoghachd Bhreatainn chur fo chìs bu mhiann le mac a' Ghearmailtich.

Nuair fhuair an Ceusar fo làn airm bha 'n armailt an làn òrdugh aig'
Daoine 's eich nan àite fèin is nèibhidh sa Chuan Mhòr aige
Bha e an dùil mun ruitheadh mìos gu strìochadh an Roinn Eòrpa dha
'S gum biodh e fhèin na rìgh ro-threun tre eucoir is neo-thròcaireachd.

Ach bhon is ainmhidh thu gun chliù bu bhiastail thu ri tòiseachadh
Ri tighinn tro Bhelgium, bha thu siùbhlach, mharbhadh aois is òige leat
Bha do thart cho fad' an iar is gnè do mhiann cho fòirneartach
Gun stamp thu air talamh na Fraing, ach stadadh null bho Dover thu.

Ghabh a' bhiast a' cheum an iar 's bu chianail air ceann armachd thu
Le lègionan gun tùr, gun chiall, bu lìonmhor iad 's bu mharbhtach iad.
Ach mun till sibh thìr ur dùthch' bi fuil na brùid air falbh asaibh
'S cha mhòr nach cunntadh fear gun tùr na ruigeas ùir na Gearmailt dhiubh.

Tha Iain French na ghaisgeach treun le rèisimeidean Albannach
Sasannach is clann na h-Èirinn 's iad gu lèir nan arm aige
Daoine nach teicheadh san chòmhraig ro sgaoth bhreòit a' Ghearmailtich
'S nuair chaidh na Breatannaich an sàs chuir iad am blàr gun chearbaich e.

Rainn bho Toiseach a' Chogaidh le Iain Mac a' Ghobhainn
(Iain Chaluim Ruaidh - Bràthair Doisean - Cros)

Seaforth Highlanders
L-R Norman Campbell 41a Habost *Tarmod Ruairidh Òig* - died November 1922 age 25
Allan Macdonald 18 Habost *Ailean Iain* - killed in action at the Somme 1 July 1916 age 19
Kenneth Morrison 25 Habost *Coinneach Beag* – killed in action Mesopotamia 4 August 1918 age 21

Clàr-ama a' Chogaidh Mhòir
1914

*Chronology of the Great War
1914*

- Fad samhraidh 1914 tha neòil dhorcha a' chogaidh a' cuairteachadh rìoghachdan na h-Eòrpa

- Tràth san Lùnastal tha na feachdan air an dèanamh deiseil agus Breatainn a' gairm cogadh an aghaidh na Gearmailt

- San t-Sultain tha a' chiad mharaichean bhon sgìre air an call agus san Dàmhair tha naidheachdan bàis a' tighinn às an Fhraing

- Deireadh na bliadhna - tha na feachdan nan stad air an Aghaidh an Iar agus cogadh sna trainnsichean a-nis stèidhichte

- *Throughout the summer of 1914 war clouds gather over Europe*

- *In early August the reserves are mobilised and Britain declares war on Germany*

- *First local losses at sea in September, and in France in October*

- *Stalemate on the Western Front - trench warfare dominates the end of the year*

Balaich Dhail:
Dòdubh, Araid agus Alasdair Aonghais Shiadair

Donald Murray 6 South Dell served in 2nd Seaforths and later in the RNR, also served in RNR for part of WWII.
Alexander Murray 5 South Dell served in the RNR on Armed Merchant Ships.
Alexander Macdonald 26 South Dell 1st Seaforth Highlanders, killed in action in France 20 December 1914 age 24.

Mobilisation of the RNR and Militia

The following report from the *Highland News* describes the scene on 2 August 1914 as reservists were called up.

The Highland News, Saturday 8 August, 1914

Last Sunday [2 August 1914] will be a memorable one in Lewis. During the night the Mercantile Marine authorities at Stornoway received instruction to mobilise the Royal Naval Reserve. On Sunday afternoon motor cars were dispatched to all parts of the island with notices summoning the men to report themselves at Stornoway, but earlier in the day the news had become generally known through intimations made from the pulpits of the various churches, all the ministers having been officially wired to, asking them to announce the mobilisation. The proclamation affected not only every hamlet in Lewis but practically every family in the island.

How often have successive Governments been reminded in memorials from the crofters and fishermen of Lewis, as a claim to have their grievances remedied, that the "entire manhood of the island was trained to arms?" in this statement there was no exaggeration, for out of a rural population of 26,000, some 2000 men are connected with the Royal Naval Reserve, while about 1200 are enlisted in the Seaforth, Cameron and Gordon Militias, besides which the island contributes its fair quota to the regular Army and Navy.

The commotion occasioned in the homes of Lewis by this unprecedented breach in the customary Sabbath calm may be imagined. The men themselves made a commendably prompt response, practically every available man having found his way to Stornoway by Monday evening.

June 28	Archduke Franz Ferdinand, heir to the throne of the Austro-Hungarian Empire, and his wife Sophie, Duchess of Hohenberg, are assassinated in Sarajevo, Bosnia.
July 5	Austria-Hungary seeks German support for a war against Serbia. Germany gives assurances of support.
July 23	Austria-Hungary sends an ultimatum to Serbia.
July 28	Austria-Hungary declares war on Serbia.
July 30	The Tsar signs order at 4pm for mobilisation of Russian army. British Government rejects German proposals for British neutrality. Australian Government place Australian Navy at disposal of British Admiralty.
August 1	Germany declares war on Russia. Italy declares its neutrality. **British Government orders Naval Mobilisation.** Hostilities commence on Polish frontier. French Government orders General Mobilisation.
August 2	Germany invades Luxembourg. Skirmish at Joncherey first military action on the Western Front. **General mobilisation in Great Britain and Ireland.** **During the night the Mercantile Marine authorities at Stornoway receive instruction to mobilise the Royal Naval Reserve.**
August 3	Belgium does not allow German arms through to the French border. **Germany declares war on France.** British Government guarantees armed support to Belgium should Germany violate Belgian neutrality.
August 4	Germany invades Belgium to outflank the French army **Britain declares war on Germany.** British Grand Fleet constituted under Admiral Sir John Jellicoe
August 5	Montenegro declares war on Austria-Hungary. **The Ottoman Empire closes the Dardanelles.**
August 6	Austria-Hungary declares war on Russia. Serbia declares war on Germany. **Royal Navy cruiser HMS *Amphion* is sunk by German mines in the North Sea, causing the death of 150 men and the first British casualties of war.**
August 7	The British Expeditionary Force arrives in France.

August 7–September 13	Battle of the Frontiers. The Germans defeat the British Expeditionar Force and France's Fifth Army.
August 9	Montenegro declares war on Germany. HMS *Birmingham* sinks German submarine in the North Sea. (First submarine destroyed.)
August 11	France declares war on Austria-Hungary.
August 12	**Britain declares war on Austria-Hungary.**
August 17	The Russian army enters East Prussia.
August 20	The Germans attack the Russians in East Prussia. The Germans occupy Brussels.
August 22	France loses 27,000 men killed in one day of the Battle of the Frontiers. Austria-Hungary declares war on Belgium.
August 23	**British Expeditionary Force fights first action at Mons.** Japan declares war on Germany.
August 23–30	Battle of Tannenberg: the Russian army heavily defeated by the Germans.
August 24	British Army retreats from Mons.
August 25	Japan declares war on Austria-Hungary.
August 26	British and French forces conquer Togoland a German protectorate in West Africa.
August 26–27	**The Battle of Le Cateau. BEF suffers 7,812 casualties and is forced to retreat.**
August 27	British Marines landed at Ostend, accompanied by R.N.A.S. unit
August 27–November 7	Battle of Tsingtao: British and Japanese forces capture the German-controlled port of Tsingtao in China.
August 28	**The Royal Navy wins the First Battle of Heligoland Bight.**
August 30	New Zealand occupies German Samoa (later Western Samoa). First German aeroplane raid on Paris.
September 5	HMS *Pathfinder* sunk by submarine in the North Sea (first British warship so destroyed).

"And they left their nets"

On Sunday the Customs officers and police visited the fishing boats lying at Stornoway and instructed all Naval Reservists, no matter where they hailed from, to report themselves at the Mercantile Marine Office, and about fifty men from the boats were thus sent away by the mail steamer that night, en route for Chatham. Many of the fishermen had to go leaving their nets on the fields where they had spread them on Saturday, while a number of the East Coast boats have to lay up here on account of their crews being depleted. As for the local fleet, with the exception of time-expired Reservists, hardly a fisherman is left.

On Monday 430 men were sent on to Chatham where they will meet with hundreds more of Lewismen who were called up at Fraserburgh, Peterhead and other fishing ports, as well as Rosyth, etc. The men who were conveyed across the Minch by the steamers *Claymore* and *Sheila*, had an enthusiastic send-off. The cheers of the large crowds which gathered at the steamers' quay were joined by the sirens of the steam drifters and other shipping which kept up a deafening din till the steamers had rounded the beacon.

The mobilisation of the Militias and Territorials, after the Naval Reservists, has practically denuded Lewis of its able-bodied male population. It is safe to say that no other district in the British Isles has contributed its manhood in such proportion as Lewis.

The Internees in Holland

In early October 1914 the First Lord of the Admiralty, Winston Churchill ordered that a force be formed from reservists of the First and Second Naval Brigades to defend the strategic port of Antwerp, Belgium under siege by the Germans. He combined these inexperienced and poorly equipped naval reinforcements with the three British infantry brigades already in the field to form the new 10,000 strong Royal Naval Division. Their deployment delayed the collapse of Antwerp but the city surrendered to the Germans on 10 October 1914.

The Royal Naval Division retreated and most returned to the UK on 11 October. However around 1,500 of the men, including over one hundred from Lewis, found their escape route cut off and they entered Holland, a neutral country. Commodore Wilfred Henderson took the wrong road and crossed the frontier with three of his battalions into Holland where they were all interned in a camp at Groningen. There is speculation in some accounts of the incident that the men entered Dutch territory - where they had to lay down their arms in accordance with the laws of neutrality - due to the treachery of a guide engaged to advise on the route for the night march from Antwerp.

The internees remained in the camp for the duration of the war but some were allowed to return to Britain for short periods of two to four weeks but had to go back to the Groningen Camp. Internment in Holland was still not freedom but was certainly better than being a POW in a German camp.

They were men equal to the thousands who perished on the Western Front but Providence decreed that they would be spared the appalling horror of the trenches.

September 7–14	First Battle of the Masurian Lakes: The Russian Army withdraws from East Prussia with heavy casualties.
September 11	Australian forces occupy German New Guinea.
September 13	Troops from South Africa begin invading German South-West Africa.
September 13–28	The First Battle of the Aisne ends. The Race to the Sea begins.
September 14	The sea battle of Trinidade in the South Atlantic between RMS *Carmania* and the German cruiser *Cap Trafalgar*. The enemy cruiser was sunk and the *Carmania* was severely damaged with a loss of nine sailors and a number wounded including Donald Macleay, 7 Upper Shader who lost his right arm and right leg. Also involved in the action were, Angus Mackenzie, Eoropie; Dolaidh Macleay (brother of Donald), Allan Macleod and John Martin, Upper Shader; Angus Young, Kenneth Macdonald and Donald Morrison, Ballantrushal.
September 17	Donald Macleod RNR, 7 Lionel, age 23, and John Macritchie RNR, 42 Swainbost, age 22, lost when HMS *Fisguard II* sank in storm off Portland Bill. Malcolm Macleod, 28 Swainbost and Alexander Morrison, 19 South Dell survived. Alexander was later lost when SS *Bulgarian* was sunk on 20 January 1917.
September 28	The siege of Antwerp by the Germans
October 9	Antwerp falls
October 11	1,500 men of the First Royal Naval Brigade, including over one hundred from Lewis, on retreat after the fall of Antwerp, are interned in Holland, where they would remain for the duration of the war.
October 10-November 2	Battle of La Bassee.
October 12	Flanders campaign begins.
October 16–31	The British Indian Expeditionary Force sails from Bombay to the Persian Gulf in preparation for the defence of Mesopotamia. French and Belgian forces secure the coastline of Belgium.
October 19–November 22	The First Battle of Ypres ends the Race to the Sea. The Germans are prevented from reaching Calais and Dunkirk.
October 19	William Graham, 2nd Gordon Highlanders, 29 Borve, killed in action in France, age 23. First loss of the land war [Skigersta–Ballantrushal].

October 20	**John Morrison RNR, 4 Adabrock, died Chatham Hospital, age 41.**
October 20	First merchant vessel sunk by German submarine (British SS *Glitra*).
October 21	**Angus Finlayson, 18 Skigersta, killed in action in France, age 19.**
October 22	**Donald Macdonald, 13 Habost, killed in action in France, age 38.**
October 23	**John Morrison, 12 Port of Ness, killed in action at La Bassee, age 22.**
October 26	**Alan Thomson, 15 Swainbost, died Chatham Hospital, age 45.**
October 27	HMS *Audacious* sunk by mine off Donegal.
October 29	Ottoman Empire enters the war on the side of the Central Powers. **Trench warfare begins to dominate the Western Front.**
October 29	**Donald Graham, 30 Borve, killed in action in France, age 21.**
October 30	British hospital ship Rohilla wrecked off Whitby
October 31	**Donald Macleod, 30 Cross, age 39, lost when HMS *Hermes* was sunk by a submarine.**
October 31	**Angus Macleod, 2 Eoropie, killed in action in France, age 25.**
November 1	Russia declares war on the Ottoman Empire. Naval action in the Pacific, off Coronel, Chile. HMS *Good Hope* and *Monmouth* sunk by Admiral von Spee's Squadron
November 2	Britain begins the naval blockade of Germany.
November 3	Montenegro declares war on the Ottoman Empire. First German naval raid on British coast near Gorleston and Yarmouth. Grand Fleet ordered back to Scapa Flow.
November 5	**Britain and France formally declare war on the Ottoman Empire.** Britain annexes Cyprus.
November 9	Battle of Cocos northeast Indian Ocean. The Australian cruiser Sydney destroys the German cruiser Emden. In a little over two months the Emden had captured twenty-three vessels including the British merchantmen SS *Clan Matheson* and SS *Clan Grant*.

A number from our villages were amongst the Lewis internees:

Donald Campbell 33 Lionel
John Campbell 18a Lionel
Finlay Macleod 7 Lionel
John Macritchie 38 Swainbost
Roderick Martin 18 Upper Shader
John Maciver 20 Ballantrushal
Angus Maclean 5 Ballantrushal
John Macleay 38 Lower Shader [John died in Groningen 26 August 1915, age 31]

Also in the group was John Morrison of Leurbost who would subsequently become the Free Church minister at Cross.

Finlay Macleod (*Nàbha*), 7 Lionel

Rev Duncan MacDougall, who was the minister at Cross Free Church from 1909-1918, at the request of the Chaplaincy Board was sent by the Lewis Presbytery to Holland as minister to the Gaelic speaking men interned there. Mr MacDougall - the first chaplain to be sent - arrived in Holland in May 1915. Finding a number of men in the camp who wished to improve their time by studying for the ministry, he started classes in Latin, Greek and Hebrew. Also, for the benefit of fishermen who wished to qualify for skippers' certificates, he started a class in navigation.

Mr MacDougall had no sooner returned home at the end of his three-month stint, than an urgent request from Commodore Henderson came through the Admiralty, to have him sent back and left in the camp as long as possible. The Free Church Presbytery of Lewis, under pressure from the Chaplaincy Board, acceded to the request and Mr MacDougall went back to Holland in November 1915. When, more than a year later, the Presbytery terminated his leave of absence and ordered him back home, the Chaplaincy Board again at the urgent request of Commodore Henderson, sent two of their members all the way to Stornoway to plead with the Presbytery for a further extension; but this time without success. Mr MacDougall returned to Ness in January 1917, when the three month rotation of ministers to Holland began to take effect.

In 1918 he left Ness and became minister in Fort Augustus and moved to Vancouver in 1921. He returned to Scotland, to Dunoon, in 1938. He died in 1954.

November 11	Ottoman Empire declares a Holy War on the Allies. HMS *Niger* sunk by German submarine off Deal.
November 11-23	**Battle of Basra. The British enter Basra, securing oil supplies in the Middle East for the Royal Navy.**
November 15	**Charles Macleod, 11 Ballantrushal, killed in action in France, age 21.**
November 26	**HMS *Bulwark* destroyed by internal explosion in Sheerness harbour. Over 700 killed including Murdo Macritchie 37 Swainbost, age 37.**
December 1	First units of Australian and New Zealand Expeditionary Forces arrive at Suez.
December 8	Battle of the Falklands. Admiral von Spee's squadron destroyed. *Scharnhorst, Gneisenau, Leipzig* and *Nürnberg* sunk. Admiral von Spee killed. *Dresden* escapes.
December 10	Hill 60 captured by the Germans.
December 15	German airship sighted off East Coast of England (first appearance of hostile aircraft in vicinity of British Isles).
December 16	The German First High Sea fleet bombards Hartlepool, Whitby and Scarborough, killing 137 civilians.
December 18-22	Battle of Givenchy.
December 20	**John Macleod, 9 Fivepenny Ness, killed in action in France, age 19. William Mackay, 17 Fivepenny Ness, killed in action in France age 19. Alexander Macdonald, 26 South Dell, killed in action in France, age 24.**
December 21	First German air raid on England. Aeroplane drops bombs in sea near Dover.
December 22	**John Macaskill, 23 Lower Shader, killed in action in France, age 23. Norman Smith, 29 Lower Shader, killed in action at La Bassee, age 21. Angus Macleay, 23 Upper Shader, killed in action, age 17. Murdo Macdonald, 7 Ballantrushal, killed in action at La Bassee, age 18.**
December 24 - 25	In some sectors of the Western Front an unofficial Christmas truce is observed between German and British forces.

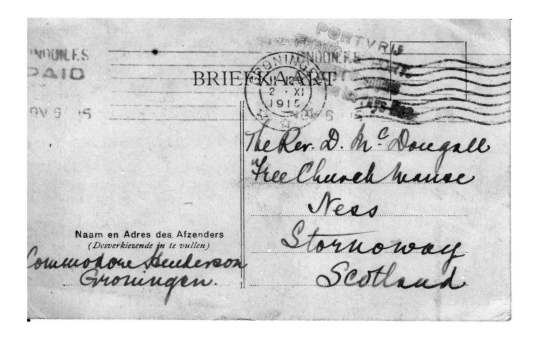

Ness news column
Stornoway Gazette, 9 Feb 1917

No Place Like Home

We are pleased to see Donald Campbell, John Campbell, and Finlay Macleod, all of Lionel, and John MacRitchie, Swainbost, home on leave from Holland, where they have been interned since the fall of Antwerp, Their enforced stay in Holland is not to their liking, and they are longing for an opportunity of taking a more active part in the defence of their country. It is to be hoped that the change of diet from black bread and horseflesh to the wholesome home fare will do them much good, and strengthen them to withstand the heavy strain of captivity in a foreign land.

HMS Hermes

On 30 October 1914, the aircraft carrier HMS *Hermes* of 5,600 tons arrived at Dunkirk with seaplanes. The next morning, *Hermes* set out on the return journey but was recalled because a German submarine was reported in the area. Before the order could be obeyed, *Hermes* was torpedoed, or possibly mined, off Ruylingen Bank in the Straits of Dover, and she sank with the loss of 22 of her crew, including Donald Macleod 30 Cross, husband of Màiri Iain Bhàin.

Alexander Morrison 4 Cross survived the sinking of *Hermes* and later the *Iolaire*. Angus Macdonald, 5 Port; Donald Macdonald, 20 Cross; John Morrison 1 South Dell, and John Morrison, 4 West Adabrock (127 Cross Skigersta) were also *Hermes* survivors.

Postcard dated 2 November 1915 from Commodore Henderson in Groningen to Rev Duncan McDougall welcoming the news Rev Duncan is to return to Groningen

Menin Gate Inscription
'Here are the names of officers and
men who fell in the Ypres Salient but
to whom the fortune of war denied the
known and honoured burial given to
their comrades in death'

Gordon Highlanders in action
29 October

In the area around the village of Gheulvelt the BEF halted the German advance. The 2nd Gordon Highlanders defended the crossroads east of the village.

It was during this action on that Private Donald Graham, 2nd Gordon Highlanders, 20th Brigade, 7th Division was killed. He was 21 years old. He has no known grave and is remembered on The Menin Gate Memorial, Panel 38.

The First Battle of the Marne

On September 5 the First Battle of the Marne begins and within a week there are 13,000 British, 250,000 French and 250,000 German casualties. The German advance on Paris is halted. The battle effectively ended the month long German offensive that opened the war and had reached the outskirts of Paris. The counterattack of six French field armies and one British army along the Marne River forced the German Imperial Army to abandon its push on Paris and retreat northeast, setting the stage for four years of trench warfare on the Western Front. The battle of the Marne was an immense strategic victory for the Allies, wrecking Germany's bid for a swift victory over France and forcing it into a protracted two-front war.

HMS Fisguard

On 17 September 1914, HMS *Fisguard II* sank during a storm off Portland Bill with the loss of 21 of her crew of 64. She was being towed from Portsmouth to Scapa Flow where she was to act as a receiving ship for seamen newly mobilised for the war. The first local losses of the war - on September 17, 1914 - were two RNR ratings on the *Fisguard*, Donald Macleod from 7 Lionel and John Macritchie, 42 Swainbost, who like many others, have no grave but the sea.

Battle of La Bassée

German and Franco-British forces fought in northern France in October 1914, during what was sometimes known as the Race to the Sea. The Germans captured Lille before a British force could secure the town. The British were driven back and the German Army occupied La Bassée and Neuve Chapelle. Around 15 October, the British recaptured Givenchy. However, they failed to reach La Bassée. Meanwhile, the German troops received reinforcements, and retook the initiative. Thanks to the arrival of the Lahore Division of the Indian Corps, the British held off the further German attacks until early November, when both sides focused their interest on the battle of Ypres, so that the battle around La Bassée died out and the line stabilised.

HMS Bulwark

HMS *Bulwark* was conducting patrols in the English Channel at the start of the war. On 26 November 1914, while anchored near Sheerness, she was destroyed by a large internal explosion with the loss of 736 men including Murdo Macritchie (Murchadh Mh'dh Aonghais Mhòir), 37 Swainbost. There were just 14 survivors – two of them died later in hospital. The explosion was probably due to overheating of cordite charges that had been placed adjacent to a boiler room bulkhead.

In terms of loss of life, the explosion on the *Bulwark* remains the second most catastrophic in British naval history, exceeded only by the explosion of the dreadnought battleship *Vanguard*, at Scapa Flow in 1917.

Battle of the Falkland Islands

The Battle of the Falkland Islands was a decisive British naval victory over the German Navy on 8 December 1914 in the South Atlantic. The British, after a defeat at the Battle of Coronel on 1 November, sent a large force to track down and destroy the victorious German cruiser squadron.

Admiral Graf Maximilian von Spee - commanding the German squadron of two armoured cruisers, SMS *Scharnhorst* and *Gneisenau*, the light cruisers SMS *Nürnberg*, *Dresden* and *Leipzig*, and three auxiliaries - attempted to raid the British supply base at Stanley in the Falkland Islands. A larger British squadron - consisting of the battle-cruisers HMS *Invincible* and *Inflexible*, the armoured cruisers HMS *Carnarvon*, *Cornwall* and *Kent*, and the light cruisers HMS *Bristol* and *Glasgow* - had arrived in the port only the day before.

There was excellent visibility, the sea was calm with a gentle breeze from the northwest, a bright, sunny, clear day. The advance cruisers of the German squadron had been detected early on. By nine o'clock that morning the British battle-cruisers and cruisers were in hot pursuit of the five German vessels, these having taken flight in line abreast to the southeast. All except *Dresden* and the auxiliary *Seydlitz* were hunted down and sunk.

The following year, on 15 March, the *Dresden* was sunk by British warships in Chilean waters.

Clàr-ama a' Chogaidh Mhòir
1915

*Chronology of the Great War
1915*

- Tha na Gearmailtich a' cleachdadh deatach mharbhtach anns a' chogadh air tìr

- Aig muir, tha bataichean-aigeil an nàmhaid a' sireadh agus a' toirt ionnsaigh air bàtaichean marsanta

- Anns an adhar, thathar a' toirt ionnsaigh le bomaichean air sìobhaltaich, a' toirt meudachd eagalach air a' chòmhstri

- Iomairt nan Dardanelles agus Gallipoli a' fàilligeadh gu tur

- *The Germans introduce poison gas in the land war*

- *At sea, the enemy's deadly submarine campaign against merchant shipping starts*

- *In the air, the bombardment of the civilian population brings a new and frightening dimension to the conflict.*

- *The Dardanelles and Gallipoli campaign ends in failure*

Murdo Smith, 22 Fivepenny Ness, with his war horse. Murdo was killed in action on the first day of the Battle of Loos, 25 September 1915.

25 April 1915

CWGC memorials for John Smith, 19 Habost and Murdo Morrison, 31 Cross, both killed in action, age 19. Donald Mackenzie, 3 Knockaird and Dugald Mackenzie 36 Eoropie were also killed in action that day.

January 1	HMS *Formidable* sunk by German submarine in English Channel.
January 2	The Russian offensive in the Carpathians begins. It will continue until April 12.
January 12	**Murdo Smith, 24 Upper Shader, killed in action in France, age 19.**
January 19	**First Zeppelin raid on Great Britain.**
January 24	Battle of Dogger Bank between squadrons of the British Grand Fleet and the German Hochseeflotte.
January 31	Battle of Bolimov in Poland on the Eastern Front. First German use of chemical weapons.
February 3	**Donald Murray RNR, 33 South Dell, age 37 and Donald Morrison RNR, 41 Borve age 46, lost in the sinking of HMS *Clan MacNaughton* off the north west of Ireland.**
February 4	**Germany begins submarine warfare against merchant vessels.**
February 9	1st Canadian Division crosses from England to France
February 19	**British and French naval attack on the Dardanelles. The Gallipoli Campaign begins.**
February 21	**Donald Macleod, 20 Fivepenny Ness, killed in action at Givenchy, France, age 34.**
March 6	**John Murray, 27 South Dell, died of wounds in France, age 21.**
March 10–March 13	Battle of Neuve Chapelle. After an initial success, a British offensive is halted.
March 14	German cruiser *Dresden* sunk by British warships in Chilean waters off Juan Fernandez
March 15	First merchant ship (SS *Blonde*) attacked by aircraft.
March 18	British and French naval attack on the Ottoman Empire at the Dardenelles. Three Allied battleships lost and two severely damaged.
March 28	The first passenger ship, British SS *Falaba*, sunk by a German submarine.
April 22	**Donald Macdonald, 33b Habost, killed in action in France, age 34.**
April 22–May 25	The Second Battle of Ypres. **Germany first uses poison gas.**

April 24	John Morrison, 12 North Dell, killed in action at Hill 60, age 30.
April 25	Donald Mackenzie, 2nd Seaforth Highlanders, 3 Knockaird killed in action at Hill 60 in France, age 23. Dugald Mackenzie, 2nd Seaforth Highlanders, 36 Eoropie, killed in action in France, age 21. John Smith, 19 Habost, Seaforth Highlanders, killed in action in France, age 19. Murdo Morrison, 2nd Seaforth Highlanders, 31 Cross, killed in action, age 19. Allied forces land on Gallipoli, at Anzac Cove and Cape Helles.
April 26	Donald Maclean, 15 Fivepenny Ness, killed in action, age 17.
May 2	John Murray, 12 South Dell, died of wounds in France, age 22.
May 3	Troops withdraw from Anzac Cove on the Gallipoli peninsula.
May 5	Donald Macdonald, 16B Knockaird, died of gas poisoning, age 23.
May 7	The British liner *Lusitania* is sunk by a German submarine off Ireland. 1200 lost.
May 9-June 18	Second Battle of Artois in Northern France.
May 9	Murdo Mackay, 17 Skigersta, killed in action in France, age 19. John Gunn, 5 Knockaird, killed in action in France, age 21. Alex Smith, 22 Fivepenny Ness, killed in action in France, age 22. Donald Smith, 14 Habost, killed in action in France, age 20. Angus Campbell, 16 Habost, killed in action in France, age 20. John Macdonald, 16 North Dell, killed by gas poisoning, age 22. Donald Morrison, 4 South Dell, died of gas poisoning in Flanders, age 20. Murdo Murray, 5 South Dell, killed in action in Flanders, age 31. Donald Graham, 18 South Dell, killed in action in France, age 20.
May 11	Armistice called at Gallipoli to bury the dead.
May 11	Donald Macdonald, 12 Habost, died of wounds in France, age 22.
May 12	Windhoek, capital of German South-West Africa, is occupied by South African troops.
May 17	Murdo Morrison, 10 Borve, died of wounds, age 23.
May 18	Roderick Macleay, 14 Ballantrushal, killed in action in France, age 20.
May 21	Angus Murray, 8 Swainbost, died of wounds in Boulogne, age 18.

3/7220 PRIVATE
M. MORRISON
SEAFORTH HIGHLANDERS
25TH APRIL 1915 AGE 20

9 May 1915

Nine local lads were killed: the highest number in any single day of the war.

HMS Clan Macnaughton

HMS *Clan Macnaughton* was a converted 4,985 ton cargo passenger ship built in 1911 for the Clan Line Steamers, Glasgow. The vessel was hired by the Admiralty in November 1914 and fitted with eight 4.7" guns. She operated as part of the 10th Cruiser Squadron and on 3 February 1915 was sunk during a severe gale (or possibly mined) off the NW coast of Ireland with the loss of all hands - 20 Officers and 261 ratings.

The Highland News, 27th February 1915

Nine Lewis Reservists Perish

The heaviest blow sustained by Lewis since the commencement of the war was officially notified on Monday, when the Admiralty posted the information that the following Royal Navy Reservists formed part of the crew of the Clan MacNaughton, which had been lost with all hands:

Donald Martin, Portvoller
Donald Campbell, 71 Arnol
Dugald Kennedy, 2 Calbost
Donald Finlayson, 19 Aird-of-Tong
Kenneth Macaulay, 3 Breasclet
Neil Morrison, 9 Calbost
Donald Murray, 33 South Dell
John Macleod, 25, Aird-of-Tong
Donald Morrison, 41 Fivepenny, Borve

The deepest sympathy is felt for the bereaved families.

May 23	Italy declares war on Austria-Hungary.
May 24	**Malcolm Campbell, 16 Habost, killed in action in France, age 22.**
May 25	**Alexander Gillies, 14 Lionel, killed in action in France, age 34.**
May 27	HMS *Majestic* torpedoed and sunk at Cape Helles in the Dardanelles, with the loss of 49 men. **Angus Gillies 20 South Dell, later 25 Galson, and Malcolm Murray 23 South Dell survived.** Winston Churchill, First Lord of the Admiralty, Great Britain, resigns.
May 28	Arthur Balfour appointed First Lord of the Admiralty.
May 31	**James Macritchie, 5 Swainbost, killed in action at La Bassee, age 18.**
June 4	**Roderick Murray, 27 South Dell, died of wounds sustained at Ypres, age 23.**
June 4	Third Battle of Krithia, Gallipoli - Allied failure.
June 5	**John Macritchie, 16 Lionel, died in hospital at Cromarty, age 19.**
June 9	**William Mackenzie, 2nd Seaforth Highlanders, 23 Borve, killed in action at Ypres, age 19.**
June 27	The Austro-Hungarians re-enter Lviv in Ukraine.
June 28–July 5	The British win the Battle of Gully Ravine at Cape Helles in the Gallipoli peninsula.
July 9	The German forces in South-West Africa surrender.
August 5	The Germans occupy Warsaw.
August 6 – 21	Battle of Sari Bair – the last and unsuccessful attempt by the British to seize the Gallipoli peninsula.
August 8	**Roderick Macritchie RNR, Upper Adabrock and 28 Eoropie, age 38 lost when HMS India, an armed merchant cruiser of 7940grt, sunk by submarine off Bodo, Norway.**
August 21- 29	Battle of Hill 60, part of the August Offensive.
August 23	**Norman Mackenzie, 3 Eorodale, killed in action in France, age 18.**

August 26   **John Macleay, 38 Lower Shader, died during internment in Holland, age 31.**

September 1   Germany suspends unrestricted submarine warfare.

September 8   Nicholas II removes Grand Duke Nicholas Nikolayevich as Commander-in-Chief of the Russian Army, personally taking that position.

September 15-November 4   Third Battle of Artois.

September 25–September 28   Battle of Loos, a major British offensive, fails. 6,300 killed on the first day.

September 25   **John Macdonald, Camerons 3a Mid-Borve, killed in action at Loos, age 22.**
Murdo Smith, Cameron Highlanders, 24 Borve, killed in action at Loos, age 21.
Murdo Smith, 2nd Gordon Highlanders, 22 Fivepenny Ness, killed in action at Loos, age 20.
John Macdonald, 1st Camerons, 34 Lower Shader, died of wounds at Loos, age 19.

September 25-October 15   Battle of the Hohenzollern Redoubt, a phase of the Battle of Loos.

September 25-November 6   Second Battle of Champagne.

October 3   Allied troops arrive at Salonika: Greek Government protest.

October 7   Serbia is invaded by the Central Powers - Germany, Austria-Hungary, and Bulgaria.

October 14   Bulgaria declares war on Serbia.

October 14-November 9   Morava Offensive, a phase of the Central Powers Invasion of Serbia, Bulgarians break through Serbian lines.

October 15   Britain declares war on Bulgaria.

October 16   France declares war on Bulgaria.

October 17-November 21   Battle of Krivolak, start of the set up of the Salonika Front.

October 19   Italy and Russia declare war on Bulgaria.

October 27   A French army lands in Salonika and, with the help of British and Italian troops, sets up a Balkan Front.

November 10-December 4   Kosovo Offensive, a phase of the Central Powers invasion of Serbia, Serbians pushed into Albania.

RMS Lusitania

RMS *Lusitania* was a British ocean liner, launched by the Cunard Line in 1907.

She left New York for Liverpool on what would be her final voyage on 1 May 1915. On the afternoon of May 7, *Lusitania* was torpedoed by a German submarine, 11 miles off the southern coast of Ireland. A second internal explosion sent her to the bottom in 18 minutes resulting in the loss of 1202 lives including 128 from the United States which was still neutral.

Dardanelles and Gallipoli

On 18 March 1915, British and French forces launch an ill-fated naval attack on Turkish forces in the Dardanelles, the narrow, strategically vital strait separating Europe from Asia and the only seaway between the Black Sea and the Mediterranean. For the British and French, control over the strait would mean a direct line to the Russian navy in the Black Sea, enabling the supply of munitions to Russian forces in the east and facilitating cooperation between the two allies. The Allies were also competing with the Central Powers for support in the Balkans, and the British hoped that a victory against Turkey would persuade one or all of the neutral states of Greece, Bulgaria and Romania to join the war on the Allied side.

The attack opened on March 18, 1915, when six British and four French battleships headed towards the strait. Though the Allies had bombarded and destroyed the Turkish forts near the entrance to the Dardanelles in the days leading up to the attack, the seaway was heavily mined, forcing the Allied navy to sweep the area before its fleet could set forth. The minesweepers did not manage to clear the area completely and three of the 10 Allied battleships were sunk – the British *Irresistible* and *Ocean* and the French *Bouvet* – and two more were badly damaged.

With half the fleet out of commission, the remaining ships were pulled back and the Allied war command opted to delay the naval attack at the Dardanelles and combine it with a ground invasion of the Gallipoli Peninsula, which bordered the northern side of the strait. The Allied landing on Gallipoli, which took place on April 25, 1915, met with a fierce Turkish defence and for the remainder of the year, Allied forces, including large contingents from Australia and New Zealand, were effectively held at the beaches where they had landed. The failure of the campaign at the Dardanelles and at Gallipoli in 1915 resulted in heavy Allied casualties—205,000 for the British empire, 47,000 for the French.

November 17	British hospital ship *Anglia* sunk by mine off Dover.
November 25	**John Smith, Merchant Marine, 15 Ballantrushal, accidentally killed in Australia, age 17.**
November 22–November 25	Battle of Ctesiphon, in present-day Iraq.
November 27	The Serbian army collapses. It will retreat to the Adriatic Sea and be evacuated by the Italian and French Navies. **During the retreat in December Dr Helen Macdougall, of Free Church Manse, Cross, along with 28 other women who were working with the Scottish Women's Hospital in Serbia was taken prisoner of war and for the next two months were taken from camp to camp, first to Belgrade then Vienna, Kerevara in Hungary and finally the German border town of Waidhofen.**
December 7	The First Siege of Kut, Mesopotamia, by the Ottoman begins.
December 19	Douglas Haig replaces John French as commander of the British Expeditionary Force.
December 24	Turkish Christmas Eve Attack on Kut on the Mesopotamian Front.
December 26	**John Smith RNR, HMS *Kent*, 32 Lower Shader, died in Peru age 46. Remembered with honour in Bellavista Cemetery, Peru.**
December 30	HMS *Natal* destroyed by internal explosion in Cromarty harbour.

Gallipoli Star 1914–15, Daniel Taylor, Borve.

Ghallipolidh, is tu bha cruaidh
Ar nàimhdean shocraich thu.
Nad chreagan àrd far 'n d' fhuair sinn bàs:
Mo thogair! Fhuair sinn cliù.

Gallipoli thy cruel crags
Where enemies did hide
Where bloody death our efforts meant:
We cared not, 'Twas our pride.

From *The Graves of Gallipoli,
Uaighean Ghallipolidh*
By Col. CAH Maclean.
Gaelic by Lieut Colin Macleod.

A WAR-TIME EDUCATION
Donald S Murray

Gaelic has long floated on the breath of my people,
though my Grandad at Gallipoli
gained grounding
in other sounds and tongues.

An array of accents
sharing English.
Aussie. Cockney. Jock.
Smatterings, perhaps,
of German, French, or Turkish talk.

But above all,
the deadly banter of rifle-shot.
Explosive's exclamations.
Grunting of artillery guns.
Mortar's murderous song.

And of course,
the lexicon of human pain.
Cries and blood and tears
that speak to us beyond language.
Sounds that stir the breath of people
and come to tongue in times of war.

The first line comes from Dr Johnson's description of – what he felt
were – the inadequacies of the 'Earse language'.

Donald wrote this poem for his grandfather who was at Gallipoli.
It has been translated into Turkish for their version of Remembrance Day.

DONALD MURRAY, 17 South Dell
Dòmhnall Stufain
d. 1955 age 75
m. Margaret Murray, 12 South Dell

The Battle of Loos

This battle, which began on 25 September 1915, was the largest conflict for the British Expeditionary Force in the war to that time: six divisions, 75,000 men, would take part. It was the debut of the divisions of the 'New Army' and the decision had been taken to use chlorine gas and smoke as there was a shortage of shells for the artillery. The battle was also a key moment in the rise of General Sir Douglas Haig, who replaced Field Marshal Sir John French as Commander-in Chief of the BEF after the battle had ended.

Over 61,000 men were casualties during the battle, and just over 6,300 died on the first day (25 September) including the lads from our own villages listed in the time-line and 18 year old George Peachment from Bury who was awarded the Victoria Cross. Private Peachment saw his company commander lying wounded and crawled to help him. The enemy fire was intense but although there was a shell-hole quite close in which a few men had taken cover, Private Peachment never thought of saving himself. He knelt in the open by his officer and tried to help him, but while doing so was first wounded by a bomb and a minute later mortally wounded by a rifle bullet.

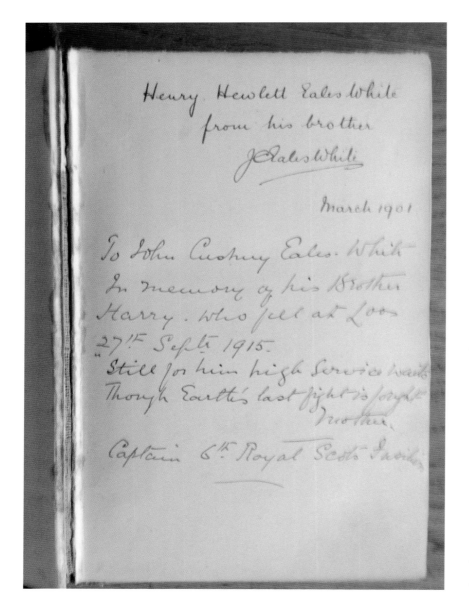

A mother's remembrance …
… in the flyleaf of a book donated to Ness Charity Shop

"To John Cushny Eales-White in memory of his brother Harry [Henry Hewlett Eales White] who fell at Loos 27th September 1915.
'Still for him high service waits
Though earth's last fight is fought'
Mother
Captain 6th Royal Scots Fusiliers."

Harry was an uncle of Rev Donald James Eales-White MC (1916-2001) who was resident at the Old Manse Cross for many years and later at South Dell and is interred at Habost in the same lair as his son, Gavin, who also fell at the hands of the enemy in the 'nine-eleven' attack on the Twin Towers, New York – 'the war on terror' – a 21st century conflict. Rev Donald was awarded the Military Cross for an act of gallantry in WWII.
John Cushny Eales-White (1881-1948) was Rev Donald's father
Henry Hewlett Eales-White (Harry) (1888-1915) was John's older brother.

Unrestricted submarine warfare

By early 1915, the illusion that the war could be won quickly was largely dismissed by all the nations. They all took new harsher measures to try and gain victory. On 4 February 1915 the German high command declared that the waters around Great Britain and Ireland, including the whole of the English Channel, would be a War Zone. Every enemy merchant vessel encountered in this zone would be destroyed.
Additionally, neutral vessels also ran a risk in the War Zone. One of the first attacks on a neutral vessel was on the *Lusitania*, sunk off the Old Head of Kinsale in early May 1915. In time, this would bring the United States into the war.

"Q" Ships

In February 1915 the Germans extended the submarine warfare to unarmed merchant vessels. Shortly afterwards the liner *Lusitania* was torpedoed west of Ireland. Throughout 1915 merchant ships continued to be attacked and one of the strategies devised by the Royal Navy to try and deal with the menace was the Q-ship programme. These vessels were merchant ships or trawlers designed to present easy targets to U-boats but were specially fitted with concealed heavy guns. When a U-boat surfaced, the Q-ship dropped the camouflage hiding its armament and opened fire. Over 300 Q-ships were engaged on anti-submarine duties. (More in Chapter 3 in the story of Norman Thomson, 9 Habost)

"Q Ships are decoys .. obviously unarmed and an easy prey to the submarine .. the ships are manned by volunteers – the very best and the very bravest that our sea service can produce" (Sir Eric Geddes, First Lord of The Admiralty).

Murdo Macaskill, Murchadh Chaluim MhicAsgail, 23 Lower Shader was in the RNR and is recorded in *Loyal Lewis* as having 'sunk a submarine off Peterhead on 5th June 1915'.

The Fleetwood Trawler ST *Oceanic* FD187 was requisitioned for war service in November 1914, converted to a "Q" ship and renamed in 1915 as *Oceanic II*, based in Peterhead with Unit 41.

On 5 June 1915 the armed trawler engaged and disabled a German submarine (U.14) by gunfire off Peterhead, which subsequently sank; one dead, twenty-seven survivors taken prisoner. This was probably the engagement that Murdo took part in.

Painting by Charles Pears of the Q-Ship *Dunraven* under attack by a submarine on 8 August 1917

Q-ship *Oceanic II*

The Canadians

Donald Morrison 2 Habost, (see photograph in Chapter 1 *The Roll Call* Colonials) Donald Macdonald 35 Cross, and Donald Smith, 24 Borve, signed up with the Cameron Highlanders in Canada in 1915 and served on the Western Front with the Canadian Expeditionary Force.

Donald Morrison

Donald Morrison was born 23 September 1885 at 2 Habost, Ness, to Malcolm and Mary (m.s. Murray) Morrison.

He had a twin sister, Christine, who died aged 6 months.

He served for 8 years in 3rd Seaforth Highanders, based at Fort George.

He moved to Canada before WW1. On 15 June 1915 he enlisted in the 43rd Battalion Queen's Own Cameron Highlanders which was part of the Canadian Overseas Expeditionary Force.

His Attestation papers describe him as '5ft 8in tall, ruddy complexion, blue eyes, brown hair and Presbyterian'.

The 43rd arrived in France on 21 February 1916.
43rd Battle Honours:
Mount Sorre, Somme 1916, Fleurs-Courcelette, Ancre Heights, Arras 1917-18, Vimy, Hill 70, Ypres 1917, Passchendaele, Amiens, Scarpe, Drocourt-Quent, Hindenburg Line, Canal du Nord, Cambrai 1918, Pursuit to Mons 1918.
The 43rd returned to Winnipeg on 24 March 1919 and was disbanded.

Donald was wounded, and spent some time 'at home' at 2 Habost, recuperating, before returning to active service.

He never returned to Ness again, although his widow, Louisa visited Ness once in about 1967.

Donald was gassed as well, although the date and battle are unknown.

He was awarded the Military Medal for 'Bravery in the Field', but again the date and battle are unknown.

In 1922 Donald married Louisa Murrison Mcleod, born 19 October 1900, at Whitehill, Aberdeenshire. They had two daughters Mary and Kathleen, who were both musical.
Donald died in 1955, after a long illness.

Military Awards:
1914-15 star
British war medal
Victory medal
Military medal
Class A CEF badge

Donald Macdonald

Donald Macdonald was born at 35 Cross, the only son of Malcolm and Effie MacDonald in a family of four sisters. He emigrated to Canada at the age of seventeen to live with his Aunt Katie and Uncle George Wilkie, who then lived on a farm out of Ninette, Manitoba.

Donald enlisted in the Canadian Army on January 06, 1915 in Winnipeg. He served as a Private in France with the 43 Battalion Canadian Expeditionary Force. He was discharged from the Army in December 1916 due to a lung condition. Returning to Canada, he became a patient at the Ninette Sanatorium, where he continued to be a patient at intervals up to and including 1922. Donald suffered ill health for the rest of his life.

Donald joined in a Vimy Pilgrimage in 1936. There were 6,200 passengers from Canada on the *Empress of Britain* and were joined by 1,000 Canadians from England. They unveiled a memorial to the Battle of Vimy Ridge in France, signifying sacrifices made by Canadians during the First World War

During the Second World War Donald sold Victory Bonds and helped many veterans with their pensions. He passed away in May 1959.

Donald Smith

Donald Smith was born on 20 April 1890, son of Angus and Catherine Smith, 24 Borve. On 11 August 1915 when he enlisted for service with the Cameron Highlanders of Canada he was living in Winnipeg and working as an engineer. His attestation papers show that he was 5ft 11in in height, of fresh complexion with blue eyes and brown hair. Donald was killed in action in France 4 June 1916 aged 24 serving with the 43rd Canadian Infantry (Manitoba Regiment).

Donald Smith

Donald Macdonald

Luach na Saorsa

Sgrìobh Murchadh Moireach bhon a' Bhac leabhar-latha fhad's a bha e anns a' chogadh. 'S anns a' Ghàidhlig a tha a' chuid mhòr dheth. Seo criomag bhon Chèitean 1915.

8 May 1915 Hill 60

'An toiseach an latha thòisich onghail eagallach timcheall air Hill 60 – aon ràn nan gunnachan mòra a' leantainn gun bhriseadh greis mhath den mhadainn. Fuaim nan gunnachan mar mhuileann eagallach no mar a h-uile tàirneanach a chuala mi riamh an ceann a chèile.'

Bha Murchadh ri bàrdachd cuideachd. Seo rainn *Luach na Saorsa*

Stad tamall beag, a pheileir chaoil
Tha dol gu d'uidhe: ged is faoin
Mo cheist – a bheil nad shraon
Ro ghuileag bàis?
A bheil bith tha beò le anam caoin
Ro-sgart o thàmh?

An làmh a stiùir thu air do chùrs'
An robh i 'n dàn do chur air iùil
A dh'fhàgadh dìleachdan gun chùl
An taigh a' bhròin,
Is cridhe goirt le osann bhrùit
Aig mnaoi gun treòir

An urras math do chloinn nan daoin'
Thu guin a' bhàis, led rinn bhig chaoil,
A chur am broilleach fallain laoich
San àraich fhuair?
Na eubha bàis a bheil an t-saors'
O cheartas shuas?

Freagairt
Nam shraon tha caoin bhith sgart' o thàmh
Nam rinn bhig chaoil ro-ghuileag bàis
'S an làmh a stiùir bha dhi san Dàn
Deur ghoirt don truagh;
Ach 's uil iad ìobairt saors' on Àrd,
Tron Bhàs thig Buaidh

(1915 A' chiad latha san trainnse)

Clàr-ama a' Chogaidh Mhòir
1916
Chronology of the Great War 1916

Alexander Macleod (*An Gèidsear*),
2 Fivepenny Ness, a sergeant in the
Seaforths, awarded the Meritorious
Service Medal, July 1916.

• Tha an cogadh ann am Mesopotamia (Iraq agus na ceàrnaidhean mun cuairt air) a' dol air adhart bho thoiseach na bliadhna. Tha feachdan a' Chaidreabhais a' teicheadh air ais agus tha iad a' gèilleadh sa Ghiblean. 'S e call fìor thàmailteach a tha seo, gu h-àraid mar a bha e cho goirid an dèidh Gallipoli

• Longan-adhair a' toirt ionnsaigh air Sasainn le bomaichean san Fhaoilleach, a' marbhadh 183

• Co-sgrìobhadh a' tòiseachadh sa Ghearran, agus anns a' Chèitean tha e a' gabhail a-steach a h-uile fear bho aois 18 gu 41

• Èirinn: Anns a' Ghiblean tha bàta Gearmailteach air a glacadh, a' feuchainn ri armachd a chur air tìr airson ar-a-mach Èirinn, agus sa Chèitean tha ar-a-mach na Càisge a' fàilligeadh ann am Baile Ath Cliath, 's tha feadhainn de na reubaltaich air an cur gu bàs

• Tha sgrios mòr an Somme a' dol air adhart bho shamhradh gu foghar

• *The war in Mesopotamia (Iraq and surrounding region) dominates the beginning of the year with the Allies retreating and surrendering in April. It is a humiliating defeat coming so soon after the withdrawal from Gallipoli*

• *An airship bombing raid on England in January kills 183*

• *Conscription is introduced in February and extended in May to all men age 18-41*

• *Ireland: In April a German vessel is captured trying to land arms for the Irish rebellion and in May the Easter Rising in Dublin collapses and results in the execution of some of the leaders*

• *Summer heralds the slaughter at the Somme which continues into the autumn*

Chaidh mise leòn a' chiad latha dhan Battle of the Somme. Àite uabhasach a bha sin – àite eagalach…. Mac Dhòmhnaill Aonghais à Cros – chaidh a mharbhadh ri mo thaobhs' latha chaidh mo leòn 'S e Somme bu mhotha lean rium co-dhiù. Thug mi fad an latha ann a *No Man's Land*'s mi air mo leòn, gun tàinig iad a 'chollectadh' na leòintich am beul na h-oidhche.

I was wounded on the first day of the Battle of the Somme – that was a terrible place, frightening – Calum Campbell from Cross was killed beside me in that action when I was wounded. It is the Somme that I have most memories of. I lay all day in *No Man's Land* at the time I was shot and it was only as night began to fall that they started to collect the wounded.

Iain a' Bhrogaich
John Gunn, 5 Knockaird

January 6	H.M.S. *King Edward VII* sunk by mine off North of Scotland.
January 7	Evacuation of Helles (Gallipoli Peninsula) begins 8th January. **John Macleod, 16 Lionel, killed in action in Persian Gulf, age 20. Alex Macdonald, 21 Lionel, killed in action in Persian Gulf, age 21. Donald Macdonald, 18 Habost, killed in action in Mesopotamia, age 21. Angus Mackay, 20 Cross, killed in action in Persian Gulf, age 19.**
January 14	Action of the Wadi (Mesopotamia). Lieut.-General Sir Percy Lake appointed Commander-in-Chief, Mesopotamia.
January 15	British SS *Appam* captured by German raider *Moewe*.
January 21	First British Attack on Hanna (Mesopotamia): First Attempt to relieve Kut fails.
January 23	Scutari (Albania) occupied by Austrian forces.
January 27	**The Military Service Act is passed by Parliament, imposing conscription on all single men aged 18 to 41 in Great Britain with some exemptions.**
January 29	Last German airship raid on Paris.
January 31	**Airship raid on England; casualties 183.**
February 2	Elbasan (Albania) taken by Bulgarian forces. German airship founders in the North Sea.
February 8	British Government request naval assistance from Japan.
February 10	**Military Service Act comes into operation in Great Britain.** German Government send Note to United States Government stating that defensively armed merchantmen will be treated as belligerents from March 1st onwards.
February 11	HMS *Arethusa* sunk by mine in North Sea.
February 12	Agreement concluded between British Government and chieftains of the Bakhtiari (Persia) for co-operation in protection of Persian oilfields.
February 16	War Office takes over control of operations in Mesopotamia from the India Office.
February 21	Battle of Verdun begins.
February 28	British air squadron formed to bomb German industrial centres.

February 29	Action in North Sea between German raider *Greif* and British auxiliary cruiser *Alcantara*: both sunk.
March 2	**Donald Stewart, Encampment Upper Shader, killed at Ypres age 30.**
March 5	British advance on Kilimanjaro (East Africa) begins.
March 22	**John Macdonald, 13 Upper Shader, killed in action, age 24.**
March 23	**Norman Campbell, 41 Habost, died in hospital, age 27.**
March 24	SS *Sussex*, a cross-channel ferry, torpedoed by submarine in the English Channel. Amongst the casualties were 25 United States citizens.
March 30	Russian hospital ship *Portugal* sunk by submarine in the Black Sea.
March 31	German airship raid on England (east coast). Airship L-15 brought down by gunfire near mouth of the Thames.
April 6	**George Munro, 22 South Dell, in Cromarty Military Hospital after service in France. He died on 16 April 1917.**
April 12	**William Mackay, 20 Cross killed in action in Mesopotamia, age 21.**
April 14	Constantinople and Adrianople attacked by aeroplanes of the Royal Naval Air Service from Mudros.
April 15	Serbian Army land at Salonika from Corfu.
April 18	Action of Bait Aissa (Mesopotamia). United States Government send note to German Government on *Sussex* case (see March 24) and submarine policy in general (see February 10).
April 20	Russian troops from the far East arrive at Marseilles. Disguised German transport *Aud* sinks herself after capture while trying to land arms on Irish coast. **Roger Casement lands in Ireland from a German submarine and is arrested.**
April 23	**Norman Morrison, 7b South Dell, killed in action in Mesopotamia, age 21.**
April 24	Outbreak of Rebellion in Ireland. **Donald Macleod, 27 Habost, died in Mesopotamia, age 24.**
April 25	Lowestoft and Yarmouth raided by German battle cruiser squadron.

The Somme

The first day of July 1916 was the most catastrophic day's fighting in the history of the British Army. Losses were appalling: of the 120,000 British soldiers who fought that day, almost half became casualties, over 19,000 of them dead.

The Battle of the Somme quickly spiralled into the grim, protracted struggle that typified so much of the fighting on the Western Front.

On 15 September the offensive was given fresh impetus when tanks made their first appearance on the modern battlefield.

In October, the weather deteriorated and by mid-November, after finally taking Beaumont-Hamel, the Commonwealth had suffered almost 420,000 casualties, 125,000 of them dead.

Main Source: Commonwealth War Graves Commission booklet *1916: The Somme*.

Donald Macdonald,
Lochside Lower Shader,
wounded at the Somme.

Mesopotamia

Despite being lesser-known than the battles of the Western Front, the campaign in Mesopotamia (modern day Iraq) lasted virtually the entire period of the First World War. With temperatures ranging from freezing to 130ºF (50ºC), the campaign was undertaken in an extremely inhospitable climate. The Allies had secured the important oil installations at Basra in 1914 and in 1915 engaged the Turks in an attempt to capture Baghdad. They had advanced to within 25 miles of the city by November when the Battle of Ctesiphon resulted in a stalemate and heavy casualties to both sides. Over 960 fatalities of this battle are commemorated by the CWGC on the Basra Memorial.

Major General Sir Arthur Townshend ordered his troops to retreat to Kut-at-Almara. The subsequent siege lasted five months until Townshend surrendered to the Turks on April 29. 13,000 were taken prisoner.

The humiliating defeat, coming so soon after the withdrawal of troops from Gallipoli, was, in the view of the Government, likely to result in the loss of prestige in the east, and rather than withdraw forces, it was decided to send reinforcements to the newly appointed commander, General Sir Frederick Stanley Maude. At the second Battle of Kut in February 1917 the Turks withdrew from the city.

After the recapture of Kut, Maude was able to continue his advance up the Tigris and took Baghdad the following month.

Having captured Baghdad, the Allies shortly afterwards launched a strike with infantry and cavalry against Palestine which was also occupied by the Ottoman Empire. The attempt to take the strategic region of Gaza, however, failed. In October, when the weather was more favourable, the Allies broke through the Gaza-Beersheba Front. After a difficult advance across the Judean hills, they entered Jerusalem on 11 December 1917, the first Christian conquerors since the Crusades.

April 27	Martial law proclaimed in Dublin and the county. H.M.S. *Russell* sunk by mine in the Mediterranean.
April 28	**Malcolm Morrison, 10 Borve, died of wounds in France, age 21.**
May 1	Collapse of Irish Rebellion - leaders surrender.
May 3	German airship L-20 returning from raid on Scotland, wrecked at Stavanger (Norway). **Three Irish rebel leaders executed.**
May 11	**Donald Mackay, 21b Upper Shader, killed in action in France, age 36.**
May 16	**Second Military Service Bill passes the British House of Commons. Compulsory military service extended from single men and childless widowers to cover all men between 18 and 41.**
May 21	German attack on Vimy Ridge.
May 25	British advance from Northern Rhodesia and Nyasaland across the frontier into German East Africa begins. **Second Military Service Act becomes law.**
May 31	**Battle of Jutland begins. HMS *Invincible* struck by shell which ignited her magazine and 50 tons of explosives. Ship broke in half and sank within seconds. 1025 men lost including Angus Maclean 17 Habost age 32 and Donald Smith 11 Cross.**
June 1	Battle of Jutland ends.
June 2	Battle of Mount Sorrel (Ypres) begins. Fort Vaux (Verdun) stormed by German forces.
June 4	**Donald Smith, 24 Borve killed in action in France, age 24.**
June 5	**HMS *Hampshire* sunk by mine off the Orkney Islands. Field Marshal Earl Kitchener and his Staff drowned.**
June 13	Battle of Mount Sorrel (Ypres) ends.
June 19	**Norman Martin, 30 Upper Shader, killed in action in France, age 34.**
June 25	**Angus Macdonald, 14 Lower Shader, killed in action, age 21.**

July 1	Battles of the Somme 1916 begin with Battle of Albert. John Morrison, 16 Skigersta, killed in action in France, age 18. Alexander Morrison, 14 Eorodale, killed in action in France, age 20. Malcolm Gunn, 15 Eorodale, killed in action in France. William Mackay, 18 Upper Adabrock, killed in action in France age 19. Allan Macdonald, 18 Habost, killed in action at the Somme, age 19. Malcolm Campbell, 26 Cross, killed in action in France, age 22. Kenneth Graham, Aird Dell, killed in action at the Somme, age 19. William Mackenzie, 1a Mid-Borve, killed in action in France age 19.
July 7	Lloyd George succeeds Lord Kitchener as Secretary of State for War.
July 8	**Alexander Saunders, 6 Upper Shader, died Persian Gulf, age 22.**
July 10	Russian hospital ship *Vpered* sunk by submarine in the Black Sea.
July 11	Seaham harbour (on coast of Durham) shelled by German submarine.
July 14	Battle of Bazentin Ridge (Somme) begins.
July 15	Battle of Delville Wood (Somme) begins.
July 17	Battle of Bazentin Ridge (Somme) ends.
July 19	Battle of Fromelles (France) (19th/20th). Turkish offensive from Oghratina against the Suez Canal begins.
July 23	Battle of Pozières Ridge (Somme) begins. **John Macdonald, 14 Lower Shader, killed in action in France age 24.**
July 29	German Government sends Note to United States Government rejecting British offer to permit passage of foodstuffs to Poland from United States of America.
July 30	First aerial operations carried out by combined French and British air services on French Western front. Russian troops from France land at Salonika and join Allied force.
August 2	Italian Dreadnought *Leonardo da Vinci* sunk by internal explosion in harbour at Taranto.
August 3	**Roger Casement executed.**
August 14	**Donald Macdonald, 20 Upper Shader, died in France, age 26.**
August 17	**Donald Mackay, 28 South Dell, killed in action in France, age 25.**

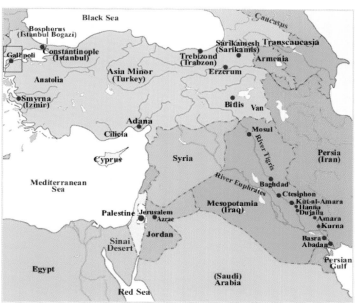

Through 1918 the British continued to secure their hold on the territory and the war ended with the Ottoman Empire destroyed. Britain's military success made her the dominant power in the region

Main sources: The Western Front Association and the Commonwealth War Graves Commission's newsletter February 2014.

The Eastern Front: Turkey and Greece

The focus of most historians of the Great War has been on the Western Front but the Eastern Front was just as bloody and chaotic. German and Austria-Hungary forces lined up against Russia and Serbia from the Baltic to the Black Sea. Serbian forces were not very well supported by the Allies and by 1915 they were in full retreat. The Serbian people were helped by a number of British voluntary medical organisations throughout the war, including the Scottish Women's Hospitals (SWH) founded in Edinburgh in 1914 by Dr Elsie Inglis. A number of island women are known to have joined the SWH relief work in Serbia. From Ness, Dr Helen Macdougall of the Free Church Manse was there in 1915 along with nurse Jane Cameron of North Tolsta and in 1916 and 1917 Ishobel Ross from Skye worked with SWH as a cook. Ishobel's diary was published by Aberdeen University Press in 1988 under the title *Little Grey Partridge*.

Excerpts from *Little Grey Partridge: A Serbian Diary* by Ishobel Ross.

Ostrovo, Serbia 12th September 1916

What a day this has been; the bombardment has begun. The guns started at 5am this morning and have gone on steadily ever since. The noise is quite deafening and seems much nearer than it really is. A Serbian officer told us that we are only 5 miles from the fighting – that sounds more like it. It is awful to think that every boom means so many lives lost. They say the bombardment will continue for four or five days. What noise! Some of us went to the top of the hill tonight and saw the flashes from the guns. What a gorgeous night too, with the moon shining and the hills looking so lovely. The thought of so much killing and chaos so near to all this beauty made me feel very sad.

August 19	HMS *Falmouth* and *Nottingham* sunk by submarine.
August 27	Rumanian Government order mobilisation and declare war on Austria-Hungary.
August 28	Germany declares war on Romania. Italy declares war on Germany. General Sir Stanley Maude succeeds Lieut.-General Sir Percy Lake as Commander-in-Chief, Mesopotamia.
August 31	Battle of Verdun ends.
September 1	Bulgaria declares war on Romania.
September 2	**German airships bomb London and other parts of England.** German ships in Piræus harbour seized by the Allies.
September 3	Battle of Guillemont (Somme) begins. Battles of Delville Wood and Pozières (Somme) end. **Donald Smith, 16 Upper Shader, killed in action, age 20.**
September 4	Dar es Salaam (German East Africa) surrenders to British forces.
September 15	Battle of Flers-Courcelette (Somme) begins. Tanks in action for the first time. **Murdo Macfarquhar, Dell House, killed in action in France, age 27.**
September 23	**Airship raid on England (East Coast and London) killing 170, mostly civilians.**
September 25	Battle of Morval (Somme) begins.
September 26	Battle of Thiepval Ridge (Somme) begins. **John Morrison, 8 Lionel killed in action in France, age 34.**
September 28	Battles of Morval and Thiepval Ridge end.
September 30	**Peter Mackenzie, 23 Borve, drowned in Tigris, age 37.**
October 1	Battle of le Transloy (Somme) begins. Battle of the Ancre Heights (Somme) begins.
October 7	**John Maciver, 32 Lionel, killed in France, age 21**
October 8	German submarine captures and destroys five ships outside Newport, Rhode Island, U.S.A.

October 10	**Angus Gillies, 15 Lionel, killed in action in France, age 28.**
October 12	**Kenneth Campbell, 35 Swainbost, killed in action in France, age 23.**
October 13	**Donald Murray, 5 South Dell, killed in action at the Somme, age 31.**
October 15	**Alexander Morrison, 3 Cross, died of wounds at the Somme, age 31.**
October 26	First German destroyer raid in Dover Straits.
November 1	Fort Vaux (Verdun) recaptured by French forces.
November 7	Woodrow Wilson re-elected President of the United States.
November 11	Battle of the Ancre Heights (Somme) ends.
November 12	Shiraz (South Persia) occupied by British forces.
November 13	Battle of the Ancre 1916 begins: **Beaumont-Hamel stormed by British forces.**
November 15	British advance into Sinai begins.
November 18	Battle of the Ancre ends. Battles of the Somme end with enormous casualties and no winner.
November 21	British hospital ship HMHS *Britannic* sunk in a channel mined in Ægean Sea by submarine U-73. At over 48,000 tons the Britannic is listed as the largest ship sunk by enemy mine or torpedo in the Great War. She was en route to Mudros, a port on the Greek island of Lemnos, to pick up wounded Allied soldiers for Southampton. Thirty of those on board were lost but over one thousand survived.
November 26	Second German naval raid on Lowestoft. French battleship *Suffren* sunk by submarine in the Bay of Biscay. German raider *Moewe* sails from Kiel on second cruise.
November 27	German airship raid on East coast of England: two airships destroyed.
November 28	**Donald Macdonald, 39 Lower Shader, age 27, drowned when SS *Moresby* sunk by submarine. The *Moresby* was en route from Saigon to Dunkirk with a cargo of rice when torpedoed by U-39 120 miles north of Alexandria. 33 crew were lost.**
November 28	First German daylight aeroplane raid on London.

13th September 1916

The guns have been at it all night and are still booming away, but we are getting more used to the din. We hear that the Serbs have broken the Bulgar line in three parts and have advanced.

The rain is simply streaming down and we are still cooking outside, our kitchen is a terrible mess, likewise ourselves.

Great excitement tonight, we have been watching a French aeroplane scouting over the Bulgarian lines and being shot at by their guns. What pluck it had, it went back over and over again in and out among the shells. Finally it flew off much to our relief. Burnt the macaroni!

The Battle of Jutland

The two most powerful navies in the world engaged in the great sea-battle of World War One on 31 May 1916. The Battle of Jutland involved 250 warships, 24 ships were lost and there were almost 10,000 casualties. Admiral Jellicoe was the Allied Commander-in-Chief on the flagship HMS *Iron Duke*. By the end of the second day, the battle cruisers HMS *Queen Mary*, HMS *Indefatigable*, HMS *Invincible* and the cruisers HMS *Defence* and HMS *Black Prince* were lost along with the destroyers HMS *Tipperary*, HMS *Fortune*, HMS *Turbulent*, HMS *Sparrowhawk* and HMS *Ardent*. The Allied fleet was judged to have been victorious and the German High Seas Fleet thereafter effectively ceased operations in the war.

December 4	Asquith, British Prime Minister, resigns. Admiral Sir John Jellicoe appointed First Sea Lord, Great Britain.
December 7	**Lloyd George succeeds Asquith.**
December 18	President Wilson issues Circular Note suggesting negotiations for peace.
December 27	French battleship *Gaulois* sunk by submarine in the Mediterranean.
December 30	Entente Governments reject German peace proposals.
December 31	Raspútin murdered in Petrograd.

Dòmhnall an t-Siaraich agus Aonghas Iain Aonghais
Donald Smith, 11 Cross, Angus Maclean, 17 Habost
Both lost at the Battle of Jutland, HMS *Invincible*

HMS Invincible

The *Invincible* was a 17,250 ton British battlecruiser launched in 1907.

Invincible was involved in the Battle of Heligoland Bight 28 August 1914 and then in the Falklands, arriving at Port Stanley on 7 December 1914. The following day she engaged and destroyed Vice-Admiral von Spee's armoured cruisers *Scharnhorst* and *Gneisenau*. She was docked at Gibraltar on 1 January 1915 for a two month refit before joining the Battlecruiser Force at Rosyth. Refitted in May 1916 *Invincible* was detached to Scapa Flow for gunnery exercises. At Jutland at the end of May she flew the flag of Rear-Admiral Horace Hood, and engaged light cruisers of the German fleet at 10,000yds. Although her fire disabled the *Wiesbaden* and *Pillau* and then inflicted two serious hits on the battlecruiser *Lutzow*, her target, the *Derfflinger* scored five hits on *Invincible*. The last shell blew the roof off Q-turret and set fire to the cordite propellant. The flash quickly reached the magazine and the *Invincible* was blown in half by a massive explosion. All but six of her complement was lost, including the Admiral.

SS Sussex

On 24 March 1916 the English Channel ferry SS *Sussex* was torpedoed on passage between Folkestone and Dieppe by a German submarine, triggering a strong reaction in the United States, which was still neutral. The crisis stemmed from the 25 American civilian casualties who were on board the *Sussex*.

U.S. President Woodrow Wilson addressed Congress on 19 April 1916, vehemently condemning the German action. During the course of his speech he demanded that, unless the Imperial German Government should now immediately declare and effect an abandonment of its present method of warfare against passenger and freight carrying vessels, this Government can have no choice but to sever diplomatic relations with the Government of the German Empire altogether.

German reaction - and alarm - in the wake of Wilson's speech was swift. Five days later, on 24 April 1916, Germany abandoned its submarine campaign directed around Britain and the Mediterranean. Henceforth passenger ships were to be left unmolested and merchantman searched before being sunk.

Helen Macdougall, Free Church Manse Cross

Helen McDougall was the fourth of eight children born to Church of Scotland Minister, Duncan McDougall and his wife Helen Stewart. Helen was born on Islay, on 13 November 1882 at Coilibuss, Oa, in the district of Kildalton. Her mother was born in Blair Atholl, Perthshire and her parents were married there on 11 July 1877.

In 1881 the Census of Kildalton shows that the family were living at The Manse. By 1891 the family had moved to Leith and were living at 1 Union Place. As well as Helen's parents and siblings, her aunt Ann McDougall (aged 60) was also present.

We next find Helen in 1911 living with her elder brother Duncan (aged 31) who was a Minister of the Free Church of Scotland. Duncan was Head of the household at The Free Church Manse, Parish of Barvas, South Dell. Helen, then aged 28, was a Medical Student and her aunt Ann (aged 81) was living with them.

Dr Mcdougall joined the Scottish Women's Hospital in July 1915 and set sail from Southampton to Salonika with a support party to Kraguievatz in Serbia (she may have boarded Sir Tomas Lipton's boat). The work at the hospital at that time was very harsh and typhus had taken thousands of lives and three of the SWH nurses. Serbia was in retreat and in December 1915 Dr Helen, with twenty-eight other women, were taken prisoner of war. For the next two months the prisoners were taken from camp to camp, first to Belgrade then Vienna, Kerevara in Hungary and finally the German border town of Waidhofen, where she wrote "the whole town seemed to have come down to meet us and how they laughed!!- oh it was horrid."

Helen returned home for the summer but signed up for the SWH again on 20 September 1916 where she worked as a Doctor at Royaumont Abbey in France. Royaumont was among the largest hospitals to support the battle of the Somme. Helen was an extremely hard working and much loved member who also had a sense of fun. She left the unit in October 1918, married and went out to Ghana as a Doctor.

ADAPTED FROM scottishwomenshospital.co.uk

Clàr-ama a' Chogaidh Mhòir
1917
Chronology of the Great War
1917

- Anns an Ear-Mheadhanach, tha feachdan a' Chaidreabhais air adhartas sònraichte a dhèanamh an aghaidh Ìompaireachd nan Ottoman.

- Air an Aghaidh an Iar tha saighdearan Chanada air Vimy Ridge a ghabhail os làimh ann am Blàr Arras; sa Ghiblean tha na Stàitean Aonaichte a' gairm cogaidh an aghaidh na Gearmailt, agus tha a' chiad feachdan Amaireaganach a' tighinn air tìr san Fhraing san Òg-mhìos

- Aig muir tha soithichean decoy 'Q' Breatannach a' cur às do dh'àireamh de bhàtaichean-aigeil an nàmhaid, a bha ri dol-a-mach marbhtach anns a' Chuan Siar. Chaidh 1200 soithichean marsanta Breatannach a chall ann an 1917 – chaidh barrachd air trì-chairteal dhiubh a chur fodha le bàtaichean-aigeil

- Anns an adhar, tha plèanaichean Gearmailteach air tòiseachadh a' bomaigeadh. Chaidh sgoil ann an Lunnainn agus Gearastan RNR Chatman a bhualadh, le mòran marbh, 's air an leòn

- *In the Middle East, the Allies make significant advances against the Ottoman Empire*

- *On the Western Front the Canadians capture the significant Vimy Ridge during the Battle of Arras; in April the United States declare war on Germany and the first US troops land in France in June*

- *At sea the British decoy 'Q' ships destroy a number of enemy submarines operating with deadly effect in the Western Approaches. 1200 British merchant vessels were lost in 1917 – more than three quarters of them were sunk by submarine*

- *In the air, bombardment by German fixed-wing aircraft starts, with a school in London and the Chatman RNR Barracks suffering many casualties*

Awarded the Military Medal for gallantry
Fìor shaighdear, Malcolm Mackenzie, *Calum Sùlag*,
1 Mid Borve [*Am Bail' Àrd*]. Sergeant killed in action, in France,
26 April 1917 aged 24.

Anns an Fhraing

Calum Aonghais Tharmoid anns an Fhraing 1917

… bha Dòmhnall còir am measg nan gillean eile bha sin, agus gille eile às a' Bhaile Àrd, 's tha cuimhne agam an rud a thuirt e rium nuair a chunnaic e mi, 'O, bheil thusa beò fhathast am measg na tha seo a dh'uabhann?' Thuirt mi gu robh, 's e thuirt e 'Thig thusa troimhe, ach cha tig mise.' Thuirt mi ris, 'An ann a' fàs lag nad inntinn a tha thu mar sin?' 'Chan ann,' ars esain, 'tha fios agam nach bi fad agams ri dhol, ann.' 'S e mu dhà mhìos a bha e ann an sin nuair a chaidh a chall, duine dha-rìribh cuideachd agus fìor shaighdear – 's e 'bomb-thrower' a bh' ann. ['S e Calum Sùlag air an robh e a' cuimhneachadh]

Left: Donald *Topsy* Morrison, 16 Swainbost
Right: *Calum Aonghais Tharmoid*

Malcolm Morrison remembers France in 1917

… my friend Donald was there along with another lad from High Borve whose first greeting to me was, 'Oh, are you still alive amongst all this horror?' I answered 'Yes', and he said, 'You will survive it, but I will not'. 'I said, 'Are you down in spirit? 'No' he said, 'but I have a feeling I haven't far to go'. He was proved right, and he was killed within two months. A lovely man and a good soldier – he was a bomb-thrower.

Ann am Mesopotamia

Murdo Murray, *Murchadh 'an Bhàin*, Sgiogarstaigh

2nd Battle of Gaza, 7 November 1917 … chaidh mise a leòn dona ann an sin. Chaidh mo leòn anns a' bhroilleach - chaidh m' fhàgail ann an riochd mairbh air a' bhlàr – [thuirt]an seàirdseant a bha còmhla rium – [ris] na balaich a leum orm nuair a chaidh mo leòn … 'Leave him alone, he's finished anyway.'

January 9	Battle of Rafa. The British drive the Ottomans out of Sinai.
January 16	The German Foreign Secretary Arthur Zimmermann sends a telegram to his ambassador in Mexico, instructing him to propose to the Mexican government an alliance against the United States.
January 20	**Alexander Morrison, 19 South Dell, age 29, one of fourteen lost on SS *Bulgarian*, on passage from Cartagena to Garston with a cargo of iron ore, sunk by U-84 fifty miles west of Fastnet.**
February 1	Germany resumes unrestricted submarine warfare.
February 17	HMS Q.5 under Commander Gordon Campbell sinks submarine U.83. Campbell awarded Victoria Cross.
February 22	**Donald Gunn, 5 Knockaird, killed in Mesopotamia, age 23.** **Donald Macleod, 8 Fivepenny, died of wounds in Mesopotamia, age 23.**
February 23	Second Battle of Kut. The British recapture the city.
February 23–April 5	The Germans withdraw to the Hindenburg Line.
March 8–11	The British capture Baghdad.
March 13-April 23	Samarrah Offensive, British capture much of Mesopotamia.
March 17	**SS *Governor*, a 5,524grt defensively-armed merchant ship in ballast, sunk by torpedo 930 miles W ¼ S from the Fastnet by German raider *Mowe*. Four lives lost and remainder taken prisoner including Kenneth Morrison, 24 Lionel, later 17 Cross-Skigersta.**
March 15	Russia: Czar Nicholas II abdicates. A provisional government is appointed.
March 16	**Norman Morrison, 10 South Dell, died of wounds at home, age 23.**
March 26	First Battle of Gaza. British attempt to capture the city fails.
April 6	**Murdo Matheson, 3 Upper Shader, killed in action in France, age 26.**
April 6	**The United States of America declares war on Germany.**
April 9–May 17	Second Battle of Arras. The British attack a heavily fortified German line without obtaining any strategic breakthrough.

April 9-12	The Canadians obtain a significant victory in the Battle of Vimy Ridge, part of the Second Battle of Arras.
April 9-14	First Battle of the Scarpe, part of the first phase of the Second Battle of Arras.
April 9	John R Macleod, London and 35 Cross, killed in action in France.
April 10	Donald Macdonald, 19 Lionel, killed in action, age 23. Interred France.
April 11	Angus Macritchie, 1 Adabrock, died in France, age 37. Malcolm Maciver, 48 Borve, killed in action in France, age 20. Malcolm Macleod, 13 Lower Shader, killed in action in France, age 28. Angus Macdonald, 21 Ballantrushal, killed in action in France, age 21.
April 13	John Macleod, 2 Fivepenny Ness, killed in action in France, age 21.
April 16	Norman Macdonald, 18 Eoropie, age 42, lost when SS *Cairndhu* sunk by submarine UB-40. The cargo ship was torpedoed and sunk in the English Channel west of Beachy Head, with the loss of eleven of her crew.
April 16	George Murray Munro, 22 South Dell and 56 Kenneth St Stornoway, died in Cromarty Military Hospital, age 18.
April 16–May 9	The Second Battle of the Aisne ends in disaster for the French army.
April 17	Angus Maclean, 4 Ballantrushal, died of wounds in France, age 26.
April 19	Murdo Campbell, 41 Habost, died of wounds in Palestine, age 30. Second Battle of Gaza. The Ottoman lines resist a British attack.
April 20	John Macdonald, Aird Dell, age 19, one of nine lost when HMT *Othonna* was sunk by mine off Fife Ness.
April 23	John Gillies, 15 Lionel, killed in action in France, age 24.
April 26	Malcolm Mackenzie, 1 Mid-Borve, killed in action in France, age 24.
April 29–May 20	Series of mutinies in the French army.
May 4	John Campbell, 5 Lionel, killed in action in France, age 26. John Campbell, 27 Lionel, age 23 lost when SS *Farnham* sunk by submarine. The *Farnham*, on a voyage from Bizerta to Glasgow with a cargo of iron ore, was sunk 90 miles northwest of the Fastnet Rock. 17 crew were lost.

Also in Mesopotamia at the same time as Murdo, Alexander Murray (*Alasdair Tharmoid Alasdair*), 11 Skigersta who was killed in action on 5 November 1917 aged 24

Mourning Mother of Canada
by Marianna Mackenzie

May 5–15	Allied Spring offensive on the Salonika Front.
May 5- 9	Second Battle of the Cerna Bend, a phase of the Allied Spring Offensive.
May 10	**Murdo Mackenzie, 3 Knockaird, died of wounds at Etaples, age 22.**
May 12	**Murdo Morrison, 6 Borve, killed in action in France, age 38.**
May 15	Philippe Pétain replaces Robert Nivelle as Commander-in-Chief of the French Army.
May 19	**Donald Macdonald, 9 Eorodale, killed in action in France.**
May 23	**John Morrison, 18a North Dell, killed in action at Arras, age 31.**
June 7	**A decoy vessel, the Q-ship *Pargust* under command of Gordon Campbell V.C., attacks and sinks submarine UC-29 off the west coast off Ireland. *Pargust* crew all nominated for the Victoria Cross. In a secret ballot Seaman W. Williams RNR was the rating selected. Norman Thomson, 9 Habost, was one of the crew whose name was in the ballot.**
June 7–14	Second Battle of Messines, The British recapture Messines Ridge.
June 9	Norwegian barque *Deveron* torpedoed and sunk 25 miles north-east of Rona with the loss of four crew.
June 12	**Angus Morrison, 2 Skigersta, killed in action in France, age 29.** In Greece, King Constantine I abdicates.
June 13	First daylight bombing raid on London by fixed wing aircraft. Over 100 killed in the East End including 18 children in a school in Poplar; 16 of them were aged 4-6 years.
June 25	**Donald Smith, 29 Lower Shader, died of wounds in France, age 31.**
June 25	First American troops land in France.
June 30	Greece declares war on the Central powers.
July 9	**Explosion on HMS *Vanguard* in Scapa Flow kills an estimated 804 men; there were only two survivors. In terms of loss of life, the destruction of the *Vanguard* remains the most catastrophic accidental explosion in the history of the UK, and one of the worst accidental losses of the Royal Navy.**
July 12	**Malcolm Macleod, 19 Swainbost, killed in Palestine.**

July 16	**John Macleod, 25 Lower Shader, age 45, lost when HMS *Newmarket*, an auxiliary minesweeper was sunk by UC-38 in the Aegean Sea. 70 were lost.**
July 22	**Murdo Macdonald, 9 Eorodale lost when HMS *Otway* sunk by submarine near Rona.**
July 26	**Donald Smith, 18 Ballantrushal, RNR, died in Inverness, age 18.**
July 27	**John Graham, 36 Borve, died at home, invalided from RNR, age 46.**
July 31	The Third Battle of Ypres (Battle of Passchendaele) begins.
July 31-August 2	Battle of Pilckem Ridge (Opening phase of the Third Battle of Ypres).
August 8	Q-ship HMS *Dunraven* sunk by submarine U.C.71.
August 15-25	Battle of Hill 70 (Initial phase of the Battle of Third Battle of Ypres).
August 19	**Donald Macritchie, 1 Adabrock, died in France.**
August 20	**Roderick Graham, 30 Borve, killed in action in France, age 21.**
August 22	**Finlay Morrison, 19 South Dell, lost when HMT *Sophron* sunk by mine in the Firth of Tay, while sweeping near the wreck of UC 41. 8 men lost.**
September 3	The Chatham Barracks Drill Hall bombing.
September 16	**Neil Macdonald, 21 Ballantrushal, age 24, lost when SS *Arabis*, on passage from Tunisia to Falmouth, was sunk by submarine U-54. 20 lost.**
September 28–29	Battle of Ramadi, Mesopotamia.
September 29	**Alexander Young, 8 Ballantrushal, killed in action in France, age 25.**
October 4	**Donald Gillies, 31 South Dell, killed in action in France, age 23.** **Murdo Smith, 18 Ballantrushal, killed in action at Ypres, age 21.** Battle of Broodseinde (part of the final phases of the Third Battle of Ypres).
October 6	**Roderick Nicolson, 25 Borve, killed in action in France, age 19.**
October 9	**Murdo Macleod, 19 Eoropie, died of gunshot wounds in France, age 19.** **John Maciver, 2 Borve, age 32, lost when SS *Main*, en route from Belfast to Liverpool, was sunk by submarine near Luce Bay. 12 men were lost.** Battle of Poelcappelle (part of the final phases of the Third Battle of Ypres).

Canadians at Vimy Ridge

The Battle of Vimy Ridge from 9 to 12 April 1917 was part of the Battle of Arras. The main combatants were the Canadian Corps of four divisions, against three divisions of the German Sixth Army.

The objective of the Canadians was to take control of the German-held high ground at the northernmost end of the Arras Offensive. Supported by a creeping barrage, the Canadian Corps captured most of the ridge during the first day of the attack. The town of Thélus fell during the second day. The final objective, a fortified knoll outside Givenchy, fell to the Canadians on 12 April.

The success of the Canadians in capturing the ridge is attributed to a mixture of technical and tactical innovation, meticulous planning, powerful artillery support and extensive training. The action was the first occasion when all four divisions of the Canadian Expeditionary Force participated in battle together and thus became a Canadian symbol of achievement and sacrifice. A 100 ha (250acres) portion of the former battleground serves as a preserved memorial park and site of the Canadian National Vimy Memorial. This victory cost the Canadian Corps 10,000 casualties and ensured that Vimy Ridge would later be chosen as the site of Canada's National Memorial.

Friends on the front line

John Campbell
Seonaidh Mhurchaidh Dhuibh 'Doodie'
Killed in action in France 4 May 1917 age 26
Son of Murdo and Annie Campbell, of 5 Lionel

Far from the Front Line, in the homes and villages of Lewis, many families suffered the legacy of war as they continued to mourn the loss of loved ones long after hostilities had ceased. There are many poignant stories of how the parents and siblings of servicemen who never returned home dealt with their personal grief, grateful for news and anecdotes from returning soldiers and sailors who may have served with or met their loved ones in the field of battle, in barracks, or in transit.

Twenty-six year old John Campbell (*Seonaidh Mhurchaidh Dhuibh*) from 5 Lionel, who served in the 2nd Battalion Seaforth Highlanders, was one of the many Ness men killed in France during WWI. He had earlier been wounded at the Front and was evacuated to Glasgow for hospital treatment. A postcard he wrote from his bed to sister Murdina back home in Ness, giving directions to the hospital, still survives – taking pride of place on the living room hearth at 2 Lionel where it is kept in the small metal box that WWI servicemen like John received, containing treats like tobacco and chocolate.

Following his recovery, John returned to France and was subsequently killed on 4th May 1917. It is believed that a German sniper shot him during a rest period while he and other members of his squad were building a small fire from twigs to brew some tea. A friend and fellow serviceman, Kenneth MacLeod from Back, was with him at the time and arranged his burial.

Following the war, Kenneth's friendship and role in John Campbell's burial was not forgotten by family in Ness. Kenneth's brother, Roderick MacLeod, drove one of the Harris Tweed delivery and collection lorries, often calling in on John's mother (*bean Mhurchaidh Dhuidh*) in Lionel during his visits to Ness. As a small token of her

October 12	**Alexander Macleay, 10 Ballantrushal, killed in action in France, age 33.** First Battle of Passchendaele (part of the final phases of the Third Battle of Ypres).
October 19	HMS *Orama*, a 12,900 ton armed merchant cruiser, torpedoed in the western approaches to the English Channel by U-62. Five men lost
October 26-November 10	Second Battle of Passchendaele (Closing phase of the Third Battle of Ypres).
October 31–November 7	Third Battle of Gaza. The British break through the Ottoman lines.
October 31	Battle of Beersheba (opening phase of the Third Battle of Gaza).
November 2	The British government supports plans for a Jewish "national home" in Palestine.
November 5	**Alexander Murray, 11 Skigersta, killed in action in Mesopotamia, age 24. Donald Campbell, 27 Lionel, killed in action in Mesopotamia, age 29. John Smith, 8 South Dell, killed in action in Mesopotamia, age 20. Roderick Murray, 24b South Dell, killed in action in Mesopotamia, age 20.**
November 5	The Allies agree to establish a Supreme War Council at Versailles.
November 7	The October Revolution begins in Russia. The Bolsheviks seize power.
November 9	Third battle of Gaza ends. In the fighting along the Gaza-Beersheba line, the British lost a total of 18,000 killed, wounded, and missing. Turkish casualties numbered around 25,000 killed, wounded, and captured. The successful breaking of the Gaza-Beersheba defences opened the road to Jerusalem which was occupied on December 9. **Murdo Murray 1 Skigersta was badly wounded in the action.**
November 10	The Third Battle of Ypres (Battle of Passchendaele) ends in a stalemate.
November 17	Second Battle of Heligoland Bight, North Sea.
November 17	Battle of Jerusalem starts. The British enter the city on December 11.
November 18-24	Battle of Nebi Samwil, a phase of the Battle of Jerusalem.
November 19	**Donald Morrison, 12 Adabrock, age 41, lost when HMT *Morococola* sunk by mine off Queenstown, Ireland.**
November 20–December 3	First Battle of Cambrai. A British attack fails and the battle results in a stalemate.
December 1	Battle of El Burj, a phase of the Battle of Jerusalem.

December 6	Halifax, Nova Scotia, explosion. Over 2000 killed.
December 7	The United States declares war on Austria-Hungary.
December 13	**John Morrison, 18 Adabrock, age 35, lost when HMS *Stephen Furness* was sunk by submarine. The *Stephen Furnace* was an armed boarding steamer torpedoed west of the Isle of Man with the loss of 101 lives.**
December 20-21	Battle of Jaffa, a phase of the Battle of Jerusalem.
December 23	Russia signs an armistice with Germany.
December 31	**Donald Murray, 31 Swainbost, lost at sea on SS *St Jerome*, age 26.**
1917 (no date)	**John Macleod, 26 Eoropie, died of wounds in France, age 21.**

Seonaidh Mhurchaidh Dhuibh
agus a phiuthar Murdag.
John and his sister Murdina.

appreciation for befriending and attending to John after his death, she would give the lorry driver a pair of hand-knitted bobbin socks to pass on to his brother Kenneth, an Elder in Back Free Church who survived the war.

John Campbell is buried in the Crump Trench British Cemetery in Fampoux, which is situated 6 kilometres east of Arras. Fampoux village was taken by the British on 9 April 1917 – a month before John was shot. The village remained close behind the Allied front line, with part of it lost for a time before it was finally cleared on 26 August 1918 by the 51st (Highland) Division.

Armed trawlers

HMT *Morococola*, based in Queenstown, Ireland was engaged on escort patrol, anti-submarine patrol and minesweeping duties in the Western Approaches

On the 18th November 1917 a mine was swept up during operations outside Cork Harbour indicating that a mine-laying submarine had sown mines at the harbour entrance. Eight trawlers under the command of Lieutenant Allan RNR in *Morococola* were sent to sweep the area, starting early on 19 November. The route had to be cleared urgently as there was a convoy leaving Cork at 11.00 hours. With orders to buoy the swept channel for this traffic, the trawlers formed in pairs and began sweeping. HMT *Morococala* formed a sweep pair with HMT *Indian Empire* (a Grimsby trawler which had rescued about 200 people from the *Lusitania*).

The *Morococola* and *Indian Empire* had set their wire and started the first sweep at 08.30 hrs. Suddenly a massive explosion rocked the *Morococola* behind the bridge, hiding the stern in fire and smoke. Lieutenant Allen and William Bellman were seen to climb on the wheelhouse when a second explosion happened. The vessel sank in six seconds and all the crew were lost, including Donald Morrison, 12 Adabrock.

John Mackay, Seonaidh Tharmoid, 13 Skigersta and Malcolm Morrison, Calum Eachainn, 4 Adabrock were in the Royal Naval Canadian Volunteer Reserve. Calum served on the minesweeping trawler TR7 'Seagull' (below) around Nova Scotia. He had gone to Canada in 1912 and worked in a British Columbia mine. Returned to Adabrock in the 1920s.
Seonaidh stayed in Canada most of his life but returned to Skigersta in his old age where he died in 1976 at age 87.

Nova Scotia Explosion

On Thursday 6 December, the SS *Mont-Blanc*, on passage from New York was heading towards Halifax, Nova Scotia packed full of military explosives destined for France. The SS *Imo* was leaving Halifax harbour in ballast, bound for New York. The two ships collided in the narrows at the harbour entrance. The *Mont-Blanc* caught fire and exploded.

The blast was the world's largest pre-atomic explosion, destroying or damaging every building within a sixteen mile radius, and creating a sixty foot tsunami which swept into the city. The explosion was felt in Charlottetown, Prince Edward Island, about 130 miles to the north and even as far away as Cape Breton Island, over 200 miles to the east.

Over 2000 people were killed and the city of Halifax destroyed.

HMS Otway

Murdo Macdonald, 9 Eorodale was lost when HMS *Otway* was sunk by submarine. Survivor Roderick Graham from Borve, Ruairidh Dhòmhnaill Mìcheil, in an interview in the late 1970s said that "Murchadh Fhionnlaidh", "An Tigear" and "An Caolan" also survived.

Otway, an ocean liner deployed as an armed merchant cruiser, was torpedoed and sunk by German submarine UC-49 north of the Butt of Lewis with the loss of 10 lives.

Murdo's brother, Donald, who was serving with the Canadians, was killed a few months earlier.

Rona

In Michael Robson's book, *Rona – The Distant Island* (page 128), there is a short account of activities around the north Atlantic outpost during the Great War:

'The 1914-18 war put Rona out of bounds [for visits by the sealers and shepherds of Ness] although one or two local visits were made, and among other naval activity in the area the *Sappho* was sent to search the island when it was rumoured that the enemy might be using it as an aircraft base. "She reported, after examination, that the island was, as expected, unsuitable for such a purpose." There were minefields around Rona, and enemy submarines. In June 1917 five Dutch fishing boats were attacked by submarines near Rona, and three were sunk. The crews got into small boats, one of which managed to reach Cunndal while the two others were guided into Stoth by the fishing boat *Thelma* whose skipper was Alexander Morrison of Fivepenny. *Thelma*, a sgoth built by Murdo Macleod, was registered in 1916 and after the war passed to John Maciver grocer in Swainbost who sold her to a Skigersta crew. She was renamed *Peaceful*.'

German Bombing raids

The first daylight bombing attack on London by a fixed-wing aircraft took place on 13 June, 1917. Fourteen Gothas flew over Essex and began dropping their bombs. These three-seater bombers were carrying shrapnel bombs which were dropped just before noon. Numerous bombs fell in rapid succession in various districts in the East End. In the East End alone; 104 people were killed, 154 seriously injured and 269 slightly injured.

The gravest of incidents that day, was the damage done to a Council school in Poplar. In the Upper North Street School at the time were a girls' class on the top floor, a boys' class on the middle floor and an infant class of about 50 students on the ground floor. The bomb fell through the roof into the girls' class; it then proceeded to fall through the boys' classroom before finally exploding in the infant class.

Eighteen students were killed overall. Sixteen of these were aged from 4 to 6 years old.

At about 11pm on 4 September the Chatham Barracks Drill Hall, used as an overflow dormitory for around 900 naval ratings, suffered two hits from bombs dropped by German Gotha aeroplanes. One of the first of the First World War 'moonlight raids', it resulted in the loss of 136 lives. The funerals took place on Thursday 6 September with the procession consisting of 18 lorries draped with the Union Jack and each carrying 6 coffins. All the men were buried with full military honours and were followed by a procession of marching soldiers and sailors with thousands of people lining the streets. A number of Lewismen were amongst the dead – Ruairidh Dhòmhnaill Mìcheil, Borve, survived.

The War on Hospital Ships

In November 1916 the British hospital ship HMHS *Britannic* hit a mine in a channel in the Ægean Sea. She was en route to Mudros, a port on the Greek island of Lemnos, to pick up wounded Allied soldiers for Southampton. Thirty out of the 1,066 on board lost their lives.

At over 48,000 tons the *Britannic* is listed as the largest ship sunk by enemy mine or torpedo in the Great War. The *Britannic* was one of the three Olympic class ocean liners built at Belfast for the White Star line and was to enter service as a transatlantic passenger liner – a sister ship of RMS *Olympic* and RMS *Titanic*.

On April 17th 1917, the hospital ships *Donegal* and *Lanfranc* were sunk. The Admiralty announced the news and summed up the situation:

"On the evening of April 17 the ss. *Donegal* and *Lanfranc*, while transporting wounded to British ports, were torpedoed without warning.

"Owing to the German practice of sinking hospital ships at sight, and to the fact that distinctive marking and lighting of such vessels render them more conspicuous targets for German submarines, it has become no longer possible to distinguish our hospital ships in the customary manner. One of these two ships, therefore, though carrying wounded, was not in any way outwardly distinguished as a hospital ship. Both were provided with an escort for protection."

On 4 January 1918 the British hospital ship *Rewa* was sunk in the Bristol Channel after being torpedoed en route from Thessaloniki, Mudros, Malta and Gibraltar and bound for Avonmouth carrying wounded troops: 4 lives were lost.

On February 6 1918 the British hospital ship *Glenart Castle* was sunk by German submarine U-56 in Bristol Channel. Out of the 200 men and women aboard, only 38 were saved.

The *Donegal* carried slightly wounded cases, all British. Of these, twenty-nine men, as well as twelve of the crew, were lost.

John Campbell (1877-1972) "*An t-Suisd*", 6b South Dell, wounded at Vimy Ridge on 11th April 1917; was a survivor of the sinking of the *Donegal* on 17th April.

Clàr-ama a' Chogaidh Mhòir 1918–20

Chronology of the Great War 1918–20

Balaich Shiadair

Donald *Tòbaidh* MacDonald 5 Lower Shader (*Dòmhnall Bringle*). Angus *Aonghas Puth* MacLeay, 38 Lower Shader or 14 Lower Shader. Lost on the *Iolaire* and left a widow and 4 children. Norman *Tarmod 'an Màrtainn* Martin, 8 Lower Shader. Lost on the *Iolaire* and left a widow and 3 children.

• Aig muir bha bàtaichean-aigeil Gearmailteach fhathast a' toirt ionnsaigh air soithichean Breatannach 's a' cur às dhaibh

• Ann am Mesopotamia tha feachdan a' Chaidreabhais a' dol air adhart. San Dàmhair tha na Turcaich ag iarraidh sìth agus tha a' chòmhstri a' sgur air an 31 latha den mhìos

• Air an Aghaidh an Iar, bhon Iuchar gu faisg air deireadh na bliadhna, tha feachdan a' Chaidreabhais a' toirt ionnsaigh gun abhsadh air na Gearmailtich a tha a' sìor fhàs lag. Tràth san t-Samhain tha na Gearmailtich air call agus chaidh fosadh-airm aontachadh aig aon uair deug air 11 An t-Samhain. Tha na gunnaichean nan tost agus thàinig crìoch air ceithir bliadhna de chogadh

• Ach cha robh cùisean seachad fhathast … thig crìoch air a' bhliadhna leis an *Iolaire* a' fàgail Chaol Loch Aillse aig 9.30 a dh'oidhche air 31 An Dùbhlachd, agus tràth air madainn na Bliadhn' Ùire tha i briste air Biastan Thuilm

• *At sea, German submarines continue to attack and destroy British ships*

• *In Mesopotamia the Allies advance. By October the Turks seek peace and hostilities cease on 31 October*

• *On the Western Front from July onwards the Allies launch offensives against a weakening German line. By early November the German Army is defeated and an Armistice agreed for 11.00 o'clock on 11th November. The guns finally fell silent and four years of warfare came to an end*

• *But it was not over … the year ends with the* Iolaire *leaving Kyle at 9.30 pm on 31 December and in the early hours of the new year is wrecked on the Beasts of Holm*

1918

January 4	British hospital ship *Rewa* sunk in Bristol Channel after being torpedoed en route from Thessaloniki, Mudros, Malta and Gibraltar and bound for Avonmouth carrying wounded troops. 4 lives lost.
January 8	Woodrow Wilson outlines his Fourteen Points for postwar peace in Europe.
January 9	**Louis Macleay, 14 Ballantrushal, died of wounds in France, age 19.**
January 14	Yarmouth bombarded by German destroyers.
January 20	**HMS *Louvain*, an armed boarding steamer of 1830 tons, torpedoed and sunk in the Kelos Strait, Aegean Sea. 224 lost including Angus Morrison 19a South Dell.**
February 5	SS *Tuscania*, carrying United States troops, sunk by submarine off the Irish coast, with the loss of about 200 lives.
February 12	**SS *Eleanor* torpedoed and sunk by a German submarine UB57 nine miles off St. Catherine's Point. The Captain and 34 others were killed including Angus Thomson 3 Habost, age 29.**
February 15-6	Seven Drifters sunk in Dover Straits by German destroyer. 54 lost.
February 16	Port of Dover shelled by German submarine.
February 19	British begin their assault on Jericho.
February 21	The British capture Jericho.
February 25	German troops capture Estonia.
February 26	British hospital ship *Glenart Castle* is sunk by German submarine U-56 in Bristol Channel. Out of the 200 men and women aboard, only 38 were saved.
March 1	HMS *Calgarian*, an armed merchant cruiser, was sunk by the submarine U-19 off Rathlin Island, Northern Ireland. The initial strike did not sink her and the crew managed to contain the damage. The U-boat torpedoed her again, despite the protection of other ships. She was hit by 4 torpedoes and quickly sank with the loss of two officers and 47 ratings. **Angus Maclean, 2 Knockaird, Aonghas Dh'll Bhàin Dh'll Riabhaich, 'Sionnach' survived.** *Calgarian* was at Halifax, Nova Scotia, when an explosion in the harbour on December 6, 1917, killed over 2000 people mostly on shore. *Calgarian* crew assisted with rescue and medical relief.

***Balaich Chrud*, 28 Swainbost**
Above: Sergeant John Macleod, Iain '*Chrud*'. Wounded 25 April 1915. Killed in action in France 28 March 1918
Below: His brother, Malcolm *Cronjy* Macleod, RNVR, lost on the *Iolaire* 1 January 1919.

March 2	Germans capture Kiev.
March 7	German artillery bombard the Americans at Rouge Bouquet.
March 16	**Murdo Mackenzie, 16 Port, died of wounds in hospital in Manchester, age 30.**
March 21	British forces advancing in Palestine cross the River Jordan.
March 23	**Alexander Smith, 15 Ballantrushal, killed in action in France, age 29.**
March 26	French Marshall Ferdinand Foch is appointed Supreme Commander of all Allied forces.
March 28	**John Macleod, 28 Swainbost, killed in action in France, age 23.**
March 28	Third Battle of Arras.
April 1	Royal Air Force founded by combining the Royal Flying Corps and the Royal Naval Air Service.
April 2	**Norman Morrison, 48 Back Street and 6 Habost, killed in action in France, age 28.**
April 10	British government passes extension to Military Service Act, raising upper age of conscription to 50 and extending it to Ireland; comes into effect on 18 April.
April 25	**John Macleod, 6 Eoropie, died in Glasgow after being gassed, age 31.**
April 26	**John Macleay, 10b Ballantrushal, age 43, lost when SS *Llwyngwair* was torpedoed by UC 64.**
May 1	**Roderick Murray, 16 South Dell, died at Naval Hospital, Great Yarmouth, age 46.**
May 1	German forces capture Sevastopol in the Crimea.
May 7	Treaty of Bucharest between Romania and the Central Powers. It will never be ratified.
May 15	**German submarine shells the island of St Kilda destroying a communications mast and damaging some property.**
May 19	German night air raid on London: proves to be last in which casualties are inflicted (49 killed and 177 wounded) before WWII.

May 19	Heavy casualties in German air raid on British camps and hospitals at Etaples in France
May 21	Ottomans invade Armenia.
May 25	British government publishes accounts of Irish-German plots
May 27–June 6	Third Battle of the Aisne. After initial gains, the German advance is halted.
July 15–August 6	Second Battle of the Marne and last German offensive on the Western Front, which fails when the Germans are counterattacked by the French.
July 17	**The Tsar and his family are murdered early in the morning by the Bolsheviks.**
July 28	**William Macleod, 3 North Dell, killed at Buzancy, age 42.**
August 3	Australian troop ship *Warilda*, carrying wounded from Le Havre to Southampton and clearly marked by red crosses, is sunk by German submarine UC-49; 149 lose their lives.
August 4	**Kenneth Morrison, 25 Habost, killed in action in Mesopotamia, age 21.**
August 8	**Donald Colin Macleay, 24 Upper Shader, killed in action in France, age 22.**
August 9	**Angus Murray, 17 South Dell, killed in France, age 34.**
August 11	**Angus Campbell, 2 Port, killed in action in France, age 34.**
August 26–September 14	Battle of Baku, last Turkish offensive of the war.
September 2	**John Macritchie, 28 Lionel, killed in action in France, age 24.**
September 13	**SS *Buffalo*, on passage from Ayr to Dundalk with a cargo of coal, was sunk by UB64 with the loss of ten lives including Donald Morrison 3 Cross.**
September 15	The Allies (French and Serbs) break through the Bulgarian lines at Dobro Polje.
September 16	Large explosion in Dover harbour as HMS *Glatton* blows up. Reports vary but at least 57 and possibly as many as 80 die on board.
September 18–September 19	Third Battle of Doiran, a phase of the Vardar Offensive; the Bulgarians halt the British and Greek advance.
September 18–October 17	Battle of the Hindenburg Line. The Allies break through the German lines.

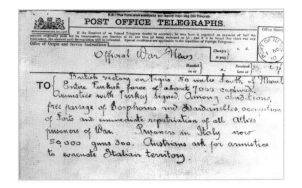

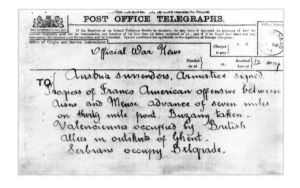

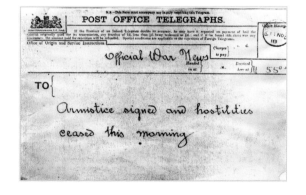

September 19–September 25	Battle of Megiddo. The British conquer Palestine.
September 23	**Malcolm Morrison, 6 Eorodale, killed in action in France, age 26.**
September 23	Haifa, Acre and Es Salt in Palestine are all occupied by British forces.
September 25	The British capture Tiberias during the Battle of Sharon.
September 20	British cavalry capture Nazareth and Beisan in Palestine.
September 26-October 1	The British enter Damascus.
September 28	British and Belgian forces begin offensive operations in Flanders: they break out of the Ypres salient with relatively few casualties and the war in Flanders becomes one of movement again.
September 30	Bulgaria signs an armistice with the Allies at noon.
October 1	**Norman Morrison, 22 North Dell, died of wounds in France.**
October 1	Damascus falls to British and Arab forces.
October 10	**Irish mailboat *Leinster*, torpedoed and sunk by German submarine UB-123. At least 500 lost out of about 700 on board.**
October 10	French forces capture Pristina in Serbia.
October 11	**Malcolm Murray, 24 South Dell, died on ship *City of Cairo*, age 27.**
October 11	Allied forces capture Nish in Serbia.
October 12	German government signals that it will accept President Wilson's conditions regarding armistice.
October 14	Turkish government proposes an armistice in a note to President Wilson.
October 15	British cavalry seizes Homs in Syria.
October 19	**Donald Macdonald, 2 Eorodale, killed in action in France, age 22.**
October 20	Germany suspends submarine warfare.
October 22	British forces in northern Mesopotamia begin advance on Mosul.

October 25	British forces recapture Kirkuk in Mesopotamia.
October 30	The Ottoman Empire signs the Armistice of Mudros.
October 31	Hostilities between Allies and the Ottoman Empire cease at noon.
November 2	In the Mediterranean, *Surada* and *Murcia* are the last two British merchant ships to be sunk by submarine.
November 3	Austria-Hungary signs the armistice with Italy, effective November 4.
November 5	Seaplane carrier HMS *Campania* sunk in Firth of Forth after accidental collisions in bad weather.
November 9	Germany: Kaiser William II abdicates; republic proclaimed.
November 9	Battleship HMS *Britannia* sunk by submarine off Cape Trafalgar. 50 lost.
November 10	Austria-Hungary: Kaiser Charles I abdicates.
November 11	**At 6 am, Germany signs the Armistice of Compiègne. End of fighting at 11 a.m. in France and Flanders.**
November 12	Austria proclaimed a republic.
November 21	Germany's fleet surrenders.
November 22	The Germans evacuate Luxembourg.
November 25	11 days after agreeing a cease-fire, General von Lettow-Vorbeck formally surrenders his undefeated army at Abercorn in present-day Zambia.
November 27	**Alexander Martin, 33 Lower Shader, died in accident age 30.**
November 27	The Germans evacuate Belgium.
December 1	Kingdom of Serbs, Croats and Slovenes proclaimed.
December 3	**John Macleod, 8 Fivepenny, died of illness, age 29.**
December 31	**At 9.30pm, theAdmiralty Yacht *Iolaire* departs Kyle of Lochalsh with 300 men on board including over 200 from Lewis and Harris: mostly RNR ratings returning home.**

Stornoway Gazette - NESS NEWS, 10 MAY 1918

Prisoners in Germany

… it is a pleasure to have to report the safety of Kenneth Morrison, 22 Lionel, son of Johnnie Mac Alasdair. Kenneth who is quite a youth, was sailing on the SS "Wordsworth". This steamer left Colombo in the company of several others a year last March, and no trace of any of them was ever found until the raider "Wolfe" arrived in Germany. Kenneth's steamer was one of the victims but unfortunately he was taken into Germany along with the rest of the crew, which includes a lad from Bragar. There was a letter from Kenneth last week saying both of them were well. Of course, his family had given him up for lost a year ago. Their happiness in getting such good news is shared by all in the district.

Kenneth (*Gille Ceanaidh*) is recorded in the Roll of Honour at 24 Lionel and later 17 Cross Skigersta.

1919

January 1   At 1.55am the *Iolaire* founders on the Beasts of Holm on the approaches to Stornoway. 205 men are lost, including 29 from the villages between Skigersta and Ballantrushal.

RNR ratings. Allan Thomson, 15 Swainbost, died in hospital Chatham 26 October 1914 and Malcolm Thomson, 14 Swainbost, lost in the *Iolaire* disaster 1 January 1919.

John Macdonald, 10 Skigersta, age 32
Murdo Campbell, 4 Eorodale, 18
John Macleod, 13 Eorodale, 20
Angus Macdonald, 3 Port, 24
Angus Morrison, 7 Knockaird, 32
John Morrison, 12 Knockaird, 18
Donald MacLeod, 5a Fivepenny, 28
William Mackay, 7 Fivepenny, 26
Donald Morrison, 11 Fivepenny, 27
Angus Morrison, 10 Eoropie, 20
Norman Morrison, 17 Lionel, 20
Angus Campbell, 31 Lionel, 40
John Murray, 36 Lionel, 46
Roderick Morrison, Back Street, Habost, 43
Donald Murray, 11 Habost, 22
Donald MacRitchie, 34 Habost, 21
Alex John Campbell, 41 Habost, 20
Donald MacDonald, 13 Swainbost, 27
Murdo MacDonald, 13 Swainbost, 21
Malcolm Thomson, 14 Swainbost, 27
Malcolm MacLeod, 28 Swainbost, 20
Angus MacRitchie, 38 Swainbost, 20
Angus Gillies, 35 South Dell, 30
Murdo MacDonald, 15 Borve, 18
Norman Martin, 8 Lower Shader, 42
John MacDonald, 25 Lower Shader, 32
Angus MacLeay, 38 Lower Shader, 38
Malcolm Matheson, 10 Upper Shader, 27
Angus Morrison, 31 Upper Shader, 20

12 Survivors

John Murray, 8 Skigersta
John F Macleod, Port of Ness
Donald Morrison, 7 Knockaird
Alexander Morrison, 4 Cross
Murdo Macfarlane, 24 Cross
Norman Mackenzie, Post Office Side, Cross
John Murray, 6 South Dell
Murdo Graham, 8 Borve
Roderick Graham, 29 Borve
Angus Macdonald, 32 Borve
Angus Morrison, 41 Borve
Donald Martin, 33 Lower Shader

January 19	Finlay Smith, 19 Habost, wounded France, died in Canada, age 29.
January 20	Murdo Macleod, 18 Lower Shader, invalided home and died there, age 28.
February 24	Donald Macdonald, 34 Lower Shader, died at home, age 29.
February 27	John Morrison, 4 Borve, died of influenza in Inverness, age 25.
March 22	Murdo Maclean, 24 Swainbost, wounded September 1918, died in hospital in Aberdeen, age 20.
March 24	Donald Macleod, 8 Fivepenny, 2nd Seaforths, wounded, died at home. Interred Swainbost.
March 31	Murdo Campbell, 41 Habost, died at home, age 19.
April 24	Donald Smith, 22 Fivepenny, died in hospital in Granton after being invalided from Russia, age 20.
May 20	Donald Macdonald, 16 Eoropie, died in hospital in England, age 21.
October 18	Donald Macleod, 10 Lionel, died at home age 37 – wounded - leg amputated.

1920

January 7	John Murray, 21 Swainbost, age 19 and Roderick Gillies, 20b South Dell, age 20, lost when ship HMT *St Leonard* sank in gale.

The Keeper of the Privy Purse presents his

compliments to Mr Murray and is commanded by The King to

say that His Majesty has heard with the deepest gratification

that he has six sons serving in His Majesty's Forces.

The King sends Mr Murray his congratulations

and desires that he will convey the same to his sons,

together with His Majest's best wishes for their success,

health and happiness in he noble career they have

chosen.

30th October, 1914.

Chronological Postscript 1

Balaich Tharmoid Dhuinn 'Tam'

The note (shown at left) from Buckingham Palace expresses the good wishes of His Majesty King George V to Norman Murray, 6a South Dell whose six sons were on active service. Apparently Norman and his wife, Catherine (*ni'n Alasdair Tàilleir*, 29 Swainbost) were informed that they should select one of the sons to come back home. Catherine wanted to send for William, the youngest, but Norman desired to seek the Lord's will before he made his decision. Later he informed Catherine that he didn't want to call any of the boys to return and that he was leaving them all in the hands of the Lord. The six all survived the war and are listed below and in the *Roll of Honour* for 6a and 40 South Dell.

ALEXANDER MURRAY (*Làistidh*)
Later 10 Melbost
d.1962 age 82

ANGUS MURRAY (*Aonghas 'Polis' Tam*)
d. December 1960 age 76
m. Mary Maclean, 30 South Dell

JOHN MURRAY (*Iain Help*)
Later Vatisker
d. 1966 age 79
m. Catherine Stewart

DONALD MURRAY (*Dòmhnall Dubh 'Dòdubh'*)
Later Park House South Dell
d. 1968 age 75
m. Gormelia Morrison, 31 Cross (*Taigh 'Wattie'*)

NORMAN MURRAY (*Tòhan*)
Lived in Montana. Returned to Park House
d. 1973 age 77

WILLIAM MURRAY
Emigrated to Australia
d. 5 May 1974 age 75

Chronological Postscript 2

Gormal Maciver, Borve in loving memory of her husband, John (*Iain a' Phunch*}, acting Leading Seaman, who was lost at sea on HMS *Main*, sunk by U75 in the North Channel on Tuesday 9 October 1917.

'S ann an toiseach mìos October,
Fhuair mi an naidheachd a leòn mi,
'S tu ri thighinn air fòrladh,
Ach cha robh e òrdaicht dhut tighinn dhachaigh
O mar chuir mi 'n geamhradh seachad,
Às do dhèidh an dèidh na bh'eadrainn.

Cha b'e Athair, 's cha b'e Màthair,
'S cha b'e piuthar, 's cha b'e bràthair,
Ach mo chompanach gràdhach
Rinn mo chràidh is m'fhàgail falamh,
O mar chuir mi 'n geamhradh seachad.

Cha tug sinn ach a' ràith pòsta,
Gus an deach thu a sheòladh,
'S nuair a bha thu tighinn air a' bhòidse
'S ann a thòisich an Cogadh,
O mar chuir mi 'n geamhradh seachad.

Bha d'athair ort cho gràdhach,
Agus Seumas bràthair do mhàthar,
'S Rob d'uncail sa Bhaile Àrd,
Is Màiri piuthar do mhàthar sa bhaile seo,
O mar chuir mi 'n geamhradh seachad.

Chan urrainn fios bhith aig mo mhàthair,
No dhol a-steach nam àmhghair,
Mur tig furtachd bhon Tì as àirde,
Chan fhaigh mi càil bho neach air thalamh.
O mar chuir mi 'n geamhradh seachad.

Bheir mi sùil air mo chiabhaig,
Ach a bheil i ri liathadh,
Mar tha mo chridhe air a chriathradh,
A-riamh bho fhuair mi an naidheachd,
O mar chuir mi 'n geamhradh seachad.

Dh'fhalbh m'fhalt leis an deuchainn,
'S cha b'e idir leam na iongnadh,
Ri cuimhneachadh air do bhriathran,
A bha riamh leam cho taitneach.
O mar chuir mi 'n geamhradh seachad.

Bha toil agad dha mo chàirdean,
'S ann a' dol na bu mhotha a bha i,
'S gun tugainn thu à uchd Abrahaim,
Leis na bha de ghràdh eadrainn.
O mar chuir mi 'n geamhradh seachad.

Cha robh dithis fon a' ghrèin,
A bha saoilsinn barrachd dhe chèile,
Tha sin an-diugh ga mo cheusadh,
'S ga mo lèireadh air an talamh.
O mar chuir mi 'n geamhradh seachad.

Tha mo thruas ris a' bhanntraich,
'S ann oirre lùiginn a dhol a shealltainn,
Mar an Navy no a' Fhrainge,
Chrom a ceann leis an eallach
O mar chuir mi 'n geamhradh seachad.

Chan fhaic mi tuilleadh ri m' bheò thu,
Chaidh sin innse dhomh còmhladh,
Ged as tric a bhios mi dòigheil,
Riut ri còmhradh ann am aisling.
O mar chuir mi 'n geamhradh seachad.

Ach an uair a ni mi dùsgadh,
Bidh na deòir a' ruith bhom shùilean,
Agus osnaich a bhitheas brùiteach
A nì an dùsgadh às an cadal.
O mar chuir mi 'n geamhradh seachad.

Ach is sona dha mo ghràdh-sa,
Bhon a thug e fainear àithntean,
'S bidh a shìth mar an àmhainn,
Is fhìreantachd mar thonn na mara.
O mar chuir mi 'n geamhradh seachad.

Cha tilleadh tu 'n-diugh chum an t-saoghail,
Ged a dh'fhàg thu mi nam aonar,
'S ann tha thu snàmh an cuan a ghaol-san,
Am measg nan naomh anns na Flaitheas.
O mar chuir mi 'n geamhradh seachad.

Cha robh thu mar a bha na h-òighean,
Cha robh ola aca nan lòchrain,
Nuair a thàinig E nan còmhdhail,
Cha robh na lòchrain aca laiste.
O mar chuir mi 'n geamhradh seachad.

Bidh mi nis co-dhùnadh m'òran,
'S cha tog sin dhìomsa am bròn seo,
An cupan a chaidh dhòmhsa dhòirteadh,
An e gun òladh tè eile e.
O mar chuir mi 'n geamhradh seachad.

3

Call na h-*Iolaire*

The loss of the 'Iolaire'

Call na h-'Iolaire'

The loss of the Iolaire

*In Remembrance of those lost,
and the few who survived,
the Iolaire disaster*

*From Skigersta to Ballantrushal
29 Lost; 12 Survivors*

B' e cuspair-bròin a chuir clach-mhullaich air a' chogadh a bh' ann an Call na h-Iolaire, a bhuin, cha mhòr, ris a h-uile teaghlach anns an eilean. Tha sgeulachd na h-Iolaire air a bhith air a sgrùdadh gu farsaing agus gu mionaideach, agus tha iomadh cunntas sgrìobhte air nochdadh mun chuspair thairis air na 95 bliadhna mu dheireadh.

Thug 'Criomagan', leabhran Chomunn Eachdraidh Nis, iomradh air a' bhuaidh a bh' aig an tubaist air na bailtean againn anns na h-irisean eadar 1997 agus 1999, agus fhuair sinn mòran fiosrachaidh à sin.

Chleachd sinn an leabhar, 'When I heard the Bell' le Iain MacLeòid airson cuid den fhiosrachadh, agus bha cunntas Chaluim MhicDhòmhnaill – iolaire1919blogspot.com – glè fheumail, cuideachd.

Described as the 'crowning sorrow of the war' – the loss of the *Iolaire* was a tragedy that touched just about every island family. The *Iolaire* story has been researched extensively and many publications have appeared over the past 95 years.

'Criomagan', the Comunn Eachdraidh Nis magazine editions of 1997-1999 focused on the effect of the disaster on our own villages and are the main sources used here.

John Macleod's book *'When I heard the Bell'* was used to verify some of the information and Malcolm Macdonald's account – iolaire1919blogspot.com – was also very helpful.

Mo chall! Mo chall! An cuala sibh
An eubha chruaidh gach taobh?
An Iolair' air a cliathaich
Fo riaghladh mara 's gaoith';
Na sìneadh ris na Biastan,
Gun do shiabadh i o cùrs,
Toirt uaigh-sàil do cheudan
Am fianais tìr an gaoil.

Bho *Call na h-Iolaire*
le Aonghas Caimbeul (*Am Bocsair*)

Bha ceithir bliadhna luasganach
A' bhuairidh air an cùl
A chaidh seachad iarganach
Air cuantan agus raoin,
Ceartas air a riarachadh
Le buaidh ga toirt air daors',
'S a' Ghearmailt fo a riaghladh ac'
Le fallas dian an gnùis.

Is iomadh cridhe mànranach
Bha bualadh blàth le mùirn
Ri sgioblachadh nam fàrdaichean
Airson sàir ris an robh dùil
Tilleadh dhachaigh sàbhailt
Bhon a' bhlàr thuca len saors',
'S a' choinneamh bhiodh cho aoibhneach ac'
Air oidhche na bliadhn' ùir.

Bho 'Eachdraidh na h-Iolaire'
(Le Cairstìona A NicLeòid à Pabail)

Mu Dheireadh Thall

'Mu dheireadh thall' ars iadsan, coimhead Leòdhas breac le soills
Sin thall am bàgh is Àirinis a' deàlradh tron an oidhch'
O faighibh deas bhur màileidean 's an t-astar cuain air cùl
Is aoigheil bhios ar gàirdeachas an clachain bhlàth ar rùin
Mu dheireadh thall

Mu dheireadh thall ars iadsan is gach dòrainn nis nar dèidh
O 's bòidheach bhios ar teintean fon toit ghorm-liath 'g èirigh rèidh
'S nach lìonmhor bhios ar sgeulachdan an caidreamh chàirdeil chlann
Mu ar dànachd 's mu ar deuchainnean 's sinn nis mu dheireadh thall
Mu dheireadh thall

Bha 'n smuain an clachain aonranach ri monmhar sìor a' chuàin
'S na Hearadh dorch le beanntan gorm gu stòld an sàmhchair suain
'S bha mhòinteach uaigneach smèideadh riutha mar mhàthair ri a pàist
'S an cridhe san fhraoch gun dh'èist iad i a guth le blàths nan gàir
Mu dheireadh thall

Sin chual iad fàilt nam faoileagan an cobhar bàn nan tonn
'S na h-uillt a' ruith gu ceòlmhor mun dachaighean le fonn
'S bha 'n cridhe air bhoil le sòlas ann am bruadar beò le dàimh
A' faicinn solais Steòrnabhaigh 's an laimrig deas rin làimh
Mu dheireadh thall

Cho faisg air làimh 's cho fad air falbh – gu bràth 's gu sìorraidh buan
Bidh 'm bruadar sìor a' cnuasachadh an dìomhaireachd a' chuain
Dè bhuail an cupan sòlais bhuap 'n dèidh dòrainnean an là
'S thug dhaibh an t-sìth chaidh àicheadh dhaibh – an sàmhchair dorch a' bhàis
Mu dheireadh thall

Eadar-theangachadh dha `*Home at Last*' le Tormod MacLeòid (*Contar*), neach-teagaisg an Sgoil Liònail aig aon àm

Home at Last

"Home at last!" they whispered, as glowed the shore lights bright;
"There lies the bay, and Arnish Light is gleaming through the night;
Go, get your kit bags ready, for the voyage is now o'er,
And grand will be our welcome on our well-beloved shore –"
"Home at last!"

"Home at last!" they murmured, "our sorrows now are fled'
Ah! Sweet will be the pale-blue smoke of our peat fires burning red,
And won't we tell the stories of the dreadful years now past,
Of all our wild adventures now we are home at last –
"Home at last!"

They dreamed of lonely hamlets by the edge of the moaning deep;
They saw the Harris hills so still in their purple-cradled sleep;
And the brooding moorland called to them as a mother to a child;
Their hearts were in the heather; they heard the voice and smiled –
"Home at last!"

They heard the seagulls screaming where the blue sea breaks in foam,
And the soft melodious ripple of the brooklet by their home;
And their hearts were full of music, and fair dreams hovered near,
For there were the lights of Stornoway, and yonder loomed the pier –
"Home at last!"

So near their home, and yet so far that never, nevermore.
They'll roam the dreaming moorland or by the lone sea-shore;
Theirs be the calm of heaven, the peace the world denied,
After life's cruel tempest – the hush of eventide:-
"Home at last!"

J.N.Maciver in '*Stornoway Gazette*' 10th January, 1919

Geàrr-chunntas le
Iain Gordon Dòmhnallach

Air madainn na Bliadhn' Ùire, 1919, chaidh bàta na Nèibhidh, an 'Iolaire', a chall air Biastan Thuilm, faisg air caladh Steòrnabhaigh. Bha timcheall air 300 duine air bòrd, agus a-mach às a sin, chaill 205 am beatha air starsaich an eilein aca fhèin.

Bha 37 duine a bhuineadh do Nis agus an Taobh Siar a' tilleadh dhachaigh air a' bhàta, ach cha do shàbhail ach aon duine deug dhiubh. Nam measg bha Iain F MacLeòid, às a' Phort, a shnàmh gu tìr le ròpa agus a bha na mheadhan air mu dhà fhichead duine a shàbhaladh. Dhìrich Dòmhnall Moireasdan (Am Paids), às a' Chnoc Àrd, suas an aon chrann a bha air fhàgail, agus dh'fhuirich e an sin fad na h-oidhche gus an deach a thoirt air bòrd eathair bhig anns a' mhadainn.

'S iomadh teaghlach ann an Leòdhas agus na Hearadh a bha a' feitheamh ris na fir aca an Oidhche Bliadhn' Uir' ud, airson fàilte chridheil a chur orra an dèidh dhaibh a thighinn beò tro àmhghar agus cruadal a' Chogaidh Mhòir. 'S beag a bha a dhùil aca gum bitheadh iad air an glacadh ann an tachartas cho oillteil ri seo, cho faisg air tìr an àraich.

Bha grunnan ainmean air an t-soitheach bho chaidh a togail ann an 1881, ach chaidh an 'Iolaire' a thoirt oirre seach gur e sin ainm ionad na Nèibhidh ann an Steòrnabhagh aig an àm.

Sheòl an Iolaire gu Caol Loch Aillse air an latha mu dheireadh den bhliadhna, 1918, seach nach bitheadh rùm air bòrd bàta Mhic a' Bhruthain, an 'Sheila', dhan h-uile duine a bha air an t-slighe dhachaigh a Leòdhas airson na Bliadhn' Ùir'.

Anns a' Chaol chaidh faighneachd do Chomanndair Mason, caiptean na h-Iolaire, an toireadh e leis trì cheud duine. Thuirt e gun toireadh furasta gu leòr, ged nach robh aige de bhàtaichean-teasairginn ach na ghabhadh ceud neach, agus 80 criosan-sàbhalaidh. Chaidh a ràdh ri muinntir na Hearadh gu faigheadh iadsan aiseag dhachaigh an ath latha. A dh'aindeoin sin, chaillear seachdnar de bhalaich na Hearadh air an Iolaire.

Dh'fhàg an Iolaire an Caol aig leth uair an dèidh naoi air an oidhche mu dheireadh den bhliadhna. Dh'fhàg an Sheila leth uair a thìde às a dèidh. Bha a' ghaoth ag èirigh mar a b' fhaisg a bha iad a' tighinn air Steòrnabhagh agus bha ciùthranaich uisge ann.

Timcheall air uair sa mhadainn dh'fhàg an Comanndair Mason an drochaid agus ghabh a' chiad oifigear, Lieutenant Cotter, a-null bhuaithe. Dh'innis criutha a' bhàt'-iasgaich, an 'Spider', dhan Chùirt Rannsachaidh Poblaich a-rithist gun deach an Iolaire seachad orra beagan mhìltean a-mach à Steòrnabhagh. Nuair a bha an Spider a' dlùthachadh air taigh-solais Àirinis mhothaich iad nach do dh'atharraich an Iolaire a cùrsa aig an àm cheart, 's gu robh i a' dèanamh air Biastan Thuilm.

Cha b' urrainn do chriutha an Spider no bàta eile, am 'Budding Rose', a bha faisg air làimh, cobhair idir a dhèanamh air an fheadhainn a bh' air bòrd na h-Iolaire. Bha an fhairge cho dona agus na sgeirean cho cunnartach.

Ann an 1921 chaidh duais bho Urras Charnegie a bhuileachadh air Iain F MacLèoid airson a dhànachd air an oidhche ud.

Chaidh dà rannsachadh a chur air chois airson feuchainn ri faighinn a-mach dè dh'adhbhraich an tubaist. Chaidh a' chiad fhear a chumail fo ùghdarras na Nèibhidh air 8 Faoilleach 1919, agus cho-dhùin iad nach b' urrainn dhaibh coire a chur air duine airson mar a thachair.

Chaidh Rannsachadh Poblach a chur air adhart ann an Steòrnabhagh air 10 Gearran 1919. Cho-dhùin luchd-breith na cùirte, gu aona-ghuthach, nach robh na h-oifigearan faiceallach gu leòr nuair a bha iad a' tighinn faisg air caladh Steòrnabhaigh, nach do gheàrr iad sìos an t-astar aig an robh iad a' dol, nach robh uidheam sàbhalaidh iomchaidh aca air an t-soitheach, agus nach do rinn iad an dleastanas a thaobh sàbhailteachd na muinntir a bh' air bòrd às dèidh dhan bhàta a dhol air na sgeirean.

Tha aon nì cinnteach. Ann an eachdraidh agus beul-aithris Leòdhais agus na Hearadh, cha tèid dìochuimhn' a dhèanamh a-chaoidh air an tachartas uabhasach seo.

On New Year's morning, 1919, the Admiralty yacht, HMY *Iolaire*, with nearly 300 men aboard, foundered yards from shore and within a mile of the safety of Stornoway Harbour. Over 200 young men from Lewis and Harris and the crew perished in the tragedy.

Of the forty-one men from the Ness and West Side districts of Lewis on the vessel, twelve would survive the ordeal. Included in their number would be: John F MacLeod, who managed to scramble ashore with a rope and who was instrumental in saving many lives, and Donald 'Patch' Morrison who, unbeknown to the shocked rescuers on shore, spent the night clinging perilously atop the *Iolaire*'s remaining mast.

Many Lewis families would have been celebrating the dawning of a New Year in the early hours of 1 January 1919. The celebrations would have been particularly sweet as the families were also awaiting the imminent arrival home on leave of their men folk, following the ending of hostilities. No one could have predicted that so many veterans - having survived the brutality of the Great War - would have their lives tragically plucked from them within a stone's throw of their island home. The *Iolaire* Disaster, as it has become known, remains one of the worst peace-time catastrophes in British maritime history. Its consequences would be felt in every Lewis parish, as the flower of island youth was torn from many an island family.

The total population of Lewis, between 1914-18, approximated 30,000. Incredibly, from these numbers, Lewis contributed about 6,200 servicemen (including returning emigrants) to the war effort. Consequently, about 20% of the entire Lewis population was on active service in some capacity during WWI - with approximately half of them serving in the Royal Naval Reserve (RNR).

In 1915, the luxury sailing yacht *Amalthaea* was commandeered by the Admiralty to help with the war effort. The vessel's owner was a Mr Duff-Assheton Smith (later, Sir Michael Duff), who had earlier purchased her from the Duke of Westminster. The yacht was quickly converted and armed for anti-submarine warfare and patrol work. Many examples of her pre-war luxury remained intact, although much of her luxurious polished panelling had been boarded up for protection. Since being built in 1881, the vessel had undergone a succession of name changes. The latest occurred when she became the Navy's base ship in its northern frontier port of Stornoway; and the vessel was given the name of the Naval Base there - *Iolaire*.

Unlike their island comrades, the English Navymen preferred their leave to fall at Christmas time - rather than New Year. Therefore, when the English naval personnel returned to their respective bases following Christmas in 1918, large numbers of Scots were released on leave for the New Year festivities. The Lewismen would journey up from the South of England to Inverness and then onwards to the the railhead at Kyle of Lochalsh for onward passage to the Hebrides. In Stornoway, the Naval authorities soon realised that, due to the huge influx of RNR men seeking passage, the regular MacBrayne's mailboat, SS *Sheila*, would not have sufficient capacity to carry the extra numbers of passengers expected at Kyle. It was to collect some of these RNR personnel that Rear Admiral R.F. Boyle, the officer in charge at Stornoway, despatched HMS *Iolaire* to the embarkation point at Kyle of Lochalsh.

The *Iolaire*, under the command of Richard G W Mason, RNR, arrived in Kyle at 4pm in the afternoon of 31 December, 1918. The *Sheila* was already in harbour and berthed on the other side of the pier. Commander C.H. Walsh, the Navy's officer in charge of Movements, at Kyle, was experiencing major logistical problems. The *Sheila* was already nearly full with civilian passengers returning home for New Year when Walsh learned that chartered trains, with several hundred servicemen aboard, were running two hours late. With the *Sheila*'s inability to carry too many additional service personnel, and their being no prospect of another MacBrayne's vessel being diverted, he asked Commander Mason, the Master of the *Iolaire*, if he could carry 300 men. Although the *Iolaire* only possessed sufficient lifeboats for 100 men and lifejackets for 80, Mason apparently replied, "easily."

Whether Mason, in accepting such numbers without adequate life-saving equipment, was being reckless or acting as a result of pressure from his superiors, or merely being over-eager to help, we shall never fully know. However, this decision to carry so many men, in such an ill-equipped vessel would certainly contribute to the heavy loss of life to follow.

The first of the two trains arrived in Kyle at 6.15pm. The 190 Lewismen who had travelled up from England on the train were soon ushered aboard the *Iolaire*. The arriving Harrismen were ordered to await passage on Thursday (although 7 Harrismen would subsequently number amongst the dead), with the Skyemen awaiting imminent passage aboard HM Drifter, *Jennie Campbell*. The second

From
'Criomagan' Jan/Feb 1997
By Hugh C Macinnes

train finally arrived at 7pm, with an additional 130 Lewismen. As they stood in two rows of 65 (130 men) to await orders to board the *Iolaire*, news arrived that the *Sheila* could take an additional 60 men. The sixty men making up the 30 files arranged on the right were promptly despatched to the waiting SS *Sheila* - leaving the remaining 70 men to their fate aboard the *Iolaire*.

At 9.30pm on 31 December 1918 the *Iolaire* left Kyle for its homeward journey to Lewis. The *Sheila* would cast-off 30 minutes later. With the expectations of a new year and the armistice which followed four years of war, the young servicemen aboard HMS *Iolaire* would have undoubtedly been full of merriment and Gaelic song as they looked forward to being reunited with their families and loved ones back on Lewis. Although dark, the night was initially clear with a fresh southerly wind. However, shortly after 12.30am (when the vessel would have been a few miles South East of Milaid Light, and about 12 miles from Stornoway harbour) the wind began to rise, with an accompanying heavy drizzle.

At about 1am Commander Mason left the bridge, leaving the *Iolaire* under the command of her First Officer, Lieutenant Cotter. The crew of the fishing boat, *Spider*, would subsequently testify to a Public Inquiry that, on their return to Stornoway, they were overtaken by the *Iolaire* whilst still several miles from harbour. As the fishing boat neared the Arnish Light, its crew became concerned as the vessel ahead of them failed to alter course at the appropriate time - and appeared to be on a collision course with the cliffs at Holm. Many of the RNR passengers aboard the *Iolaire* were themselves experienced local fishermen and consequently, some would probably have been aware that the yacht was not following the prescribed course for Stornoway Harbour. Shortly afterwards, the fears of the *Spider's* crew would be realised as they began hearing cries of distress in the darkness on their starboard side.

At 1.55am, less than two hours into the New Year, HMS *Iolaire* suddenly shuddered to a halt as it struck the rocks at Holm. The boat listed heavily to starboard as a large wave crashed into her and lifted the stricken vessel further onto the rocks. As she began to sink, waves swept over the deck as between 50 and 60 men immediately opted to jump overboard and swim the 20 or 30 yards to shore. Unfortunately, this decision proved to be disastrous as none of them would succeed in this initial attempt at escape. Apart from hostile sea conditions, the night was as black as the tragedy itself. Some distress flares were fired

into the night skies and a number of passengers suddenly realised that the vessel's stem was within a few yards of a rocky ledge which extended to the shore. Some of those on board attempted to use this potential escape route but, unfortunately, many were drowned or perished as they were dashed onto the rocks by the uncompromising waves. Shortly after 2am, Lieut. Robert Ainsdale, the Officer of the Watch at Battery Point, reported to Admiral Boyle the initial sighting of a red distress flare from the direction of Holm.

As the disaster unfolded, the *Spider* and HM Drifter *Budding Rose* (the pilot boat which had been assigned to guide the *Iolaire* into port) were unable to render assistance. The heavy seas and frenzied waters betrayed the presence of submerged rocks which prevented them from effecting a rescue from the sea.

Many of those who survived would owe their lives to the courage and determination of John F. Macleod - a Ness boat-builder returning home from active service in the RNR. Having tied a heaving-line around his body, MacLeod would eventually manage to scramble and swim his way to the shore. Four or five men managed to drag themselves ashore by means of this line. Later, a hawser was attached to the line and hauled ashore. This then enabled a further 35 men to escape the carnage. In 1921, Seaman MacLeod would receive the Carnegie Hero Fund Medal and Certificate "in recognition of heroic endeavour to save human life".

At 3.20am, F. Boxall, the Coastguard's Divisional Chief Officer, was roused from his bed on receipt of an emergency message from Admiral Boyle. He immediately proceeded to the Battery, and arrived there about twenty minutes later. There, he was advised by Chief Officer Barnes that he had only been able to muster three of the company's men and that the horse and equipment had not, as yet, arrived. Barnes' company, reinforced by nineteen Naval men, then proceeded by road to Holm Point. Unfortunately, the Coastguard men and equipment would not arrive at Holm before the *Iolaire* finally broke her back, between 3am and 3.30am. One can only speculate now that if the horse and a full complement of local Coastguard personnel had been available sooner, more lives might have been saved.

At about 2.45am, Admiral Boyle sent Sub-Lieutenant C.W. Murray to scramble the Lifeboat crew. He immediately made his way to the Lifeboat Secretary's home, where he discovered the man to be unwell. However, he was given appropriate keys and directions to the Coxswain's home. Having roused the Coxswain, he then rushed back to the Lifeboat shed to light the lamps and prepare the lifeboat for launch. Twenty minutes later he was joined there by the Lifeboat Secretary, Coxswain, and 3 soldiers - a full complement to man the Lifeboat could not be obtained. At 4.30am Murray then left the lifeboat shed in order to waken the Surgeon. Shortly afterwards, at about 4.45am, Murray went in search of transport to carry the First Aid crew to Holm. Knocking desperately at the door of a local car hirer's house, he failed to gain any response. Finally, at 6.30am (four and a half hours after the *Iolaire* struck), he finally managed to obtain the use of a car belonging to the Post Office.

Some of those who had survived the ordeal managed to make their way to Stoneyfield Farm and nearby houses. There, they were comforted as the full extent of the tragedy was rapidly being revealed. Other survivors opted to walk the short distance to the town of Stornoway where relatives - still unaware of the catastrophe which had occurred - would have been waiting expectantly at the quay for the yacht to dock. When news of events finally reached Stornoway, many of those in the town that morning made their way to where the stricken *Iolaire* lay. As rescuers approached the scene, they encountered bodies and wreckage along the foreshore. The vessel itself was found semi-submerged between the shore and the appropriately named Beasts of Holm. One of her masts had been broken in the melee. The other rose defiantly out of the sea at about a 45 degree angle. Unbeknown to the shocked witnesses on the shore, one of the survivors (Donald 'Patch' Morrison, from Knockaird, Ness) was, at that time, clinging for his life up on the mast. He would remain there until 10am - when Lieutenant Wenlock, of the *Budding Rose*, would finally manage to manoeuvre a small naval boat within reach of the stranded sailor.

The exact number of men who were aboard the *Iolaire* that morning is not known with certainty; a proper passenger list had not been recorded prior to her departure from Kyle. However, subsequent evidence suggested that there were 284 servicemen and crew aboard. Of these, 205 men were to lose their lives - with only 79 survivors being able to finally complete their long journey home from the ravages of war.

Admiral Boyle (the Naval officer in charge at Stornoway) possibly suspected some degree of negligence on the part of the officers and crew of the *Iolaire*. On 3 January, he sent a telegram to the Admiralty in London, requesting instructions on whether he should instigate a Court Martial. His superiors decided instead to opt for a Court of Inquiry (possibly, the Navy feared that a Court Martial might imply the acceptance of blame for the loss). The first of two subsequent investigations was a private Naval Inquiry, held on January 8, 1919. With the customary penchant for secrecy regarding issues of security, the findings of the Naval Court of Inquiry would not be released into the public domain until 1970. The Inquiry had ruled that there was no evidence to properly explain the reasons for the accident - as none of the duty officers had survived the sinking. Consequently, the Admiralty concluded that, "No opinion can be given as to whether blame is attributable to anyone in the matter."

The second investigation into the sinking of the *Iolaire* conducted as a Public Inquiry - convened in Stornoway on 10 February 1919 - which provided the local community with the only real opportunity to confront the Navy on the disaster. This Inquiry was presided over by Sheriff Principal MacKintosh, with seven local men forming a jury. Mr C.G. MacKenzie and Mr J.C. Fenton represented the Crown, with Mr J.C. Pitman and Mr W.A. Ross appearing on behalf of the Admiralty. A local Solicitor, Mr J.N. Anderson, was retained by some of the bereaved families to act on their behalf.

Pitman advised that, due to the lack of available evidence, the Naval Inquiry had been unable to apportion blame for the accident to any individual or agency. He argued that the evidence (or lack of it) before the Public Inquiry should compel the jury to arrive at similar conclusions. Anderson, on the other hand, cited gross negligence and incompetence in the navigation of the vessel and within the vessel's command structure once she had struck the rocks. He also criticised the delay in getting the emergency services and equipment to Holm. Later, in his Report to the Naval authorities concerning the Public Inquiry held in Stornoway, Pitman would tell the Admiralty that the Island's population generally held the Royal Navy culpable for the tragedy.

When the Public Inquiry jury finally arrived at their verdict, it was unanimous and would prove to be less reticent than that of the private Naval Inquiry. They concluded that: the *Iolaire*'s officers did not exercise due caution on the approach to Stornoway; that the vessel did not reduce speed at the appropriate time; that the vessel was allowed to sail without adequate life-saving equipment; that no lookout had been posted; that once the vessel had struck, the officers did not give any orders which might have reduced the loss of life; and, that there was an unacceptable delay in deploying shore-based emergency services. Rumour within the Island had suggested that the officers and crew might have been unfit for duty through drink. However, Captain Cameron, Master of the mail steamer, *Sheila*, had testified at the Public Enquiry that the *Iolaire*'s officers and men had appeared to be perfectly competent and sober when he saw them at Kyle. The jury would subsequently accept that there had been no evidence of liquor being a contributory factor in the events leading up to the disaster.

Few witnesses were able to offer much evidence regarding the actions of the vessel's Captain and First Officer, once she had struck. However, the *Iolaire*'s Radio Operator, L. Welch, said that Commander Mason had managed to make his way to the wireless cabin following the collision. On arrival, Welch stated that Mason calmly gave him the ship's position and issued him with instructions to send out distress signals. Mason then left the cabin shortly before

a bulkhead collapsed and the lights went out below decks. Later, above decks, Welch also spoke briefly to the First Officer, Lieutenant Cotter, who had lashed himself to a rail up on the bridge. Cotter shouted to him, "It's abandon ship - carry on!" When Welch enquired about the officer's own intentions, Cotter apparently replied, "I'm staying here." Commander Mason, Lieut. Cotter and a number of the crew would subsequently number among the dead.

Arguably, the best time for uncovering the true facts concerning events that morning would have been in the years immediately following the disaster whilst witness recollections were still fresh. This opportunity was largely lost when File Number 693: The *Iolaire* Inquiry was quietly closed and hurriedly despatched to the dusty vaults of the Admiralty's archives. Whatever the reasons were for the *Iolaire* to founder astride the Beasts of Holm, those servicemen who lost their lives that day, and indeed those who were to survive, will always hold a special place in the thoughts of the people of Lewis.

'When I Heard the Bell'
John Macleod pp93-95

Half of the survivors lived by the sober courage of one man, John Finlay MacLeod, who went out with the lifeline.

Shortly after impact, the thirty-two year old from Port of Ness got out to the exposed port deck. MacLeod heard no orders given for the men to do anything. He ended up in the drink as the solitary seaman placed inside a hapless lifeboat, but `one of the ship's company got my hand and I got on board.' He beheld more desperation with boats, two - full of men - swamped by the ship's side. Then MacLeod took hold of a line - a long heaving line - and strode aft. He explained his purpose, the thin rope was fastened around his waist, and he unlaced his boots and flung them far into the dark. No, he would say afterwards, never thinking the question funny; he never found them again.

I let myself go, hands over the counter, like this - first wave I saw, I plunged into the water, and made for the shore, as I thought, but - oh - the waves had got up terribly at that time. And it wasn't far to go, but I didn't know how far, but during this time I just put the tip of my fingers against the rock. That was all, and this surge took me back further than I was before, and I knew that I'd never get a grip down there, so that there was only one chance. I tried to keep afloat and - see - I was then right under the counter again. And I

remember - well, I was thinking, about the time - you know, now, that the rock's not far off, and just keep yourself afloat, and watch out for the waves, and don't take the first one, or the second, but watch the third one, for it's always the highest.

And, ferociously, defying cold and rock and every peril, John Finlay Macleod swam round till that wave thundered in as he knew it would, and he rode along the crest of it, and was flung violently ashore.

He was badly bruised, cut; but he ignored it. MacLeod had to, or lose his life, for he was still in harm's way, helpless on a sloping face of knobby stone with a sheer shelf into deep water. At least there were ample handholds. He grabbed some rock, and the first backwash took him off his feet, and `pulled me down a bit, but my hands held, and it was past- then I climbed up another yard. And while I was up about another yard, the line tightened - that was its full length.'... He hung on through the next backwash, and the line - which had evidently snagged in his trail - came free, though worryingly short it was at that. He got `up about two other yards, and sat down there, and started hollering to the people aboard, to come one by one. The first fellow that came was Iain - John Murray - Iain Help.

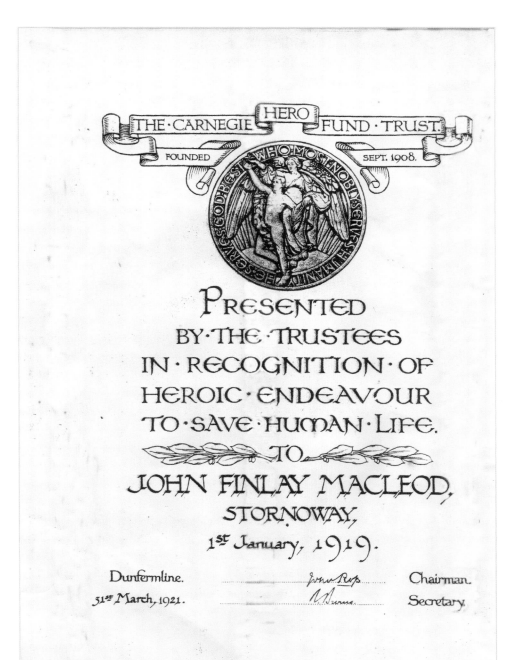

THE·CARNEGIE HERO FUND·TRUST.

FOUNDED   SEPT. 1908.

PRESENTED
BY·THE·TRUSTEES
IN·RECOGNITION·OF
HEROIC·ENDEAVOUR
TO·SAVE·HUMAN·LIFE.
TO
JOHN FINLAY MACLEOD,
STORNOWAY,
1st January, 1919.

Dunfermline.   Chairman.
31st March, 1921.   Secretary.

Dundee Courier –
Wednesday 12 October 1921

SEAMAN HERO HONOURED.
SAVED OVER 40 LIVES IN STORNOWAY DISASTER.

An interesting ceremony took place at a meeting at Stornoway Town Council, when before the ordinary business was proceeded with Seaman John F. Macleod, R.N.R., Port of Ness, was presented with Lloyd's silver medal in recognition of his heroic effort on the occasion of the Iolaire disaster on 1st January, 1919, when upwards of 200 Lewis Naval Reserve men lost their lives within a few yards of their native shore. Provost Smith, who presided, referred to the fact that Macleod had already received the Royal Humane Society's medal and the Carnegie Hero Fund Trust's medal, together with £50.

Mr Simpson, Lloyd's agent at Stornoway, in making the presentation, recalled the circumstances under which Macleod swam ashore from the wreck with the end of a line, by means of which he hauled a heavier rope ashore and made it fast to a spur of rock, thus forming a veritable lifeline between ship and shore over which over forty of his shipmates won to safety before an outward lurch of the vessel snapped the hawser.

Iolaire losses

Skigersta to Ballantrushal

John Macdonald 10 Skigersta

John MacDonald (Age 32)
AB RNR
10 Skigersta
(*Iain 'an Dhoilligean*)
John was the son of John MacDonald (Mac Dhomhnaill Iain Bhreacair), 14/15 Knockaird and Christina MacLean (*ni'n Aonghais Dhòmhnaill*), 10 Skigersta. On 8 October 1918 he married Jessie Finlayson of 18 Skigersta - less than 3 months before he was lost. John returned to active service three weeks after they were married.
The young bride eagerly awaited his return and travelled to the quay in Stornoway anticipating a joyful re-union. Her long vigil ended in heartbreaking sorrow, as news of the tragedy filtered down from Holm, confirming her worst fears. Jessie died in June 1974. Her sister, Peigi, was married to *Iolaire* survivor, John F Macleod, 4 Port.

Murdo Campbell (Age 19)
Deckhand RNR
4 Eorodale
Murdo (*Murchadh Gheadaidh*) was the son of Donald Campbell, 4 Eorodale and Catherine MacLean - originally of 10 Knockaird. There were 10 members of family - 6 daughters and 4 sons. Murdo was the youngest son.

Murdo Campbell 4 Eorodale

Angus Macdonald 3 Port

Donald Macleod 5a Fivepenny

John MacLeod (Age 20)
AB RNR
14 Eorodale
John (*Iain Thorcaill*) was the son of Donald MacLeod of Eoropie (*Mac Ailean Aonghais*), and Mary MacDonald (*ni'n Iain Tharmoid Breacair*) of 16 Knockaird.

Angus MacDonald (Age 23)
Deckhand RNR
3 Port of Ness
Angus was the eldest son of Angus MacDonald (*Aonghas Beag Chaluim Breabadair*) originally from 18 Lionel, and Margaret Campbell (*Màiread Iain Bhàin*) of 3 Port of Ness. His remains were spotted by two men out fishing from Crossbost, Lochs. When arrangements were made to recover his body, he was still wearing his identity disc. He was buried in Crossbost cemetery. In later years whenever his Mother went to the communions there, her first duty was to visit Angus's grave in the nearby cemetery. Angus was an uncle - mother's brother - of Angus MacLeod (*Aonghas Chalaips*), 3 Port of Ness.

Angus Morrison (Age 32)
1st Class P.O. RNR
7 Knockaird
Angus was a brother of Donald Morrison (*Am Patch*), and second eldest member of the family of Donald (*Mac Tharmoid*) and Jessie Gunn (*Seònaid Guinne*). His body was never recovered.

John Morrison (Age 18)
Deckhand
12 Knockaird
Son of Norman Morrison (*An Saighdear*) originally from 35 Lionel and Margaret Smith, 12 Knockaird. John was a brother of *a' Cheàrnag*, 12 Knockaird.

Donald MacLeod (Age 28)
Deckhand RNR
5a Fivepenny
Donald was the second eldest son of Angus MacLeod, originally from Eoropie, and Margaret MacLeod of 5 Fivepenny. He had three brothers one of whom was John MacLeod (*Iain na Gruagaich*). His body was never recovered.

William MacKay (Age 26)
Signalman RNR
7 Fivepenny
William was the only son of Mary MacKay (*Màiri Nighean Dhòmhnaill Chaluim*) of 6/7 Fivepenny, and William MacKay (*Uilleam Aonghais*) of 28 South Dell. He taught in Cross School before being called up for service in the Royal Naval Reserve.

Donald Morrison (Age 27)
Deckhand RNR
11 Fivepenny
Donald was the son of Donald Morrison (*Mac Mhurchaidh Buachaille*), and Gormelia Campbell of 33 Lionel. He was the youngest of a family of eight, and a brother of *Dòmhnall Cruaidh*, 130 Cross Skigersta.

Angus Morrison (Age 20)
Leading Deckhand RNR
10 Eoropie
Angus was the son of John Morrison (*Iain Buachaille*) originally of 15 Eoropie, and Catherine MacLeod of 10 Eoropie. His body was never recovered.

Norman Morrison (Age 22)
Deckhand RNR
17 Lionel
Norman was the second eldest son of Donald Morrison (*Dòmhnall Eachainn*), 17 Lionel and Jessie Campbell, originally of 8 North Dell.

Angus Campbell (Age 40)
AB RNR
31 Lionel
Angus was the son of Catherine Campbell, 31 Lionel and Donald Campbell - originally 7 Lionel. He left a widow Susan (*nee* Morrison from Lochmaddy) and 3 children.

John Murray (Age 46)
AB RNR
36 Lionel
John was the son of Norman Murray 36 Lionel and Mary Gunn originally of 20 Lionel. He left a widow and three of a family, the youngest was only around 2 years old at the time.

Roderick Morrison (Age 43)
AB RNR
89 Cross Skigersta Road
Roderick was the son of Malcolm Morrison, *Calum Ruairidh*, 2 Habost and Margaret Morrison, 4 Lionel. Stricken with the mental trauma of a cruel bereavement, his widow inherited the additional burden of caring for a fatherless family of eight children, in the days before the welfare state.

Donald Murray (Age 23)
Deckhand RNR
11 Habost
Donald was the son of John Murray (*'an Chailein*), originally of 5 Habost, and Margaret MacKenzie, 11 Habost.

Donald MacRitchie (Age 21)
Deckhand RNR
34 Habost
Donald (known as *Dòmhnall Fhionnlaigh Tharmoid Sheonaidh*) was the son of Finlay MacRitchie, 34 Habost and Catherine Morrison, originally of 13 Fivepenny. He was an uncle - mother's brother - of Donald Graham, 142 Cross Skigersta Road

Roderick Morrison 2 Habost
and 89 Cross-Skigersta

Donald Macritchie 34 Habost

William Mackay 7 Fivepenny

John Murray 36 Lionel

Angus Morrison 10 Eoropie

Norman Morrison 17 Lionel

Alex John Campbell 41 Habost

Malcolm Thomson
14 Swainbost

Angus Gillies 35 South Dell

Alex John Campbell (Age 20)
Deckhand RNR
41 Habost
Alex John was the son of John Campbell ('*an Dubh Mhurchaidh Òig*), 41 Habost and Isabella MacKay originally of 50 Tolsta. His brother John learned of the tragedy early next morning as he waited for Alex John on the quay at Stornoway.

Donald MacDonald (Age 27)
AB RNR
13 Swainbost
Donald was the son of John MacDonald 13 Swainbost and Mary Murray originally of 8 Swainbost. His brother Donald also lost his life in the *Iolaire*. This was one of several homes in Lewis to lose more than one member of their family in the disaster. It is said that Donald, a strong swimmer, reached shore and, failing to find Murdo, returned to the vessel and in doing so, sadly drowned.

Murdo MacDonald (Age 21)
Deckhand RNR
13 Swainbost
Murdo (*Murchadh Iain Mhurchaidh Òig*) and his brother Donald lost their lives on this fateful journey. They were sons of John MacDonald (*Iain Mhurchaidh Òig*) of 13 Swainbost, and Mary Murray (*Màiri Mhurchaidh Ruaidh*) of 8 Swainbost. Murdo is buried in the Old Cemetery, Swainbost.

Malcolm Thomson (Age 27)
AB RNR
14 Swainbost
Malcolm, known locally as *Calum Mob*, was the son of John Thomson, 14 Swainbost, and Kirsty MacLean, originally of 36 Swainbost. Calum's sister, Agnes, married Malcolm Murray of 5 Habost and lived at 14 Swainbost. It is said that Malcolm had boarded the *Sheila* at Kyle of Lochalsh but, seeing his childhood companion and neighbour, Donald MacDonald of 13 Swainbost, he transferred to the *Iolaire* to be with the friend he had not met since the beginning of the war.

Malcolm MacLeod (Age 20)
O.S. RNVR
28 Swainbost
Malcolm, along with his brothers John, Donald and Malcolm '*Caidhsean*'and their father Murdo MacLeod (*Crud*), all served in the Great War. Murdo *Crud* MacLeod (originally from 19 Swainbost), lived until 1947. *Caidhsean* married Catherine Macritchie, 19 Cross and Donald, known as *Dòmhnall Mòr Chrud*, married Margaret MacRitchie of 12 Cross Skigersta. John "*Iain Chrud*" MacLeod was killed in action in France in 1918. Malcolm was known to his mates as *Calum Chrud* or "*Cronjy*".

Angus MacRitchie (Age 20)
Deckhand RNR
38 Swainbost
(*Aonghas Dhòmhnaill Màiri*)
Angus was the son of Donald MacRitchie, 37 Swainbost and Effie MacKenzie, 38 Swainbost.

Angus Gillies (Age 30)
Deckhand RNR
35 South Dell
(*Aonghas Alasdair Iain Ghilis*)
Angus was the son of Alexander Gillies 31 South Dell and Isabella MacKenzie 32 South Dell. He was the eldest of a family of 5 sons.

Murdo Macdonald 15 Borve

Murdo MacDonald (Age 18)
RNR
15 Borve
(*Murchadh a' Bhrot*)
Murdo was the son of Murdo MacDonald 1 Baile Gearr, Borve and Mary Ann Graham, 15 Fivepenny Borve.

Norman Martin (Age 42)
AB RNR
8 Lower Shader
(*Tarmod Iain Mhàrtainn*)
Norman left a widow - Annie (*Anna Mhurchaidh Dhòmhnaill*), of Lower Shader - and a family of two sons and one daughter.

John Macdonald (Age 32)
Deckhand R.N.R
25 Lower Shader
(*Speed Iain Bhàin*)
John was the son of John MacDonald (*Iain Bàn*) and Mairi MacLeod of Lower Shader. He was a single man, but it is said that when his body was recovered an engagement ring was found in his pocket.

Angus MacLeay (Age 38)
AB - RNR
38 Lower Shader
(*Aonghas Puth*)
Angus left a widow, Katy Ann, and four children.

Malcolm Matheson (Age 27)
Leading Deckhand
10 Upper Shader
(*Calum Chaluim Dhòmhnaill Mhòir*)
Malcolm, a single man, was a gunner on HMT *Ireland* which brought down two Zeppelins in the North Sea.

Angus Morrison (Age 20)
Deckhand RNR
31 Upper Shader
(*Aonghas Chaluim Bhàin*)
It is said that Angus's father had died before the *Iolaire* tragedy took place and his brothers had emigrated to Canada, leaving only the mother and sisters at home. His mother insisted on collecting the remains herself - a harrowing experience for her.

Also lost on the *Iolaire* - **John Maciver** of 69 North Tolsta who was married to Catherine Macleod Maciver from Lionel, later 105 Cross Skigersta (*Ceit Ruadh*). Ceit died in July 1959, age 88.

Norman Martin 8 Lower Shader

Angus Macleay 38 Lower Shader

Malcolm Matheson 10 Upper Shader

Angus Morrison 31 Upper Shader

'Some two hundred gallant Lewismen lost their lives in this unforgettable tragedy, thus bereaving many Island homes of beloved fathers, husbands, sons, and brothers. The irony of this disaster is even more poignant when one realises that these heroic men perished within veritable sight of their homes and many there are who mourn their loss until this day. Indeed, as long as Island history lasts, the events of that terrible New Year's Eve will be remembered, and remembered with tears.'

W J Macdonald, who was on the MV *Sheila* on the passage from Kyle to Stornoway on the night the *Iolaire* foundered on the Beasts of Holm, writing in the *Stornoway Gazette* in January 1966.

Survivors

Murdo Morrison, 8 Skigersta
Murdo Morrison (*Murchadh Iain Bhig*) was in one of the lifeboats which had capsized. Donald Morrison (*Am Patch*) of 7 Knockaird threw down the rope which enabled him to clamber back on board.

John F Macleod, 4 Port of Ness
John Finlay (*Iain Mhurdo*) was the youngest son of Murdo MacLeod (*Murchadh Fhionnlaigh*) of 14 Port of Ness, and Catherine MacKay (*Nighean Iain*) of 9 Achmore. His bravery in swimming ashore with a heaving line, saving 40 lives, is well documented. He continued with the famous *Sgoth Niseach* boat building tradition for many years. John Finlay was married to Peggy Finlayson, (*Nighean Tharmoid Sheumais*) of 18 Skigersta and was widowed in 1957. He died at the age of 90 in December 1978.

Donald Morrison (Am Patch), 7 Knockaird
Donald was the son of Donald Morrison (*Mac Tharmoid*), and Jessie Gunn (*Seònaid Guinne*) of Eoropie. Of the 284 men to board the *Iolaire* in Kyle of Lochalsh, '*Am Patch*' was the only man to set foot on Stornoway Pier and he endured unimaginable distress, clinging to the mast until daylight, with the sea conditions making his rescue hazardous. He was widowed in 1939, after only 2 years of marriage, when his wife Catherine Morrison of Cross died. In his latter years, whenever he heard the last verse of Psalm 37 being sung in church, his mind would go back to the *Iolaire* mast. 'And the Lord shall help them and deliver them: he shall deliver them from the wicked, and save them, because they trust in him.' Just before daybreak this portion of scripture was presented strongly to his mind, and although he did not know where the words were or came from, they were a source of comfort to him at that time. He was rescued shortly after. Donald died in July 1990, at the age of 91.

Malcolm MacDonald, 1 Eorodale
Engineer Artificer RN
Malcolm was the son of John MacDonald (*Am Bèiceir*), 1 Eorodale and Margaret MacDonald, 13 Swainbost. Following the war he emigrated overseas.

Alexander Morrison, 4 Cross
(*An Tàigear*)
Alexander was the son of John Morrison, 6/7 North Dell and Effie MacLennan 7 Lower Shader. He died in May, 1962 at the age of 88 years.

Norman MacKenzie, Post Office Side, Cross
(*Làrag - Tarmod Dhòmhnaill 'an Bhàin*)
Norman was the son of Donald MacKenzie 25 Cross and Margaret MacFarlane 20 Cross. He enlisted like a lot of his fellow islanders at 17 years of age. At the time of the *Iolaire* disaster, he was still only eighteen and a half years old. He was a strong swimmer but after swimming to shore he kept being dragged back to sea. He spent all night in the sea and was washed ashore in the morning with several dead bodies. His older sister Chrissie was working in Stornoway at the time and on hearing of the disaster went down to the beach in the morning where people were gathering to try and identify the dead. Chrissie found Norman naked on the beach and she thought he was dead. After a while she noticed that he moved. She alerted the services and Norman was taken to hospital. He developed rheumatic fever which left him with a weakened heart. He worked all his life but died in 1954 at the age of 54.

Murdo MacFarlane, 24 Cross
(*Murchadh Chraig*)
Murdo was the son of Murdo MacFarlane 24 Cross and Elizabeth MacPherson. He later emigrated to America.

John Murray, 6 South Dell
(*Iain Help*, also known as *Iain Tam*). Was the first ashore by John Finlay Macleod's life-line and shared the strain on the hawser as others hand-hauled themselves from the stricken ship through the surf. Iain was married at Back to Catherine Stewart and had four of a family. Iain and his five brothers served during the war and all survived. He died in 1966 at age 79.

Murdo Graham, 8 Borve
(*Murchadh Gaibh*)
Murdo emigrated later to Wellington, New Zealand and married a lady originally from Stirling. They provided a home from home for the many Lewis sailors who called in the port.

Roderick Graham, 29 Borve
Roderick was the son of Roderick Graham (*Ruairidh Goraidh*) and Gormelia Morrison of Shader. He was called up for service in the last year of the war. Sadly he succumbed to illness and died in June 1937 at age 37. Interred Galson.

Angus Macdonald, 32 Borve
(*Aonghas Theàrlaich*)
Angus married Mairi MacIver (*Màiri a' Phunch*), 32 Fivepenny, Borve. He inherited the family croft in Borve but never lived there. He made his home in Stornoway, where he was a painter to trade. Angus is listed in John Macleod's book at 5 Mackenzie Buildings, Bayhead, Stornoway. He served on HMS *Duchess of Devonshire*.

Angus Morrison, 41 Borve
(*Aonghas an Torra*)
Angus, one of the fortunate few to survive the *Iolaire* disaster, remained a bachelor, was a crofter in Borve. He died in August 1975 and is interred in Galson Cemetery.

Donald Martin, 33 Lower Shader
(*Dontle - Mac Sgodaidh*)
Donald, along with his brother, emigrated to Canada after the war.

The course of the *Iolaire*
from Kyle to Stornoway

91

4

Bha mi ann

I was there

'S e bu mhotha a lean rium bhith air mo thiodhlaiceadh man radan anns na trainnsichean – salach agus fuar – deich latha innt' agus seachdain aist' – dha do sgrìobadh fhèin bho pholl agus lèig.

Chan eil fhios carson a dh'fhàgadh mise beò mar seo nam ablach, a bharrachd air a liuthad duine òg a bharrachd ormsa dh'fhalbh.

Alasdair Thomain

The worst thing was being buried in the trenches like a rat, cold and dirty – ten days in, then one week out, scraping the dirt and mud off ourselves.

I don't know how or why I've been left alive here unlike all the young folk who went away with me.

Alexander Mackenzie, 3 Eorodale

Bha mi ann
I was there

A' cuimhneachadh air a' Chogadh Mhòr:	*Remembering the Great War:*
Murchadh 'an Bhàin	*Murdo Murray (Skigersta)*
Tarmod Tharmoid	*Norman Mackay (Skigersta)*
Alasdair Thomain	*Alexander Mackenzie (Eorodale)*
Am Patch	*Donald Morrison (Knockaird)*
Iain a' Bhrogaich	*John Gunn (Knockaird)*
Dolaidh Mòr	*Donald Macdonald (Lionel)*
Am Biugalair	*John Macleod (Lionel)*
Ruarachan	*Roderick Smith (Habost)*
Tarmod a' Chàimein	*Norman Thomson (Habost)*
Aonghas Guinne – Inch	*Angus Gunn (Cross)*
Calum Aonghais Tharmoid	*Malcolm Morrison (South Dell)*
Uilleam Aonghais Goistidh	*William Murray (South Dell)*
Coinneach a' Bhàird	*Kenneth Macleod (South Dell)*
Dòmhnall Iain Dh'll Duinn	*Donald Murray (South Dell)*
Murchadh Rob	*Murdo Mackay (Borve)*
Ruairidh Dh'll Mìcheil	*Roderick Graham (Borve)*
Ruairidh MacAsgaill	*Roderick Macaskill (Lower Shader)*

Tha iad uile air bàsachadh, ach tha cuimhneachain sheann shaighdearan agus sheòltairean bhon Chogadh Mhòr againn an seo, mar a chaidh an clàradh le Comunn Eachdraidh Nis anns na seachdadan. Bha sgeulachdan fada aig cuid. Bha feadhainn eile aca, 's gun dad aca ri aithris – 's dòcha nach robh e furasta dhaibh bruidhinn mu na rudan uabhasach a chunnaic iad. Ach tha na cuimhneachain prìseil – cunntas bunaiteach, eachdraidheil air na dh'fhuiling a' mhòr-chuid den fheadhainn a chaidh a ghairm gu bhith a' dìon ar rìoghachd.

Bha na seann daoine sin a' dèanamh an dìchill gus cuimhneachadh air fèin-fhiosrachadh nach urrainn dhuinne a ghabhail a-steach. Nuair a leughas sinn an eachdraidh a thug iad dhuinn, chan urrainn dhuinn ach co-dhùnadh gur e sgrios uabhasach a bh' anns a' Chogadh nach fhacas a shamhail a-riamh.

Tha an eachdraidh air a h-innse ann an Gàidhlig na cagailte agus chaidh gach nì a chlàradh air teip. Chaidh na clàraidhean a sgrìobhadh a-mach agus an eadar-theangachadh an dèidh làimh.

Airson gum biodh iad furasta an leantainn, chaidh cuid de na sgrìobhaidhean an deasachadh gu ìre bheag, ach tha na briathran a th' anns a' Ghàidhlig dìreach mar a chaidh an labhairt aig an àm.

Tha sgeulachd a' 'Bhucaich' am measg na tha seo, cuideachd. B' e esan Alasdair Moireasdan à Dail bho Dheas, agus 's e Tarmod a' Bhocsair a tha ag innse na sgeòil aige. Còmhla ri sin tha criomagan an seo bho agallamh a rinn Seònaid Ruairidh à Siadar Iarach agus Gabhsann. Bha ise ag obair ann am factaraidh nam munitions ann an Cardonald aig deireadh a' chogaidh.

They have all now departed but here we have the memories of old soldiers and sailors of the Great War collected back in the late 1970s by Comunn Eachdraidh Nis. Some had long stories to tell, others just a few words - perhaps they couldn't speak about the terror and the horror of what happened. But the memories are all precious - a primary historical account of what the vast majority who were on active service had to suffer and endure.

They were old men trying to recall experiences unimaginable for most of us and as we read their words we can only conclude that the Great War was a disaster on an unprecedented scale.

All the experiences were related in the Gaelic conversational style and recorded on to magnetic tape. The recordings were later transcribed and translated into English.

For reasons of clarity some of the transcriptions have been edited but the words in the Gaelic text are as spoken by the men.

Also included here is the story of 'Am Bucach' - Alexander Morrison of South Dell - as recalled by Tarmod a' Bhocsair and some extracts from a 1986 interview with Seònaid Ruairidh of Lower Shader and later Galson, who worked in a munitions factory in Cardonald at the end of WW1.

Murchadh 'an Bhàin
(Murchadh Moireach)

Murdo Murray
1 Skigersta and 63 Cross Skigersta

Bha Murchadh timcheall air naoi bliadhna deug nuair a chaidh a thogail dhan chogadh air Latha na Sàbaid, 2 an Lùnastal, 1914. Bha a dhà bhràthair, Alasdair agus Dòmhnall, anns a' chogadh cuideachd, anns an RNR agus sa Chabhlach Mhara. Thàinig an triùir slàn tron chogadh. Chaidh Murchadh a dhroch leòn aig Blàr Ghaza ann an 1917.

Anns an dara cogadh bha e am measg na chaidh a ghlacadh air an SS *Maimoa* agus a bha nam prìosanaich an dèidh sin sa Ghearmailt.

Phòs Murchadh Anna Fhionnlasdan agus rinn iad an dachaigh aig 63 An Rathad Ùr. Bha dithis nighean aca, Màiri agus Catriona, agus aon mhac, Dòmhnall. Bhàsaich Murchadh anns a' Chèitean 1980, aois 85, agus chaochail Anna anns an Lùnastal 1983, aois 89.

Murdo was aged around 19 when he was called up at the general mobilisation on Sunday 2 August 1914. His two brothers, Alexander and Donald, also served in the war – in the RNR and Merchant Navy. They all survived.

Murdo was seriously wounded at the Battle of Gaza in 1917.

In the Second World War he was amongst those captured on the SS *Maimoa* and subsequently imprisoned in Germany.

Murdo married Annie Finlayson and they settled at 63 Cross Skigersta and had a family of two daughters, Mary and Catherine, and a son, Donald.

Murdo died in May 1980, at age 85, and Annie in August 1983, age 89.

Nuair a theann a' chiad chogadh bha mise aig an iasgach ann a' Fraserburgh. Là na Sabaid a bh' ann. Thàinig na poilis timcheall nam bàtaichean gu lèir aig ceithir uairean sa mhadainn a dh'iarraidh an fheadhainn a bha sa 'reserve' aig an arm 's aig an nèibhidh. Thurchair dhòmhsa gu robh mi as na 'Third Seaforths' ron chogadh agus chaidh mo chalaigeadh an àirde. Ach fhuair mi dà latha no trì aig an taigh - chaidh balaich an Nèibhidh a thogail as spot - madainn Diluain às dèidh dhan a' chogadh teanntainn.

'Report' sinn sinn fhìn gu Fort George, an 'depot' aig na 'Seaforths'. Cha robh Fort George comasach air an cumail gu lèir agus 's ann a rinn iad camp mòr ann an Cromarty 'son na saighdearan. Man a bha sinne as na 'Special Reserves' as na 'Seaforths', 's ann a bha sinn a' beathachadh nam 'battalions' a bha san Fhraing - cha b' ann man 'battalion' a chaidh sinn a-null idir ach 'draft' man a chanas sinn. Nam biodh a 1st no 2nd 'battalion' ag iarraidh daoine, 's ann bhon 3rd 'battalion' bhathar dhan toirt a-null.

Chaidh mise dhan an Fhraing deireadh October 1914 - agus bha cùisean gu math doicheallach ann an sin. Faodaidh mi seo innse - nuair a chaidh mi suas an toiseach, bha an 'discipline' garbh ann an arm Bhreatainn - man deach mi dha na trainnsichean idir, chunna mi balach na sheasamh an

sin às Càrlabhagh a dh'aithnich mi agus dh'fhalbh mi suas a bhruidhinn ris agus 's ann a thuirt an seàirdseant a bha seo rium, 'Do you want to be tied up along with him?' 'No,' arsa mise. Bha am balach a bha sin - rinn e rudeigin ceàrr as an trainnse – 's dòcha gur e 'cheek' a thug e. …..am balach a bha seo - cha robh fios agam nach ann a bha e na sheasamh an siud 's dh'fhalbh mi a chòmhradh ris. Bha e air a cheangal le làmhan air a chùlaibh airson ceithir uairean a thìde – b' e sin am peanas nan toireadh tu 'cheek' do sheàirdseant no oifigear. Bha an 'discipline' garbh - cha b' urrainn dhut còmhradh ri seàirdseant no càil - chan fheumadh tu dùrd a chantainn nan aghaidh.

Chaidh sinn an sin suas dha na trainnsichean agus 's ann aig Ypres a chaidh mise an toiseach. Bha na trainnsichean gu math bog ann an sin 's bha cùisean gu math dona ann - fodha gur glùinean ann a' lèig, 's ann am bùrn. Cha robh sinn comasach a bhith ann an trainnsichean dona dhan t-seòrsa sin co-dhiù na b' fhaide na dà latha - bha sinn a' faighinn 'relief' às dèidh sin. Co-dhiù, chiad 'relief' a fhuair sinn - faodaidh mi bruidhinn air a sin - chaidh fear dha na h-oifigearan a bh' againn a leòn as a' cheann an uair a bha sinn a' tighinn a-mach às an trainnse - fear Mackenzie as na Seaforths - e fhèin agus Lieutenant, the Honourable David

When the First World War started in August 1914, I was at the fishing in Fraserburgh. At four in the morning on a Sunday the police came round all the boats looking for everyone who was in the naval or army reserves. Before the war, I was in the 3rd Seaforths so I was called up but I was allowed two or three days at home – the navy boys were called immediately on Monday morning.

We reported to Fort George but it couldn't accommodate everyone so they constructed a large camp in Cromarty for the soldiers. As we were in the Special Reserves, we were drafted to support the battalions in France – if the 1st and 2nd Battalion needed men the 3rd provided them.

I went to France at the end of October 1914 - and the situation was very inhospitable there. I can say this – when I went there first the discipline was very hard in the British Army. Even before I reached the trenches, I saw a lad from Carloway I knew, and when I went over to speak to him, the sergeant said: 'Do you want to be tied up along with him?' 'No,' I said. The lad had done something wrong in the trench, maybe answered back. I thought he was just standing

there and went to speak to him – but his hands were tied behind his back for four hours. That was the punishment for insubordination – you could not say anything to a sergeant or an officer.

We went from there to the trenches and it was to Ypres I went first. The trenches were very boggy and conditions were grim – up to our knees in mud and water. We could only last two days in these conditions and were granted relief. On the first changeover, one of the officers sustained a head wound coming out of the trench – one Mackenzie of the Seaforths – he and Lieutenant The Honourable David Bruce, Earl of Elgin, were the two officers. The trenches were so narrow that we couldn't get round the one who was wounded. The officer ordered a stretcher to get him out. That was done and I was selected to be one of the stretcher bearers. As we emerged out of the trench the Germans opened fire with machine guns and it was amazing that none of us was hit. We got him safely to the First Aid Station but he died two days later.

We continued like this until March 1915 when I contracted

Bruce, Earl of Elgin,'s e an darna fear a bh' ann. Ach chaidh am fear seo a leòn as a' cheann agus bha na trainnsichean cho cumhang 's gu robh sinn dha ghoirteachadh - chan fhaigheadh sinn timcheall man bu chòir dhuinn. Dh'iarr an t-oifigear 'stretcher' a thoirt a-mach às an trainnse agus falbh leis. 'S e sin a rinn sinn. Chaidh mise thaghadh 'son 'stretcher bearer' dhan oifigear a bha seo - cha robh sinn càil ach bàrr na trainnse 's dh'fhosgail na Gearmailtich oirnn le na 'machine guns' ach b'iongantach nach deach duine againn a bhualadh idir. Fhuair sinn sàbhailte e gun 'first aid' ach bhàsaich e dà latha às dèidh sin.

Bha sinn a' dol mar sin ach ann am March 1915 's iongantach man do dh'òl mise droch bhùrn - thàinig 'typhoid fever' orm. Chaidh mo chur dhachaigh airson dhà no trì mhìosan ann an ospadal an Lunnainn. Fhuair mi dhachaigh airson seachdain nuair a thàinig mi mach às an ospadal.

Nuair a chaidh mi air ais a Chromarty a-rithist 's ann a rinn iad an àirde rud ris an canadh iad 'garrison battalion' agus chaidh mise chur dhan a' 'bhattalion' a bha sin agus chaidh ar cur a-mach dhan Èiphit. Chaidh ar cur gu eilean as a' Mhediterranean ris an canadh tu Lemnos - dèanamh 'guard' dhan fheadhainn a bh' aig Gallipoli - an fheadhainn a bhiodh tinn 's a thigeadh dhan ospadal 's rudan mar sin. Cha robh sinn fada an sin nuair a leig iad an àirde Gallipoli.

Chaidh sinne an uair sin a dh'eilean Cyprus a ghàrdaigeadh prìosanaich Gurcach – 'Turkish P.O.W.' - agus bha 'n obair sin againn airson greis, ach 's ann a theann iad a' tighinn timcheall an uair sin le 'medical boards' - an fheadhainn a bha 'fit' againn ach an cuireadh iad dhan 'firing line' air ais sinn. Well, a' chiad 'board' a thàinig timcheall, chaidh mise mharcaigeadh 'fit' agus dhan 4th King's Own Scottish Borderers as an Èiphit ..... shuas pìos an fhàsach.

Bha 'n Èiphit eadar-dhealaichte ris an Fhraing. Bha cogadh na h-Èiphit 'more of an open warfare' agus bha sinn a' ruagadh nan Tuircich fad na tìde, ach rinn iad 'stand' uair no dhà, agus gu h-àraidh the 2nd Battle of Gaza - 7th November 1917 - agus chaidh mise a leòn dona ann an sin. Chaidh mo leòn anns a' bhroilleach - chaidh m' fhàgail ann an riochd mairbh air a' bhlàr – an seàirdseant a bha còmhla rium - (na balaich a' leum orm nuair a chaidh mo leòn) - ach ars esan, 'Leave him alone, he's finished anyway.'

Co-dhiù, thurchair do dà 'stretcher bearer' a thighinn timcheall às dèidh sin agus thog iad an àirde mi 's chaidh mo chur gu First Aid (ceann 'communication trench'). Bha mi ann an sin ceithir latha mus b' urrainn dhaibh mo chur air 'ambulance.' Balaich na h-'orderlies' a bh' ann - bhiodh iad ri tighinn - chuireadh iad an cluais ri mo bhroilleach 's chanadh iad, 'Isd, tha e beò fhathast.' An ceann nan ceithir

---

typhoid, probably through having ingested contaminated water. I was sent to a hospital in London for two or three months. I was allowed home for a week after I was released from hospital.

When I returned to Cromarty I was assigned to what they called a 'garrison battalion' and send to Egypt. We went to an island in the Mediterranean called Lemos to protect those who had been sent back from Gallipoli for hospital treatment or for some other reason. We weren't there for very long until they pulled out of Gallipoli.

We then went to Cyprus to guard Turkish prisoners. We were there for some time until we were sent for medicals and those passed as fit were sent back to the firing line. The first assessment board passed me as fit and I was sent to join the 4th King's Own Scottish Borderers in the desert in Egypt.

Egypt was very different to France – it was more of an open warfare and we were pursuing the Turks all the time. Once or twice they made a stand and especially at the 2nd Battle of Gaza on 7 November 1917. I was seriously wounded in

the chest and was left for dead on the battlefield. The lads who attended to me were told by the sergeant; 'Leave him alone, he's finished anyway.'

Two stretcher bearers happened to come along and they carried me to a First Aid post at the head of a communication trench. I was there for four days before they could transfer me to an ambulance. The orderlies used to attend regularly to check on me; 'Listen, he is still alive,' they would say. After four days I was sent by ambulance down to Alexandria in Egypt where I was in hospital for five months. When I was discharged I wasn't fit for the front line anymore and I was posted to a camp at Cantarra where Turkish prisoners were held. I was there till the war ended.

It was early April 1919 before I was on the way home. We were put on a train from Cantarra to Port Said and then on a steamer to Italy. From there, on to cattle trucks for the journey to France – fifty in each truck for five days and nights with no sanitation. Consequently there were frequent relief stops and we were given a little food. We went across the

latha chaidh mo chur air 'ambulance' sìos dhan Èiphit - gu Alexandria – 's ann an sin a bha mi as an ospadal còig mìosan.

Nuair a thàinig mi mach às an ospadal, cha robh mi 'fit' 'son a dhol dhan 'front line' tuilleadh, ach 's ann a fhuair iad 'job' dhomh an uair sin ann an camp prìosanaich Tuircich aig Cantarra — 's ann an sin a chaith mise gus na sguir an cogadh.

Bha toiseach April 1919 man d' fhuair mise dhachaigh. Fhuair sinne trèana à Cantarra sìos gu Port Said agus fhuair sinn an sin 'steamair' à Port Said dhan an Eadailt. Nuair a ràinig sinn sin chaidh ar cur ann an trucaichean dhan an Fhraing - agus bha leth-cheud againn anns a' chattle-truck. Bha sinn còig latha 's còig oidhche ann an sin - cha robh 'sanitation' no càil – dh'fheumadh sinn stad airson sin 's airson rud beag de bhiadh - cha robh càil againn ach stad. Chaidh sinn tro na h-Alps – fuachd!

Co-dhiù, fhuair sinn dhan an Fhraing 's fhuair sinn dhachaigh ach 's ann shuas ann an Kinross faisg air Dun Èideann a fhuair mis' 'clear'. Thàinig sinn dhachaigh mar sin.

Sin beagan dha na thachair riumsa tìde a' chiad chogaidh. 'S e rud bu mhotha bh' ormsa nuair a dh'èigh an seàirdseant 's mi air mo leòn, 'He's finished anyway.'

Alps and how cold it was! Anyway we arrived in France and then on to Kinross near Edinburgh where I was discharged.

These are some of my memories of the First War – what is still most vivid is when the sergeant called when I was wounded; 'He's finished anyway.'

Tarmod Tharmoid – Tarmod MacAoidh

Norman Mackay 13 Skigersta

... bu mhath an latha a bhiodh tu beò. Bha na trì rèisimeidean a' dol a' null còmhla ri chèile. Bha slaughter eagalach ann. 'S e trì fichead a bh' air an casan ... dha na seachd ceud deug ...

Bha Tarmod Tharmoid, 13 Sgiogarstaigh, anns a' mhailisidh ron chogadh. Chaidh e ann nuair a bha e eadar còig agus sia bliadhna deug, 's e a' toirt a' chreids' gu robh e ochd-deug, 's gu faigheadh e tastan an rìgh. B' e duais chosgail a bh' anns an tastan don fheadhainn a chaidh dhan Mhailisidh 's dhan RNR

Chaidh Tarmod a thogail dhan chogadh ann an 1914 nuair a bha e ochd-deug agus chunnaic e trainnsichean oillteil Ypres mus deach a leòn.

Bha e ceithir fichead 's a ceithir nuair a rinn e an t-agallamh seo. Chaidh a dhèanamh ann an dà ghreiseig agus chaidh an dà chòmhradh a chur còmhla anns an earrainn gu h-ìosal.

Bha bràthair na bu shine dhà (Dànaidh, 72 An Rathad Ùr) anns an RNR aig àm a' Chiad Chogaidh.

Bhàsaich Tarmod ann an 1980, aig aois ceithir fichead 's a còig.

... it was a good day if you were alive – the three regiments were going over the top together. There was a fearful slaughter. Of the seventeen hundred, only sixty were left standing ...

Tarmod Tharmoid, 13 Skigersta, was in the Militia before the war, joining when he was between fifteen and sixteen, pretending he was eighteen, to 'get the shilling'. For all who had signed up in the Militia and RNR it was to be a costly shilling.

Norman was called up in 1914 aged 18 and saw the horror of the Ypres trenches before he was wounded.

Two of Norman's brothers also served in the Great War - Donald (Dànaidh, 72 Cross Skigersta) in the RNR and John (Seonaidh) in the RNCVR (Canadian Naval Reserve).

An older brother Donald (Dànaidh, 72 Cross Skigersta) also served in the Great War in the RNR.

Norman died in 1980 aged 85.

A' chiad obair a bha againn 's ann a' dol dhan a' Mhailisidh. Bha mise ann nuair a bha mi eadar còig-deug agus sia-deug. Bha sinn ag ràdh gu robh sinn ochd bliadhna deug gu faigheadh sinn tastan.

Bha mise aig an iasgach a' bhliadhna a thòisich an cogadh. 1914 a chaidh mise chalaigeadh an àirde. Thug mi greis an Invergordon mus deach sinn dhan Fhraing. Bha mi ann gun deach mo leòn – as na trainnsichean - first Battle of Ypres.

Cha robh mise ann ach timcheall air sia mìosan nuair a chaidh mo leòn, 1915, aig àite ris an canadh iad Richelbourg. Bha na Cameronaich, na Seaforths agus na Gordonaich – bha iad làn de mhuinntir Leòdhais – bu mhath an latha a bhiodh tu beò. Bha na trì rèisimeidean a' dol a-null còmhla ri chèile. Bha slaughter eagalach ann.

'S e trì fichead a bh' air an casan nuair a ràinig sinn, dha na seachd ceud deug, eadar leòn agus marbh. Bha mi 'n dùil gu robh mi cluinntinn gun thuit dà fhichead Leòdhasach an latha sin a chaidh mise a leòn. Chaidh mo leòn as a' ghàirdean dona 's cha deach mi mach tuilleadh.

Nuair a bha sinn as na trainnsichean, 's e a' salchair bu dorra dhuinn – bha sinn beò còmhla ri sin. An t-àmhghair a bh'

The first step was to join the Militia. I was there when I was between fifteen and sixteen. We said we were eighteen to get the shilling.

I was at the fishing the year the war started in 1914. I was called up then and was in Invergordon for a while before going to France. I was in the trenches until I was wounded at the First Battle of Ypres. I was only there for about six months into 1915 when I was wounded at a place called Richelbourg. The Camerons, Seaforths and Gordons had many Lewismen in their ranks – it was a good day if you were alive – the three regiments were going over the top together. There was a fearful slaughter. Of the seventeen hundred, only sixty were left standing – the rest were dead or wounded. I heard that forty Lewismen fell that day I was wounded. I was unable to carry on and did not return to the Front.

When we were in the trenches the mud and the dirt was always there. It was horrendous – that was my experience in 1914 anyway. At times I could go for a week without seeing my shoes – such was the extent of water, mud and other horrors that I can't even speak about – what we had to endure ...

ann co-dhiù fhad 's a bha mise anns na trainnsichean an 1914. Bha mi uaireannan suas ri seachdain nach fhaicinn mo bhròigan, ann am bùrn, 's ann an salchair 's as a h-uile rud salach nach biodh e ceart dhòmhsa dhol a bhruidhinn air – na bh' againn ri dhol troimhe.

Bha feadhainn againn, ged a bha iad ag èigheachd mu na Gearmailtich, a bha a' cheart cho 'tough'. Bha am Black Watch – chaidh òrdugh a thoirt sealltainn às dèidh nan leòintich - bha an t-àite 'covered' le na Gearmailtich – cha do chaill iad uiread a-riamh. Bha am Black Watch fad na h-oidhche a' marbhadh leòintich Gearmailtich – bha a' chuid mhòr a bha siud, cha robh iad aca fhèin.

Bha aon rud, nuair a gheibheadh sinn dhà na trì làithean 'rest', bha iad a' feuchainn ri biadh mar a b' fheàrr a dheigheadh aca air.

Ach bha mi a' smaoineachadh sin, nuair a gheibheadh sinn a-mach – rud a bh' anns na Gàidheil, man a bhiodh sinn cadalach 's le fuachd 's dìreach air a h-uile rathad sgìth – nuair a gheibheadh sinn bìdeag a-mach às na trainnsichean thòisicheadh am pìobaire a' cluich, chithinn iad a' togail an cinn an toiseach, greis an dèidh sin chithinn iad a' cumail an step, chanadh tu nach e na h-aon daoine a bh' annta. Tha mise mi fhìn mar sin – chan urrainn dhomh, eadhon na mo sheann aois, chan urrainn dhomh nuair a chluinneas mi fuaim na pìob gun mo chluais thoirt dhi. Chaidh mise dhischargadh a-mach às an arm tro leòn agus thàinig mise dhachaigh an uair sin.

Bha mise nuair ud còrr air ochd bliadhna deug. Bha an fheadhainn bu shine a bha seo as an Nèibhidh. Tha mi creidsinn nach eil mòran dha m' aois beò as an Eilean an-diugh – chaidh an call as a' chiad chogadh.

Bha còig duine deug a bha air an aon chlas agam, ach aon fhear, tha iad air an tiodhlacadh as a' Fhraing. Bha aon duine as an *Iolaire*.

Tha mise ceithir fichead agus a ceithir – tha boireannaich ann nas aost na mise, tha Ciorstaidh Bheag Tharmoid Chaluim, tha i dol a-mach a h-uile latha – tha i bliadhna nas sine na mise. Tha iad ag ràdh gu bheil Anna Aonghais Iain Bhàin a' dol a-mach – tha am boireannach sin aost, tha i ceithir fichead agus a seachd na ochd.

Some of our men were battle hardened and cruel just like we considered the Germans were. An order was given to the Black Watch to look after the wounded – the battlefield was littered with Germans – they had never lost as many men. The Black Watch - the vast majority of them were out of their minds - spent the night killing the wounded Germans.

There was some respite when we were rested for two or three days out of the trenches and every effort was made to provide good meals. And I was remembering when we did get out of the trenches, tired, with lack of sleep and cold, when the piper would start playing I could see the Highlanders first raising the heads and then march in step – you would almost think they weren't the same men. I am still like that even in old age, whenever I hear the pipes my ear immediately tunes in to the sound.

I was discharged from the army because of my wounds and I returned home. I was still just eighteen. The older men from here were mostly in the navy. Now today I'm sure there are not many left in Lewis of my age - so many were lost the First War.

Fifteen who were on my class [in school] were lost – all in France except one who perished on the *Iolaire*.

I am now eighty-four – there is one woman here who is a year older and is out and about every day - Ciorstaidh Bheag Tharmoid Chaluim. They say that Anna Aonghais 'an Bhàin also goes out – she must eighty-seven or eighty-eight.

Alasdair Thomain – Alasdair MacChoinnich,

Alexander Mackenzie, 3 Eorodale

Bha Alasdair Thomain ann an rèisimeid nan Sìophortach anns a' Chiad Chogadh. Chaidh a chur am braighdeanas aig an Somme ach fhuair e air teicheadh às dèidh dà bhliadhna. Bha e cuideachd sa Chabhlach Mharsanta anns an Dara Cogadh, agus bha e na phrìosanach a-rithist nuair a chaidh an SS *Maimoa* a chur fodha ann an 1940.

Chaidh an còmhradh seo a chlàradh nuair a bha Alasdair timcheall air ceithir fichead bliadhna a dh'aois. Bha e a' bruidhinn air nithean a ghabh àite san dà chogadh mar a bha e a' cuimhneachadh orra. Thathar air beagan deasachaidh a dhèanamh air na chaidh a chlàradh air teip airson fèin-fhiosrachadh Alasdair sa Chiad Chogadh a chur anns an òrdugh anns na thachair e.

Bha Alasdair pòsta aig Màiri NicDhòmhnaill, 20 Adabroc, agus rinn iad an dachaigh ann an Glaschu. Chaochail Màiri anns a' Chèitean 1966 aig aois 67 agus thàinig Alasdair dhachaigh a dh'fhuireach anns a' 'Bhungalow' ann an Sgiogarstaigh còmhla ri a phiuthar, Seonag. Bhàsaich Alasdair anns an Òg-mhìos 1984, 's e ceithir fichead bliadhna 's a sia.

Alasdair Thomain – Alexander Mackenzie - served in the Seaforths in World War 1. He was taken prisoner at the Somme but managed to escape after two years.

He also served in World War 2 in the Merchant Navy and was taken prisoner from SS *Maimoa* in 1940.

The conversation with Alasdair took place when he was around eighty years old. It ranged back and fore over his experiences in the First and Second World War as various events came into his mind. These extracts, transcribed from the recording, have been edited and are arranged as far as possible in chronological order of his service to reflect his recollections of the Great War.

Alasdair was married to Mary Macdonald, 20 Adabrock and they settled in Glasgow. Mary died in May 1966 at age 67 and Alasdair returned home and lived at 'The Bungalow' Skigersta with his sister, Joan. Alasdair died in June 1984 at age 86.

Dh'fhalbh sinn às Cromarty ann an October 1914 agus landaig sinn ann am Bologne. Choisich sinn às Bologne sìos chun nan trainnsichean agus 's ann aig Ypres a choinnich sinn ris na Gearmailtich.

Bha na trainnsichean mar gum biodh tu am broinn poll-mònach a bhathar a' toirt às ùr – bha steipichean annt'. Nuair bhiodh tu air bonn na trainns' mar sin, bha an trainns' na b' àirde na thu – dh'fheumadh tu dìreadh chun a' "fire step" a bha seo airson sealltainn a-null air bàrr na trainns' mas biodh Gearmailtich a' tighinn. Thàinig an uair sin "periscopes". Cha robh acras oirnn. Fhad 's a bha sinn as na trainnsichean bha "supply" a' tighinn thugainn a h-uile oidhche – an fheadhainn a bha as a' "firing line" cha robh iad a' carachadh uair sam bith ach na "supports" 's na "reserves", bhiodh iad a' toirt suas thugainn biadh. Bha "transport" a' tighinn bho shìos 's ga chur cho faisg air na trainnsichean 's a gheibheadh. Le bùrn 's biadh – a-muigh as na trainnsichean, bha sinn a' faighinn biadh teth – "field crackers" – "soup" 's buntàta 's feòil. Bha thu a' faighinn na h-uiread man deigheadh tu steach dha na trainnsichean 's bha e ri dèanamh a' chùis dhut gus an tigeadh an rud a-nuas an ath-oidhche. Bha briosgaidean a' tighinn ach cha robh aran. Cha deigheadh na briosgaidean cruaidh. Bha iad glè mhath. Nuair nach robh sinn anns na trainnsichean bhiodh sinn a' fuireach ann an coille no ann an sabhlaichean – chaidleadh tu an àite sam bith, cha robh diofar. Bhiodh na Frangaich a' fàgail fodar …ach dh'fhaodadh tu plaide a thoirt leat air do dhruim

We left Cromarty in October 1914 and landed in Boulogne. We walked from Boulogne down to the trenches and met the Germans at Ypres.

The trenches resembled a newly opened peat bank with steps. When you were standing in the trench, the ground was above head level – you had to get up on the fire-step to check if the Germans were advancing. Later we used periscopes.

We were not hungry. Whilst we were in the trenches supplies were brought to the front every night. Those in the firing line were supported by reserves who brought in food and supplies. When we were not in the trenches we had hot food – 'field crackers', soup, meat and potatoes. We received biscuits but not bread - the biscuits stayed fresh and they were very good. Out of the trenches we stayed in a wood or in barns – we would sleep anywhere. The French used to leave straw for us but we could take a blanket in our bag. The

ma bha thu fhèin air a son – ceangailte as a' phoca, ach bha na còtaichean mòra blàth. Bhiodh feadhainn a' falbh le "frostbite" – casan fliuch 's reothadh. Rud grannda th' ann a' "frostbite", na casan a' dubhadh.

Duine sam bith a bha bàsachadh bha iad nan cur air "stretcher" – bha "stretcher-bearers" ann – cha robh iad a' fàgail duine – air an cur ann an cladh co-dhiù dà mhìle air cùl a' "firing line" – cha robh e na b' fhaisg na dà mhìle. Bha cladh aig a h-uile rèisimeid dhaibh fhèin agus bha d' ainm 's do "number" ri dol air bioran aig ceann na h-uaigh. Rud sam bith a bh' ann am pòcaid duine, bha e dol ann an cèis mhòr – bha sin a' tighinn dhachaigh.

'S e an "gas attack" bu mhios' dhan a' chiad chogadh. Tha mi smaoineachadh gur e 47 a bh' aig "roll-call" às dèidh an "gas attack out of 1,000". Rinneadh an àirde am "battalion" leis na 7th Argylls gus an d' fhuair sinn daoine bhon taigh agus rinneadh sinn an àirde gu "full strength", tha mi creids'. Chuir an "gas attack" peirigil air tòrr. 'S e an fheadhainn a b' fhaisg air na Gearmailtich an latha sin, 's iad a b' fheàrr a thàinig dheth. Thàinig man gun tigeadh "breeze" de ghaoth agus thog e sgòth "gas" a-null agus 's e an fheadhainn a bh' air cùlaibh, 's iad bu mhotha a fhuair dhan a' ghas nan fheadhainn a b' fhaisg air na Gearmailtich. Bha na Gearmailtich a' smaoineachadh nach robh duine beò às dèidh an "gas" a chur oirnn, ach thàinig seachd loidhnichean Gearmailtich a-null an latha sin agus airson gu faigheadh iad am baile mòr a bha siud, Ypres. Ach cha d' fhuair iad e. Eadar a h-uile

"reinforcements" a fhuair iad an sin, chaidh aca air Ypres a chumail bhuapa. Nam biodh iad air Ypres fhaighinn bha iad air trèanaichean fhaighinn a dhol 's iomadach rud – baile mòr a bh' ann, am Belgium.

"Hellfire Corner" – Fear a bh' anns an "tower" bha e na chall gu leòr air na daoine againn. 'S e Gearmailteach a bh' ann "alright" ach bha e 'dressigeadh' man Frangach – deise "corduroy" 's brògan fiodh – clocsaichean a bhiodh air. Chan eil duine air an t-saoghal a dh'aithnicheadh nach e Frangach a bh' ann. Bha rathad sìos agus rathad a-null 's bha eaglais anns a' chòrnair.

Bha an gleoc a' sealltainn air gach taobh.

Bha "observation balloons" aig na Gearmailtich os cionn a' loidhne aca fhèin agus an uair a gheibheadh iadsan a' "signal" bhon fhear a bh' anns an "tower", bha "shell" a' tighinn a-null chun a' "spot". Bha "range" an àite sin aca cho math 's ged a bhiodh tu air a tharraing le sreang. Cha robh i a' dol aon òirleach seachad air an rathad air an robh na "troops".

Bha am "battalion" a' dol a-mach às na trainnsichean an oidhche seo agus bha aig "billeting party" ris an àite ghabhail a-null dhaibh (far am biodh am "battalion" a' dol a laighe an oidhche sin) nuair a thigeadh iad a-mach. Bha fear às an Rubha, bha e as a' ghroup a bha sin, ri tighinn a-mach às a' bhilleting party agus thurchair dha gun sheall e os a chionn agus dh'èigh e "Take Cover!" Leum a h-uile duine dhìg a' rathaid man gum biodh tu air clach a leagail am measg faoileagan, 's cha robh sinn càil ach air a dhol a dhìg a'rathaid

greatcoats were very warm. Some suffered with frostbite – a nasty condition where the feet turned black.

Anyone who was killed was laid on a stretcher – the stretcher bearers ensured that no one was left – and taken to a cemetery at least two miles back from the front line. Each regiment had its own cemetery and the soldier's name and number were written on a wooden marker at the grave. Any item that was in the possession of the fallen soldier was put in a large envelope and returned to his home.

The gas attack was the worst horror of the first war. After one attack I think it was just forty-seven out of one thousand who were at the subsequent roll-call. The shortfall in the battalion was made up by the 7th Argylls until some arrived from home. The gas severely affected many but it was those who were closest to the German lines that came off best that day. A breeze carried the gas cloud over the trench to those who were further back. The Germans thought that no

one had survived the poison gas. They sent seven waves of attacking soldiers in that day thinking they would capture the city of Ypres, but they failed. Those of us who were left, and the reinforcements sent up, prevented the capture of Ypres. If they had taken Ypres they would have secured rail transport to many other parts of Belgium.

The story of "Hellfire Corner"
There was a man in the tower and he was a real danger for our men. He was a German for sure, but he was dressed like a Frenchman, a corduroy suit and wooden shoes. There was a church at the crossroads with a clock face on each side of the tower. The Germans had observation balloons behind their own line and when they got the signal from the man in the tower, a shell came over right away. They had that range very well. It didn't go one inch past where the troops were.

The battalion went out of the trenches one night and

nuair a thàinig an t-"shell"'s landaig i "solid" far an robh sinn nar seasamh trì mionaidean ron sin. Bha sinn greiseag an dìg an rathaid an sin a' smaoineachadh gu robh t' èile dol a thighinn, ach cha tàinig gin ach an aonan, agus fear a bha "charge" asainne an uair sin, dh'fhaighnich e. "Cò dh'èigh siud?" Agus thuirt Tarmod, "Dh'èigh mis'." "Ciod a chunna tu?" dh'fhoighnich e. "Chunna mi spògan a'ghleoc a'dol ann an "circle". Sin màthair-adhbhair a' "shell" a thighinn nuair a thàinig i nuair ud 's iomadach tè roimhpe."

Bha mis' as an fheadhainn a chaidh chun na h-eaglais. Bha h-uile h-àit' glaist'. Bha sinn a' feuchainn ar gualainn 's bha h-uile càil cho dùint''s cha robh sinn a' creids' gu robh càil an seo. Ach bha aon duine as a h-uile baile an uair sin aig an robh iuchraichean àitichean glaist'. "Mayor of the Village", 's e chanadh iad ris. An duine sin a bha leinne tha mi creids' gum bruidhneadh e cànan Frangach co-dhiù cho ealanta 's a bhruidhneadh e Beurla. Fhuair e lorg air co-dhiù, agus dh'fhosgladh an eaglais, ach cha robh beothas air an t-saoghal ann am broinn na h-eaglais. Bha sinn a' sealltainn an robh uèirichean ann a bheireadh "signal" dhan a'ghleoc a bha seo 's cha robh sinn a' faighinn uèir na càil a bha co-cheangailte ris a' ghleoc idir. Bha sinn dìreach an dèidh "All hopes" a thoirt nach robh càil ann a seo.

Bha "hatch" bheag an dèidh 's a ghearradh às a' "ceiling" agus chuir fear air choreigin "rifle" fo a ghualainn agus chuir e ris a' "hatch" a bha seo i agus dh'fhalbh a' "hatch". Bha fhàradh thall bìdeag anns a' chòrnair, thàinig fear eile agus

dhìrich e na steipichean agus thuirt e gu robh e againn ann an seo. Dh'fheumadh sinn co-dhiù a thoirt a-nuas – cha do leig e air nach e dumaidh a bh' ann. Thàinig air dithis no triùir a dhol suas na thoirt sìos. Bhathas a' bruidhinn ris as a h-uile cànan 's cha robh dùrd aige. Cha fhreagradh e idir sinn. Bha sinn a' tabhach "cigarettes"'s iomadach rud air, deoch no rud den t-seòrsa sin, cha tugadh aon dùrd às. Thug sinn leinn e dhan àite 's am biodh am "battalion" a' dol a laighe an oidhche sin, agus chuireadh "close guard" air – dithis a-muigh agus duine staigh, gus nach fhaigheadh e càil a dhèanamh air fhèin ach am faicte faigheadh "information" sam bith bhuaithe. Bhathas a-staigh ann an sin leis fad na h-oidhche, dà uair a thìde ma seach 's cha tugadh facal às – aon dùrd. Nuair a thàinig am "battalion" a-mach thàinig na h-oifigearan a b' àirde, a' smaoineachadh gun tugadh 'ad fhèin rud às co-dhiù, ach cha tugadh aon dùrd. Dh'fhalbh iad leis anns a' mhadainn làrna-mhàireach ach cha chuala mise an còrr.

Bhiodh iad a' cladhadh an uaigh aca fhèin agus "blindfold" nan cur orra. Thigeadh còignear le "rifles" – aon peilear agus ceithir "duds" – gus nach biodh fios aig duine cò an gunna a mharbh an duine – agus dh'fhirigeadh iad air.

Àite eile agus bha sinn ann an nàdar cnoc agus ghabh sinn iongantas. Bhiodh am fear seo a-muigh greis le each geal 's each ruadh 's bheireadh e greis a' treabhadh no cliathadh no rudeigin a-muigh an sin, agus shangaigeadh e fear geal gu fear dubh agus thug e greis mhòr air an dol-a-mach sin, agus

a billeting party took their place. One man from Point looked up and shouted, "Take cover". Everybody jumped to the side of the road as if you had dropped a stone into a flock of seagulls. The next thing we knew, a shell landed exactly where we'd been standing three minutes earlier. We waited for a while but no more came. The person who was in charge asked, "Who shouted that?" Norman answered, "I did." He then asked, "What did you see?" and Norman said, "I saw the clock's hands going in a circle, that means that a shell is about to land."

I was amongst the ones that went up to the church but we needn't have bothered because everything was locked. We tried forcing it with our arms but we couldn't manage it. There was only one other person who had keys to the place, the Mayor of the village. The local man who was with us - I'm sure he spoke French as well as English - obtained the keys and opened the church. We looked to see if there

were any wires connected with the signal on the clock, but couldn't find any. We were just about to give up all hope when someone noticed a hatch in the ceiling. He put his rifle onto his shoulder and forced the hatch open. He went up and found someone sitting in the corner. Another two or three people went up to get him down. They tried talking to him in every language but he wouldn't open his mouth. We then tried giving him cigarettes and drinks of water but still no response. We decided to take him to where the battalion stayed the night and three people kept close guard on him and to try to get some information out of him. We were with him all night but he just wouldn't talk. The battalion senior officers came to take him away in the morning. We never saw him again. He was probably shot – would have had to dig his own grave, then he would be blindfolded and face a firing squad.

bhiodh sinne a' faighinn seiligeadh – thèabar ar sgrios bho uachdar na talmhainn gum b'fheudar dhuinn falbh às an àite bha sin. An duine toirt dhaibh "signal" leis na h-eich air an dòigh ud agus iadsan a' togail a' "signal" às an "Observation Balloon" a bha os an cionn fhèin. Bha iad an àirde chun a h-uile treige a bh' air uachdar an t-saoghail!

Nuair a bha sinne a' tighinn a-mach às na trainnsichean bha "spies" as a h-uile h-àit'. Nuair a "retire" na Gearmailtich às dèidh Battle of Marne, bha iad a' fàgail na h-uidhir a Ghearmailtich air an cùl, agus 's e daoine bha ealant air a' chànan Fhrangach a bh' as a h-uile duine bha iad a' fàgail. 'S iomadh duine fhuair sinne dhan sin ach chan fhaca mi duine riamh a choisinn uiread de chall ris an fhear a bh' anns an "tower" – as a' ghleoc. Cha smaoinicheadh duine gu robh leithid a rud ri dol agus man a biodh Tarmod, bha h-uile duine againn an dèidh 's a dhol suas leis a' "shell" ud – cha robh i trì mionaidean gu robh i air an rathad.

Greiseag bheag ron sin thàinig sinn a-mach às na trainnsichean aon oidhche - bha sinn air a bhith greis mhòr annt' 's bha sinn "dead beat". Cha tugte an còrr a choiseachd asainne. Bha bonn an fhèileadh ri tiormachadh agus bha e gearradh cùl nan casan againn aig a' chrèadh – dhecide iad gu leigeadh iad a-steach a' choille sinn gu latha, 's gu faigheadh sinn air sinn fhìn a sgrìobadh bhon chrèadh a bha sin. Cha robh sinn càil ach an dèidh a dhol a-steach dhan choille nuair a thàinig "shell" 's landaig i "solid" nar measg. Chaill sinne "scouts" gu lèir – bha mise agus Dòmhnall Mòr

Fhionnlaigh – bha sinn an dèidh 's dà "waterproof sheet" a chur ri chèile – an ceann aca ceangailte ri craobh agus an ceann eile le dà bhioran, 's bha sinn ri dol steach fodhp' gun tigeadh latha. Thàinig "shell" 's chaill feadhainn am brògan 's chaill feadhainn an seacaidean. Bhlast i an àirde – co-dhiù am beagan againn a bha air fhàgail - dh'iarradh oirnn dhol chun a' bhaile a b' fhaisg, Forceville. Tha cuimhn' agam, 's bidh gu bràth – uireas a bh' air fhàgail a' dèanamh air an àite sin gus an cruinnichear sinn an ceann a chèile làrna-mhàireach. Regimental Sergeant Major, 's ann air ceann a dhà stocainn a chaidh e Forceville – chitheadh tu rudan a bheireadh gàire ort co-dhiù.

Chaidh am "Pigean" a leòn leis an t-shell ud a landaig nar measg (mac Dhòmhnaill Dhàidh). Bha "dressing station" shìos agus thugadh a-steach e. Bha iad ag ràdh nach biodh esan beò co-dhiù ach thàinig e troimhe.

Bha fear eile ann agus 's fhiach seo inns'. 'S ann às na Còig Peighinnean a bha e – le piuthar a' Ghèidseir a bha e, agus bha e na laighe ann an oir an rathaid 's thàinig "shell" 's bhuail i air a bheulaibh. Bha "44 wounds" air ach cha robh aon air de leòn chnàimh – bha e gu lèir na shruthanan fala. Cha robh aon air gu cron, 's e morghan an rathaid a fhuair e 's bha e na shruthanan fala. Bha 'n t-seacaid a bh' air - chanadh tu gur ann air a droch losgadh a bha i. Nuair a chaidh e chun an "dressing station", thuirt an dotair, "Chan eil gin de leòn ort tha gu cron sam bith, ach cuiridh sinn dhan a' bhase thu – you're a miracle". Fhuair e ceala-deug no fichead latha

---

I remember another time we were on a hillock. This man would be out for short spells with two horses – one white and one brown. He would be ploughing and then suddenly change the white horse for a black one. After that we would be shelled. We had to move from there when we realised what he was up to. When he changed horses, that was the signal for us to be shelled. They were up to every trick you could think of.

On coming out of the trenches there were spies everywhere. When the Germans retreated after the Battle of the Marne they left some behind them and they were all Germans who could speak French. Not one caused as much damage as the one who was in the clock tower. If Norman hadn't noticed what was happening we would all have been blown up by that shell.

A short time before that, we came out of the trenches one night – we had been there a long time and were dead beat.

We couldn't march any longer - the hems of our kilts had dried hard with the clay and were cutting into the backs of our legs. They decided to let us into a wood so that we could scrape off the hard clay. We had no more got in amongst the trees when a shell landed in our midst. We lost all the scouts. With Dòmhnall Mòr Fhionnlaigh I had gone to put up a shelter with waterproof sheets tied to trees and two sticks and we were going to rest there till the morning. Many of those who survived the shelling lost their shoes and jackets. We were instructed to go to the nearest village, Forceville. I remember, and I always will, the few that were left making our way there for the muster the following morning. The Regimental Sergeant Major marched in his socks to Forceville – there were some amusing sights despite everything.

The 'Pigean' [Donald Morrison, 35 Lionel and 13 Adabrock] was wounded in the shelling and taken down

"rest" air a' bhase. Chaidh a mharbhadh bhon uair sin – 's ann timcheall Ypres a chaidh a mharbhadh mun àm a bha na Gearmailtich a' cur a' ghas.

Nollaig 1915: Chuir na Gearmailtich an àirde bòrd as an trainns' gu robh iad riaraicht' air dà uair a thìde Armistice – "Friendly Armistice" – cha b' urrainn sin a dhèanamh gun òrdugh bho "headquarters". Chaidh a ghrantadh dhuinn – dà uair a thìde thoirt am measg nan Gearmailtich air Christmas Eve 1915. Nuair a bha 'n dà uair a thìde an àirde, bha aig na Gearmailtich ri dhol dhan trainnse aca fhèin 's bha againn ri thighinn a-steach agus bha sinn a' losgadh air a chèile agus a' sadail bhombs air a chèile.

'S ann as a' Somme a chaidh mise leòn agus 's ann a chaidh mo thoirt na mo phrìosanach. Thug mi dà bhliadhna as a' POW Camp. Bha mi ann a dhà no trì de dh'àitichean as a' Ghearmailt, agus nuair a bha mo chas "alright", chuir iad air "working-party" mi.

Chan fhaca mise deireadh a' chogaidh as a' Ghearmailt idir. Thàinig mi fhìn agus fear à Càrlabhagh agus fear eile à Steòrnabhagh – fhuair sinn ann an cothadh ri chèile agus 's ann a dhecide sinn gu feuchadh sinn air falbh às a' champ.

Bha sinn a' cruinneachadh bhriosgaidean, chocolates – a h-uile càil nach biodh ag iarraidh còcaireachd sam bith, 's a chuidicheadh sinn air an t-slighe, agus fhuair sinn troimhe gu Rotterdam. Thug sinn seachdain air an t-slighe ri laighe as na coilleachan 's a' laighe as a h-uile àite bh' ann a sin gun tàinig sinn chun an "Dutch border".

Thug sinn seachdain ann an Rotterdam gun tàinig bàta airson ar toirt a Shasainn – agus a' "mate" a bh' air a' bhàta 's e mac ministeir a bh' ann às a' Rubha – Mac Tharmoid Choinnich a' Bhàird, bha e na mhinisteir air a' Chnoc as a' Rubha.

Bha gu leòr a dh'aithnichinn còmhla rium as a' chiad chogadh – bhon Taobh Siar 's à Steòrnabhagh – fear ris an canadh iad Coinneach Mòr a' Phàraig – bha e còmhla rium.

'S e bu mhotha a lean rium bhith air mo thiodhlaiceadh man radan anns na trainnsichean – salach agus fuar – deich latha innt' agus seachdain aist' – dha do sgrìobadh fhèin bho pholl agus lèig.

Chan eil fhios carson a dh'fhàgadh mise beò mar seo nam ablach, a bharrachd air a liuthad duine òg a bharrachd ormsa dh'fhalbh.

to the dressing station - they said that he wouldn't survive but he pulled through. There was another one as well I need to tell you about – he was from Fivepenny – a son of the Gauger's sister. He was lying by the roadside when a shell exploded in front of him. He had forty-four wounds and was covered in blood. They were all superficial and the doctor assured him- "None of your wounds is serious but we will let you rest at the base – you are a miracle." He was later killed in action around Ypres at the time the Germans started the gas attacks.

On Christmas Eve 1915 the Germans erected a board with the message that they wanted a two hour cease fire – a friendly armistice. This was granted and we spent two hours amongst the Germans. When the time was up we all went back to our own trenches and started firing and bombing each other.

I was wounded in the Battle of the Somme. I was taken prisoner then and spent two years in a prisoner of war camp. I was in two or three different places in Germany and when my leg recovered I was put on a working party.

I didn't see the end of the first war in Germany. Along with two others, one from Carloway and one from Stornoway, we decided to try and escape. We collected biscuits and chocolates so that we wouldn't have to cook anything. We got through to Rotterdam taking a whole week on the way, lying low in the woods until we came to the Dutch border. We stayed in Rotterdam for a week until a suitable ship came along to take us to England. The mate on that ship was a minister's son from Point - mac Tharmoid Choinnich a' Bhàird – he was a minister in Knock.

I knew plenty of people that were with me in the 1st World War. They were from the West Side and from Stornoway. I remember one called Coinneach Mòr a' Phàraig.

The worst thing that stayed with me was being buried in the trenches like a rat, cold and dirty. Ten days in and one week out, scraping the dirt and mud off yourself.

I don't know how or why I've been left alive here, unlike all the young folk who went away with me.

Alexander Mackenzie, 3 Eorodale
(Alasdair Thomain)

Iain MacLeòid – 'Am Biugalair'

John Macleod, 16 Lionel

Chaith Iain pàirt dhan chogadh ann an seirbheis nan tràlairean san RNR Bha cuimhne mhath aige air na cruadalan a dh'fhuiling e a' cothachadh an aghaidh fìor dhroch mhuir an iar air Èirinn. Cha tuirt e mòran mu dheidhinn mar a thachair dha, ach seo mar a dh'innis e air teip dhan Chomunn Eachdraidh.

Bhàsaich Iain air 19 An Cèitean 1985, aois 89.

John served in the Trawler Section of the RNR and remembered the hardships of ploughing the stormy seas west of Ireland. He didn't say very much about it but here we have his own recollections.

John died in 19 May 1985, aged 89.

Thug mi trì bliadhna as a' chiad chogadh … chaidh mo chur a dh'Èirinn … Queenstown – air tràlair.

Bha mi air trì tràlairean – bha am muir glè fhiadhaich aig ceann an iar Èirinn. Bha Iain Beag 'Ain Uilleim còmhla rium – chan eil e beò an-diugh – bhàsaich e òg, às a' Phort a bha e.

Bha ceann an iar Èirinn làn eileanan – nuair a thuiteadh an oidhche bhiodh sinn a' dol air tìr leis an eathar 's a' goid muilt. 'S e mise am bùidsear a bh' ann, ach bha mi na mo bhùidsear mas deach mi dhan chogadh a-riamh, ann an seo fhèin.

I spent three years in the First World War – I was sent to Ireland – Queenstown – on a trawler.

I was on three trawlers – the seas to the west of Ireland were very stormy. *Iain Beag Iain Uilleim* from Port was with me – he died young.

There were many islands to the west of Ireland. When darkness fell we used to go ashore with the boat and steal sheep. I was the butcher – I had been a butcher here before the war.

Dolaidh Mòr Aonghais 'an 'ic Leòid

Donald Macdonald, 19 Lionel

Bha Dòmhnall agus a bhràithrean, Alasdair agus Iain, anns an RNR. Chaidh bràthair eile, Dòmhnall, a chall san Fhraing air 10 An Giblean 1917, aig aois trì bliadhna air fhichead. Bha Dolaidh Mòr ann an roinn nan tràlairean air HMT *Livingston* a chaidh a chur fodha ann an Cuan Nirribhidh air 12 An Dùbhlachd 1917. Bha e am braighdeanas às-dèidh sin.

Bha Dolaidh Mòr ceithir fichead 's a còig nuair a bhàsaich e anns an Iuchar 1984.

Donald and his brothers, Alexander and John served in the RNR. Another brother, also Donald, was killed in action in France on 10 April 1917 aged 23.

Donald was in the Trawler Section on HMT *Livingston* which was torpedoed, shelled and sunk in the Norwegian Sea on 12 December 1917. He was taken prisoner.

Dolaidh Mòr died in July 1984 aged 85.

Chaidh mo thogail ann an 1917 – March 1917 – 's chaidh mo chur air 'trawler' ann a' Scapa Flow, 's dh'fhalbh an 'trawler' à sin air 'Norwegian Patrol'. Chaidh sinn suas a Lerwick a' toirt 'convoy' suas gu, agus air ais …… à Narvik. Bha sinn air a' phatrol sin gu December.

Chaidh ar cur fodha le ceithir 'destroyers' Gearmailteach, 's chaidh ar toirt nar prìosanaich dhan Ghearmailt, 's bha sinn ann an campa ris an canadh iad Brahnanburg-Lagar, 's bha sinn ann a sin gus na sguir an cogadh.

Bha sinn a' faighinn litrichean, ach thug iad greis mus tàinig iad 's bhitheadh sinn a' faighinn parsailean bhon Red Cross à Denmark, agus 's e sin a chum sinn beò.

Bhathas gar cur a-mach. Bhathas gar briseadh an àirde – 's ann chun a 'railway' a chaidh mis', 's bha mi ann a sin gus na sguir an cogadh, 's chaidh ar toirt air ais dhan champa.

Chaidh ar toirt dhachaigh eadar Christmas 's a' Bhliadhna Ùr 1918.

I was called up for the war in March 1917. I was placed on a trawler at Scapa Flow. The trawler left Scapa Flow on the Norwegian patrol. We were then sent up to Lerwick to take a convoy back to Narvik, then back to Lerwick. We were there on patrol till December.

Our vessel was attacked and sunk by four German destroyers. We ended up as Prisoners of War in a German camp called "Brahanburg-Lagar". We were prisoners there till the end of the War.

We received mail, although it took some time in getting to us. We were very fortunate that we received parcels from the Red Cross in Denmark. It was these parcels that kept us alive.

We were divided into groups. I was sent to work on the railway and spent the duration of the War there. We were then taken back to camp waiting to be taken home.

We were taken home between Christmas and New Year 1918.

Iain a' Bhrogaich, Iain Guinne

John Gunn 5 Knockaird

Bha Iain Guinne, 5 An Cnoc Àrd, anns na Sìophortaich còmhla ri a dhà bhràthair, Iain agus Dòmhnall, a chaidh a chall anns a' chogadh – Iain anns an Fhraing air 9 An Cèitean 1915 (aois 21) agus Dòmhnall ann am Mesopotamia air 22 An Gearran 1917 (aois 23). Chaidh bràthair eile, Cailean, a bh' air a dhol a dh'Astràilia, a chall aig El Alamein air 23 An Damhair 1942,'s e anns an Australian Infantry Regiment. Bha e dà fhichead bliadhna 's a trì.

Bha Iain mu ochd bliadhna deug nuair a chaidh e dhan chogadh ann an 1914. Chaidh a leòn aig Givenchy, agus a-rithist aig a' Somme. Aig deireadh a' chogaidh bha e anns a' 51st Highland Division.

Bha e pòsta aig Màiri NicDhòmhnaill, 17 An Cnoc Àrd. Bhàsaich ise anns a' Chèitean 1979 aig aois 90, agus chaochail Iain anns an Dùbhlachd 1985 aig aois 89.

John Gunn of 5 Knockaird served in the Seaforths along with two brothers, John and Donald, who were both killed in action - John in France on 9 May 1915, age 21 and Donald, in Mesopotamia, on 22 February 1917, age 23. Another brother, Colin, who had gone to Australia, was killed at El Alamein on 23 October 1942 age 43, serving with the Australian Infantry Regiment.

John was around 18 when he joined up in 1914. He was wounded at Givenchy and later at the Somme.

Towards the end of the war he was with the 51st Highland Division.

John was married to Mary Macdonald of 17 Knockaird. Mary died in May 1979, aged 90 and John in December 1985, aged 89.

'S ann dhan 1st Battalion chaidh mise a chur an toiseach nuair a thàinig iad a-nall às na h-Innseachan agus aig àit' ris an canadh iad Givenchy as an Fhraing – chaidh mo leòn ann a sin – bha mi ùine anns an ospadal – chaidh mo chur dhan a' 2nd Battalion 's bha mi as a' Bhattle of the Somme, 's chaidh mo leòn a-rithist ann a sin.

'S ann as na trainnsichean a bha mise – beatha bhochd le fuachd – thug mi sia mìosan as an ospadal às dèidh mo leòn aig a' Somme, 's chaidh mi rithist dhan 6th Battalion, 51st Division – bha sinn aig Ypres, aig Billingwood, Fonteyn, Cambrai, suas na h-àitichean sin…….

Thug mi 'n dà bhliadhna mu dheireadh dhan a' chogadh còmhla ris a' 51st Division – 's ann aig Mons a bha sinn nuair a sguir an cogadh. Cha robh mis' anns a' Bhattle of Mons idir – cha deach sinne dha na trainnsichean aig Mons idir, na Canadians a bh' anns a' 'front line' – bha sinne a' dol dha 'relievigeadh' an oidhche sguir an cogadh.

Chaidh mise leòn a' chiad latha dhan Battle of the Somme – Àite uabhasach a bha sin – àite eagalach – chaidh 30,000 'casualties' eadar marbh 's leòntaich – chaidh mo thoirt a-null a Shasainn dhan ospadal. Bha dìth bùirn oirnn - thug sinn dà latha gun chàil nuair chaidh sinn tron…, cha robh càil a' faighinn thugainn. Bha feadhainn a dh'aithnichinn

I was drafted into the 1st Battalion once they returned from India at a place they call Givenchy in France. I was wounded there and I spent quite a while in hospital. After that I joined the 2nd Battalion and I was in The Battle of the Somme and I was wounded again there. I was in the trenches – a hard and cold life experience. I spent six months in hospital after I was wounded at the Somme and afterwards I joined the 6th Battalion, 51st Division. We were at Ypres, at Billingwood, Fonteyn, Cambrai - up through those places.

I spent the last two years of the war with the 51st Division. We were at Mons but didn't go into the trenches - the Canadians were in the front-line and we were going to relieve them the night the war ended.

[Mons is mostly associated with the retreat of the BEF in September 1914 but war records also confirm there was action at Mons at the very end of the war.]

I was wounded on the first day of the Battle of the Somme – that was a terrible place, frightening. There were 30,000 casualties either dead or wounded and I was taken to hospital in England. There was a shortage of water and

fhìn air an leòn faisg orm – Mac Dhòmhnaill Aonghais à Cros [Calum Caimbeul, 26 Cros] – chaidh a mharbhadh ri mo thaobhs' latha chaidh mo leòn. 'S e na bliadhnachan mu dheireadh bu mhotha thachair riums' dheth co-dhiù – bha sinn air a' 'retreat' ann an 1918 co-dhiù – theann na Gearmailtich 'ag attackadh' agus theann sinn a' dol air adhart a-rithist ma tha. 'S e Somme bu mhotha lean rium co-dhiù. Thug mi fad an latha ann a 'No Man's Land' 's mi air mo leòn, gun tàinig iad a 'chollectadh' na leòintich am beul na h-oidhche.

Tha mise smaoineachadh air a h-uile càil dheth fhathast – bha salchair ann toiseach a' chogaidh – 's e 'Lornes' a bh' oirnn nuair a chaidh sinn a-null an toiseach. Bha sinn dhan call as na trainnsichean, dol am bogadh. Bha sinn na b'fheàrr dheth mu dheireadh, bha sinn a' faighinn 'bath''s aodach glan nuair thigeadh sinn a-mach gu 'rest'.

Chaidh mise null ann a' 1914, ach chaidh mo leòn uair no dhà 's bha mi bhos anns a' rìoghachd an seo – bha mi thall a-rithist gun a sguir an cogadh. Cha d' fhuair mi dhachaigh gu March às dèidh a' chogaidh. Bha iad a' tighinn far an robh sinn ach an deigheadh sinn chun a' Rhine …………... son a bhith 'collectadh' na bha de dh''ammunition' timcheall, 's na rudan sin.

we spent two days without anything - nothing got through to us. Some people that I knew were shot near me - Mac Dhòmhnaill Aonghais from Cross [Malcolm Campbell, 26 Cross] was killed the time I was hit. The last years of the war had more of an effect on me. We were on the retreat in 1918 anyway. The Germans started to attack and we moved forward again.

It is the Somme that I have most memories of. I lay all day in "No Man's Land" at the time I was shot and it was only as night began to fall that they started to collect the wounded.

I still think about it all – all that mud. When we first went over there, we were wearing "lornes", which we lost in the trenches when our feet sank in the mud. Things improved later on, when we could have a bath and get clean clothes, when we were rested.

I went over in 1914, but was I wounded a couple of times and returned to this country. I went back again till the end of the war and it wasn't until the March after the war ended that I returned home. Volunteers were called for, to go to the Rhine, to gather the ammunition and other supplies that had been left.

The Gunn brothers, both John. John (left) was killed in action 9 May 1915.

111

Dòmhnall Moireasdan, 'Am Patch'

Donald Morrison 7 Knockaird

Donald was 18 when he joined the RNR Trawler Section in March 1917. He was returning home on leave on the ill-fated *Iolaire* when the vessel foundered on the Beasts of Holm at the approaches to Stornoway Harbour in the early hours of New Year's Day 1919. He witnessed the horrendous scenes following the stranding on the treacherous coast near Holm.

As dawn broke, unbeknown to the shocked witnesses on the shore, Donald was clinging for his life up on the mast – just about the only part of the vessel that was visible. He would remain there until 10am – when Lieutenant Wenlock, of the *Budding Rose*, managed to manoeuvre a small naval boat within reach of the stranded sailor.

Donald's brother Angus, a Petty Officer in RNR, was also on the *Iolaire* but was lost and his body never found. Another brother, John, (Seonaidh Dh'll a' Choire, later Eorodale), was also in the RNR in WWI.

After the war Donald married Catherine Morrison (Catriona Wattie) 31 Cross. Sadly she died at age 41 in April 1939. Donald lived into old age and passed away in July 1990 aged 91, one of the last survivors of the *Iolaire* disaster.

Bha Dòmhnall ochd bliadhna deug nuair a chaidh e do roinn nan tràlairean san RNR anns a' Mhàrt 1917. Bha e a' tilleadh dhachaigh air an *Iolaire* nuair a chaidh a call air Biastan Thuilm 's i a' dlùthachadh air caladh Steòrnabhaigh tràth air Oidhche na Bliadhn' Ùire 1919. Cha tuig duine nach robh ann na h-uabhasan a thachair ris an oidhche ud.

Nuair a thàinig an latha ghabh na bha air tìr mòr-iongnadh nuair a chunnaic iad Dòmhnall shuas gu h-àrd air a' chrann, far an robh e air a bhith fad na h-oidhche. Bha an soitheach air a dhol fodha agus cha robh càil am follais ach an crann.

Bha e ann an sin gu deich uairean sa mhadainn nuair a thàinig an Lieutenant Wenlock bhon 'Bhudding Rose' a dhèanamh cobhair air le bàta beag leis an Nèibhidh.

Bha bràthair Dhòmhnaill, Aonghas, a bha na 'Phetty Officer' san RNR, air bòrd na h-*Iolaire* cuideachd, ach chaidh a chall agus cha d' fhuaireadh a chorp a–riamh. Bha bràthair eile dhaibh, Iain (Seonaidh Dh'll a' Choire, Eòrodal), anns an RNR aig àm a' chiad chogaidh.

Às dèidh a' chogaidh, phòs Dòmhnall Catrìona Mhoireasdan (Catrìona Wattie) 31 Cros. Bhàsaich i anns a' Ghiblean 1939, 's gun i ach dà fhichead bliadhna 's a h-aon.

Chaochail Dòmhnall aig aois 90 anns an Iuchar 1990, aon den fheadhainn mu dheireadh a bha beò de bhalaich na *h-Iolaire*.

I was only 18 years when I was called up to serve in the War, and I was sent to train for six weeks in Portsmouth. I was put on a ship patrolling up and down the Channel. Afterwards I had to change on to another ship, also patrolling out of Portsmouth, then to Newhaven, Sussex, where we trained in the Gunnery School, and I got on fairly well there.

Again, we transferred to another Gunnery School on Whale Island, the biggest one in the British Navy. I was trained in two courses - first Seaman Gunner and then Gun-layer. I passed along with and a lad from Newfoundland. After that training, I was sent to a place called Hasler Camp. Afterwards, I was sent to join a trawler as a Gunner down to Portland. I was only two months there when the war ended, as it was in March 1917 that I was called up. I got my discharge in April 1919, having just served two years.

I have already given plenty of the history of the ill-fated *Iolaire*. It was New Year's leave I had when this happened,

Bha mi ochd deug nuair a chaidh mo thogail dhan a' chogadh, 's chaidh mi a Phortsmouth. Bha mi a' trèanaigeadh an sin sia seachdainean; chaidh mi an uair sin air soitheach a' patrolaigeadh as an Channel. An uair a dh'fhàg mi an tè sin, chaidh mo chur air tè eile mach à Portsmouth. Chaidh sinn à sin a Newhaven, Sussex, 's bha sinn a' dol dhan a' Ghunnery School ann an sin 's bha sinn a' faighinn beagan trèanaigeadh ann, 's bha mise faighinn air adhart meadhanach math ann. Agus 's ann a chuir iad mise sìos a "Whale Island" - An Gunnery School as motha th' aig an Nèibhidh – 's chaidh mi tro dhà chourse ann – an toiseach 'son 'Seaman Gunner', 's an uair sin 'son 'Gun-layer'. 'S e mi fhìn 's Newfoundlandach an dithis a shaoileadh tu nach buineadh dhan a' rìoghachd, an dithis a phasaig 'son Gun-layer. Bha mi ann an sin 's chaidh mi Hasler Camp. Chaidh an uair sin mo chur air 'trawler' na mo ghunnair sìos a Phortland – cha robh mi ann an sin ach mìosan nuair a sguir an cogadh – timcheall air dà mhìos. Bha mi an àirde ann am March 1917 – fhuair mi 'discharge' ann an toiseach April 1919 – timcheall air dà bhliadhna.

Thug mi seachad gu leòr de eachdraidh an *Iolaire* ma thràth. Fhuair mi dà 'leave' – 'Harvest Leave' a' chiad bhliadhna, airson cuideachadh leis an fhoghair. Fhuair mi litir an December 1918 gu robh m' athair bochd – fhuair mi ceithir latha – bha e beò gus na dh'fhalbh mi ach cha robh e fada gus an d' fhuair mi fios gu robh e an dèidh bàsachadh. 'S e 'leave' Bliadhna Ùir a bh' agam as an *Iolaire*. Bha an cogadh air a dhol seachad; bhiodh na Sasannaich air 'leave Christmas'. Bhliadhna Ùr a b' fheàrr leinne, agus siud man a thachair 's cha tug iad air falbh mise tuilleadh a-riamh bhon uair sin.

Bha mi anns a 'saloon', mi fhìn 's bràthair dhomh 's Iain Mhurdo, 's feadhainn eile, gus an tàinig oifigear a dh'èigheachd rinn gu robh an soitheach gu bhith staigh agus sinn na gnothaichean a bh' againn fhaighinn deiseil. An uair sin, 's ann a chaidh sinn a-mach às a 'saloon' gun a 'starboard side' aic. Bha sinn a' bruidhinn ann an sin agus mo bhràthair a chaidh a chall innt', bha esan 'na 'First Class Petty Officer', 's bha iad a' bruidhinn an dùil an deigheadh iad a dh'iarraidh 'drifter', 's cha robh càraichean ann an uair ud a' ruith eadar Nis, ach càr a' phost – 's ann a bhathar ag iarraidh an deighear a dh'iarraidh tè dha na 'patrol boats' airson a dhol a-null dhan a' Phort – mi fhìn 's Iain Mhurdo, 's Mac 'an Dhoilligean à Sgiogarstaigh, 's feadhainn eile.

Cha chreid mi nach do dh'aontaich e gu feuchadh e dhol ann, co-dhiù gun deigheadh e ann, 's dh'fhàlbh e bhuamsa, 's thuirt e rium nuair bha e falbh, gu robh e dol a dh'iarraidh parsail sìos dhan an deireadh, agus nam bithinn roimhe, 's na faighinn 'lodgings', leabaidh a ghleidheadh dha. Thuirt mi ris gun gleidheadh man a biodh duine tuilleadh ann. Cha

---

as we Scots preferred that. The English always liked Christmas leave. Already in December I had got four days leave because of my father's illness, but unfortunately I had to go back and he died shortly afterwards.

The War had ended in November and I was coming home for New Year - December 1918. I was in the saloon of the *Iolaire* on our homeward journey, with my brother Angus and John MacLeod, Port, amongst others, when an Officer came in and told us to get our luggage ready, as we were coming near Stornoway. We did that, came out of the saloon and stood at the starboard side. We Ness folk were discussing whether it would be more convenient when we came ashore to seek out and hire either a drifter or a patrol boat that would take us to Port of Ness, as there were no cars running between Stornoway and Ness at that time, only the Royal Mail.

My brother and I parted then, as he went down to collect a parcel and he shouted to me, "If you get lodgings first for the night, keep a bed handy for me", which I promised to do. He had not gone very far when I heard a loud bang and I thought we'd hit a mine, but it was rocks. The ship shuttered and went solid on her starboard side. A lot of men jumped out, afraid, I suppose, she would overturn. I climbed on the other side on the casings on to the decks the boats were on and by the time I reached two were already launched. One was already full, the other with only two men. All-of-a-sudden the force of the sea seemed to turn the *Iolaire*.

The wind was getting stronger and it started to move towards the harbour-end first, then the wind changed. The squalls of sea came round to the front and the two boats capsized. From my perch, I threw down a rope to the boat that was under me; I and another lad then tied it to the stanchions to secure.

Murdo Iain Bhig from Skigersta later told me that it was on that rope he managed to clamber up again. A lot more men tried, but there were too many and too heavy for us

robh e air ruighinn sìos an deireadh nuair a chuala mi fuaim uabhasach. 'S ann a bha dùil agams' gur e 'mine' a bhuail i. Dh'fhalbh i 's chaidh i air a cliathaich – bha trotha aic', man gun deigheadh i suas air leac – thuit i air 'starboard side' agus leum tòrr dhan a bha timcheall ormsa mach aist' – eagal gun deigheadh i thairis, tha mi creids'. Fhuair mise air streap suas an taobh eile, agus chaidh mi chun a' 'bhoat deck' – bha na h-eathraichean ann an sin. Bha dhà air a launchadh mas do ràinig mi suas. Bha 'n darna tè làn dhaoine agus 's e dithis a bh' anns an t' èile. Chuir am muir car dhith – bha ghaoth fàs mòr, chuir i deireadh a-steach 's chaidh i na bu chòmhnaird. Thòisich i dol a-steach chomhair a deiridh – nuair a thàinig a' ghaoth timcheall, chuir e muir mòr timcheall an toiseach aic'. Chuir e fodha na dhà. Bha Murchadh Iain Bhig à Sgiogarstaigh – bha e san darna tè – bha e ag inns' dhomh uair – shad mi sìos ròp innt', dhan tè a b' fhaisg – sìos fodham fhìn, mi fhìn 's balach eile – cheangail sinn ann an sin na 'stanchions' – Murchadh Iain Bhig ag ràdh gur ann air sin a fhuair e fhèin an àirde – leum 'crowd' mòr eile, 's cha b' urrainn dhuinne an tarraing co-dhiù.

Suidheachadh uabhasach a bha siud – oidhche dhubh dhorch 's mu dheireadh chan fhaiceadh tu càil ach muir geal – chluinneadh tu gu leòr, ach chan fhaiceadh tu càil, ach gu faca mise Iain Mhurdo dol leis an ròp, ach cha robh fios agam gur e a bh' ann. Chunna mi an duine bh' ann – bha e

letheach slighe steach, thàinig muir mòr, chaidh e suas air a' chreig – chaidh am muir suas air a' chreig 's esan na chùl – 's chunna mi e an uair sin dol a mach bho an deireadh aic' – cha robh e 'slack' an duine ud. An ath trup a thàinig e steach, bha e math air an t-snàmh, chaidh e am bàrr na suaile, 's fhuair e grèim air a' chreig co-dhiù, 's chum e ròp innt' cuideachd. Cha b' fhiach an t-àite 's an robh ròp – bha e mach air an deireadh aic', 's bha fairge eagalach a' tighinn man deireadh aic' – dheigheadh e an darna uair 'slack', 's dheigheadh a h-uile duine a bh' air dhan a' mhuir, 's an uair a dh'èireadh e 's mathaid nach biodh duine air – feadhainn a' faighinn air tìr 's feadhainn eile nach robh. Chaidh mu dheireadh thoirt a-nuas 'midships', 's chaidh a cheangal far an robh mise. Bha sinn ag èigheach 'son a thoirt a-nuas, bha i fhèin dèanamh nàdar 'breakwater' mu meadhan. Ghlèidh mi am parsail a bh' agam chun a siud – chunna mi an fhairge an dèidh thighinn àirde air an deic aic' – shad mi às e 's dh'fhalbh mi chun an ròp.

Thàinig dà fhairge uabhasach seachad oirr' – chan eil cuimhn' agams' air a chòrr, ach nuair a thàinig mi air uachdar bha i an dèidh listeadh a-mach an dèidh dhol sìos. Thurchair dhomh grèim fhaighinn air fear dha na ròpan dol chun chrann-deiridh aic' – tharraing mi mi-fhìn 's fhuair mi air na 'riggings' – 's chaidh mi suas cho fad 's a gheibhinn ann. Bha balach eile tighinn a-nuas às mo dhèidh. Thàinig muir mòr

to haul aboard. A terrible experience – the night was pitch black and all you could then see was the swirling white foam - you could hear plenty. When I got a little used to the darkness, I saw this man with a rope trying to swim. I did not know then that it was John MacLeod, Port (Iain Mhurdo). I saw him halfway across, a huge wave cast him up on the rocks, then I saw him again coming round the end of the ship. This time, when he got to the rock he managed to keep his footing and secure the rope to the end of her, but it was not in a very good place at first, as the rope was too slack and some that tried to go on, landed in the sea. Some managed to get ashore though. Then the rope was taken further up amidships and tied to where I was. I had kept my parcel of personal belongings until then, but at this point, I threw that away and I also made for the rope. Then two huge waves enveloped us and I must have blacked out.

When I came-to again, the *Iolaire* had listed and was beginning to sink, but I then managed to hang on to the

ropes going to the stern-mast and climbed on to the riggings, as far up as possible. Another lad was coming up after me, a huge wave came and when I looked down there was no sign of him.

A good while after, I heard shouting. When I thought all that had stopped, I looked and saw two other fellows up as high in the riggings as they could possibly get, on the fore-mast, trying to hang on. They were there for a good spell.

By this time the *Iolaire* had sunk to the bottom of the sea, only the masts were showing. The sea was so rough and when other huge waves hit it, the bridge snapped, then the funnel broke loose. Although the masts were still above sea level when the waves engulfed them, it was so slippery and very difficult to hang on, another huge wave and I heard a bang, I did not know then what it was. I saw the aerials had come down and when I looked again the fore-mast had gone, so I was alone there all night. I thought I was going to die and that no one would know I was there.

- ghreas mise suas co-dhiù – nuair sheall mi rithist bha esan an dèidh falbh cuideachd. An ceann greis mhòr às dèidh sin, chuala mi èigheachd – dùil agam gu robh an èigheachd air sgur. Chunna mi dithis as a' chrann-toisich aic' – man a bha mi fhìn, shuas cho fada 's a b' urrainn dhaibh. Bha iad an sin 'spell' mhath ach thàinig muir mòr – ged a bha i an dèidh dhol chun a' ghrunnd – bha na cruinn aic' an àirde – dh'fhalbh an drochaid bhon uair sin, 's dh'fhalbh a' 'funnel' bhon chrann aic'. Seach gu robh na cruinn an àirde, nuair a dheigheadh am muir a-mach, bha e na sadadh suas air a druim. Bha sin na dhèanamh eagalach duilich fuireach air. Well, thàinig muir uabhasach 's bhris e na h-aerials a bh' oirr' – thàinig na uèirichean a-nuas – chuala mi brag eagalach. Cha robh fios agam dè bh' ann. An uair a fhuair mi mi fhìn air a chliathaich, sheall mi suas a-rithist – bha 'n crann-toisich an dèidh falbh, 's cha robh duine ann tuilleadh ach mi fhìn, gu latha.

Tha cuimhn' agam, 's bidh, air a bhith ann gu latha – cha robh mi smaoineachadh gu faighinn às beò an dèidh sin, ged a bha mi ann – ach bho thàinig an latha 's a chunna mi tìr bha muir tòrr na b' fheàrr – fhuair mi beagan de chofhurtachd bhon uair sin. Chunna mi 'trawler''s soitheach beag a' tighinn le dà eathair, tè slaoda' ris gach tè. Smaoinich mi gur ann a' coimhead air mo shon, gu robhas an dèidh fios chur gu robh mi ann co-dhiù, ach bha muir cho dona 'n uair

sin 's gu robh mi cantainn rium fhìn, gu robh e cunnartach gun deigheadh iad às an rathad. Bha muir a' briseadh air na sgeirean, agus bha e briseadh dona an uair sin – beul an latha – ach timcheall eadar sin agus deich uairean, thòisich e dol sìos – a' chiad eathar a thàinig, thill i mas do ràinig i mis'. Bha mise ag ràdh rium fhìn gu robh mi na bu shàbhailt' far an robh mi, ged a thigeadh i. Thàinig fear eile a-steach air mo làimh cheàrr – chun taobh deas dhiom – dh'èigh e rium am b' urrainn dhomh thighinn a-nuas – bha 'stay' os mo chionn, 's sìos air mo bheulaibh – cha b' ann sin bha grèim agams' idir. Thuirt mi ris nan tugadh e an t-eathar eadar a' 'stay' 's an crann, gun tiginn a-nuas. Thàinig iad a-nall leath,'s thug iad timcheall i 's bhacaig iad a-steach i, 's nuair a chunna mi i fèir tighinn fodham, leum mi air a' 'stay''s ann am broinn mionaid, bha mise na broinn, 's chuir e làmh timcheall orm. Fhuair sinn fàth mhath dha-rìreabh – chaidh mo thoirt dhan t-soitheach a thàinig a-mach leis an eathar – Lieutenant Wenlock.

Thug iad dhìom m' aodach – chuir iad orm aodach tioram 's fhuair mi teatha. Cha b' urrainn dhomh dìreadh dhan t-soitheach idir – chaidh mo tharraing suas innt'. Nuair a ràinig sinn Steòrnabhagh, dhìrich mi suas chun a' chidhe le beagan de chuideachadh. 'S mi an aon duine thàinig air tìr chun a' chidhe dha na bh' innt' de thrì cheud.

When the day broke, I began to see the land; the sea had subsided and was a lot calmer. I felt my hopes rising again. Then I saw a trawler and two small boats approaching, but the sea was still not calm enough for them to get near and I remember thinking it was too dangerous and that they would also sink. The sea was pretty rough at daybreak, but between then and 10 a.m. it seemed to subside a bit. The first boat attempted to come near where I hung on, but it had to turn back. I then thought I was safer where I was, than trying to get to that boat. Then the other boat tried and came nearer to my left side. They shouted to me "Can you clamber down?". I said, "If you can manage to get the boat between the mast, where I am and a stay that protrudes further out, I will try". They came round and then backed her in and when I just saw her coming near, I jumped on to the stay and in a moment of time I was aboard and they were so glad, that I was embraced in their arms.

The Skipper was called Lieutenant Wenlock. On board

they took off my wet clothes and gave me dry ones and hot tea. I was so weak that I could not climb aboard, but willing hands helped pull me up.

When we arrived at Stornoway Pier, I managed to climb up with a little help.

I was the only man to come ashore at the pier of the 300 men that were aboard the ill-fated *Iolaire*.

Tarmod a' Chàimein

Norman Thomson, 9 Habost

Bha Tarmod ochd bliadhna deug nuair a chaidh a thogail aig toiseach 1916. Às dèidh sia seachdainean de thrèanadh ann an Devonport chaidh e a-null gu baile Queenstown an Èirinn far an deach e air tè dha na 'Q-ships'.

Bha Tarmod timcheall air ceithir fichead bliadhna a dh'aois nuair a fhuair Comunn Eachdraidh Nis air bruidhinn ris mu dheidhinn an fhèin-fhiosrachaidh iongantach a bha aige sa Chiad Chogadh.

Phòs Tarmod Catrìona NicDhòmhnaill, 35 Cros, agus bha triùir mhac agus aon nighean aca. Bhàsaich Catriona san Lùnastal 1976 aig aois 75, agus Tarmod sa Ghiblean 1987, aois 90.

Norman was eighteen when he was called up early in 1916 and after six weeks training in Devonport joined the Q-ship HMS *Farnborough* in Queenstown, Ireland.

In the late 1970s, when Norman was aged over eighty, he was interviewed by Comunn Eachdraidh Nis and he just gives brief details of his extraordinary war experiences as related here. He married Catherine Macdonald, 35 Cross, and they had three sons and one daughter

Norman died in April 1987 at the age of 90. Catherine was 75 when she died in August 1976.

'S ann còmhla ri Gordon Campbell a bha mi – Captain Gordon Campbell – 'The Mystery VC'. Sgrìobh e leabhar às dèidh sin a bha ag innse eachdraidh an ùine bha seo 's an 'crew' a bh' aige. Agus 's ann an July 1916 a choinnich a' chiad 'submarine' rinn. Bha iad an uair sin air milleadh a dhèanamh air a' 'Mherchant Navy'.

Co-dhiù, a' chiad tè chuir sinn sìos … fhuair sinn 'prize money' air a 'son. Bha sinn a' dol mar sin airson dà bhliadhna gu deireadh 1917, agus 's e caragu guail a bh' againn – seann 'tramp' ga dischargadh am Bermuda, 's chaidh sinn à sin a Chanada gun a' 'Three Rivers' ga lodaigeadh le fiodh gus am biodh i 'unsinkable'. Bha sinn an uair sin a' faireachdainn na bu dòigheil. Cha robh uiread a dh'eagal oirnn gun deigheadh i fodha.

Bha sinn a' dol mar sin airson greis mhath 's thachair an ath thè rinn. Bha sinn ga doidgeadh. Cha b' ann a' dol air falach oirr' a bha sinn idir ach a' feuchainn ri tarraing mar a b' fheàrr a b' urrainn dhuinn, 'son nach seiligeadh i sinn ro fhada air falbh. Co-dhiù, chaidh ar torpedoigeadh a-rithist, chan eil cuimhn' agam an-dràsta cuin'. Nam bitheadh an leabhar agam, dh'innseadh e sin.

I served with Captain Gordon Campbell VC, who afterwards wrote a book '*My Mystery Ships*', about the events of the War and the crew who sailed with him.

It was in July 1916 that the first enemy submarine met us. By that time, our Merchant Navy Ships had suffered heavy losses. Anyway we sank that one and were awarded prize money for doing so.

We carried on like that until the end of 1917. We were on an old tramp-boat and our cargo was mostly coal. We discharged the coal in Bermuda and then went to a place called The Three Rivers in Canada, to load with wood to make her unsinkable on the return voyage. After that, we were not so frightened that she would sink and we felt happier.

Very soon another submarine met us, which we tried for a while to dodge. We were not trying to hide from it at all, but trying to get near her so that they would not get a chance to shell us from a distance. Anyway, we were torpedoed for the second time. I cannot remember off-hand where, if I had the book I could tell you exactly.

It was after the sinking of that submarine that Gordon

Fhuair Gordon Campbell na Chaiptean nuair a chuir sinn sìos a' chiad tè – 's e 'n Caiptean a b' òig' sa Nèibhidh an uair sin – aig 31. Agus chuir sinn fodha tè eile 's fhuair an 'Chief Engineer' a' V.C. an uair sin – 'Ronald Neil Stuart' an t-ainm a bh' air. Bha sinn a' dol mar sin, is chaill sinn an soitheach. Chaidh a torpedoigeadh 's chaidh a towaigeadh a-steach a dh'Èirinn. An uair sin chommisionig sinn t' èile.

Bha sinn a' dol leatha greis mhath, 's an ath 'submarine' a thachair rinn, bha i gar seiligeadh 'son timcheall air ceithir uairean a thìde. Cha do rinn sinn a' chùis air an tè sin idir ach an ath thè a fhuair sinn, fhuair Petty Officer Pitcher VC.

'S bha sinn a' dol mar sin air an ath shoitheach airson greis mhath. 'S ann a-mach air costa Èirinn a bhitheadh sinn, a' tighinn a-nuas uaireannan cho fada ris a' Bhutt. Bha e fiadhaich. An ath thè a fhuair sinn 's e 'torpedo' a fhuair sinn, agus bha iad gar seiligeadh an dèidh sin.......... agus bha an Caiptean a' feuchainn gu faigheadh a h-uile duine rioban, airson gu faodadh rioban 'son a' V.C. a bhith oirnn, 's cha toireadh an 'Government' sin seachad idir. Ach chaidh bhòtaigeadh 'son gu faigheadh aon duine i agus 's e Seaman RNR Williams a fhuair an ceathramh tè.

Dhealaich an Sgiobair rinn an uair sin. Chaidh a chur air 'cruiser' ach thog e pioctar a h-uile duine againn ann am 'Barracks Devonport', 's tha am pioctar anns an leabhar. Nuair a dh'fhàg an Sgiobair sinn, chaidh an 'crowd' againn a chur am 'Barracks Dhevonport'. Chaidh mise tron 'Ghunnery School' an uair ud - na – 'DAMS – Defence of Armed Merchant Ships' a bh' ac air, 's bha mi fhìn 's balach de mhuinntir a' Rubha nar gunnairean air tè de na 'Armed Merchant Ships' sin. Chaidh sinn a-mach dhan a' Mhediterranean le gual 's 'supplies' gu 'trawleran' bha muigh a sin.

Nuair a thàinig sinn dhachaigh fhuair sinn 'leave', 's nuair a chaidh sinn air ais, chaidh ar cur air 'Merchant Ship' bheag eile a bha ruith eadar Rouen agus an Tyne. Bha mis' air an tè sin gu November 1918, seachdain no dhà mus deach an t-sìth èigheachd. Chaidh ar toirt a Bharracks Dhevonport an uair sin. Bha mi ann gun d' fhuair mi dhachaigh.

Campbell was made a Captain and at that time he was the youngest in the British Navy at 31 years.

Afterwards our ship sank another enemy submarine and for that, our Chief Engineer was honoured by being given the VC. His name was Ronald Neil Stuart.

We kept on like that, but in the end we were torpedoed and we lost that boat, but managed to be towed into Ireland.

We were then commissioned on to another ship and for a while nothing happened. Not for very long, however, yet another enemy submarine approached us and started to shell us. For four hours, we were under fire. We did not manage to destroy that one, but on another occasion we sank one and our Petty Officer, Pitcher, received the VC for that action.

We kept on for a while like that. Our patrol was between the coast of Ireland and coming as far sometimes as the Butt of Lewis – very stormy at times.

It wasn't long, however, before we were again torpedoed and shelled. The Captain asked that every member of the crew would be presented with the VC Ribbons, but this was ruled out as it was against Government regulations. So the crew voted that one rating could be honoured with it, and it was Seaman RNR Williams who was chosen.

After this we had to part with our Skipper, as he was put on a cruiser; the rest of the crew were put into barracks at Devonport. Before he left us, he took a photo of us all together, and that photo is in his book.

Afterwards I went into Gunnery School called "DAMS – Defence of Armed Merchant Ships". Then I and a lad from Point were put as gunners on one of those Armed Merchant Ships. Our first assignment as such was to the Mediterranean, with coal and supplies to trawler-men out there. After we got back, we were sent on "leave". On coming back, we were put on a small Merchant Ship patrolling between Rouen and the Tyne.

I was on that one until November 1918, just a week or two before the Armistice was signed. We were then transferred to the Devonport Barracks and I was there until I was sent home.

REAR-ADMIRAL GORDON CAMPBELL AND CREW OF H.M.S. "DUNRAVEN" ON PAYING OFF. LIEUTENANT BONNER IS ON HIS RIGHT AND LIEUTENANT LOVELESS ON HIS LEFT.

could only be awarded to one rating and a ballot was held. Norman's discharge papers recorded that he had taken part in a ballot for the highest award for valour in the face of the enemy.

During Norman's two years on the Q-ships, five Victoria Crosses were awarded to officers and ratings. In the *Farnborough* action in sinking submarine U83 in February 1917 Commander Gordon Campbell, DSO, RN was awarded the VC. In the action by HMS *Pargust* in June 1917, in sinking the submarine UC29, two Victoria Crosses were awarded to an officer and a rating, selected by ballot. In his book, 'My Mystery Ships', Vice-Admiral Campbell states: 'I arranged for the ballot to be carried out by an officer outside the ship, and the Victoria Cross was awarded to Lieutenant R N Stuart, DSO, the First Lieutenant, and Seaman William Williams from Wales.'

In an action in August 1917, involving Norman's last Q-ship, HMS *Dunraven*, another two VCs were awarded, this time to Lieutenant G C Bonner, DSC RNR, and to Petty Officer Ernest Pitcher.

The crew of HMS *Dunraven*. Norman Thomson in the front row on the left

In February 1915 the Germans extended the submarine warfare to unarmed merchant vessels. Shortly afterwards the liner '*Lusitania*' was torpedoed west of Ireland. Throughout 1915 merchant ships continued to be attacked and one of the strategies devised by the Royal Navy to try and deal with the menace was the Q-ship programme. These vessels were specially fitted armed merchant ships or trawlers designed to present easy targets for submarines. When a submarine surfaced, the Q-ship dropped the camouflage hiding its armament and opened fire.

The remarkable story of the Q-ships has been extensively documented by naval historians. It was in the western approaches to Britain, off the south-west coast of Ireland, that enemy submarines concentrated their attacks from 1915 and a young Nessman, Norman Thomson, was on Q-ships which sank a number of submarines. After one successful action, the whole crew of the Q-ship was nominated for the Victoria Cross. However the decoration

The following passage is from Gordon Campbell's book *My Mystery Ships*. It describes the sinking of submarine U-68 off Dingle, south west Ireland, by HMS *Farnborough* on 22 March 1916.

How U.68 was sunk (Pages 120-123)

A few minutes after the torpedo had missed us, the submarine came to the surface astern of the ship and steamed up on our port side. As he came up his gun was manned and he fired a shot across our bows as a signal to stop. After firing his shot he closed down and partially submerged again, obviously ready to dive in a few seconds if we attempted to ram. But in the meantime we had proceeded with our pantomime as prearranged, and, as soon as the shot fell, the engines were stopped, steam was blown off, and the panic party got busy … a great scrambling for the boats took place, which apparently satisfied the submarine as to our bona fides, for he came right on the surface again and closed on the ship, this before we had even got to the stage of lowering the boats.

He was now about 800 yards off, showing full length, and although the range was a little bit greater than I wished, the time had come to open fire before he touched off our magazines. I therefore blew my whistle. At this signal the white ensign flew the masthead, the wheel-house and side-ports came down with a clatter, the hen-coop collapsed; and in a matter of seconds three 12-pounder guns, the Maxim, and rifles were firing as hard as they could. The submarine had been decoyed to a suitable position on the surface with his lid open and the gun manned. Everything now depended on the accuracy of the fire; but the target was a comparatively small one, and we had no rangefinders to help us, so that the distance of the target was reckoned by eye. The fire was accurate, and before the submarine could get closed down again we had hit him several times as he slowly submerged.

As soon as he had submerged and there was nothing more to fire at, we steamed at full speed to the spot where he had gone down, for at the moment there was nothing to actually show whether he had been destroyed or not, although we knew we had hit him…. Two depth charges were therefore dropped, and almost simultaneously the submarine, that had obviously been trying to rise, came up nearly perpendicular, touching our bottom as it did so. We were still steaming ahead when the submarine passed down our side a few yards off, and it could now be seen that in addition to the periscope having being shot off there was a big rent in the bows. Our after-gun was leaving nothing to chance and put a few more rounds in at point-blank range. A couple more depth charges were released, and the surface of the sea became covered with oil and small pieces of wood – but there was no living soul.

This boat, it was ascertained afterwards, was U.68 and by destroying her before she got to her hunting-ground, we had done exactly what we had set out for. The great feeling of rejoicing and relief to all on board showed itself in the whole crew rushing to the bridge and cheering … When all were present, I read the *Prayer of Thanksgiving for Victory* from the Book of Common Prayer, followed by three cheers for the King, and then all went back to 'cruising stations.'

The ship wins the first V.C.

It seems that it was shortly after the sinking of U-68 that Norman joined the crew of the *Farnborough* (Q.5). He was involved in the action on 17 February 1917 when U.83 was sunk and Gordon Campbell was awarded the Victoria Cross as reported in the *London Gazette*:

Admiralty, November 20th, 1918.
WITH REFERENCE TO ANNOUNCEMENTS OF THE AWARD OF the Victoria Cross to naval officers and men for services in action with enemy submarines, the following are the accounts of the actions for which these awards were made:

Action of H.M.S. Q-5 on the 17th February, 1917

On the 17th February, 1917 H.M.S. Q.5, under the command of Commander Campbell, D.S.O., R.N., was struck by a torpedo abreast of No. 3 hold. Action stations were sounded and the "panic party" abandoned ship. The engineer officer reported that the engine-room was flooding, and was ordered to remain at his post as long as possible, which he and his staff, several of whom were severely wounded, most gallantly did. The submarine was observed on the starboard quarter 200 yards distant, watching the proceedings through his periscope. He ran past the ship on the starboard side so closely that the whole hull was visible beneath the surface, finally emerging about 300 yards on the port bow. The enemy came down the port side of the ship, and fire was withheld until all guns could bear at point-blank range. The first shot beheaded the Captain of the submarine as he was climbing out of the conning tower, and the submarine finally sank with conning tower open and the crew pouring out. One officer and one man were rescued on the surface and taken prisoner, after which the boats were recalled and all hands proceeded to do their utmost to keep the ship afloat. A wireless signal for assistance had been sent out when (but not until) the fate of the submarine was assured, and a destroyer and sloop arrived a couple of hours later and took Q.5 in tow. She was finally beached in safety the following evening.

The action may be regarded as the supreme test of naval discipline. The chief engineer and engine-room watch remained at their posts to keep the dynamo working until driven out by the water, then remained concealed on top of the cylinders. The guns' crews had to remain concealed

SERVICE IN		
WHEN CALLED OUT BY		
(See following page for other		

Name of Ship.	COMMENCEMENT OF SERVICE.	
	Date of	Rating of Reserve Man.
——————— 14. 5. 16		Seaman

1917 *Chevron awarded*

Participated in ballot for the award of the Victoria Cross to one of the Ships Company of HMS Pargust. June 1917 (London Gazette 20th Nov 1918)

R.S. 38570/16. 7. 20. NCW 3729/14. 7. 20

I: 10133 Paid Prize Bty. Fwards. for Desto. of German Subs. 7683 17.2.17 & Jul. 29 7.6.17.

43

ROYAL NAVY,		SEAMAN.
ROYAL PROCLAMATION.		No. 6193 B
Service in Royal Navy.)		

TERMINATION OF SERVICE.		Signature and Title of Naval Officer.
Date of	Rating of Reserve Man.	
8. 2. 19	Seaman	Certified

Demobilised
Conduct Very Good
Ability Satisfactory

J Mew.

Regr. General.
30. 6. 1921

44

The Entries in these pages are to be made by a Naval Officer only.

Norman's RNR discharge papers refer to the ballot for the Victoria Cross

in their gun-houses for nearly half an hour, while the ship slowly sank lower in the water.
London Gazette No. 30029, 21st April, 1917.)

After the U83 sinking the *Farnborough* was disabled and a new Q-ship was fitted out and, as Campbell writes: '… the crew had been kept together…. and were now available for *Victoria* … A few fell out owing to loss of nerve after the previous action, and I also had to take some additional men to man my increased armament. They were all volunteers but the backbone was there, and it didn't take many days to get the new ratings up to the standard and spirit I required, which was no mean one.' Norman stayed with Captain Campbell.

Now with his crew on the new Q-ship, renamed HMS *Pargust*, on patrol west of Valentia Island on 7 June 1917, Campbell engaged submarine UC-29.

We take up Campbell's story after the *Pargust* had been attacked and hit by a torpedo in the engine room making a 40-foot hole. Lifeboats were launched as planned, to lure the submarine closer, with officer Hereford in command. Campbell relates the events that followed:

At first we could see no sign of the submarine, but as the last boat was shoving off at 8.15, the periscope was seen watching us from the port side about 400 yards off. He turned and came straight towards the ship for his inspection. I glanced through my slit and saw the gun's crew on the fo'c'sle lying as still as the deck itself – not a speck of a face to be seen. They knew nothing of what was going on beyond that the ship had been torpedoed and their duty for the time being was to pretend to be part of the deck …The submarine with only periscope showing, came within 50 feet of the ship and passed close to the boats.

At 8.33 the submarine broke surface on our port side about 50 yards off the ship, but he didn't open his conning tower; and although one shot might have disabled him, I preferred to wait a more favourable chance when the lid was open. I had complete faith in my crew remaining motionless. The submarine was parallel to the ship and pointing to the stern, where the lifeboat was, with Hereford standing up in his 'Master's' cap. He knew I didn't want to open fire on a bearing on the quarter if I could help it, as my 4-inch gun would not depress far enough. He, therefore, with great cunning and coolness,

proceeded to pull towards my starboard side. The submarine followed him round, of course taking a bigger circle.

By the time Hereford was on our starboard beam I could see from the bridge the submarine coming close up under our starboard quarter. His lid was now open, and an officer – presumably the Captain- was on top with a megaphone, apparently shouting directions to the boat and giving instructions down the conning tower. I never took my eyes off this officer: as long as he was up I knew I could hold my fire. When the submarine was clear of the quarter, Hereford realised I could open fire at any minute, and started to pull towards the ship, his job being done.

The submarine evidently got annoyed at seeing the boat pulling back, as he started to semaphore, and a second man appeared with a rifle or Maxim. There was nothing more to wait for – two men were outside, and the submarine herself was abeam of us about 50 yards away and so at 8.36, thirty-six minutes after being torpedoed, I gave the order to open fire …The first shot hit the conning tower, and shot after shot went the same way; it was practically point-blank range.

The submarine started to heel over to port after the first two or three shots. She was steaming ahead, but stopped on my bow with a heavy list to port and oil coming out of her. She opened the after-hatch; a large number of crew came out of both this hatch and the conning tower, and held up their hands, and some of them waved. I took this as a signal of surrender and at once ordered 'cease fire', but no sooner had we ceased firing when she started ahead again. The men on the after-part of her were washed into the sea …

After a few shots an explosion took place in the submarine and she fell over and sank about 300 yards from the ship. The last seen of her was the sharp end of her bow with someone clinging to it.

The *Pargust* was eventually towed to Queenstown where Admiral Bayly described the crew as a great asset to the country. Campbell takes up the story of the subsequent honours:

The greatest honour of all was awarded the ship by H.M. the King when he approved of one Victoria Cross being awarded to an officer and one to a man of HMS *Pargust*, the recipient in each case being selected by the officers and men respectively, in accordance with clause

Citation

Admiralty, 20th July, 1917.
Honours for Services in Action with
Enemy Submarines.

The KING (is) pleased to approve of
the award of the following honours,
decorations and medals to Officers and
men for services in action with enemy
submarines:

Lieut. Ronald Neil Stuart, D.S.O., R.N.R.
Sea. William Williams, R.N.R., O.N. 6224A.

To receive the Victoria Cross.
Lieutenant Stuart and Seaman
Williams were selected by the officers
and ship's company respectively of one of
H.M. Ships to receive the Victoria Cross
under Rule 13 of the Royal Warrant
dated the 29th January, 1856.

13 of the statutes of the Victoria Cross.

This was indeed a great honour and the first time in the history of the Navy that a whole ship had been so honoured.

My officers did me the honour of expressing their wish that I should be the officer recipient, but I, of course could not agree to this, as I already felt that the Victoria Cross I wore was on behalf of my crew and through no special act of my own.

The final action for Gordon Campbell's Q-ships was with HMS *Dunraven* for which two further VCs were awarded for valour in the face of the enemy. The story was recorded in the *London Gazette* in 1918:

Action of H.M.S. *Dunraven* on the 8th August, 1917

On the 8th August, 1917, H.M.S. *Dunraven*, under the command of Captain Gordon Campbell, V.C., D.S.O., R.N., sighted an enemy submarine on the horizon. In her role of armed British merchant ship, the *Dunraven* continued her zigzag course, whereupon the submarine closed, remaining submerged to within 5,000 yards, and then, rising to the surface, opened fire. The *Dunraven* returned the fire with her merchant-ship gun, at the same time reducing speed to enable the enemy to overtake her. Wireless signals were also sent for the benefit of the submarine: "Help! come quickly - submarine chasing and shelling me." Finally, when the shells began falling close, the *Dunraven* stopped and abandoned ship by the "panic party." The ship was then being heavily shelled, and on fire aft. In the meantime the submarine closed to 400 yards distant, partly obscured from view by the dense clouds of smoke issuing from the *Dunraven's* stern. Despite the knowledge that the after-magazine must inevitably explode if he waited, and further, that a gun and gun's crew lay concealed over the magazine, Captain Campbell decided to reserve his fire until the submarine had passed clear of the smoke. A moment later, however, a heavy explosion occurred aft, blowing the gun and gun's crew into the air, and accidentally starting the fire-gongs at the remaining gun positions; screens were

immediately dropped, and the only gun that would bear opened fire, but the submarine, apparently frightened by the explosion, had already commenced to submerge. Realizing that a torpedo must inevitably follow, Captain Campbell ordered the surgeon to remove all wounded and conceal them in cabins; hoses were also turned on the poop, which was a mass of flames. A signal was sent out warning men-of-war to divert all traffic below the horizon in order that nothing should interrupt the final phase of the action. Twenty minutes later a torpedo again struck the ship abaft the engine-room. An additional party of men were again sent away as a "panic party" and left the ship to outward appearances completely abandoned, with the White Ensign flying and guns unmasked. For the succeeding fifty minutes the submarine examined the ship through her periscope. During this period boxes of cordite and shells exploded every few minutes, and the fire on the poop still blazed furiously. Captain Campbell and the handful of officers and men who remained on board lay hidden during this ordeal. The submarine then rose to the surface astern, where no guns could bear, and shelled the ship closely for twenty minutes. The enemy then submerged and steamed past the ship 150 yards off, examining her through the periscope. Captain Campbell decided then to fire one of his torpedoes, but missed by a few inches. The submarine crossed the bows and came slowly down the other side, whereupon a second torpedo was fired and missed again. The enemy observed it and immediately submerged. Urgent signals for assistance were immediately sent out, but pending arrival of assistance Captain Campbell arranged for a third "panic party" to jump overboard if necessary and leave one gun's crew on board for a final attempt to destroy the enemy, should he again attack. Almost immediately afterwards, however, British and American destroyers arrived on the scene, the wounded were transferred, boats were recalled, and the fire extinguished. The *Dunraven*, although her stern was awash, was taken in tow, but the weather grew worse, and early the following morning she sank with colours flying.

London Gazette No. 30363, 2 November 1918

Ruairidh Mac a' Ghobhainn 'Ruaireachan'

Roderick Smith, 14 Habost and 45 Cross Skigersta

Bha Ruairidh agus a thriùir bhràithrean bho 14 Tàbost anns a' Chogadh Mhòr – Dòmhnall agus Tarmod anns na Sìophortaich agus Niall agus Ruairidh anns an RNR. Chaidh Dòmhnall a chall ann an Neuve Chapelle air 9 Cèitean 1915 aig fichead bliadhna a dh'aois.

Às dèidh a' chogaidh phòs Ruairidh Seonag Mhoireasdan 16b Suaineabost agus bha triùir mhac agus nighean aca. Anns an dara cogadh bha Ruairidh na bhòsan anns a' Chabhlach Mharsanta.

Bhàsaich e anns a' Ghiblean 1986 aig aois 89, agus chaochail Seonag ceala-deug às a dhèidh.

Ruaireachan was one of four brothers from 14 Habost on active service in the Great War - Donald and Norman were in the Seaforths and Neil and Roderick were in the RNR. Donald was killed in action at Neuve Chapelle on 9 May 1915 age 20.

After the war, Roderick married Johanna Morrison 16b Swainbost. They settled at 45 Cross Skigersta and had three sons and a daughter.

Roderick also served in the Second World War as Bosun in the Merchant Navy. He died in April 1986 aged 89, and just two weeks later Johanna passed away.

Bha mi ochd-deug nuair a chaidh mi dhan a' chogadh. 'S ann air 'minesweeper' a bha mi a-mach à Yarmouth, Lowestoft agus Obair Dheathain. Bha fear à Sgiogarstaigh, 'An Carraicean' còmhla rium – ach chan eil e beò. Cha robh duine tuilleadh às a seo còmhla rium - muinntir a' chost an ear.

Bha e curs anns a' North Sea – agus cunnartach. 'S e obair glè chunnartach a bh'ann a''minesweeping'. Dh'fhaodadh am 'mine' a thighinn suas air deireadh an t-soithich 's cha bhitheadh fhios agad càit an tigeadh i.

'S ann coltach ri 'trawler' a bha an soitheach againn – bha iadsan faisg air an aon 'size' co-dhiù. Cha b' e aon 'trawler' san robh mi – bha mi ann an aon ceithir co-dhiù – bha thu a' faighinn 'shift' bho thè gu tè. Cha do dh'èirich càil do dhuine riamh a bh' air bòrd againn. Cha do dh'èirich.

I was eighteen when I went to the war. I was on a minesweeper working out of Yarmouth, Lowestoft and Aberdeen. The Carraicean from Skigertsa was with me – he is no longer living. There was no one else from these parts with me – it was mainly East-Coasters.

It was stormy in the North Sea – and dangerous – minesweeping was a fairly risky operation. A mine could surface at the stern of the vessel and you never knew how they would drift.

The vessel resembled a trawler – around that size anyway. I was on around four trawlers – we would be shifted from one to another. No one on board had any mishap – no, not one of us.

Seonag Nocs agus Ruaireachan

Aonghas Guinne 'Inch'

Angus Gunn, 34 Cross

Bha Aonghas Guinne, '*Inch*', 34 Cros, ann an Gallipoli, anns an Èiphit agus ann an Salonica còmhla ris na 'Lovat Scouts'. B' e Rèisimeid Each Gàidhealach a bh' anns na Lovat Scouts, a chaidh a chur air chois leis a' Mhorair Lovat. Tha carragh-cuimhne airson na rèisimeid ann an ceàrnag a' bhaile sa Mhanachainn. Bha Ailean, bràthair, Aonghais, anns a' chogadh cuideachd. Bha esan an an seirbheis thràlairean an RNR. Bha Aonghas pòsta aig Iseabail agus bha dithis mhac agus ceathrar nighean aca. Bhàsaich Aonghas anns a' Mhàrt 1984, aig aois 91. Bha Iseabail ceithir fichead 's a còig nuair a chaochail i anns an Fhaoilleach 1987.

Angus Gunn '*Inch*' of 34 Cross, served in Gallipoli, Egypt and Salonica with the Lovat Scouts. The Lovat Scouts was originally a Highland Mounted regiment raised by Lord Lovat. A memorial to the regiment is in the town square in Beauly. Angus's brother, Allan, also served in the Great War in the RNR Trawler Section.

Angus married Isabella and they had two sons and four daughters. Angus died in March 1984, aged 91 and Isabella in January 1987 aged 85.

Bha mi fichead bliadhna … ri 'g obair ann an Glaschu nuair a 'joinig' mi suas. 'S ann dhan na 'Lovat Scouts', 's e rèisimeid each a bha sin.

Chaidh sinn sìos a Shasainn – bha sinn a' trèanaigeadh ann an Sasainn le na h-eich ann a sin, gun deach ar n-òrdachadh a-null a Ghallipoli, gu na Dardanelles. Bha sinn ann an sin gun deach an t-àit' sin a dhùnadh. Chaidh 'evacuation' a dhèanamh air – bha mis' as a' chrowd mu dheireadh a dh'fhàg e.

Chaidh sinn às a sin dhan an Èiphit. Chaidh sinn sìos … dhan an fhàsach – còig ceud mìle deas air Cairo. Bha 'tribe' ann a sin a bha ri bristeadh a-steach … ris an canadh iad 'Zanussies'. Bha sinne deich mìosan shìos ann a siud as an fhàsach.

Bha e teth, teth. Bha e uabhasach teth. Bha làithean ann a bha an 'temperature' 111°. Bha e 100° 'in the shade'. Bha mi uaireannan, nam bithinn ag iarraidh bùrn air a bhlàthachadh – bha sinn a' fuireach ann an teantaichean – bha mi faighinn canastair – ga chur a-mach as a' ghainmheach – gainmheach timcheall air – bha e ga bhlàthachadh ann a sin. Bhiodh a' ghainmheach cho teth - bhlàthaicheadh e am bùrn airson sèibhigeadh.

Bha sinn dà cheud mìle a-steach am meadhan na fàsach, 's bha tobar ann a sin, 'crowd' chraobhan ann – 'palm trees'. Bha iad ag ràdh gu robh an tobar sin trì cheud troigh air a chladhach 's bha am bùrn cho geal ri càil. Chaidh sinn … a sin 's thàinig sinn a-nuas à Cairo – Alexandria. 'S ann à Alexandria a sheòl sinn a-rithist a Salonica dhan a' Ghrèig. Bha sinn as a' chogadh gu 1918.

An rud as motha a lean rium – bha iomadach rud ann – 's e aon àite co-dhiù, thug mi suas nach tiginn às. Bha sinn ann an Gallipoli. Thàinig tuil uabhasach bùirn. Lìon e na trainnsichean. Bha sinn ann a sin, fodha gu mo leth as an trainns' ann am mìos November. 'S e sin an t-aon àm a thug mi suas nach tiginn às co-dhiù. Bha mi smaoineachadh nach biodh duine sam bith beò às dèidh a' bhliadhna bha siud, man a thachair dhuinn – càil ach poll gu beul do bhrògan. Bha an t-acras oirnn – bhiodh sinn glè thoilichte nam faigheadh sinn 'tin bully beef' – 'corned beef' – an àiteigin. Bhiodh sinn a' lorg nan trainnsichean ach a faigheadh sinn canastair 'bully beef'. Bha an t-aran a bha sinn ri faighinn an toiseach, 's ann às a' rìoghachd seo fhèin a bha e. Ri dol a-null ann am pocannan – pocannan mòra. – 's bhiodh e air a phronnadh. A bheil fios agad an uair a gheibheadh tu do 'rations', 's ann na mo bhonaid a bha mi ga chur, 's bha e na phìosan – ga thogail nam màmaichean. Ach thòisich iad an uair sin ri dèanamh bèicearachd as an Èiphit, 's cha robh e cho dona às dèidh sin.

Cha robh mòran 'chance' againn air sinn fhìn a nighe. As na Dardanelles, cha robh sinn uabhasach fada bhon a' mhuir ann, 's bhiodh iad gar toirt sìos ann a sin dhan a' mhuir nam

faigheadh sinn 'chance'. Bha sinn air ar sàrachadh le tachais 's le salchar.

'S ann fìor chorr' uair a bha sinn a' faighinn litir bhon taigh. Nuair a bha mi as a' Ghrèig, 's ann a bhàsaich m' athair – 1916 – bha fichead latha às dèidh sin mas d' fhuair mi fios. Thàinig litir – bha a h-uile càil an uair ud a' dol air a' 'steamer' - cha robh 'aeroplanes' ann.

Aon rud àraid a thachair dhomh, samhradh 1918. Bha Lloyd George, 's e a bha os cionn na rìoghachd an uair sin. Cha robh càil air aire ach 'ammunition', a' dèanamh 'factories' 's an cur a dh'obair – 's thòisich e toirt dhachaigh a h-uile duine aig an robh ceàird às an Arm na às an Nèibhidh, agus thachair gur e fear ceàird a bh' unnamsa…

…bha mi as an trainns' as a' Ghrèig agus chunnaic mi mi fhìn às mo chadal, gun robh mi gu bhith air mo mharbhadh ann a' fichead latha, agus o bhoill, bha mi faicinn aig an taigh ann a seo, Catriona mo phiuthar, 's gun duine aig an taigh ach mo phiuthar is mo mhàthair agus, bhoill, cha robh 'shell' a chluinninn-sa no brag a chluinninn às dèidh sin, nach canainn, 'Seo iad dol ga mo mharbhadh.' Bha dùil agam gu robh mi air mo mharbhadh.

Bha mi nam èiginn airson greis mhòr. Co-dhiù, 's ann a thòisich iad an uair sin ri cruinneachadh – ag ainmeachadh an fheadhainn aig an robh ceàird airson an cur dhachaigh. Bha mise na mo 'phlater', agus fhuair mise fios man a fhuair feadhainn eile. Chaidh ar cruinneachadh agus ar 'testeadh' – daoine an aon ghnothaich, agus chaidh mise chur dhachaigh an uair sin, an ceann fichead latha às dèidh mi fhìn fhaicinn às mo chadal.

I was working in Glasgow when the war was declared. I was 20 years old when I joined up. I was sent to the 'Lovat Scouts' - a Cavalry Regiment.

We were sent down to England, where we trained to use horses in battle. Afterwards we were ordered to Gallipoli, which is in the Dardanelles. We were over there until it was evacuated. I was in the last crowd to leave.

After that, we were sent to Egypt to the desert, 500 miles south of Cairo. There was a tribe there called Zanussies, who were trying to break in on our territory. We were in the desert for ten months. It was very, very hot, some days the temperature reached 111° and 100° in the shade. We lived in tents, and when we wanted to heat the water, all we did was put it in a canister, cover for a while in the sand and it would soon be hot enough to use for shaving.

We were 200 miles into desolate land, although a few trees grew there - palm trees. There was also a well, which it was said was 300 feet deep and the water was pure and clean. When our time was up there we left for Alexandria; from there we sailed for Salonica, then to Greece. We were in the war until 1918.

There were a few things I will never forget about that time. One instance was when we were in Gallipoli, as I thought I'd never get out of there alive. There was a downpour, and the trenches filled up with water and we had to stand there up to our waist in mud, and that in the month of November. That was one time I thought I would not survive to tell the tale. We were also very hungry, happy if we could see a tin of corned beef. We used to go through all the trenches in the hope we could find something there. The bread we got at

Lovat Scouts group in riding breeches. Angus Gunn (*Inch*) is standing on the right. John Murray (*Iain a' Phost*) 30 Swainbost is seated left. They were billeted with the family of the gentleman standing at the back without uniform. His children are also in the photograph.

first came all the way from our own country, shipped over in big bags and by the time it arrived, most of it was in crumbs. Do you know when we got our rations, it was so small that it was inside our bonnets we held it – a handful of crumbs? After a while, however, they started baking the bread in Egypt and it was not so bad after that.

We did not have much chance to wash ourselves. When we were in the Dardanelles, we happened to be near the sea, and sometimes we got a wash there. We were often sorely tried with itching and dirt.

It was very seldom we got a letter from home. When I was in Greece in 1916, my father died and it was three weeks before I got the news. Everything at that time came by boat, as there were no airplanes.

In the summer of 1918, I had an unusual experience. It was

Lloyd George who governed our country, and all he could think of was building factories to make ammunition, so he started taking back some of the servicemen who had a trade on their hands, and I was a plater before the war.

I still vividly recollect a dream I had whilst in a trench in Greece – I dreamt that I was to be killed in three weeks time and I thought of my mother and sister Catherine at home with no one to look after them. I was so convinced it was going to happen that every shell-burst after that I heard, I said to myself, 'This is it; I'm going to be killed now!'

This went on for a while. One day we were asked to gather together, and they started to call forward anyone who was a tradesman. My name was called, amongst others, and we were sent home to work in the factories. This happened exactly three weeks after my dream.

Coinneach MacLeòid, (Coinneach a' Bhàird) 7 Dail bho Dheas, agus 24 Cros

Kenneth MacLeod, 7 South Dell and 24 Cross

Bha Coinneach ann an criutha soithich mharsanta ann an New York nuair a thòisich an cogadh. Nuair a thill e a Ghlaschu anns an Dàmhair 1914, chaidh a chur air tràlair armaichte, HMT *Tern*, ann an Grimsby, a bhitheadh a' cumail sùil air dè bha a' tachairt gu tuath anns a' Chuan Siar. Anns a' Ghearran 1915 bha an tràlair faisg air Sùlaisgeir, nuair a bha iad air an glacadh ann an stoirm eagalach. Dh'fheuch iad ri faighinn air ais gu Stromness ach chaidh i às an rathad ann an Loch Euraboil air an 23 den Ghearran. Fhuair an criutha air bàta-teasairginn a chur air bhog ach chaidh a cur fodha. Gu sealbhach, rinn iad tìr dheth air dhòigh air choreigin.

Ann an 1917 thill e gu Portsmouth agus chaidh e air minesweeper. Tràth ann an 1918 fhuair e dreuchd sub-lieutenant RNVR, agus aig deireadh a' chogaidh roghnaich e fuireach airson cuideachadh le bhith a' sguabadh an àirde mhèinnean. Thill e dhachaigh anns an t-Samhain 1919.

Phòs e Anna NicPhàrlain, 24 Cros, agus bha e na cheannaiche chun nan trì ficheadan, a' ruith 'Bùth Choinnich a' Bhàird' ann an Cros.

Bhàsaich Coinneach anns an Dàmhair 1981 aig aois 90.

Kenneth was a crew member on a merchant ship in New York when war broke out. On return to Glasgow in October 1914 he was sent to Portsmouth and assigned to an armed Grimsby steam trawler, HMT *Tern*, for patrol duties in the North Atlantic. In February 1915, on patrol near Sulaisgeir, they were caught in a ferocious storm and tried to head back to Stromness but the *Tern* was wrecked in Loch Eribol on 23 February. The crew managed to launch the lifeboat and were washed up on the shore.

In 1917 he returned to Portsmouth and joined a minesweeper. Early in 1918 he was promoted to sub-lieutenant RNVR and at the end of the war volunteered to stay to clear up mines, finally returning home in November 1919. He married Annie Macfarlane of 24 Cross and operated the well-known general store '*Bùth Choinnich a' Bhàird*' until the 1960s.

Coinneach died in October 1981 aged 90.

Bha mi trì bliadhna fichead nuair a thòisich An Cogadh Mòr agus bha an soitheach as an robh mi ann an New York. B' fheudar dhuinn reportadh dhan a' Bhritish Consul agus thuirt iadsan rinn gun a dhol air tìr. Cha robh fios aca cuin a gheibheadh iad soitheach air an cuireadh iad a-null sinn………….

Co-dhiù, ràinig sinn Glaschu – [bha Coinneach Mhurchaidh Iain còmhla ris] chaidh ar cur gu 'Portsmouth Barracks' agus bha mise feitheamh ann an sin ri mo chiot a thighinn à Steòrnabhagh gu na Barracks. Chaidh an uair sin ar cur sìos gu Portsmouth – air 21st October – chaidh an dithis againn a chur dhan an tràlair seo – agus chaidh ar cur à Portsmouth gu Yarmouth – 's bho Yarmouth gu Scapa Flow, ach chan eil càil a dh'fhios agamsa càit an deach e leinn. Chaill sinn fearann 's chaill sinn a h-uile càil - cha robh eòlas aige – 's e fear dha na daoine bha fada aig companaidh aig an robh 'trawlers', 's bha iad glè mhath 'son a dhol a-mach bho Ghrimsby no Hull gun Dogger Bank. Cha robh mòran eòlais aige air 'navigation' co-dhiù - ràinig sinn Scapa Flow cheann sreath agus 's ann an Stromness a bha am 'base' againne.

Bha sinn a' dol an sin gu an àm a chaidh an soitheach às an rathad – 's ann timcheall air Sùlaisgeir a bha sinn air 'patrol'. Bha iad a' smaoineachadh gum biodh 'submarines'

I was 23 years old when the 1st World War started and the ship I was on was in New York. We had to report to the British Consul and they advised us not to go ashore.

They did not know how or when they'd get us a ship to take us home to Britain …

Anyway we arrived in Glasgow [Coinneach Mhurchaidh Iain was with him]. We were then ordered to go down to Portsmouth Barracks, but I had to wait a whole week until my kit arrived from Stornoway.

On the 21st of October [1914] we were sent to join a trawler from Portsmouth to Yarmouth, from there to Scapa Flow but unfortunately we lost our directions and I don't know where we went. We lost sight of land, as our trawler skipper hadn't a clue. He was very good for short distances such as from Grimsby or Hull to Dogger Bank but his navigation for further afield was hopeless. Eventually we arrived at Scapa Flow and it was in Stromness we were to be based.

We were working from there patrolling to and fro until the night our trawler was sunk. Our usual patrol was near

Gearmailteach a' cuachail timcheall a sin 's a' gabhail fasgadh ann - agus bha rud againn air bòrd an tràlair ris an canadh iad 'modified sweep'. Bha dithis dhaoine à Montrose air an trèanaigeadh airson seo obrachadh. Bha mise agus Coinneach Mhurchaidh Iain aig na gunnaichean agus thàinig droch thìde oirnn co-dhiù, mìos February, 's thuirt an sgiobair gu robh e smaoineachadh a dhol gu Loch Euraboil - ach mun àm a ràinig e Loch Euraboil, bha an dorchadas ann 's cha deigheadh e steach an uair sin co-dhiù, cha robh eòlas aige air.

Cha robh air an uair sin ach gabhail a-mach far an robh sinn air 'patrol'. Bha sinn fad na h-oidhche air ar ruagadh le man a chuireadh gaoth 's muir sinn agus, o, abair oidhche, le clachan-meallain, frasan chlachan-meallain uabhasach, agus loisg mi fhìn 's Coinneach Mhurchaidh Iain na bh' againn de 'rockets' agus na bh' againn de dh'ammunition', 's cha tàinig duine dhèanamh cobhair oirnn.

Ann am briseadh an latha bha sinn faisg air na creagan agus a' 'lifeboat' a chur a-mach - chaidh a h-uile duine againn innt'– 's e dà dhuine dheug a bh' againn air an turas ud - bha feadhainn dhan a' chriutha dheth. Bha sinn a' feuchainn am faigheadh sinn a-steach dhan a' Kyle of Tongue, agus an uair a bha na suailichean mòr, bha sinn a' ruith romhpa agus bha sinn a' call tòrr dhan an t-slighe bheireadh a-steach dhan a'

chaolas sinn. Thàinig sinn gun cho-dhùnadh nach dèanadh sinn a' chùis agus chunna sinn tràigh - cladach mòr air ar làimh dheis. Bha sinn cinnteach nach biodh an eathar air uachdar ann, agus man a b' fhaisg a bha sinn a' tighinn air a' chladach, 's ann a b' àirde a bha na suailichean a' dol. Bha trì mhòr a' tighinn às dèidh a chèile – a' chiad tè, lìon i an eathar – an darna tè, chuir i fodha an eathar 's bha sinn an uair sin gu math faisg air na creagan agus bha h-uile duine air a shon fhèin. Shnàmh mise chun an taobh cheàrr dhan a' chladach gu mì-fhortanach - bha sruth ann a bha ruith a-mach air an taobh sin 's ga do thoirt a-mach pìos mòr 's an uair sin na do chur a-steach. Chuir mise mach mo làmh airson breith air na creagan 's chaill mi mo mhothachadh – 'son tri uairean a thìde às dèidh sin chan eil lorg agamsa air dè a thachair gus an d' fhuair mi mi fhìn ann an taigh - bha iad ag inns' dhomh gu robh mi còrr is uair a thìde anns a' mhuir - agus dà uair a thìde anns an taigh. Chaidh mo ghiùlain suas ann am plèidichean bhoireannaich - ruith a h-uile duine sìos chun a' chladaich nuair a chunnaic iad an eathar a' tighinn a-steach. Chan fhaca mise an dotair a chuir iad fios air – chan eil fios agam dè a thuirt e ach an uair a sguir e na mo làimhseachadh – 'Tha,' ars esan, 'an duine sin deis.' Chan eil agam ann an seo ach rud a chaidh inns' dhomh le na daoine bh' anns an taigh. 'S e dà sheann ghille bha fuireach anns an taigh agus

Sulisgeir. We had heard that German submarines lurked there for shelter and we had on board what they called a 'Modified Sweep'. Two men from Montrose were trained how to use this. 'Coinneach Mhurchaidh Iain' and I manned the guns. We got into a patch of very bad weather towards the end of February and the Captain set course for Loch Eribol to shelter but by the time we arrived there it was pitch dark, so not being acquainted with the place he decided not to risk going too near.

We then went back where we were before on patrol. All night long we were at the mercy of the elements. What a night that turned out to be, gale force winds with hail showers. We spent all our rockets and ammunition trying to draw attention from shore to no avail. When dawn came we were very near rocks so we had to launch the lifeboat and abandon ship. All twelve of us managed to squeeze in, some of the crew were on leave at the time.

We tried our best to get into the 'Kyles of Tongue' but the waves were huge. We had to let the lifeboat run with them but it in the end we came to the conclusion that we could

not manage it. We then saw a clean looking beach with the sea to the south of it and made for that. The nearer we got the higher the waves got; three huge waves came. The first one filled the boat, the second one sank it. By this time we were very near the rocks and it was every man for himself.

I swam but unfortunately I made for the wrong side of the beach and the tidal streams took me in first and then back out again. I attempted to grab and hold onto a rock but I must have fainted, as for the next three hours I cannot remember a thing.

When I came to I found myself in a house and the rest was told to me by my rescuers.

When the people saw the boat coming in they went down to the shore and found me lying in the water. They think I must have been there for one hour and they carried me in women's shawls to this house. I was still unconscious for the next two hours. The doctor was called and on examining me, his verdict was 'This man's finished.' This was told to me afterwards by the people of the house.

The occupants of the house were two old men and a

'housekeeper' aca. Ma chuala tu mu dheidhinn - Rankin a bha na chìobair ann an Gabhsann uaireigin – 's e bràthair màthar nan gillean seo a bh'ann a' Rankin.

Thug mi deich latha as an àite às dèidh sin 's cha tàinig an dotair a shealltainn orm - dè nì thu dhan a sin a-nis? Bha nurs as an àite agus bha i tighinn a shealltainn orm a h-uile latha. Tha cuimhn' agam a' chiad mhadainn a thàinig i, bha a' ghrian a-steach air an uinneig 's bha tòrr sneachd air an talamh a-muigh agus reothadh. Dh'fhaighnich i dè man a bha mi an-diugh. 'Tha mi coma,' ars mise, 'dè a dh'èireas dhomh.' Bha mo chorp cho piantail. Nuair a thòisich an fhuil a' dol mun cuairt, bha e man gum biodh duine gabhail dhomh le prìneachan no le snàthadan - sin am faireachdainn a bh'agam - bha mo chorp goirt.

Co-dhiù bha mi tighinn air adhart agus thàinig Royal Navy Commander a bh'ann a Thurso a shealltainn orm - tha pìos math à Thurso a thighinn ann an càr agus bha botal Ruma aige - Nèibhidh Rum - cha b'urrainn dhòmhsa ghiùlain air mo stamag idir - bha mi na chur a-mach ach dh'òl an Gèilean a h-uile deur dheth - bha e tighinn a shealltainn orm a h-uile h-oidhche gus na theirig am botal. Às dèidh deich latha chuir iad tràlair gar n-iarraidh agus chaidh ar toirt a-null gu Longhope - sin far an robh na daoine bha riaghladh na bha shoithichean ann an Longhope - HMS

Saria – 's e Commander Hugo – 's e bha toirt seachad nan orders. Fhuair Gèilean obair uabhasach math – Admiral's barge - cha robh i dol a-mach à siud ach dol timcheall an eilein agus chaidh mise chur air biast mhòr de thràlair à Milford Haven - *Syrus* an t-ainm a bh'oirr' agus 's e 'escort duty' a bha i dèanamh an còmhnaidh - falbh còmhla ri 'oil tankers' 's mar sin - dol gu 61 North 's 12 West - o, hì, 's e obair chruaidh a bh'ann. Bhiodh tu uair air bàrr na suaile 's bhiodh tu smaoineachadh cionnas a gheibh mise mach à seo ach co-dhiù fhuair sinn a-mach às.

'S ann deireadh 1917 chaidh grunn againn a chur sìos a Phortsmouth agus chaidh feadhainn againn a chur ann a' 'minesweepers' - feadhainn a chaidh an aon ghnothaich a thogail airson na 'mines' a' sguabadh an àirde.

Chuir mi steach airson gu faighinn nam oifigear. Ann an toiseach 1918, thàinig fios airson a dhol sìos a Whitehall - cha b'e seo a b'fhasa - sin far an robh agam ri pasaigeadh - ach co-dhiù dh'fhalbh mi, seach gun chuir mi steach air a shon, dh'fheumainn a-nis a dhol ann - bha mi an dèidh na pàipearan fhaighinn airson a dhol sìos a Lunnainn agus reportadh dhan an Auxiliary Patrol Office.

Thàinig sin oifigear dhan a' Nèibhidh - fear mòr àrd agus abair gur e balach gasta a bh'ann - bha eagal gu leòr ormsa roimhe ach cha leiginn a leas - sheall e dhomh càit an

housekeeper. If you ever heard of the game-keeper called 'Rankin' that used to be in Galson, well he was those men's maternal uncle.

I was ten days there and the doctor never came to see me again, 'What can you make of that?' A nurse used to call every day. I remember the first day she called, the sun shone through the window but it was freezing hard and a lot of snow lay on the ground outside. She asked how I was. I said, 'I don't care what happens to me.' My whole body was so painful and when my circulation began to work again it was as if pins and needles were going through me. That's how I felt. Anyway I began to get better and a Royal Navy Commander who was based in Thurso came to see me. It was quite a long distance by car. He bought with him a bottle of Navy Rum. I could not keep it down as it was so strong but the 'Gèilean' drank every drop of it. He came to visit me every night for the next ten nights. After that time elapsed they sent a trawler to collect us and we were taken to a place called 'Longhope'. That's where the people who governed our ships were based. The ships' name was HMS

Saria with a commander 'Hugo' in charge and giving the orders.

'Gèilean' got a smashing job on an Admiral's Barge, which was not going far from port, only circling the island. I was put on a huge trawler *Cyrus* from Milford Haven; doing escort duty with the oil tankers to 61 North and 12 West. Oh dear, it was very hard work indeed, sometimes on top of the waves thinking would we ever get out of this but we did.

Towards the end of 1917 a few of us were sent down to Portsmouth onto minesweepers to try and locate mines and bring them up or destroy them.

I put in a request for promotion. At the beginning of 1918 I got word to report to Whitehall - this was not easy either but it was where I had to sit an exam. I had already got the papers. The place was 'Auxiliary Patrol Office', London. A Naval Officer called me, a tall, very pleasant bloke he was too. I was afraid at first but I need not have been, he took me to a room and he himself sat at a desk opposite me. He then started to fire questions at me, about the 'Rules of the Road' and how to give 'Orders' in the Navy. I was very glad when

suidhinn - shuidh e fhèin mu mo choinneimh. Thòisich e an uair sin ga mo cheasnachadh agus eadar 'rules of the road' 's a h-uile càil a bh' ann agus man bheireadh tu seachad 'orders' as an Nèibhidh. Bha mise glè thoilichte co-dhiù nuair a chuala mi e ag ràdh gun phasaig mi agus gu robh e cur m' ainm air adhart gun Admiralty – 'to be confirmed in the rank of Sub-Lieutenant RNVR from this day'. Dh'fhaighnich e dhomh robh mi airson fuireach ann an Lunnainn - chan fhaicinn dè 'rank' a bh' aige - bha na bannan air an còmhdach ach dh'fhaighnich e an robh 'base' sam bith gum bu mhiann leam a dhol, agus thuirt mi gum bu chaomh leam dhol air ais gum 'base' bhon tàinig mi, Grantford. 'Cluinnidh tu bhuamsa,' ars esan, 'ag innse dhut an seòrsa aodach thèid thugad.' Agus rinn e sin agus 's ann an uair sin a fhuair mi mach dè 'n t-ainm a bh' air, Captain Braithwaite.

Bha mi an uair sin anns a' 'fleet' – 'minesweepers' - sguabadh na 'channels' air an robh an 'Grand Fleet' dol a-mach 's a-steach. Co-dhiù bha sinn a' sguabadh shuas aig Ceann Phàdraig agus fhuair mise fios a dhol tarsainn gu Norway.

Sguir an cogadh agus dh'iarr iad an uair sin 'volunteers' airson 'minesweeping' 'son trì mìosan agus volunteerig mi, agus bha sin ann an November. Ann am March, bha na trì mìosan an àirde agus dh'iarr iad 'volunteers' an uair sin cho fada 's bhiodh feum dhut - volunteerig mi rithist agus fhuair

mi 'demobilisation' air an aonamh latha deug de November, fèar bliadhna às dèidh dhan chogadh sgur - bha sin còig bliadhna agam as an Nèibhidh gu lèir.

Dh'fhalbh mi fhìn 's oifigear eile gu ruige Portsmouth le na 'confidential books' agus dh'fhàg sinn an soitheach ann a' Harwich.

he told me I had passed and that he was forwarding my name to the Admiralty, to be confirmed in the rank of Sub-Lieutenant, RNVR, from that day. He asked me, 'Do you want to stay in London?' I could not make out what rank he himself had but I answered that I would prefer the base from whence I came, Grantford. 'You will hear from me and you'll be advised of the type of uniform you will need,' he said. That's when I got to know his name was Captain Braithwaite.

I was then sent on a fleet with sixteen minesweepers cleaning up the Channel. One night we were working out of Peterhead when we got orders to go over to Norway.

The War ended in November 1918, then we were asked if any of us would volunteer for three months to clear up the mines. When that time was up they asked if we would do more so I stayed until November 1919, exactly one year after the War ended. Then I got my demob having been five years with the Royal Navy. Along with another officer I left with all the confidential books for Portsmouth and we left the ship in Harwich.

Calum Moireasdan
(Calum Aonghais Tharmoid)

Rev Malcolm Morrison

B' ann do Dhail bho Dheas a bhuineadh Calum Moireasdan agus bha e ceithir fichead 's a còig nuair a chuir e air clàr an cunntas mionaideach a leanas a tha ag innse mu na thachair dha anns a' chogadh. Bha Calum ann an Rèisimeid nan Camshronach anns an Fhraing agus thàrr e beò bhon a' Somme far am faca e uabhasan eagalach. Tha e a' cuimhneachadh gu dùrachdach air iomadach balach à Nis a bha còmhla ris, agus ann an dòigh 's e an sgeulachd acasan a tha an seo cuideachd.

Phòs Calum Màiri Anna NicNeacail às an Eilean Sgitheanach ann an 1935, agus ann an 1946 chaidh a shònrachadh mar mhinistear anns an Eaglais Shaoir. Bha e an toiseach na mhinistear anns a' Chòigeach, ann an iar thuath na Gàidhealtachd, agus ann an 1950 chaidh a phòsadh ri coitheanal Sgalpaigh sna Hearadh. Ann an 1954 fhuair e calla gu Eaglais Ghaidhealach Phartaig ann an Glaschu agus dh'fhuirich e an sin gus na leig e dheth a dhreuchd ann an 1970. Bhàsaich Calum ann an 1987.

Malcolm Morrison was from South Dell and was 85 when he recorded this very detailed account of his experiences in the Great War. He was with the Cameron Highlanders in France, surviving the Somme and witnessing many of the horrors of that battle. He remembers many of the local lads who were with him and pays tribute to them - in many ways this is their story too.

Calum married Mary Ann Nicolson from Skye in 1935 and in 1946 was ordained as a minister of the Free Church of Scotland. His first charge was the parish of Coigeach in the north-west Highlands and in 1950 he became the pastor of Scalpay Free Church, Harris. In 1954 he was called to the Gaelic congregation in Partick Highland Glasgow and remained there until he retired in 1970. Rev Calum died in 1987.

Fhuair mi litir bhon chlàrc aig Comunn Eachdraidh Nis ag iarraidh orm beagan iomradh a dhèanamh air na thachair rium anns a' chiad chogadh, agus chan eil sin furasta idir. Tha ùine mhòr bhon uair sin, agus tha mise aost agus tha chuimhne, chan eil i cho math 's a b' àbhaist.

Dh'fhàg mi an dachaigh mas robh mi sia bliadhna deug agus cheangail mi mi fhìn ris an t-saighdearachd ann am Barracks Inbhir Nis – as na 'Cameron Highlanders' – agus nuair a chuir mi steach mo thìde ann an sin, thàinig mi dhachaigh cuairt, 's chaidh mi chun an iasgaich, man a bha e na chleachdadh an uair sin aig a' chuid bu mhotha. 'S ann an uair a bha mi ag iasgach a-mach à 'Wick' – 's ann a chuala sinn mun chogadh – gu robh an cogadh air tòiseachadh, an aghaidh nan Gearmailteach. Nuair a chrìochnaich sinn an obair a bh' againn ri dhèanamh air an latha chuala sinn mu dheidhinn a' chùis a bha seo, chaidh sinn air ais leis a' bhàta chun a' phort-dachaigh aice, agus dh'fhàg mise am bàta ann an sin agus chaidh mi dhachaigh, 's bha romham ann an sin mi fhìn a nochdadh gun dàil ann an Inbhir Nis, agus dh'fhàg mi làrna-mhàireach agus fhuair sinn deasachadh anns na 'barracks' an sin, aodach, agus uidheam-airm agus dh'fhalbh sinn an oidhche sin gu ruigeadh Invergordon air an trèana.

Bha sinn beagan sheachdainean an sin a' feitheamh ri fios gu dè bha dol a thachairt, no càit an robh sinn a' dol. Mu dheireadh chaidh fichead againn a ghairm air ar n-ainm agus dh'fhalbh sinn an oidhche sin gu ruigeadh Southampton. Chaidh sinn air bòrd bàta ann an sin agus chaidh ar toirt

I got a letter from the Secretary of the Ness Historical Team asking me if I could possibly relate some of my experiences of the First World War. There's a long time since then and I am old now and my memory is not what it was, but I will try.

I left home before I was 16 years old and I enlisted as a soldier with the Cameron Highlanders, stationed in Inverness Barracks. After I served my time there I came home for a while, and as was the custom then, I went to the fishing to Wick. It was there we heard that war had been declared between Britain and Germany, so on arriving in port that day, there was a message left for me to leave the trawler at once and to present myself at the Inverness Barracks as soon as possible. So next day I left on the train and on arriving in Inverness I was given a soldier's uniform, plus guns and ammunition and that night we were sent on the train to Invergordon.

a-null dhan Fhraing. Chaidh sinn air tìr 's chaidh sinn air trèana, 's thug an trèana sinn suas cho faisg air a' loidhne, far an robh an cogadh a' dol air adhart, 's a bha e comasach – agus choisich sinn an còrr, 's chaidh buidheann mar siud 's buidheann mar seo, 's ar ceangal ri saighdearan a bh' anns a' chiad loidhne, agus chaidh mise cheangal ris a' 'First Battalion Cameron Highlanders'. Bha sinn a-mach 's a-steach às na trainnsichean ann an sin, ann a' 'Flanders', ann am 'Belgium', 's as an Fhraing air ais 's air adhart – uaireannan cùisean na b' fheàrr 's na bu mhisneachail 's uaireannan na bu mhì-mhisneachail, 's mar sin sìos. 'S e chiad nì a dh'fhairich mi toirt buaidh mhòr orm, a' salchair, an t-acras agus am fuachd agus cion-cadail, bàs 's trioblaidean eile.

Bha sinn mar sin airson a' gheamhraidh – 's e geamhradh duilich a bh' ann. Bha e duilich biadh fhaighinn suas thugainn – air fhàgail astar mòr bhuainn, shìos; chan fhaigheadh na h-innealan-giùlain a bh' ann, chan fhaigheadh iad na b' fhaisg. Bha na rathaidean air am milleadh le 'shells' – bha innealan-millidh an còmhnaidh ri 'g obair.

Chaidh ar n-atharrachadh a sin a-null gu iomall an airm air 'Coast Belgium' – bha sinn ann am beul na mara, mar a their sinn – bha an cianalas orm a' smaoineachadh cho faisg 's a bha an dachaigh, cha robh ann ach caolas eadarainn. Cha mhòr nach deach ar call ann an sin – chaidh sinn a-null air abhainn – abhainn chaol a bh' ann le drochaid agus bha sinn ann an sin beagan làithean, agus fhuair sinn a-mach às a sin le buidheann de rèisimeid Shasannach a chaidh nar

leigeil às, agus cha robh sinn ach air thighinn a-mach às a sin, bhrist na Gearmailtich leis na gunnaichean mòra an drochaid a bha seo, agus bha am buidheann a leig sinne às, bha iad air an glasadh thall – bha ri innse dhuinn nach tàinig às an sin ach aon duine – shnàmh e nall.

'S e bìdeag a siud 's a seo tha mi ag innse. Chaidh ar toirt a dh'ionnsaigh a 'Somme' – sin a' chiad àite far na chleachd na Breatannaich againn na tancaichean – tha dealbh agams' a-staigh an taigh air a sin – tha crois mhòr ann agus sgrìobhte foidhp', 'First Division Cross at Highwood' – bha mòran call air a dhèanamh ann an sin – bha e a dol air adhart fad bliadhna agus bha iad ag ràdh gun chaill iad barrachd ann an sin na chaill iad idir.

Tha rud eile ann air am beil cuimhne agam glè mhath – 's e sin 'Spanish Flu' – tha e coltach gun chuir a' 'Spanish Flu' às do mhòran sluaigh agus ghlac e mise – mi fhìn 's gille eile – thàinig sinn a-mach às an trainns agus chaidh sinn a shlochd an sin – nar sìneadh – cheangail sinn na còtaichean againn ri chèile, agus laigh sinn ann an sin, 's cha robh sinn fada gun chadal, tha mi creidsinn. Dhùisg mise na mo shìneadh air an talamh a' coimhead suas dha na speuran agus chaidh mi seachad air ball às dèidh sin – bha mi dùsgadh 's a' cadal air ais 's air adhart mar sin – chan eil fios agam glè mhath dè a thachair – bha mi mìorbhaileach tinn agus tha cuimhne agam fear dhe na companaich agam – thog e mi air a mhuin agus tha cuimhne agam fhathast mo cheann sìos air a ghualainn. A h-uile gluasad a dhèanadh e, shaoilinn

We were there for a few weeks, training and waiting for instructions for our next destination. At long last, twenty of us were singled out by name and were sent down by train that night to Southampton. We were put on a ship there and ordered over to France. On arriving there we were, again, put on a train and taken up near the front line where the fighting was, but we had to walk part of the way.

Then came the parting of the ways, some of us were sent to the front line, in and out of the trenches, some to Flanders, Belgium and France itself. At times it seemed promising, other times not so. The first thing that overcame me was the dirt, then hunger and the cold, also lack of sleep and so many dying.

We were like that all winter, a very hard one – very difficult for food to reach us, as the transport could not get near enough. The roads were destroyed by shells and the food had to be left far away, for fear of the vehicles being destroyed.

After a while, we were sent over to the border in Belgium, near the coast, and I used to feel very homesick when I saw the sea so near, and thinking it was these straits that separated me from my homeland. I remember once, we were nearly lost, we crossed over a bridge on a long river and if it were not for an English Regiment that came to our rescue, we would have been. We were told afterwards that the Germans blew up that bridge with shellfire and there was only one out of all those boys that was saved; he swam across.

It is only bits here and there that I am telling you. After this episode, we were sent to the Somme. This is the first place where the British Army used tanks. I have a photo in the house of that. It's marked with a huge cross and written on it 'First Division Cross at Highwood'. There were a lot of casualties here, as the fighting went on for a year. It is said that more men were lost here than anywhere else during

gu robh an ceann a' falbh dhìom. Thug e mi gu rathad a bha sin – bha e air a mhilleadh le shellichean 's leithid sin – na beathaichean bochda bha tarraing na h-innealan-giùlain a bh' againn, bha iad air an sàrachadh leis na slocan.

Chuir e mise air bòrd tè dha na h-innealan-giùlain a bha sin, agus man a bha na cuibhleachan a' dol dha na slocan, air ais 's air adhart, a-null 's a-nall, bha dùil agam gu robh pàirt dha mo chorp agam ga fhàgail an siud 's an seo leis a' phian.

Co-dhiù, thug iad mi gu àite san robh cruinneachadh nan eich 's nam mùileidean 's nan nithean a bha tighinn gar n-ionnsaigh, 'rations' 's rudan dhan t-seòrsa sin. Bha rud ris an canadh tu 'dugouts' ann an sin – tuill anns an talamh. Bha gille à Druim na Drochaid ann an sin coimhead às dèidh nan eich 's nan creutairean sin, agus tha cuimhn' agam gun tug e mi gu toll sìos dhan talamh ann an sin. Chuir mise seachad deich latha anns an toll sin, agus 's e an aon nì a tha cuimhn' agam a bha mi 'g ithe no 'g òl - 's e an gille bha seo ri toirt thugam teatha 's bha tart mhòr orm fad an rathaid, agus 's e sin tha mi smaoineachadh na dh'ith mi, agus bha 'n gille bha seo uabhasach math dhomh. Thàinig mise mach às an toll a bha sin airson dotair a thighinn – chan eil fios cò às a thàinig e, co-dhiù. Thàinig an dotair a bha seo agus, och, thug e dhomh piola no rudeigin - bha grunnan againn leis an trioblaid agus bha sinn air ar cur air leth a-rithist airson a dhol suas dha na trainnsichean; cha robhas a' feitheamh ri 'convalescence' ann.

Là no dhà às dèidh dhomh thighinn a-mach às an toll bha

mi air an t-slighe suas chun nan trainnsichean, 's bha dùil agam gur e chrìoch a bha sin, co-dhiù – bha mi cho lag. Ach bha mi cumail air adhart agus thachair gun d' fhuair mi seachad air a sin gu h-iongantach.

Bha 'n aimsir glè fhliuch 's na trainnsichean cho bog 's cho salach – tha cuimhne agam gun chaill mi mo bhrògan anns a' chriadh, ach bha na barrallan air breothadh, co-dhiù, agus bha mi air mo chasan rùisgte airson dà là, na mar sin, ach cha robh mi nam aonar mar sin. 'S e fèileadh a bh' againn an uair sin agus cha b' e èideadh airson cogadh a bh' ann a' fèileadh anns an t-suidheachadh a bha againne, co-dhiù. 'S e 'machine-gunner' a bh' annam agus bha mi nam sheàirdseant agus bha ceithir gunnaichean eadar mi fhìn 's seàirdseant eile agus criutha còignear aig a h-uile gunna.

Tha cuimhne agam air fear à Steòrnabhagh – thàinig e mach air 'draft' - thàinig e thugainn agus 's e 'Dòmhnallan' a chanadh iad ris – tha bùth bhròg aig na mic aige ann a Steòrnabhagh (Smith's Shoe Shop) agus 's e fior ghille snog a bh' ann, agus fear eile à Tàbost agus chaidh a chur thugams' 'Iain an Dùdain' a chanadh sinn ris. Bha e air saighdear cho tapaidh 's a chunnaic mi – bha 'nerve' mhìorbhaileach aige, agus bha mi smaoineachadh nach tigeadh e às a' chogadh leis cho dàn 's a bha e, ach thàinig e às – bha e ag obair an Glaschu ann an seo. Tha cuimhne agam coinneachadh ris a-rithist ann an seo aig pòsadh mac leis, anns an eaglais againn an Glaschu. Fhuair e parsail às 'New York' le nithean milis agus thòisich mi fhìn 's e fhèin ag ithe na bh' anns a'

the whole war, (Battle of the Somme). Another thing I remember is an epidemic, of what they called 'Spanish Flu'. It is said that quite a lot of men died of this and it hit me also, along with another young lad. We came out of the trench and we went into a dug-out and lay down there. We tied our coats together and soon fell asleep. When I awoke, I was lying on the ground looking up at the sky, but I soon fell asleep again; I was delirious, I could not remember very well what was happening to me. I do remember one of my companions lifting me on to his back and carrying me a good distance. My head was lying on his shoulder, being so sick with every step he took, that I thought my head was breaking off.

He managed, however, to take me to a main road and got me on some form of transport, sledges, or carts drawn by horses. The roads were so bad with huge holes where the Germans were shell-firing them and it was so difficult for

the poor beasts to make the journey to the nearest first-aid post, and where we got our rations.

We arrived anyway, though my body was so racked with pain, I thought some of it was missing altogether, There was what we called 'dug-outs' in the ground and I was laid down there, a lad from Drumnadrochit looked after me. I was there for 10 days, and the only thing I remember is how much tea and the like I drank, as I was very, very thirsty. This lad was very good to me. After the 10 days elapsed, a doctor managed to reach the place, where from I don't know, but he gave us some medicine. We were isolated, as there were a few of us sick.

No sooner had we felt better, when we were ordered to be sent again to the trenches. We were not given any chance to convalesce. So, two days after coming out of that hole, we were on our way back and I thought 'this is the end', as I felt so weak, fortunately, I did get over it.

pharsail gus na rinn sinn sinn fhìn tinn, leis na dh'ith sinn de rudan milis. Cha robh stamag againn mòr gu leòr airson cumail ris a' leithid seo – bha i air fàs cho beag le dìth biadh gu leòr.

Bha fear eile ann, Dòmhnall Chaluim MacLeòid à Eòropaidh – duine snog eile 's tha cuimhne agam às dèidh blàr a bhith againn, choinnich sinn a chèile às dèidh sin a bhith seachad. Bha sinn a' bruidhinn air man a thachair dhuinn 's na rudan sin. Dh'fhaighnich mi dha cò air a bha e smaoineachdainn nuair a bha e ann an 'No Man's Land'- bha e na laighe ann an sin agus chaidh am blàr nar n-aghaidh gu h-olc. Bha e cantainn gu robh e air a bhroinn ann an sin agus gu robh e a' smaoineachadh air an dachaigh, 's air Leòdhas – air Nis gu sònraichte – agus ag ràdh gu robh e faicinn ann an sealladh inntinn ('s ann Là na Sàbaid a bh' ann cuideachd) an sluagh a' dol dhan eaglais 's a' tighinn às an eaglais agus a' bruidhinn oirnn agus ag ùrnaigh air ar son, agus a leithid sin. Tha mi smaoineachadh gu robh cuid a' Chruitheir anns a' ghille bha sin. Bha mi coimhead air a-rithist ann an Eòropaidh bliadhnachan às dèidh sin – esan air a dhùsgadh gu eòlas air fhèin mar pheacach 's air Crìosd mar Shlànaighear, man a bha mi fhìn, agus chaidh mi choimhead air gu Eòropaidh 's bha e an uair sin air fàs bochd, 's cha robh e fada beò às dèidh sin, ach chaidh e dhachaigh gu shonas, tha mi creidsinn le m' uile chridhe.

Tha cuimhne agam air àm eile, fhuair mi fios gunna thoirt, còmhla ri ceathrar dha na gillean, gu àite sònraichte far an

robh eagal gum biodh na Gearmailtich faisg air làimh ann an sin, 's cha robh fios aig amannan càit an robh iad, bha iad a' dol air ais an uair sin. Bha a' ghealach slàn an oidhche ud agus bha i cho soilleir ris an latha. Nuair a chunnaic mi far an robh againn ri dhol, smaoinich mi nach robh e furasta faighinn ann an sin ma bha na Gearmailtich faisg air làimh, gu faiceadh iad sinn mìle air falbh cho soilleir 's bha e, 's cha robh fasgadh ann airson faighinn a dh'ionnsaigh an àite bha seo a bh' air òrdachadh dhuinn a dhol.

Chaidh sinn air adhart; bha sinn a' dol air ar spògan uaireannan 's a' leigeil ar n-anail. Bha mi smaoineachadh gu robh na Gearmailtich meadhanach faisg agus bha sinn a' dèanamh a h-uile dìcheall nach deigheadh ar faicinn, agus thuirt mi ris na gillean stad ann an seo mionaid bheag, gu robh mise dol dhan toll thall an siud agus cha do dh'innis mi carson. 'S e toll 'shell' a bh' ann, agus an t-adhbhar gun deach mi ann gun deidhinn a dh'ùrnaigh – chan eil (fios) agam dè a bh' anns an ùrnaigh idir, cha robh mi air m' iompachadh an uair sin, ach bha e na chleachdadh agam a bhith dèanamh ùrnaigh aig an dachaigh. Man a bha chùis an siud bha uaireannan nach robh guth air ùrnaigh co-dhiù, ach chaidh mis' ann an sin 's tha cuimhn' agam an neart a fhuair mi – cha robh cùram sam bith orm tuilleadh. Thàinig mi air ais agus thuirt mi ris na gillean a bha seo, 'Bithidh sinn a' dol air adhart a-nise, chan eagal dhuinn.' Agus mar a thuirt thachair. Cha do dh'èirich càil dhuinn, agus thug sinn ann an sin latha 's oidhche eile bharrachd air a sin, agus daoine dol

---

The weather was very wet and the trenches very damp and dirty – I remember losing my boots in the wet clay soil, the laces being rotten anyway and I was barefoot for two days. I was not the only one either. It was the kilt we had to wear, and this is not a suitable uniform to wear in the situation we were in. At this time, I was a Sergeant and a machine-gunner. There were four guns to operate between myself and another Sergeant and five of a crew for each gun.

I remember a man from Stornoway, name of *Domhnallan*, he was sent on a 'draft' to us - his sons today own 'Smiths' Shoe Shop' - and another lad from Habost, his name was *Iain an Dùdain*. He was a big hefty lad and a very good soldier, with nerves of steel. Because of this, I thought he would not survive the war, but I am very glad to say he did. He got a parcel from New York with lovely delicacies, which at that time; we were not very used to. We ate so much, we made ourselves sick. We met since then in Glasgow at

the Church, when his son was getting married. Another lad I got to know was *Dòmhnall Chaluim MhicLeòid* from Eoropie. Another nice fellow indeed. After one of the battles we fought and lost, we met afterwards and talked about that. I asked what he was thinking of when he was lying in 'No Man's Land' and he answered that he was thinking of Lewis, especially Ness and his home. He dreamt in his mind about the people going to Church and praying for them there, as it was a Sunday. I think this lad then was a Christian. I went to see him years afterwards in Eoropie and sure enough, he had made a public confession, and like myself had turned to Christ as his Saviour. At that time, his health was failing and he died soon afterwards to be, I am sure, forever with the Lord.

I remember another time I got instructions to take four of the lads and a gun to a certain place, where it was thought some of the enemy were hiding, near as they were to the

an taobh ud 's am taobh ud eile, lorg a-mach càit an robh an nàmhaid agus fhuair sinn às a sin.

Bha mi air mo leòn dà uair – a' chiad uair 's ann as a' chiad gheamhradh a bh' ann, agus bha na saighdearan cho gann, cha robh Breatainn deiseil airson cogadh ann, an uair a thàinig sinne dhan Fhraing – bha a h-uile càil meadhanach. Bha an 'government' anns na bliadhnachan ron a sin an dèidh 's luing-chogaidh a reic ris na Gearmailtich son 'scrap', 's bha 'scrap' a bha sin air a thionndadh gu shellichean 's peilearan 's nan cleachdadh oirnne. Co-dhiù, cha robh an leòn dona idir – bha 'bandages' timcheall orm 's cha robh ospadal no guth air aig an àm a bha siud, ach nam b' urrainn duine gluasad idir, dh'fheumar cumail a' dol agus sin mar a bha. Fhuair mi air adhart gu math. Bha gille à Steòrnabhagh air mo thaobh nuair a chaidh mo leòn. Chaidh esan a leòn cuideachd, ach cha b' ann an uair ud – bha e na mhinistear às dèidh sin.

Chaidh mo leòn a-rithist dà bhliadhna às dèidh sin, tha mi creidsinn, agus bha droch bhlàr ann. Bha dùil againn gu robh sinn a' dol a chall a' chogaidh an uair sin – bhris na Gearmailtich a-steach an siud 's an seo, agus chaidh am buidheann ga robh mise, chaidh ar toirt a-steach dhan a' chiad trainns agus a leigeil a-mach gu rèisimeid Sasannach, agus nuair a bha sinne gabhail a-null an àite aca, bha iad ag innse dhuinn a h-uile càil a bha fios aca mu dheidhinn an t-suidheachaidh anns an robh sinn. Thuirt an seàirdseant a bha seo riumsa, bha e toirt dhòmhsa an fhèin-fhiosrachadh aige fhèin anns na nithean bha dol a ghabhail àite às dèidh

seo, air an robh fios aige – 'Tha mi toilichte bhith dol a-mach à seo, 's tha mi duilich air ur son an-dràsta. Tha oidhche uabhasach gu bhith ann a-nochd.' Agus mar a thuirt esan, thachair. Thug mi fear dha na gunnaichean leam agus gille Sasannach – 's ann à 'Birmingham' a bha e. Chuir sinn an gunna bha seo ann an àite sònraichte a' smaoineachadh gum biodh sealladh math againn air càil sam bith a thachradh. Bha sinn ann an sin agus 's e mi fhìn a bha losgadh. agus a' fear seo a' coimhead às dèidh an 'ammunition' a bha dol a-steach dhan a' rathad-beathachaidh air a' ghunna bha seo. Thàinig 'shell' 's bhrist i air ar beulaibh, agus an ath rud a bha fios agam bha mi air mo thilgeil air falbh bhon ghunna agus chaidh mo leòn. Bha fear seo a' feuchainn ri 'bandage' a chur orm 's thuirt mi ris, 'Coma leat dhìomsa, fritheil air a' ghunna tha sin.'

Co-dhiù, chaidh sin seachad agus chaidh mo chur sìos a cheann a deas an Fhraing, agus bha mi ann an sin sia seachdainean. Bha mi air coimhead às mo dhèidh. Fhuair mi glanadh, aodach 's biadh, 's bha e man 'holiday' mhòr dhomh. Chaidh mi air ais dhan trainns a-rithist às dèidh sia seachdainean. Tha cuimhne agam a' dol air adhart ann am blàr eile 's bha an gunna air mo ghualainn, agus bhrist sinn tro loidhnichean nan Gearmailteach, agus bha sinn a' dol air adhart, 's iad a' teich romhainn, 's tha cuimhne agam a dhol seachad air saighdear Gearmailteach ann an sloc, bha dùil agam gu robh e marbh, ach tha e coltach nach robh. Cha robh mi fada air a dhol seachad air nuair a chuala mi a' bhrag

retreat then. There was a full moon and the night was bright, and so as not to be seen, we had to crawl on our hands and knees. When I saw the place we were going to, I told the boys to stop a while, that I was going over to the hole that a shell had made. I did not tell them why, but it was to pray. At that time in my life I was not converted, but when at home as usual we prayed, so that's why, and I was strengthened in mind and body to carry on. When I came back to the lads, I told them we would now continue and be ok, and so it turned out to be.

I was wounded twice; the first time was in the winter after the war started, when we were in France. Soldiers were not plentiful, as Britain at that time was not prepared for war. They had sold their old battleships to Germany for scrap, but that the Germans had turned into guns and bullets and turned on us. Anyway, the wound was not too bad, but I was bandaged, as there was no hospital near us for me to be

sent to. If you could move at all, you were kept on the go. Another lad from Stornoway was wounded also. He got on all right and after the war went in for the ministry.

The second time I was wounded was two years later – it was a fierce battle. The Germans broke our line of defence in a few places. We thought then we had lost the war. Our regiment had to swap places with an English one and their Sergeant told me all he knew and said, 'I am glad I'm getting out of here and I am very sorry for you, as the fighting is going to be very fierce tonight'; his forecast proved true. I took some guns and a lad from Birmingham with me – I placed the gun in a position where we thought we'd miss nothing that would happen. I was firing and the lad looked after the ammunition, when all of a sudden, a shell from the enemy burst just in front of me.

The next thing I knew, I was thrown away from the guns and was wounded. The English lad tried to bandage me up,

a bha seo, 's bha dùil agam gun deach peilear tron cheann agam, agus chum mi dol, ach nuair a ràinig mi a' chiad loidhne a bh' aig na Gearmailtich, a thug sinn bhuaithe, leig mi sìos an gunna air mo bheulaibh, agus bha 'n fheadhainn eile a bhuineadh dhomh faisg air làimh còmhla rium, agus nuair a sheall mi 's e a' bhrag a bha siud a chuala mi, peilear a bh' air bualadh air a' ghunna air cùl mo chinn, agus chuir e an gunna a-mach à òrdugh – bha 'plate' air an dàrna taobh dhan a' ghunna bha seo, agus chuir e steach am 'plate'. Bha e duilich rud fhaighinn na àite aig an àm a bha siud. Uair eile bha mi fàgail a' ghunna aig buidheann eile, 's cha robh mi càil ach air fhàgail aig triùir eile bha seo nuair a thàinig 'shell' 's bhuail i air taobh a' ghunna bha seo – chuir i an gunna a-mach à òrdugh agus chaill fear dha na balaich an gàirdean – mionaidean an dèidh dhomh fàgail an àite bha sin – 's ann à Carlabhagh a bha esan – fear Dòmhnall Dòmhnallach – chunnaic mi rithist e ann an Leòdhas a' dol mun cuairt airson 'insurance' no rudeigin.

Tha cuimhne agam air àm eile agus sinn ann an cath, agus cha deach e leinn a bharrachd. Bha na Gearmailtich tòrr na bu làidir na sinne – bha seo tràth as a' chogadh – bha mi na mo laighe eadar sinn fhìn agus na Gearmailtich – cha d' fhuair sinn na b' fhaide na sin – bha na Gearmailtich an dèidh an sluagh aca fhèin, na rèisimeidean aca fhèin, a tharraing air ais. Dh'fhàg iad na 'machine-guns' aca ann an rud ris an canadh sinne 'pill-boxes' – àite air a dhèanamh dha 'machine-guns' de 'concrete' – bha na daoine ud deiseil airson cogadh. Cha robh sinne, agus 's ann an aodann a' leathad sin a chaidh ar cur agus cha d' fhuair sinne dhol air adhart idir. Co-dhiù, bha mi na mo laighe ann an sin agus mothachail a h-uile gluasad a dhèanainn gu robh na peilearan glè fhaisg – a' seinn seachad orm. Fhuair mi air ais co-dhiù – thàinig oirnn tarraing air ais agus bha mi fhìn 's gille à Tàbost, gille snog, Dòmhnall Mhurchaidh Màiri Bhàin, agus bha a h-uile càil a bh' againn eadrainn; nam biodh briosgaid no dhà agamsa, bhiodh an dara pàirt aige-san – agus fhuair sinn a-mach às, co-dhiù. Chaidh ar tarraing air ais airson rud ris an canadh sinne 're-groupadh', agus rùnaich sinn gu feuchadh sinn ri teatha a dhèanamh, agus bha rud ris an canadh sinn 'emergency rations' air a thoirt dhuinn - chan fhaodadh sinn buntainn dhaibh gum biodh sinn ceithir uairean fichead gun bhiadh. Cha robh ann ach briosgaidean cruaidhe agus soitheach beag 'tin' le teatha 's siùcar agus 'oxo cube' no dhà. Bha sin anns an t-soitheach bheag anns a' phoc a bh' air mo mhuin - 'haversack'. Thug mise dhìom am poca agus 's e a' chiad rud a thachair rium 's e an teatha agus an siùcar sgapte air feadh a' phoca – bha peilear air dhol tron tin bha seo agus chaill sinn an teatha - cha robh an còrr againn 's thàinig oirnn a bhith riaraichte air stamag fhalamh. Bha sin a' tachairt glè thric.

Tha cuimhne agam uair eile bha fear à Suaineabost còmhla rium a thàinig air 'draft' anns a' chiad gheamhradh – Dòmhnall an t-Sabhail – chaidh mi fhìn 's e fhèin dhan arm còmhla ri chèile an aon latha. Bha mise.... chaidh mi

---

but I said 'Leave me be!', and to attend to the guns.

That passed anyway, and I was sent down to the South of France to be attended to and I was there for six weeks. I was cleaned, fed and clothed. It was just like a holiday to me. After the six weeks were up, I was sent back again to the trenches.

I also remember another time going into battle with the gun on my shoulder; we broke in on the German lines. I passed one in a pit who I thought was dead, but I was wrong, for no sooner was my back turned than I heard this big bang and I thought a bullet had gone through my head. I managed to keep going and when I reached our own lads, I let down my gun, the bang I had heard earlier on had hit the plate of the gun, and it was now out of order. It was very difficult to get a replacement at that time.

Another time I was being replaced at manning the guns, just minutes after leaving it to three other lads, when a small shell came and hit the side of the gun, putting it out of action. One lad lost an arm – he was from Carloway, Donald Macdonald. I saw him years later in Lewis, going round collecting insurance.

Earlier on in the war, I still remember being in a battle and we lost, because the Germans were a lot stronger and more prepared for war than us. I found myself lying on the ground; the Germans had pulled their regiment back a bit. They had left their machine guns in what we called 'Pill Boxes'. It was specially made of concrete, for that. I could not move for fear of a bullet, as they whizzed to and fro about us. Our boys had to retreat anyway. Myself and a nice lad from Habost were together. He was also called Donald Macdonald and we shared everything between us. If I had two biscuits, one would be given to him and vice versa. We got out alive anyway. We were always given emergency rations, which we carried in a haversack on our back, but

null tràth dhan Fhraing agus chuala sinn gu robh 'draft' a' tighinn a dhèanamh suas a chall as a' chompanaidh dha robh mise. Dh'fhaighnich mi dhan fhear a bha coimhead às ar dèidh a leigeadh e dhomh a dhol a choinneachadh an 'draft' a bha seo, gu robh mi smaoineachadh gum biodh gille ann a dh'aithnichinn, 's nam biodh gun tugainn e dhan a' chompanaidh againn fhìn, agus thuirt e gum biodh sin ceart gu leòr. Bha dìth dhaoine oirnn co-dhiù, agus nuair a ràinig mise far an robh an 'draft' a bha seo dol a choinneachadh rinn, bha Dòmhnall còir am measg nan gillean eile bha sin, agus gille eile às a' Bhaile Àrd, 's tha cuimhne agam an rud a thuirt e rium nuair a chunnaic e mi, 'O, bheil thusa beò fhathast am measg na tha seo a dh'uabhann?' Thuirt mi gu robh, 's e thuirt e, 'Thig thusa troimhe, ach cha tig mise.' Thuirt mi ris, 'An ann a' fàs lag nad inntinn a tha thu mar sin?' 'Chan ann,' ars esain, 'tha fios agam nach bi fad agams ri dhol, ann.' 'S e mu dhà mhìos a bha e ann an sin nuair a chaidh a chall, duine dha-rìribh cuideachd agus fìor shaighdear – 's e 'bomb-thrower' a bh' ann.

Thug mise Dòmhnall a bha seo leam, agus an oidhche bha seo, bha trainns ùr ri dhèanamh na b' fhaisg air na Gearmailtich na an tè anns an robh sinn, 's dh'fheumadh a dhol a-mach air an oidhche a dhèanamh an trainns a bha seo le 'shovels' – ag obair fad na h-oidhche ann an sin gu faigheadh iad air an trainns a dhèanamh, agus dh'fheumadh feadhainn a dhol a chumail dìon orra. Chaidh Dòmhnall 's mi fhìn a-mach còmhla ri chèile nar buidheann – 's e

'covering-party' a chanadh iad rinne mar sin, a' cumail dìon air an fheadhainn a bha 'g obair. Bha latha gu briseadh an uair a bha sinn a' tighinn air ais, 's e iongantas mòr a bh' ann nach robh sinn air ar milleadh. Bha còta Dhòmhnaill air a tholladh aig peilearan – shaoileadh tu gur ann a bha e air ithe aig rudeigin. Bha grunnan de ghillean à Leòdhas agus bhon Ghàidhealtachd anns an trainns a bha seo – àite ris an canadh sinn Givenchy faisg air Lambosse.

Bha àm eile ann air am beil cuimhne mhath agam. Chaidh an 'Division' air an robh mise a thoirt sìos gu iomall na mara san Fhraing, airson ar n-ionnsachadh air làimhseachadh bàtaichean –'flat-bottomed boats', mar a chanadh sinn agus sinn a' dol a dhèanamh 'landing' air cùl nan loidhnichean ann am 'Belgium'. Agus bha dùil gu robh seo gun fhios, agus bha 'navy' gu bhith ag obair còmhla rinn. Co-dhiù, bha sinn ann an sin beagan sheachdainean agus sinn air ar n-ionnsachadh, cionnas man a dheigheadh sinn air bòrd 's cionnas a dheigheadh sinn air tìr, de bha sinn a' dol a dhèanamh às dèidh sin agus a h-uile càil dhan t-seòrsa sin – mòran ri ionnsachadh. Co-dhiù, bha na 'h-aeroplanes' a' dol a-null os ar cionn gus a ruigeadh tu Sasainn. An dàrna bliadhna dhan chogadh a bha seo – agus bha sinn a' gabhail iongantas gu dè bha dol a thachairt – na bàtaichean-adhair a bha sin ri dol a-null tarsainn – gun fhios an robh iad dol a dh'Alba no càite, 's bha iad a' dèanamh sin a h-uile oidhche. Co-dhiù, lorg iad sinne agus leig iad sìos 'bombs' dhan a' champ againn. Thàinig oirnn a h-uile càil a bha sin

---

were not allowed to touch it unless we went twenty-four hours without food. It was not much anyway, a couple of hard biscuits, a tin with tea, a little sugar and an Oxo cube, but when I took off my haversack I noticed the tea and sugar spilt all over. On looking, a bullet had gone right through the tin and we had then to make do on an empty stomach, and that happened very often.

I also remember another lad, Donald Macdonald (*Dòmhnall an t-Sabhail*), from Swainbost. We both joined the Army the same day, and I heard he was to be drafted over to France to join our regiment, to make up for the loss we had sustained in battle. I asked my superior if he would let me off to meet this draft, as I thought there was a lad there I knew, and if so, could I bring him into our own Company? He said that would be fine, as we needed extra men anyway.

I met this draft and my friend Donald was there along

with another lad from High Borve whose first greeting to me was, 'Oh, are you still alive amongst all this horror?' I answered 'Yes', and he said, 'You will survive it, but I will not'. I said, 'Are you down in spirit? 'No' he said, 'but I have a feeling I haven't far to go'. He was proved right, and he was killed within two months. A lovely man and a good soldier – he was a bomb-thrower.

Some of the work we had to do was very dangerous. One night we had to go and dig out with shovels, a new trench, which would be nearer the enemy line. This was done during the night. While some dug, others kept watch. They were called 'Covering Party'. Working until dawn broke, we thought the enemy didn't know, but we were wrong and it's a wonder we got out alive. My friend's coat was tattered with bullet holes, as if it was eaten by some insects. This place was called Givency near Lambosse. There were plenty of Lewis lads there.

a leigeil seachad. Fhuair sinn a-mach gu robh fios aig a' Ghearmailteach air a h-uile càil mar deidhinn agus chaidh sin mar a chaidh e. Chaidh sinn air ais dha na trainnsichean. Bha mi smaoineachadh gu dè man a bha cùisean ri dol a chrìochnachadh, na dè seòrsa crìoch a bhiodh aig a' chogadh a bha seo. Cha robh sinn a' buannachadh dad – cha robh sinn a' dèanamh dad dheth, agus cha robh fios againn air mòran sam bith air feadh an t-saoghail, dè bha dol, 's bhithinn a' cantainn rium fhìn, 'Chan eil mi smaoineachadh gu bheil mòran ciall aig an obair a tha seo idir.'

Bha dùil againn an uair a thòisich an cogadh nach robh e dol a leantainn ach beagan mhìosan co-dhiù, aig a' chuid a b' fhaide. Bha e na iongantas – bhiodh sinn a' coimhead air ais an uair sin, cha robh fios againn dè bha dol air adhart anns a' phàrlamaid ann, no càil eile. 'S e adhbhar smaoinich a bh' ann dhuinne – bliadhnachan dha chaitheamh ann an siud, 's gun fhios againn gu dè a bheireadh uair mun cuairt agus gun fhios càit an crìochnaicheadh sinn. An aon eagal a bh' ormsa 's e gun deigheadh mo thoirt nam phrìosanach – tha mi smaoineachadh gu robh barrachd eagal orm ron sin no rud sam bith eile, ged a thachradh na bu mhiosa na sin, ach cha robh mi uabhasach toilicht' idir bhith smaoineachadh air prìosanaich. Bha sinn a' cluinntinn a leithid a rudan mu thimcheall – chan eil fios againn an robh e fìor no nach robh, tòrr dheth a bha fìor co-dhiù, a bha na chùis uabhais.

'S e uabhas a th' ann an cogadh sam bith – fuil ga dhòirteadh agus daoine gan reubadh às a chèile – 's e cùis uabhais a th'

ann. 'S iomadh uair a bhithinn a' smaoineachadh, 'Dè a' chiall a th' aig a seo? Carson a tha mise ann an seo? Dè tha mi dèanamh?' Chanadh rudeigin rium, 'O well - nach eil thu dìon na rìoghachd dham buin thu?' 'S bhithinn a' cantainn rium fhìn nach robh fios gu dè man a bhiodh sin fhathast, agus cha robh coltas gu robh càil a' dol a thighinn gu crìoch. Bha sinn a' dol air adhart mar sin, co-dhiù, ach mu dheireadh, airson cùisean a dhèanamh nas giorra, thàinig fios a-nuas sgur a losgadh, sgur a chleachdadh nan innealan-cogaidh, gu robh sìth air a dhèanamh, agus chaidh ar cruinneachadh nar buidheannan an siud 's an seo, agus chaidh sinne ar cruinneachadh ann an gàradh-ùbhlan, agus bha e brèagha, fàileadh cùbhraidh nan ùbhlan nar beathachadh, agus bha e cho annasach a thighinn tarsainn air a leithid. Dh'innis an neach a bha air a chur air leth airson sin dhuinn gun deach 'Armistice' a dhèanamh – gun chòrd na buidheannan ri chèile le tiomnaidhean sònraichte, agus nach robh sinn a' dol a losgadh tuilleadh, ach gu robh sinn a' dol a leantainn nan Gearmailtich dhan tìr aca fhèin – gu robh iad a' tuiteam air an ais 's gu robh sinn a' dol air ar n-adhart 's gum biodh deich mìle no mar sin eadarainn. Chan fhaodadh sinn a bhith na b' fhaisg dhaibh na sin, 's bha iadsan a' dol air adhart, 's bha sinn a' coiseachd a' chuid bu mhotha dhan t-seachdain mas do ràinig sinn àite tàimh – 's e sin a' 'Rhine'. Thàinig sinn gu bhith air ar n-ainmeachadh mar 'The Army of the Rhine', agus bha mise ann an sin airson ceithir mìosan mas d' fhuair mi 'discharge'.

Another time I remember well is when our Division was taken down to France, near the sea, to teach us how to handle boats, flat bottomed ones. We were there for a few weeks learning how to board the vessels and then how to land – a lot to learn; little thinking the enemy knew this was going on. The intention of learning this was hoping to land in Belgium behind the enemy lines. The Royal Navy worked with us also – this was the second year of the war. We saw planes coming and going above us, but we did not know what was happening. We were not told anything. One night our camp was bombed causing a lot of damage and we had to abandon everything and go back to the trenches.

Many's a time I wondered how it would all end, as we were not at this time winning at all, and I used to think what's the sense of all this. When war was declared, we all thought it would only last for a few months. We would be the last to hear what was happening in our Parliament in London. We

had now been there for years, little knowing what an hour in time would bring us. One of my worst fears was being taken as a prisoner-of-war. I used to dread that more than anything else. We heard so much about what happened to the prisoners. I don't know whether half of it was true, but I'm sure most of it was.

Anyway, war is a horrible thing, shedding blood and innocent people being torn to pieces, - and for what purpose? I used to think, 'What am I doing here and why?' But then I thought, 'Oh, you're doing your best to fight and save your King and Country'. We kept on like that, doing our best, often wondering how it would all end. At long last, word reached us asking to stop fighting and to drop all our arms, as peace was declared. We were then asked to gather in groups. Our group happened to be in a garden full of apple-trees. The fragrance of these apples was lovely and so rare to us then, in itself was enough to restore and renew

Nuair a thòisich sinn ri dol air adhart dhan a' Ghearmailt, chaidh mi fhìn 's gille eile a chur air leth airson gun deigheadh sinn air thoiseach air a' bhuidheann againn fhìn, agus gu lorgadh sinn taighean ann am baile beag faisg air Cologne, 's gum biodh àite air choinneamh nan saighdearan air a ruigeadh iad, gus a faigheadh sinn fhìn air 'camp' a dhèanamh. Bha sinn fhìn air ullachadh ceart a dhèanamh. A' chiad taigh gun deach sinn, ghnog sinn aig an doras agus thàinig nighean, chanadh mi gu robh i mu mheadhan latha, thàinig i, 's chan eil fhios agam dè man a dh'fhairich i, ach ghabh i eagal air a chunnaic i sinne armaichte, agus dh'èigh i air a h-athair agus piuthar eile, 's bha 'n triùir anns an doras agus dh'innis sinne leis an reubadh den chànan Ghearmailteach a bh' againn – lorgadh sinn ar slighe mun cuairt an uair sin leis a' chànan - ach chan eil sgeul air bho chionn fhada.

Chaidh sinn a-steach agus threòraich tè dha na nigheanan sin a-steach an rùm sinn agus bha teine brèagha air. Bha an rùm blàth 's chòrd e rinn glè mhòr - fuachd a-muigh, 's ann an 'November' a bh' ann – agus cha robh sinn fad sam bith nar suidhe ann an sin gus an tàinig tè dha na chlann-nighean le 'tray' agus dà shoitheach le 'soup'. Nuair a sheall sinn ris an t-'soup', cha robh ann ach dìreach uisge teth agus bìdeag bheag 'pork' ann am meadhan an uisge bha sin – bha e cur ùilleag air uachdar, ach thug mi sùil air an fhear eile - 's ann à Obar Dheathain a bha e – agus thuirt mi ris, 'Dè tha ceàrr ortsa 's nach eil thu na òl?' 'O,' ars esan, 'tha mi feitheamh

ach dè tha dol a thachairt riutsa.' Rinn sinn gàire, co-dhiù, timcheall air a h-uile càil a bh' ann. Rannsaich sinn an uair sin an taigh agus fhuair sinn na h-uiread de rùm dha na saighdearan againn fhìn, 's ghabh sinn air adhart bho thaigh gu taigh, gus an robh sinn a' smaoineachadh gu robh againn na chumadh a' chompanaidh dham buineadh sinn. Bha sinn ann an sin agus threòraich sinn na daoine againn fhìn nuair a ràinig iad am baile a bha seo.

Ghabh sinn cunntas an àireamh anns a h-uile taigh, agus bha eadar-dhealachadh mòr eadar na daoine sin agus na Frangaich aig an robh sinn uaireannan, taighean a dh'ionnsaigh an robh sinn a' dol a dh'iarraidh uisge 's dòcha nuair a bhiodh sinn dol tron bhaile. Chunnaic mi na Frangaich a bha sin ri cur glas air an uisge oirnn. 'S e man a bha na taighean-tuathanais anns an Fhraing ann an sin; bha taigh còmhnaidh air aon taobh 's bàthach air an taobh eile, agus sabhal aig a' cheann eile agus àite innearach mòr an cridhe a h-uile càil a bha seo, agus bha 'tap'-uisge ann an sin agus bha e air a ghlasadh oirnn a-rithist 's a-rithist. Bhitheadh sinn a' dol chun an àite sin ach a lìonadh sinn na botail-uisge bh' againn fhìn air ar sliasaid. Bha 'n t-eadar-dhealachadh sin co-dhiù, agus bha a h-uile càil fo ar cobhair, 's bha iad a' feuchainn ris a h-uile càil a dhèanamh cho furasta dhuinn 's a b' urrainn dhaibh. Tha mi creidsinn gu robh fios aca gu robh cho math dhaibh co-dhiù, agus bha sinn cho modhail 's a b' urrainn dhuinne cuideachd agus cha robh trioblaid sam bith againn leotha, no aca leinn, cho fad 's a b'

our lives. We were told then that the Armistice was to be signed, that the war was now over, but we had to follow the Germans to their own territory as they had lost and we'd won, but to keep a distance of around 10 miles between us. We followed the enemy on foot back to their own country. We were then nicknamed 'The Army of the Rhine'. I was there for four months before I got my discharge.

When the enemy were retreating and we were following, a young lad from Aberdeen and I were singled out to go 'first in line', so that we could find a place for our soldiers to rest a while and to set up camp. On reaching the town of Cologne we came to a house, knocked on the door and a middle-aged lady opened it. When she saw us armed, I think she got a fright. She called for her father and sister and they all came to the door. We did our best to communicate with them in their own language, as we had learned a little of it. We could find our way around with what little we'd picked

up, although it's now long forgotten. We were invited into the house anyway and into the livingroom where a lovely fire burned. It was warm and cosy, after the cold outside, it being November. We were not long sitting there when one of the ladies came in with a tray on which were two bowls of soup. When we looked at the soup it was very thin, just like hot water with a bit of pork in the middle of the plate, but it was hot and I started to drink it. The house looked clean and tidy, but I noticed my friend made no attempt to start, so I asked him what was wrong. He answered, 'Oh, I am waiting to see if it will harm you first'. We had a good laugh about it afterwards. We then searched the house and others in the vicinity and we found some empty rooms to accommodate our own regiment when they arrived.

We found the people here totally different to the French, as here they were so willing to help us, whereas in France they used to put a lock on any water supply. In France, the

fhiosrach mise. Bha mise sin gus an d' fhuair mi 'discharge'.

Bha aon rud ann a bha cur iongantas orm nuair a fhuair sinn fois ann an sin air a 'Rhine', a' smaoineachadh cho marbh 's a bha m' fhaireachdainn air a dhol. Bha mi air a dhol man pìos dhan talamh fhèin cho balbh. Nuair a dh'innis an t-oifigear a bha seo dhuinn gu robh an t-sìth air a dhèanamh, cha do ghluais buadh dhem inntinn idir – Cha tug e aoibhneas dhomh 's cha tug e bròn dhomh, agus 's ann mar sin a bha am buidheann a bh' agamsa co-dhiù, an fheadhainn a bh' ann cho fada riumsa. Bha sinn mar gur e seo ar beatha tuilleadh – cha robh seo ri dol a stad ann, agus gu robh sinn ann dìreach gum bàsaicheadh sinn, nach robh càil ann ach sin fhèin, agus gus an latha an-diugh, tha e cur iongantas orm nach robh aoibhneas orm 's nach do thachair càil. Bha mi mar gum bithinn a' gabhail iongantas an e aisling a th'ann no an e nì-eigin dè bhuaidh inntinn a bha an aghaidh h-uile càil a bh' ann. Cha robh mi a' tuigsinn dè a thachair – chan fhaighinn air a' chùis a rèiteach idir. Sìth, an cogadh air a thighinn gu crìoch, agus sìos mar sin, 's chan fhaighinn air greimeachadh ris ceart idir, gu robh rud air àite a ghabhail idir. Bhithinn a' smaoineachadh cuideachd, 'Well, dè a bhuannaich sinn an dèidh na bha siud a dh'ùine, an dèidh na thachair rinn, 's an dèidh na dh'fhuiling sinn aig taigh 's air falbh. Dè a' bhuannachd a bh' ann dhuinn?' Bha mi smaoineachadh gum bu chòir dhan chogadh a bha siud, co-dhiù, stad a chur air inntinn duine sam bith a bha smaoineachadh gu robh cogadh gu bhith feumail, no gu bhith buannachdail.

Nuair a bha mi tighinn dhachaigh bha mi smaoineachadh air a sin cuideachd, gu robh mi toilichte gu robh pàirt agam a' cur crìoch air cogadh gu bràth tuilleadh – nach biodh an còrr ann - cogadh a' cur crìoch air cogadh – mar a bhiodh iad ag ràdh an uair ud, 'A war to end wars'. Bha mi ag ràdh an dèidh na bha siud de dh'fhuil a' dòirteadh 's an dèidh na bha siud a chall a dhèanamh air beatha 's air cuid, cha do bhuannaich taobh seach taobh, cho fad 's a chithinn-sa. 'S ann a thàinig sinne dheth na bu mhiosa na Ghearmailt, ged is sinn a choisinn an cogadh. Cha do choisinn sinn an t-sìth. Cha tug e buaidh spioradail sam bith orm fhìn – bha mi ag ràdh rium fhìn, nach iongantach an rud a th' ann – bha dùsgadh mòr ann an Nis às dèidh dhan chogadh sgur – cha do rinn peilearan, no salchair, no acras, no fuachd, no càil, cha tug e buaidh sam bith orm. 'S ann a chruadhaich e mo chridhe – cho cruaidh 's nach robh guth air dad ach an saoghal tha làthair. Agus rinn an guth caol, ciùin anns an t-Soisgeul mo chridhe bhriseadh agus mo thoirt fo bhuaidh gràdh sìorraidh Dhè an t-Athair agus Slànaighear mòr nam beannachd.

'S ann dìreach an dèidh dhomh 'discharge' fhaighinn mas do dh'fhàg mi a' Ghearmailt, 's ag ullachadh airson a thighinn dhachaigh, a dh'innis Dòmhnall Smith à Steòrnabhagh – fhuair e pàipear air dhòigh air choreigin – mu thimcheall an *Iolaire*, agus bha sinn ann an sin a' leughadh a' phàipeir a bha seo, agus cha b' fheàirrd' sinn sin a bharrachd. Doilgheas mòr a bhith smaointinn aig a' mhionaid mu dheireadh man a

---

farm-steading house is on one side, the farm building on the other, such as byre and barn and there was a tap outside, but they very often put a lock on that to keep us off, as we were carrying water bottles in our haversacks for any emergency.

I suppose the Germans knew at this stage they had to obey anyway, but we tried to be as nice to them as possible, and as far as I know, we never gave them any trouble.

One thing I wondered about when we got word that the war had ended, was how little it moved me. It did not make me happy or sad; funnily enough, everyone in our regiment felt the same. In the war years, we got used to everything and we thought this was going to be our life until we die. Sometimes I wondered, 'Was it all a dream, or was it wishful thinking that peace was here to stay'. I also used to think, 'Well, what did we really gain by all the bloodshed, here and at home? Did this war help in any way?'

When I was coming home after my discharge, I felt in one small measure glad I had a part in it, and hoping it was a 'War to end all wars'. After all that loss of life and limb, as far as I could make out, neither side won. My thoughts were that our side was worse off, although we won the war. When I got back home to Ness, there was a 'Spiritual Awakening' amongst the people, but as far as I was concerned, my heart was hardened. Neither bullets nor dirt or hunger or cold or anything had any effect on my life, if anything, I was worse than before. But the still small voice of the gospel soon remedied that, and my heart was broken and brought under the Love of our Lord Jesus Christ our Saviour.

It was just before my discharge in Germany, when we were preparing for coming home that Donald Smith from Stornoway told me about the *Iolaire* disaster, as he had got hold of a newspaper, somehow. As we read it together, we tried to imagine everyone's feelings when they were so near their homes.

thachair ann an sin – aig an doras, mar gum biodh.

Bha mi smaoineachadh air an t-slighe dol dhachaigh dè seòrsa coinneachadh a bhiodh agam aig an dachaigh. Bha mo phàrantan beò le chèile, agus ri smaoineachadh cho duilich 's a bhiodh e dhomh coinneachadh na pàrantan aig na gillean chaidh a chall anns a' bhaile, 's anns an sgìre ann an Nis. Shaoilinn gu robh rudeigin a' cantainn rium, 'Och, cha bu chòir dhutsa bhith beò a bharrachd. Seall, chan eil dad dhan a' bhuidheann gam buineadh thusa, 's e sin an aois ga bheil thu, 's bha dol dhan sgoil còmhla riut, 's a dh'fhàg an dachaigh man a dh'fhàg thu fhèin.' - uair is uair a' smaoineachadh an robh e fìor na chaidh mi troimhe; an e an fhìrinn a bh' ann no an e bruadair a bh' ann'. Cha robh adhbhar sam bith ann dhòmhsa bhith fo iomagain, chanadh iad uile rium gu cridheil, càirdeil.

Tha mise nise ceithir fichead bliadhna 's a còig agus tha mi 'n dòchas nach fhaic mise tuilleadh cogadh dhan t-seòrsa ud. Tha cogadh ann agus feumaidh sinn uile dhol a sàs ann, ma tha cùisean dol a shoirbheachadh leinn nuair a dh'fhàgas sinn an saoghal a tha seo. Chan eil sinn ann an seo ach ùine ghoirid 's feumaidh sinn ullachadh airson falbh, agus tha e anns an t-soisgeul na tha dhìth oirnn airson an fhalbh a tha sin. Tha mi a' guidhe a h-uile soirbheachadh dhuibh gu litireil 's gu spioradail agus tha mi' n dòchas gun cuidich an teip seo leibh.

On the homeward journey, I was thinking of what kind of meeting I would have with my loved ones. My mother and father were alive, but going to meet the parents of the boys who did not survive, somehow I did not relish it. It was as if something inside was saying, 'You should not be alive either, seeing there's not many of your age group left now – why did you come back when our son didn't?' I should not have had these thoughts, as everyone I met was so very glad to see me back safe and sound.

I am now eighty-five years old and I hope I'll never hear of a war such as that again. While we are left in this world we will have to fight a spiritual war to help us prepare for when we leave it, we are only here for a short while, and all we need, we can find in the Word of God, 'The Bible'.

I wish you prosperity, literally and spiritually, and hope this recording will help you in your historical research.

Uilleam Aonghais Goistidh

William Murray, 15 South Dell

Bha Uilleam anns an RNR agus bha e mu ochd bliadhna deug nuair a chaidh a ghairm aig toiseach a' chogaidh. Bha e an toiseach anns a' Phersian Gulf, agus às dèidh sin anns

a' Mhediterranean far an deach an soitheach air an robh e a chur fodha le torpedo. Thàinig e tron a' chogadh agus bha e greis ag obair air Glìob Bharabhais. Ann an 1926 phòs e Cairstìona Mhoireasdan, 4 Dail bho Dheas. Bha ise cuideachd air a bhith aig an iasgach ann an Stronsay còmhla ri Uilleam nuair a thòisich an cogadh. Thug i dhuinn an cunntas beag seo aig deireadh nan Seachdadan:

"Bha mi ann an Stronsay nuair a bhathar gan togail agus 's e Uilleam an duine a b' òige a chaidh a thogail an latha sin. Sin an trup mu dheireadh a chunna mi mo bhràthair fhìn, Dòmhnall, a chaidh a chall anns an Fhraing air 5 An Cèitean 1915. Cha robh e càil ach an dèidh dhol ann agus chan fhaca sinn e tuilleadh. Chan eil mòran ann an-diugh a bha còmhla ris. Bha e mu dhà bhliadhna na bu shine na mis'. Bhitheadh e mu fhichead bliadhna."

Tha cunntasan oifigeil a' chogaidh ag innse gun chaill Cairstìona dà bhràthair anns a' Chogadh Mhòr, Murchadh aig Flanders air 9 An Cèitean 1915, agus Dòmhnall aig an Somme anns an Dàmhair 1916.

Bha Dòmhnall, bràthair Uilleim, anns an RNR aig àm a' chogaidh agus rug an dara cogadh air, cuideachd.

Bhàsaich Uilleam ann an 1982 aig aois 85. Chaochail Cairstìona ann an 1981.

William was in the RNR and was around eighteen years old when he was called up at the beginning of the war, serving first in the Persian Gulf and then in the Mediterranean where the ship he was on was torpedoed and sunk. He survived the war and worked for many years on the Barvas Glebe.

In 1926 William married Christina Morrison, 4 South Dell. She had also been at the fishing in Stronsay with William when war broke out.

She recalled back in the late 1970s: "I was at Stronsay the day they were called up - William was the youngest. That was the last time too that I saw my own brother, Donald, who was lost in France on 5 May 1915. He had only just gone there – there are not many around today who were with him. He would have been around twenty years – two years older than I was".

[The war records show that Christina lost two brothers in the Great War, Murdo on 9 May 1915 in Flanders and Donald at the Somme in October 1916.]

William had a brother, Donald, in the RNR in WW1 who was also on active service in World War 2.

William died in 1982 at age 85. Christina died in 1981.

'Sann ann an 'Stronsay' a bha mise an uair a thòisich e. Cha robh mi ochd-deug an uair sin. Chaidh ar togail ann a sin sìos a Phortsmouth dha na 'Barracks', 's ar tilleadh air ais a-rithist an oidhche sin fhèin. Bha sinn aig an taigh fad seachdain an uair sin mus deachaidh ar cur air falbh a-rithist … 's ann a 'Chatham' a chaidh sinn. Bha sinn ann an sin gus an deachaidh ar 'draftadh' – feadhainn an taobh seo 's an taobh ud dhiubh, agus 's ann air a' *Ghanges* a chaidh mise an uair sin, 's bha gu leòr de bhalaich Nis innte, ach cha chreid mi gu bheil mòran dhiubh beò an-diugh, fhad 's is aithne dhòmhsa. Bha Anndra Tharmoid Sheumais, 's Dòmhnall Beag Tharmoid Chaluim, Aonghas Beag an t-Sasannaich, 's Ailean an Deicear – Ailean Dhòmhnaill Tuathanaich … ann.

Nuair a chaidh mo chur air falbh a-rithist, 's ann a-mach dhan a' Phersian Gulf, agus bha mi leth-bhliadhn' ann a sin – eadar sin agus bliadhna. O, bha e teth. Bha mi dol suas am Persian Gulf, toirt a' 'steamer' suas, 's a' toirt a-nuas leòntaich, 's dhan toirt dhan ospadal, sìos gu 'hospital ships'. Cha deigheadh na 'hospital ships' mhòr suas ann. Bha tòrr teasach ann 's bhitheadh iad a' faighinn 'injections' air a shon.

Thàinig mi nuas dhan a' Mhediterranean an uair sin. Ann a sin, chaidh an soitheach as an robh mi fodha. Chaidh 'torpedo' innt' air feadh na h-oidhche, 's bha h-uile duine a' rànail 's a' sgriachail. Cha deach mòran a shàbhaladh. Chaidh i sìos cho aithghearr – dìreach na dà leth. Shàbhail mis' co-dhiù, ach cha robh mòran beò dha na chaidh a thogail. Bha sinn cho fada anns a' mhuir. Chan eil càil a chuimhn' agam dè 'n t-ainm a bh' air an t-soitheach. 'S e tè de na, 's e Ketigal Mail Line??? anns an robh mi an uair ud. Cha chuimhnich mi 'n-dràsta dè 'n t-ainm a bh' oirr' – 's e ainm Arabach air choreigin a bh' ann. Bha mi fhìn 's balach Welshach oirre, ach chaidh esan a chall. Cha deach a thogail idir.

Chaidh mi an uair sin a chruiser bha staigh an Alexandria, a' *Hannibal* a bh' ann a sin. Ah, bha mi greis air an tè sin, bha – 'n uair sin aig Port Said a-rithist. Bha gus na sguir an cogadh a-mach 's a-steach às. Thàinig sinn an uair sin a-null a Shasainn. Fhuair sinn an sin 'demob'.

I was working in Stronsay when the war began – not quite eighteen then. We were called up and sent down to Portsmouth to the Barracks but were sent back home the same night. We were at home for a week before going to Chatham to be drafted to different places. I was placed on the *Ganges* [HMS *Ganges* was a shore training base]. Many Ness boys were there but as far as I know not many of them are alive today. Amongst them were, *Tarmod Anndra Sheumais, Dòmhnall Beag Tharmoid Chaluim, Aonghas Beag an t-Sasannaich, Ailean an Deicear* and *Ailean Dhòmhnaill Tuathanaich.*

When I was sent away again it was to the Persian Gulf. I was there about six months, maybe up to a year and, my, it was hot. We used to steam back and fore in the Gulf taking the wounded to the hospital ships. The big hospital ships could not go up into the Gulf. Fever was extensive in that region and everyone was immunised.

I was then sent to the Mediterranean. The ship I was on was torpedoed at night and sunk. All we could hear were screams and cries as our ship broke in two and went down very quickly. I was saved but not many of the crew survived as we were a long time in the water before being rescued. I cannot remember the name of the ship. I was in one of the Ketigal(?) Mail Ships at that time. I cannot remember the name just now – it was a kind of Arabic name. I remember a Welsh man who was with me but he was lost.

I then went on a cruiser called the *Hannibal* at Alexandria. I was on it for a while. We were in and out of Port Said till the end of the war. We then came back to England and were de-mobbed.

Dòmhnall, mac Iain Dh'll Duinn

Donald Murray, 6 South Dell

Rugadh Dòmhnall ann an 1899 agus cha robh e ach seachd-deug nuair a chaidh e an lùib nan Seachdamh Sìophortaich ann an 1917. An dèidh trèanaigeadh, chaidh a chur dha na trainnsichean san Fhraing far an robh e airson sia mìosan, dìreach aig àm Ionnsaigh Earraich nan Gearmailteach ann an 1918. Chaidh a leòn as t-Fhoghar nuair a bha feachdan Bhreatainn a' tighinn air adhart, agus chaidh a chur a dh'ospadal ann an Sasainn. Bha e an sin airson dà bhliadhna.

Cha robh Dòmhnall pòsta idir agus bhàsaich e anns an Dùbhlachd 1983 nuair a bha e ceithir fichead bliadhna 's a ceithir.

Donald was born in 1899 and was just seventeen when he joined the 7th Seaforths in 1917. After training, he was sent to the trenches in France where he spent six months, just at the time of the German spring offensive of 1918.

Wounded in the autumn, as the Allies advanced, he was sent back to hospital in England where he remained for over two years. Donald was unmarried and died in December 1983 aged 84.

Cha robh mi ach seachd-deug … thug mi sia mìosan ri trèanaigeadh ann an Cromarty. Às dèidh sin chaidh sinn à sin dhan a' Fhraing … Agus, uill, bha sinn ri dol mar sin a-mach 's a-steach às an trainnse. A h-uile seachd latha bhiodh sinn ri faighinn dheth.

Thug mise sia mìosan innt' … 's chaidh mo leòn ann a September 1918.

Bha sinn an uair ud aig a' 'front' ann an Ypres agus thàinig sinn an uair sin air ais a Shasainn agus bha mi ann an Leeds.

Thug mi dà bhliadhna ann eadar Leeds agus Malting … ann an Sasainn …

Chaidh ar shuftadh nuair a chaidh an t-ospadal sin a dhùnadh. Chaidh sinn an uair sin a chur a Newcastle upon Tyne. Fhuair mise 'discharge' ann a sin.

Bha cùisean cruaidh anns an trainnse. Bha e na bu chruaidh na tha beachd aig duine sam bith air, agus tha cuimhne agam air an latha a chaidh mo leòn. Bha sinn gun bhiadh fhaighinn airson trì latha. Bha deoch gu leòr againn ach cha robh biadh, 's cha robh sgeul air càit an robh sinn. Nuair a fhuaireadh sgeul air càit an robh sinn 's ann a fhuair sinn biadh. Chaidh mise leòn as a' mhadainn 's mi a' riarachadh na bracaist, ceathrar man a' lof – sin an dèidh 's a bhith trì latha gun chàil fhaighinn.

I was only seventeen. I spent six months training in Cromarty and after that we went to France into the trenches. We were just going on in the same routine – in and out of the trenches. Every seven days we would get time off.

I was in the tranches for six months until I was wounded in September 1918. At that time we were on the front line at Ypres. I returned to England to Leeds and spent two years between Leeds and Malting. When that hospital closed I was moved to Newcastle-upon-Tyne. I was discharged there.

Life was hard in the trenches – harder than anyone can imagine. I remember the day I was wounded. We had been without food for three days. We had plenty to drink but no food and no one knew where we were. I was wounded in the morning whilst preparing breakfast which consisted of one loaf between four. And that was after having nothing for three days.

Murchadh Rob

Murdo Mackay, 8 Mid-Borve

Bha Murchadh ochd bliadhna deug agus bha e anns a' Mhailisidh nuair a thòisich an cogadh. Chaidh a leòn aig an Somme, agus a-rithist aig Arras. Aig deireadh a' chogaidh dh'fhàg e an t-Arm, 's gun aige ach an t-aodach a bh' air a dhruim agus an raidhfil a shàbhail a bheatha fad nan ceithir bliadhna a bha e san trainnse. Thill e a Leòdhas airson ùine ghoirid ach fhuair e a-mach nach robh cothroman cosnaidh ann. A' faireachdainn caran mì-mhisneachail, dh'fhàg e an t-eilean agus rinn e a shlighe a Ghlaschu ann an 1919 far an robh e a' fuireach còmhla ri antaidh. Chuir e a-steach airson obair ann an seirbheis a' phoilis ann an Glaschu ann an 1920. Fhuair e an dreuchd agus bha e na phoileas an sin gus na leig e dheth a dhreuchd ann an 1950. Thill e air ais a Leòdhas an uair sin còmhla ri a bhean, Murdag, agus an dithis bhalach aca. Bhàsaich Murchadh ann an 1983, 's e ceithir fichead bliadhna 's a h-ochd.

Bha mi aig an iasgach na mo bhalach – cha robh mi ochd-deug. Thàinig an cogadh 's chaidh ar togail air falbh gu Fort George – bha sinn as a' Mhailisidh. Thug sinn dhà no trì làithean ann a' Fort George, 's chaidh ar cur a-null a Chromartaidh. Agus abair àite, Cromartaidh. Cha robh àite ann as an caidleadh sinn. Co-dhiù, chuir iad an àirde teantaichean beaga a-muigh air an dùthaich, am measg nan tuathanaich agus chaidh ar cur dha na teantaichean sin – na ghabhadh an teant, cha robh diofar. Man bu mhotha bh' anns an teant, 's ann bu bhlàithe bha i.

Chaidh ar taghadh ann an sin – an fheadhainn a b' òige, 'under 18', fhuair iad dhachaigh. Cha robh còir an togail dhan Mhailisidh co-dhiù, gum biodh iad ochd-deug. Chuir iad an àirde hutaichean an àite eile dha Cromartaidh – chaidh ar cur an sin 's cha robh leapannan ann – nar suidhe ris a' bhalla. Cha ghabh e eachdraidh a dhèanamh air – bha e duilich, 's tha mi na fhaicinn fhathast man a bha e riamh. Balaich òga, cha robh e cur càil orr', cho fad 's nach robh an t-uisge nad bhàthadh. Thàinig leapannan, 's bha dithis no triùir san aon leabaidh. Fhuair sinn plaide no dhà an duine. Cha b' e leabaidh a bh' ann ach fiodh, pìosan fiodh 's bha thu cur sin air an làr 's bha treasail fodhpa, 's cha robh air ach leabaidh cheart a dhèanamh dhe na bh' ann.

Murdo was 18 and in the Militia when the war started. He was wounded at the Somme and again at Arras. At the end of the war he left the Army with little more than the clothes on his back plus the rifle that saved his life during four years in the trenches. He returned to Lewis for a short time only to find that there was little there for him. Disillusioned he left the island and went to Glasgow in 1919 and stayed with an aunt until he applied for a job with the City of Glasgow Police Force in 1920. He was accepted and remained in the force until he retired in 1950. After his retirement he returned to Lewis with his wife, Murdina, and two sons.

Murdo died in 1983 at the age of 88.

I was at the fishing as a youngster of eighteen years of age when war broke out. Being in the Militia, we were called up and sent to Fort George. We were there for two or three days and then we were all sent to Cromarty. Some place Cromarty! There were no sleeping quarters there. Tents were set up in the countryside beside farms – the tents shared by as many as possible – the more in the tent the warmer we were.

The under 18s were sent home – they shouldn't have joined the Militia until they were eighteen in the first place. Huts were built later on at Cromarty and we were given accommodation there. There were no beds in these huts – we just sat with our backs to the walls. The conditions were awful, but at that time, being young, we didn't think anything of it. When beds were eventually provided, they were shared – two or three to one bed. The so-called beds were just planks of wood on the floor and we were given a couple of blankets each.

Then they started to take us to France in groups - when I think about all these young boys who joined the Militia, being shipped across to France. We were so young and

Thòisich iad nar toirt air falbh, nar toirt dhan a' Fhraing. 'S e bh' agam cho beag 's a bha e cur oirnn – na bha sin a' bhalaich òga, balaich a' Mhailisidh, man a chaidh an togail, bha a h-uile duine ann a siud 's gun chàil ann dhaibh, ach bha am biadh ann – seòrsa biadh a bh' ann - cha robh e gu diofar. Ach, co-dhiù, bha sinn a' dèanamh glè mhath. Bha iad a' falbh gu "steamer" ann an Cromartaidh, dol a-null gu Invergordon, às a sin gu Inbhir Nis 's sìos a Shasainn. Cha robh sinne faicinn an còrr dhan a' chrowd – bha mis' as a' chrowd òg, 's cha robh chiall agam co-dhiù.

An fheadhainn a bha falbh – aon dà fhichead as a' chrowd - bha sinn gam faicinn dol sìos an rathad ann an Cromartaidh, ma chuala sibh riamh mu Leathad Chromartaidh. Co-dhiù, bha sinn gan leantainn ann an sin, dol a chantainn 'cheerio', 's nar beachd fhèin a' gabhail òrain – na h-amhrain a bh' ann – tilleadh air ais gu na hutaichean.

Thug mis' ann an sin bho 'August 1914 gu May 1915'. Dh'fhalbh mi dhan a' Fhraing ann an 1915, 's chaidh mi còmhla ri pàirt dha na balaich a dh'aithnichinn – 'Seaforths'. Cha robh mi fhathast ciallach. Chaidh ar sgapadh dha na trainnsichean, cha robh ciall eagail unnainn – 's bha na peilearan a' dol man na clachan-meallain. Cha robh ciall aig duine chrùbadh e air a shon! Dh'ionnsaich sinne tro thìde dè

bu chòir dhuinn a dhèanamh.

Am 'Battle of the Somme' - 's e sin a' chiad bhlàr anns an robh sinn. Bha na peilearan man na clachan-meallain, man a thuirt mi ma thràth. Daoine tuiteam, 's chaidh mise leòn – cha robh mi ach timcheall air dhà no thrì uairean a thìde air a dhol 'over the top', man a chanas sinn, nuair a fhuair mi am peilear - tha toll as a' ghàirdean fhathast - cha do dh'fhairich mi e – 's e an fhuil a chunna mi ruith sìos mo ghàirdean - 's bha duine tuiteam an siud 's an seo 's 'all over'. Bha 'crowd' a' tighinn às ar dèidh (Red Cross) airson sealltainn às dèidh leòintich – ag innse dhuinn far an deigheadh sinn airson 'first-aid'. Chaidh sinn ann an sin 's thachair sinn ri feadhainn dha na balaich ri dol suas, dol a ghabhail ar h-àite – chan fhaca mise bhon uair sin iad. Tha cuimhn' agam air aon bhalach à Borgh, dh'aithnichinn glè mhath air an àirigh e - Calum Phàdraig -'s bha iad a' gabhail am biadh aig an àm agus thàinig e thugam le biadh dhan a bh' aige fhèin, agus ghabh mise e glè thoilicht'. Co-dhiù, cha robh air ach gabhail air falbh chun a' 'first-aid', ach càil a b' iongantaich dhe na Gearmailtich a bha na do mharbhadh, 's bha thusa ri marbhadh, bha iad còmhla riut ann an sin 'as one of ourselves'. Cha chanadh tu gu robh 'spite' na càil den t-seòrsa sin ann – an aon 'treatment' 's a bha sinne faighinn.

ignorant, it didn't bother us much. We had food, if you could call it that. They were taken by steamer from Cromarty to Invergordon, from there to Inverness and from Inverness to England. I was in the young crowd. We used to watch a group of forty or so marching down the Cromarty Brae. We would go down to say cheerio to them – singing songs and then returning to the huts.

I was in Cromarty from August 1914 until May 1915. I was sent to France in 1915 along with the boys I knew from the Seaforth Regiment. We were sent to the trenches. I was so young and unafraid – the bullets were being fired like hailstones all around me. We were so ignorant, we didn't even try to dodge the bullets. Through time we began to learn the ins-and-outs of war in the trenches.

My first real experience of war was the Battle of the Somme. As I said before, the bullets were coming towards us like hailstones. Men were falling all around us and I was wounded. I was only "over the top" for 2 to 3 hours when I got hit by a bullet in the arm. I didn't feel a thing at the time. I just noticed blood pouring down my arm. A group from the Red Cross were following behind to help take the

wounded to special places for first-aid. I went along to get first-aid and on the way there met some of the boys who were going to replace the dead and the wounded. That was the last time I saw them. One of them was a boy I knew really well on the shieling – "Calum Phàdraig" – he offered some of the food he was eating at the time, which I took gladly. I found it rather strange that once you arrived at the first-aid quarters, the Germans who were wounded also being treated there as one of ourselves. There was no spite towards the enemy – everybody received the treatment.

I landed in a hospital in England. I shall never forget the day I left France by steamer. We didn't go on board via the gangway, instead we boarded by crane! I got a lovely welcome in Liverpool. The young nurses gave me a bath and I ended up in a bed there for a long time. The bullet was lodged in a bone and they kept the wound open, hoping that it would dislodge. This prolonged the healing and I was there for almost six months – I had a good holiday! Anyway, I had very little strength and my hand was deformed. I was sent back to Cromarty, but it was a changed place by then. Good accommodation with proper beds. There were several

Co-dhiù, 's ann an Sasainn a landaig mise as an ospadal – 's cha do dhìochuimhnich mi riamh nuair chaidh mi dhan 'steamer' san Fhraing – chaidh ar togail air crana – cha b' ann air 'gangway' – steach sìos dhan 'steamer' – co-dhiù, landaig mi ann an Liverpool – agus abair gun d' fhuair mi 'welcome' ann a sin. Agus fhuair mi 'bath' - cha do rinn mi riamh co-dhiù dìochuimhn' air, 's e clann-nighean a bha ag obair an sin – nursaichean. Fhuair mi 'bath' 's chaidh mo chur ann an leabaidh – thug mi ùine mhòr mas do shlànaich an leòn a bha seo – chaidh am peilear dhan chnàimh, 's cha tàinig e mach air an taobh eile idir, 's cha ghabhadh e slànachadh. Bha iad a' cumail an toll a bha seo fosgailte. Fhuair mise 'holiday' mhath às – cha deach mi dhan Fhraing tuilleadh gu faisg air sia mìosan co-dhiù, fuireach ri seo slànachadh, 's bha làmh cam, co-dhiù, 's cha robh neart agam, agus chaidh sinn air ais a' Chromartaidh, ach cha b' e an aon Chromartaidh a bh' ann. Bha a h-uile càil cho ùr 's cho math, agus leapannan ceart, 's bha balaich còmhla rium an sin – balaich Dhòmhnaill Aonghais à Cros –dithis aca ann, Stiùbhart a' Ghoill, Dick an t-Siaraich – chan eil iad beò ach mi fhìn.

Nuair fhuair mi ceart ann an sin, chaidh mo chur a-mach dhan Fhraing a-rithist – sin a 'system' a bh' ann, co-dhiù, cho luath 's a gheibheadh tu ceart - a-mach à seo thu. Cha b' ann

dhan aon 'bhattalion' a chaidh mi, chan aithnichinn duine bh' ann – bha a h-uile càil "alright", cha robh sin gu diofar, 's chaidh sinn an uair sin a thrèanaigeadh mach sìos am measg na Frangaich. Ciamar rinn sinn a' chùis, a bhith bèo as a' pholl 's an fhuachd – cha tàinig cnatan orm – cha robh cnatan a' tighinn air duine bh' ann. Bha thu nad sheasamh seachd latha as an trainns a' coimhead na uèirichean as a' 'front line'. Bha na bha thalamh as an trainns' air a thighinn an àirde, 's bha toill againn air a dhèanamh as an trainns' gus am faiceadh sinn nan tigeadh duine ac' – bha iadsan le 'barbed wire' ac' man a bh' againn fhìn, 's chan fhaigheadh dol às ann.

Cha robh air co-dhiù, staig mise mach e, '2nd Battle of Arras' agus fhuair mi leòn sa làmh sin, cha robh mòran ann. An latha chaidh ar leòn 's bha sinn tighinn chun an RAMC, agus thàinig sinn tarsainn air an 'dug-out' a bha seo anns an robh sia duine deug de Ghearmailtich air falach ann, Chunna sinn an gunna aig fear ……. ruith sinne 's chaith an trainns anns an robh sinn a' coiseachd, agus chunna sinn an fheadhainn a bha 'dressigeadh' na leòintich agus dh'èigh sinn. Co-dhiù, thàinig an dotair 's dithis no triùir eile agus dh'èigh e sìos dhan 'dug-out', mar gun deigheadh tu gu bàrr na staidhre an sin. Thàinig iad an àirde, fear an dèidh fear – sia deug. Dh'fhalbh feadhainn againn leotha nam prìosanaich. Tha na rudan sin air m' inntinn man a bha e riamh, man gur ann an-dè a bh' ann.

Bha sin an dàrna leòn agamsa ach cha tug mi fad aig an taigh – chaidh mi a Chromartaidh a-rithist. Cha robh air ach a-mach dhan a' Fhraing a-rithist airson an trìtheamh uair. Chrìochnaich mi an cogadh ann an sin agus cha d' fhuair mi "scratch" tuilleadh. Rinn sin a' chùis dhòmhsa. Bidh mi cuimhneachadh air an fhuachd agus an dòigh air an robh sinn beò. Thug mise an uair sin faisg air bliadhna gun chàil tachairt rium. Mach 's a-steach às na trainnsichean.

boys there that I knew: sons of *Dòmhnall Aonghais* from Cross, *Stewart a' Ghoill, Dick an t-Siaraich* were all there. They have all died since. I think I am the only one of that crowd alive today.

As soon as I had recovered I was sent back to France. I didn't join the battalion I was with previously – it was a totally different one and I did not recognize anyone. Everything was fine and we were sent to train with the French.

I wonder how we survived the conditions in the trenches. No one caught the common cold, despite being knee-deep in mud and the cold weather. You stood in those trenches for seven days, staring at the barbed wire at the front line. The trenches were deep, we dug holes in them and we could see when any Germans approached us. They also had barbed wire.

I served in the trenches throughout the Battle of Arras, and I was slightly wounded in the hand. On the way to the dressing station we came across sixteen Germans hiding in a dug-out. We saw a gun pointing at us and made a run for it along the trench. We managed to get to the dressing

station and we reported what we had seen. A doctor and two or three of our soldiers went to investigate and discovered the sixteen crouched together in one place and they were all taken prisoner. I can still visualise it all as if it were yesterday.

That was my second injury, but I did not spend any time at home. I was sent back to Cromarty, and then for a third time back to France. I spent the rest of the war there without getting a scratch! I often think of the cold conditions and the way-of-life we had to put up with. At that time I spent a whole year in the trenches without any mishaps.

Ruairidh Dhòmhnaill Mìcheil

Roderick Graham, Baile Geàrr and Burnside, Borve

Bha Ruairidh anns an Nèibhidh fad a' Chiad Chogaidh. B' e a' chiad soitheach air an robh e, HMS *Otway*, a chaidh a h-atharrachadh bho loidhnear gu bàta marsanta armaichte. Bhiodh i a' seòladh air slighe a bha air leth cunnartach, eadar Breatainn agus Innis Tìle. Chaidh a togail ann an Gàrradh Fairfield ann an Glaschu 's a cur air bhog ann an 1909.

Chaidh a cur fodha le torpedo bhon t-submarine Ghearmailteach UC-49 faisg air Rònaigh air an 23 den Iuchar 1917 agus chaidh deichnear den chriutha a chall. Bhuineadh co-dhiù seisear aca do Leòdhas, nam measg, Murchadh Dòmhnallach à Eòrodal. Bha Ruairidh den bheachd gum buineadh naodhnar den deichnear a chaidh a chall do Leòdhas.

Bha Ruairidh anns a' Chabhlach Mharsanta anns an Dara Cogadh agus lean e air a' seòladh an dèidh a' Chogaidh. Bhàsaich Ruairidh anns a' Chèitean 1980, aois 82.

Roderick served in the Royal Navy throughout the Great War. His first ship was HMS *Otway*, an ocean liner of 12,077grt requisitioned by the Navy and converted to an armed merchant cruiser engaged on the dangerous Northern Patrol between Britain and Iceland. Built by Fairfield Shipbuilding and Engineering Company of Glasgow and launched in 1909, the *Otway* was torpedoed and sunk by the German submarine UC-49 in the North Atlantic near Rona on 23 July 1917, with the loss of 10 lives. At least six of the lost were from Lewis including Murdo Macdonald, Eorodale. Roderick thought nine of the ten lost were from Lewis.

Roderick served in the Merchant Navy during World War II and continued at sea after the war. Roderick died in May 1980 at age 82 and is interred in Galson Cemetery.

Bha mise ochd bliadhna deug nuair a chaidh mi ann – 1914 – 's ann dhan Nèibhidh chaidh mise. Chiad soitheach dhan deach mi - an *Otway*. Bha 'crowd' math Nisich innt'. Chaidh feadhainn aca chall - Murchadh Tharmoid Bhuidhe - chaidh esan a chall innt' - Murchadh Fhionnlaigh, 's an Tìgear, agus an Caolan à Gabhsann - fhuair iad sin aist'.

Chaidh naodhnar a chall innt' de mhuinntir Leòdhais gu lèir.'S ann a-mach bhon Bhutt a thachair seo - 's e soithichean a thàinig a-mach à Steòrnabhagh a thog na 'survivors'.

Bha mis' as a' Nèibhidh gu 1919 - thug mi na còig bliadhna innt'. 'S ann air Northern Patrol bha sinn fad na tìde. Fuachd bu mhotha bha tachairt rinne – shuas taobh Iceland 's cho fada ri Greenland am measg na h-'icebergs'. Bha sinn tighinn a ghabhail 'bunkers' a h-uile dà mhìos steach a Scapa Flow.

Nuair a chaidh i [Otway] às an rathad an seo 's ann à Loch Iùbh a dh'fhalbh i. Tha mi creids' gur e an soitheach dol às an rathad bu mhotha lean riumsa. Chunna mi tòrr a bharrachd as a' chogadh mu dheireadh.

Bha mi ann a' Chatham nuair a chaidh a bhomaigeadh - chaidh tòrr a mharbhadh an oidhch' ud as na 'barracks' ann a' Chatham. Chaidh sia duine fichead a mharbhadh ann a' Chatham an oidhch' ud. Leag iad trì bomaichean as na 'barracks' - 'one after the other' - bha 'pipe-band' as na 'barracks' an uair ud 's chaidh a h-uile duine ac' a mharbhadh ach am 'Pipe Major'. Bha dithis à Leodhas as a' 'phipe-band' cuideachd - ann an 1916. [Tha e coltach gur ann a thachair seo air 3 An t-Sultain 1917]

I was 18 when I joined up in 1914 and I went into the Navy. The first ship I joined was the SS *Otway* and there were quite a few Nessmen on her. Some of them were lost – *Murchadh Tharmoid Bhuidhe* was one. *Murchadh Fhionnlaidh' 'an Tìgear'* and the '*Caolan*' from Galson survived.

Altogether, nine men from Lewis were lost on her. This happened off the Butt and the survivors were picked up by ships from Stornoway. The ship had left from Loch Ewe.

I spent five years in the Navy, until 1919. All that time I was on the Northern Patrol. It was the coldest weather I ever experienced, up towards Iceland and as far as Greenland, among the icebergs. We returned to Scapa Flow every two months for supplies.

The sinking of the ship was the thing that remains most vividly in my memory. I remember more about the last war. I was in Chatham the night it was bombed and 120 people were killed in the barracks that night. Three bombs were dropped one after the other and the pipe-band stationed there at the time were wiped out, apart from the pipe major. There were two men from Lewis in the pipe-band. This happened in 1916. [Roderick is probably referring to the Chatham bombing of 3 September 1917].

HMS *Otway* and four of her crew. Angus Macleod, (*An Caolan*), 34 South Dell (later 36 South Galson) is on the left and is referred to by Roderick; the identity of the other three has not been established.

Ruairidh MacAsgaill, 23 Siadar Iarach

Roderick Macaskill, 23 Lower Shader

Bha Ruairidh anns an dà chogadh. Anns a' chiad fhear, bha e ann an Roinn nan Tràlairean san RNR. Chaidh an toiseach a chur air tràlair a bha a' toirt taic do na convoys timcheall air Arcaibh agus Sealtainn. Bha e a-rithist air tràlairean armaichte deas air Èirinn agus anns a' Chaolas Shasannach. Bha dà bhràthair dha anns a' Chogadh cuideachd. Chaidh Iain a mharbhadh san Fhraing air 22 den Dùbhlachd 1914. Bha Murchadh san RNR agus bha e air an t-soitheach 'Q', *Oceanic II*, a chuir fodha submarine Gearmailteach anns a' Chuan a Tuath ann an 1915.

Bha Ruairidh anns an RNR a-rithist san Dara Cogadh.

Roderick served in the two world wars. In WWI he was called up to serve in the RNR Trawler Section. His first draft was to a trawler on convoy support duties around the Northern Isles. Later he was transferred to armed trawlers operating around the south of Ireland and the English Channel. Two of his brothers were also on active service. John was killed in action in France on 22 December 1914. Murdo was in the RNR and was on the 'Q' ship *Oceanic II* which attacked and sank a German submarine in the North Sea in 1915. In the Second World War Roderick also served in the RNR.

Bha mi ochd-deug – fhuair mi fios agus bha tòrr an uair ud dol dhan 'trawler section'. 'S ann a Chromartaidh chaidh mi agus fhuair mi 'trawler' mòr. Bhiodh sinn a' dol suas Orkney 's Shetland – abair 'rough'. Thug mi greis dha mo bheatha as an 'trawler' sin, 's fhuair mi 'shift' 's chaidh mi do 'thrawler' eile. Ràinig sinn Èirinn – thug sinn greis an Èirinn –'s thàinig sinn a-nall agus 's ann a fhuair mi 'shift' eile. Chaidh mi dhan a' *Glatian* – 'trawler' mòr eile – bha mi greis mhath as an tè sin – ag obair gus na sguir an cogadh,– null 's a-nall an Channel.

Bha mi anns an dà chogadh 's cha robh duine à Nis còmhla rium ann an aon soitheach san robh mi.

Chaidh bràthair dhomh a mharbhadh as an arm an 1915, aig Christmas – 's e 50/66 a 'number' aige as an arm. Cha do thachair càil rium anns a' chogadh.

Bhiodh e fuar dol suas a Khirkwall – thigeadh an t-òrdugh, 'Anchor at Wide Wallsbay till further orders'. Cha bhiodh sinn ach ma uair a thìde ann, 'Meet another convoy', abair 'rough' shuas a siud.

Nuair a chaidh mise don 'trawler', 's e Bucach a' sgiobair a bh' air. Chiad dà oidhche cha robh dragh agams' ged a shadadh iad a-mach air a' mhuir mi, man a bha mi le cur-na-mara. Cha robh mise riamh aig muir gu siud, ach bho fhuair mise seachad sin, bhithinns' coma, cha do chuir cur-na-mara ormsa tuilleadh.

I was called up at the age of 18 and like many of the boys went to the trawler section. I was sent to Cromarty where I joined a trawler and we operated round the coast of Orkney and Shetland, in very rough seas. I was on that trawler for quite some time till I was transferred to another one which took me to Ireland. We were there for a while before transferring to a trawler called *Glatian*. I spent quite some time on that one, back and fore in the Channel till the War ended.

I was in two Wars. Unfortunately there was no-one from Ness with me on any of the ships I served on.

I had a brother who was killed in action in 1915 [December 1914]. His armband number was 50/66. I was very fortunate nothing happened to me in the War.

It was a cold journey going up to Kirkwall. The command would then come: 'anchor at Wide Wallsbay', till further orders. We would have only anchored for an hour when confronted with another convoy. I can assure you those were rough times.

When I joined the first trawler the skipper was from Buckie. I'll never forget my first two nights with sea-sickness. I wished they had put me overboard. As I had never been to sea before, sea-sickness was a new thing to me, but once I got over it, sea-sickness was a thing of the past.

Alasdair Mhurchaidh Tharmoid
'Am Bucach'

Alexander Morrison, 10 and 38 South Dell

Tha cuimhne mhath aig Tarmod a' Bhocsair a bhith ag èisteachd ri sgeulachdan cogaidh a' Bhucaich – Alasdair Moireasdan à Dail bho Dheas.

Norman Campbell remembers the war stories of '*Am Bucach*'.

Am Bucach – Alasdair Mhurchaidh Tharmoid à Dail bho Dheas. Bhiodh e tighinn suas nuair a bha mise agus Alasdair, mo bhràthair, nar balaich bheaga, a chèilidh, agus bhiodh e ag innse dhuinn sgeulachdan mu dheidhinn a' chiad chogaidh. Bhiodh e seallltainn dhuinn le pàipear agus peansail man a bha na trainnsichean agus 'No Man's Land', man a chanadh e fhèin, an t-àite eadar na trainnsichean acasan agus trainnsichean nan Gearmailtich. Bha seo cur iongnadh mòr oirnne, 's mu dheireadh bhiodh sinn ag ràdh 's a' putadh a chèile nuair a nochdadh e: "Siuthad thusa, faighnich dha," "Siuthad thusa," 's bhiodh e gu bàsachadh a' gàireachdainn, fios agus cinnt aige dè bha sinn ag iarraidh, agus 's e stòraidhean mun a' chogadh agus rudan a thachair dha fhèin, 's tha cuimhn' agam dìreach air aon no dhà a dh'innseas mi dhuibh.

Am Bucach – *Alasdair Mhurchaidh Thormoid* from South Dell – used to visit us when Alasdair my brother and I were little boys and would tell us stories about the Great War. He would illustrate with pencil and paper the layout of the trenches and 'No Man's Land'- as he would say – that space between our trenches and the German trenches. We were amazed by it all and used to encourage one another; "You ask him." "No, you do it." He would be killing himself laughing, knowing well what we were after.

I remember some of the stories he had about the war, and about himself, and will try and relate them.

The first one truly shocked us. One night when he was on sentry duty, having been in France for two or three years – it was towards the end of the war – a Stornoway lad, an

Chiad tè, 's e rud a chuir fìor uabhas oirnn. 'S e aon oidhche agus e air a' "watch" 's bha e, tha mi smaoineachadh gu robh e air a bhith muigh as an Fhraing airson dhà no trì bhliadhnaichean – 's ann faisg air deireadh a' chogaidh a bh' ann. Thuirt e gu robh am balach òg seo à Steòrnabhagh, ochd bliadhna deug a dh'aois a bha e, an oidhche sin còmhla ris, air ùr thighinn a-mach dhan an Fhraing, agus gun deach peilear ann, 's gun mharbh am peilear e. Bha sinne le uabhas oirnn ag èisteachd ri seo agus dh'fhaighnich sinn dha gu dè a rinn e, agus 's e seo a thuirt e, "Dh'ith mi am 'Bully Beef' aige." 'S e sin am biadh a bhiodh iad ri faighinn, agus 's iongantach man a robh iad cho eòlach air a' ghnothaich, faicinn cuirp is rudan den t-seòrsa sin, 's bha e air a chruadhachadh ris. Chuir sin uabhas eagalach oirnn.

Uair eile bha e ann an cogadh eagalach, 's bha daoine tuiteam marbh air gach taobh dheth, agus chunnaic e fear a bha an ath dhorus dha fhèin a' tuiteam marbh – Tarmod Dholaidh à Dail – tha mi smaoineachadh gun thiodhlaic am Bucach Tarmod Dholaidh.

Uair eile bha e na ruith agus chunnaic e fear a bha seo na laighe leòint, 's thog e e – 's e duine mòr, làidir a bh' ann – thog e air a dhruim e agus ruith e leis gus na ràinig iad an 'casualty station', a' freasgairt air an duine bha seo.

An dèidh a' chogaidh bha piuthar dha pòst as a' Bhaile Àrd am Borgh, agus 's e am Bucach fhèin a thog an taigh. 'S e clachair a bh' ann, 's bhiodh e coiseachd suas a Bhorgh, 's bha bus Nèill Tharmoid Sheumais a' dol a Steòrnabhagh, agus thàinig am bus gu chùl – 's e Niall Tharmoid Sheumais a bha dràibhigeadh – agus stad e agus thuirt e ris a' Bhucach: "Leum a-steach." Thuirt am Bucach ris, "O, 's e mo charaid fhèin bheireadh ràighde dhomh." Agus thuirt Niall ris, "Well, 's fhada bho thug thu fhèin dhòmhsa ràighde." Dh'aithnich Niall gun e seo an duine ruith leis as an Fhraing chun a' 'station' a bha sin.

Ach sgeulachd eile, agus bha e na ruith a-rithist agus bha e bruidhinn air na peilearan – "fras", ars esan, "man fras chlach-mheallain" – agus rud a bha cur iongnadh air, 's e nach robh gin a' bualadh air, agus as spot a smaoinich e air a sin bhuail e ann, 's man a thuirt esan, chaidh e steach na dhruim agus a-mach air an taobh eile, agus thuit e agus bha sneachd ann. Chaidh am peilear a bha sin troimhe agus fhuair e air èaladh, chan eil fhios dè cho fada, mìltean, gu 'casualty station' a bh' aca an sin, 's tha mi smaoineachadh gun e sin deireadh gnothaichean dhàsan. Cha robh ach aon sgamhan ann …'s tha mi smaoineachadh gun e sin a thug bàs dha mu dheireadh.

---

eighteen year old – newly arrived in France – was with him. The lad was shot and killed that night, and, in our horror listening to the story, we asked him: 'What did you do?' This is what he said: 'I ate his Bully Beef.' This was the food rations they had. The death of another comrade was clearly nothing new to the battle hardened soldiers but it was quite a shock to us.

Another time in the heat of battle, with soldiers falling all around him, he saw his neighbour – *Tarmod Dholaidh* – being killed. I think the Bucach buried Tarmod.

Another time he was running along and, seeing a wounded soldier lying on the battlefield, lifted him on his back – the Bucach was a strong man – and carried him to the dressing station to be attended to there.

The Bucach was a builder and, after the war, built a house for his sister who was married in Borve. He used to walk to Borve, and one day the bus belonging to *Niall Tharmoid Sheumais*, with Niall himself at the wheel came up behind him and stopped. "Jump in," said Niall. The Bucach replied, "O, I'll gladly accept a lift from my old friend," to which Niall replied, "Well, a long time ago you gave me a lift too." Niall knew that this was the man who had carried him off the battlefield to the dressing station.

Another occasion he spoke about – again he was running – as bullets fell like hail stones and he thought how amazing it was that he was not hit. Just as that thought came into his head he was struck down. The bullet hit him in the back and passed right though before he fell in the snow. He managed to crawl to the dressing station which was some distance away. I think that was end of the war for him.

He only had one lung, and, as far as I know, the cause of his later death was related to this.

Am mailisidh

"Cha robh tòrr ann dha na balaich idir anns an latha ud … bha feadhainn a' falbh dhan a' mhailisidh, feadhainn eile dol dhan a' nèibhidh. Siud a' chiad start a bh' aig na balaich a' falbh. Bhiodh iad mu 15 ach tha cuimhn' agams fear à Borgh a dhol ann mus robh e a-mach às an sgoil, 's bha an sgoil a' breith air nuair a thàinig e dhachaigh. Bha e òg 's bha e tapaidh".

Na munitions

"Chaidh mi dha na munitions a Ghlaschu. Chaidh tòrr ann an uair ud. Bha iad ann às a h-uile h-àite. Bha mi timcheall air 18. Dh'fhalbh mi fhèin agus Màiri Mhòr Aonghais Bhàin [Number 24 Siadar Iarach] 'S e factaraidh mhòr a bh' ann a-muigh an Cardonald. Bha sinn ann 6 mìosan gus na dh'èighear an t-sìth."

The Militia

There was nothing much for the young men to do … some signed up for the Militia and some joined the navy. That was their first opportunity to leave home. They would be around age 15 but I remember a lad from Borve leaving while he was still in school and when he returned he went back to school. He was young but was well-built.

The Munitions

I went to work in the munitions in Glasgow. Many were engaged in that work then. I was around 18 years old. I went with *Màiri Mhòr Aonghais Bhàin* [Number 24 Lower Shader] to a large factory out in Cardonald. We were there for about six months before peace was declared.

Seònaid Ruairidh 'an Mhàrtainn,

*Jessie Macdonald,
23 Galson (née Martin
ex 8 Lower Shader)*

During the Great War, women were mobilised for some duties including medical and nursing care at dressing stations on the front line. At home, one of the most dangerous occupations for women was in the munitions factories. In a recorded conversation with Jessie in 1986 the discussion touched on some of her recollections of the Great War including her short stint at the Cardonald munitions complex near Glasgow in 1918.

Lionel c.1908

154

5

Aig an taigh

At home

WAR PRAYER FOR THOSE WE LOVE

O Almighty God, our Heavenly Father, look down, we humbly beseech Thee, in Thy tender love and pity, upon our dear husbands, sons, relations and friends who are now fighting the battles of their country.

Protect those who fight; heal the wounded; restore the sick; relieve the prisoners; comfort the dying, forgive them all their sins, and grant them eternal rest in Thy Heavenly Kingdom.

Hasten the time, O Father, when war shall cease, and if it be Thy blessed will, bring our beloved ones safely home again.

And for ourselves, watch over us in our separation, and give us strength to bear in patience, whatever may befall us.

We ask all in the Name of Thy dear Son, our Saviour, Jesus Christ – Amen.

August 1914

Gormelia Macritchie (*Gormal an Rìgh*) of 1 Adabrock appears to be knitting and carrying a creel in this rare photograph thought to be by John Nicholson (*'an Fiosaich*), Edgemoor Hall, Adabrock. Gormal lost two brothers, Donald and Angus, in the Great War. She died in April 1946, age 73.

The man with the pails is John Gunn (*An Glaisean*), 8 Adabrock. John was born in 1873 and was too old for service in WWI. He died in December 1943, age 78. His nephew was *Iain a' Bhrogaich*, 5 Knockaird – see '*Bha mi Ann*'.

The two girls in the front are thought to be *Sìne a' Ghladstoin*, Adabrock and *Catriona Sheonaidh Dh'll a' Choire*, Eorodale.

Tha atharrachadh mòr air a thighinn air dòigh-beatha na sgìre seo thairis air na ceud bliadhna mu dheireadh. Ann an 1914, coltach ri àiteachan eile air tuath Leòdhais, bha Nis a' fulang bochdainn uabhasach, droch thaigheadas, cus sluaigh, agus uachdarain agus maoir an-iochdmhor aig nach robh co-fhaireachdainn sam bith ri suidheachadh nan croitearan. Cha robh cuideachadh stàite aca a b' fhiach bruidhinn air, ged a thàinig am peinnsean ann an 1909 – còig tastain san t-seachdain dhan fheadhainn a bha còrr air trì fichead 's a deich. Ach b' e glè bheag a bha beò chun na h-aois sin – bha a' mhòr-chuid a' tighinn beò bhon làimh chun a' bheòil. Tha fiosrachadh a thaobh nan cladhan ann an Nis ag innse dhuinn gur e 49 an aois ghnàthach a bha duine a' ruighinn san sgìre againn ann an 1914. Ann an 2009 bha seo air èirigh gu 75.

Ann an Cunntas-sluaigh 1911 bha 4295 a' fuireach air oir na tìre bho Sgiogarstaigh, a-null gu Eòropaidh, agus suas gu Bail' an Truiseil. Tha an cunntas-sluaigh mu dheireadh, fear neo-oifigeil a nochd ann am fios anns a' Ghearran 2014, a' gabhail a-steach Gabhsann agus An Rathad Ùr. Tha am fear seo ag innse gu bheil 1688 a' fuireach an-diugh eadar Eòropaidh agus Bail' an Truiseil.

There has been a tidal change in the way of life in this parish over the past one hundred years. Back in 1914, as in most of rural Lewis, there was desperate poverty, poor housing, overcrowding, harsh landlords with ruthless agents who had little sympathy for the plight of the crofter families. There was virtually no state support, although the old age pension had been introduced in 1909 at five shillings a week for people over seventy. But few lived that long – life for many was a grim struggle for survival. Based of the record of burials in the Ness cemeteries, the average life span in Ness in 1914 was just over 49 years; by 2009 this had risen to over 75.

At the 1911 census, the population of the coastal district from Skigersta Bay, past the Butt of Lewis Lighthouse and along the Atlantic shore to Clach an Truiseil was 4295.

The latest unofficial population count for this district, which now includes Galson and Cross Skigersta, published in fios in February 2014, was 1688.

Lewis, in the early 1900s, with its abundant supply of young men, was a prime recruiting territory. Most of those

Aig toiseach na ficheadamh linn, bha pailteas ghillean òga ann an Leòdhas a bha air leth freagarrach airson an togail dhan Mhailisidh no dhan RNR Bha iad a' faighinn tuarastal beag agus bha an trèanaigeadh gan toirt air falbh bhon bheatha thruagh a bh' aca aig an taigh.

Tha Aonghas Caimbeul, 'Am Puilean', anns an leabhar, 'A' Suathadh ri Iomadh Rubha', ag innse gu robh am Mailisidh 's an RNR a' toirt cothrom dha na balaich eòlas fhaighinn air cultaran eile, gu robh iad ag ionnsachadh mu mhodhan pearsanta, agus gun chuidich e iad gu fàs na bu ealanta anns a' Bheurla. Ach bha fios aca gum biodh iad air an togail aig an fhìor thoiseach nuair a thigeadh cogadh. Agus b' ann mar sin a thachair ann an 1914. Dh'fhalbh iad nam mìltean anns an Lùnastal sa bhliadhna sin, agus bha mòran aca nach tilleadh dhachaigh tuilleadh, a' fàgail chàirdean gràdhach a' caoidh luchd-cèile, athraichean, mic agus bràithrean.

Dh'fheumadh cùisean a dhol air adhart, ge-tà, agus tha na cuimhneachain mu Nis aig àm a' Chiad Chogaidh, a fhuair an Comunn Eachdraidh bhon a' Phuilean, bhon a' Ghruagan agus bho Mhàiri Dholera, a' toirt cunntasan prìseil air ginealach a dh'fhuiling dìth agus àmhghar, air nach robh eòlas againn a-riamh. Nuair bha an cogadh seachad, cha

robh adhartas sam bith air a thighinn air cor an t-sluaigh, mar a tha na briathran aig Iain Guinne aig coinneimh ann an Eaglais 'an Fiosaich a' dèanamh soilleir. Bha e a' bruidhinn anns an t-Sultain 1923. ('S iongantach mur e seo 'An Giagan' à Eòrodal a bha na thidsear agus na mhaighstir-sgoile ann an Sgoil Lìonail. Bha e anns an RNR anns a' chogadh agus chaill e Calum, a bhràthair, air a' chiad latha dhan a' Somme.)

"Airson sia mìosan den bhliadhna tha a' chlann a' tighinn dhan an sgoil tarsainn air talamh a tha fo lèig agus uisge. Bidh iad nan suidhe fad an latha ann an aodach suarach, an casan fliuch, 's iad gus an ragadh leis an fhuachd. Tha mòran aca nach bi a' gabhail bracaist ach mu làimh, agus tha cuid nach eil a' faighinn ach buntàta bochd trì latha san t-seachdain. 'S beag an t-iongnadh gu bheil iad cho buailteach dhan a' chaitheamh.

Chan eil iasg ri fhaighinn; tha tràlairean bhon Chost an Ear agus Sasainn rin coireachadh airson sin, agus ged a thathar air a bhith a' gearain gu làidir mun t-suidheachadh, chan eil feobhas sam bith a' tighinn air a' chùis. Cha tàinig fiùs fichead langa a-steach dhan a' Phort air an t-sèasan seo, agus sin àite far am bithte a' ciùraigeadh ceudan mhìltean dhiubh uaireigin ann am bliadhna."

eligible enlisted with the Militia or the Naval Reserve. They would be paid a retainer, and the annual training sessions offered an opportunity to escape the drudgery and poverty of life on the croft.

Angus Campbell, 'Am Puilean', in his book A' Suathadh ri Iomadh Rubha tells that it brought the young men into contact with other cultures, they learned about personal presentation and improved their command of the English language. But they knew that they would be the first to be called to serve king and country. And as the war clouds gathered over Europe they gladly signed up. They left in their thousands in August 1914 and many would never return, leaving loved ones to grieve the loss of husbands, fathers, sons and brothers.

Life had to go on in their homes and villages and the memories of life in Ness at the time of the Great War, as related to Comunn Eachdraidh Nis by Am Puilean, An Gruagan and Màiri Dholera, are precious accounts of a generation who endured hardships and privations unknown to 21st century islanders.

When it was all over, there seemed to be little advance in the conditions they lived in, as we can observe from the comments of John Gunn at a meeting in Edgemoor Mission Hall, Ness, in September, 1923. [This was probably 'An Giagan' from Eorodale, a teacher at Lionel School who had served in the RNR during the war and had lost a brother, Calum, on the first day of the Somme]

"For about six months in the year these children come to school through rivers of water and mud, and sit all day with wet feet shivering in scanty clothes. Many of them have no regular breakfast, and others have only poor potatoes three times a day. Do you wonder that tuberculosis finds this material such an easy prey?

"There is no fish obtainable; English and East Coast trawlers are responsible for that, and despite continual protests this plundering goes on still. There were not 20 lings landed at Port-of-Ness this season, where hundreds of thousands were cured annually once upon a time."

John in WW2 in the Royal Navy

A' Chiad Chogadh
An Gruagan

The First World War
John MacLeod, 5 Adabrock

Rugadh Iain aig 39 Cros agus bha e san sgoil aig àm a' Chiad Chogaidh. Bha cuimhne aige air cho gann 's a bha cuid de rudan mar siùcar, teatha agus paireafain, agus cho mì-chothromach 's a bha na nithean sin air an riaghladh am measg an t-sluaigh. Bha cuimhne mhath aige cuideachd air cho tric 's a thigeadh droch naidheachd bhon chogadh dhan sgìre.

Anns an Dara Cogadh bha Iain anns an RNR bho 1939 gu 1945.

Phòs e Ceitidh Anna NicLeòid bho 5 Adabroc, agus b' ann an sin a rinn iad an dachaigh. Bhàsaich Ceitidh Anna ann an 1983 aig aois 79, agus chaochail Iain ann an 1987, 's e ceithir fichead 's a còig.

John was originally from 39 Cross and was a schoolboy during the Great War.

He recalls here some of the difficulties that faced people at home at that time – the shortages of goods like sugar, tea and paraffin; the lack of fair distribution of any supplies that arrived in the shops, and the frequency of sad news from the war front.

In the Second World War John was in the RNR from 1939 to 1945.

He was married to Katie Ann (nee Macleod) of 5 Adabrock and they made their home there. Katie Ann died in 1983, at age 79 and John in 1987 age 85.

Tha cuimhne mhath agam air a' chiad chogadh, ach dè na rudan a ghabh àit', 's rudan mar sin, chan eil càil a' chuimhn' agam. Tha fios a'm gu robh tòrr dìth oirnn a bharrachd air a' chogadh mu dheireadh. Tha mi ciallachadh le sin - cha tàinig 'rations' a-mach gu deireadh a' chogaidh. Agus nuair a theann an cogadh a bh' ann an-dràsta, bha iad an dèidh ionnsachadh bhon chogadh a bh' ann an toiseach, 's thàinig na 'rations' a-mach ann a dhà na trì mhìosan.

Nis, anns a' chiad chogadh, bha deireadh a' chogaidh gus a bhith ann mus tàinig an rud gu bhith 'organised', man a chanadh tu, 's gu faigheadh a h-uile duine a chuid fhèin. Agus thigeadh siùcar, 's bhitheadh ciuthaichean aig na bùithtean sin cho fada ri fada. Chluinnte gun tàinig siùcar gu bùth Sheonaidh Iain Bhig an Eòropaidh, an uair sin, thigt' à Cros, 's thigt' à Dail a dh'fheitheamh ach a faigheadh tu leth-phunnd siùcair, no punnd siùcair – siùcar dubh man bu tric a thigeadh. Paraffin air an aon dòigh, agus lofaichean, cha robh iad ri faighinn, ach bha's a' faighinn min – min choirce 's e bh' ann an latha ud mar bu tric.

Tha cuimhne agamsa pàirt shuas againn fhìn dha na balaich bheaga a dhol a Bhorgh a dh'iarraidh punnd siùcair, agus cha d' fhuair iad ach leth-phunnd. Bha balaich Bhlest, eil fhios a'd, 's ann à Borgh a thàinig am màthair, 's bha iad

I remember the First World War very well, but what actually happened in the war itself, I cannot recall. I know that we were in great need as regards food. We were worse off than during the Second World War, as rations were not made official until the very end. When the Second World War began, a lot was learned from the effects of the First War, and rations were introduced inside of three months.

Now during the First War; it was at the very end before things become organised. I mean by that, before everyone got what they were entitled to. When the shops got any sugar, you'd find long queues trying to salvage even half a pound of sugar. We used to hear that there was sugar in *Shonnie Iain Bhig's* shop in Eoropie, and people used to make their way there from Cross and even South Dell. Very often, it would be brown sugar that was available. Paraffin was just as scarce, and loaves were not to be got at all, but we sometimes got oatmeal, if we were lucky, as that was what we used anyway.

I remember as a young boy going as far as Borve to get 1lb of sugar, but only managed to get ½ lb. Other boys from

cho eòlach shuas ann a sin. 'S ann a dheigheadh 'crowd' suas 's iad an dèidh cluinntinn gun tàinig siùcar a Bhorgh 's fhuair iad leth-phunnd an duine. Bha aon sianar ac' ann. Fhuair iad teatha an àiteigin ann a sin 's cha d' thug iad siùcar às an t-siùcar aca fhèin idir, 's iongantach gun d' fhuair iad siùcar bho chàch a bharrachd. Ach bha daoine a' falbh mar sin, eil fhios a'd, a' cluinntinn gun tàinig siùcar an siud 's paraffin an seo. Cha robh e air a riaghladh idir.

Mar a thuirt mi mu thràth, anns a' chogadh mu dheireadh, bha iad deiseil an ìre mhath. Dh'ionnsaich iad tòrr ri linn a' chiad fhear. Tha mi creids' gu robh tòrr 'under the counter', mar a their sinn, anns a' chiad fhear. Cha robh fear mu dheireadh fhèin falamh dheth cuideachd. Tha tòrr annainn – nàdar 's rudan dhan t-seòrsa sin. Bha e a' tachairt ann an seo glè thric – bha mi a' coimhead uaireannan snàth a' tighinn do bhùth a bha ri ar taobh. Cha chreiceadh e ri nàbannan idir e - ach chreiceadh e ri strainnsearan e air prìs glè mhì-nàdarrach.

'S e tìde glè ghreannach a bh' ann. Bha tòrr marbhaidh ga dhèanamh anns a' chiad chogadh nach deachaidh a dhèanamh anns a' chogadh mu dheireadh air an eilean a tha seo, cho fad 's is aithne dhòmhsa co-dhiù. Cha robh càil ach naidheachd bàis cha mhòr a' tighinn air a' phost a h-uile latha no h-uile seachdain. Chuir an *Iolaire* clach-mhullaich air a h-uile càil a bh' ann. 'S e tìde glè dhuilich, 's glè dheuchainneach air daoine a bh' ann.

Cha robh obraichean ann a bharrachd. Cha robh daoine cho math dheth a thaobh airgid san àm sin 's a bha iad sa chogadh mu dheireadh. Bha tòrr de bhochdainn ann - ach bha e a' cuideachadh seo nam bitheadh bliadhna mhath ann, 's gum bitheadh buntàta ann 's eòrna - 's e bh' ann an uair sin - 's dèanamh tòrr feum dheth.

Às dèidh dhan a' chogadh fhèin sgur bha cùisean gu math 'slack'. Agus tha cuimhn' agam gum bitheadh an ceannaiche a bha shuas againn fhìn ann a siud, fhuair a mhac làraidh agus bhitheadh iad ... eadar Nis agus Steòrnabhagh a h-uile latha, agus gu h-àraidh bhitheadh basgaid lofaichean ac'. Ghabhadh i sia dusan agus mar a bhitheadh a' bhasgaid a' tighinn a h-uile latha – chaidh a' fuaim air feadh gach tìr a-mach, 's bha lofaichean cho annasach. Cha bhitheadh sinn a' faicinn lof tìd' a' chogaidh. Bhiodhte tighinn bho thall 's a bhos a shealltainn ach am faighte tè de na lofaichean sin.

Cross, *Balaich Bhlest* – their mother originally came from Borve – so they knew the place well, so a crowd of us went up together, six in all. They got some tea up there, but they did not want to part with any of their own sugar, so I doubt if they got any from the rest either. That's how we were, if we heard sugar or paraffin was to be got anywhere, we would go after it no matter the distance, it was not fairly distributed at all.

In the last War now, they were more organised, as they learned a lot from the First War. I suppose there was a lot of favouritism also in the first one, 'under the counter' for some people. Sometimes I would see knitting wool coming to a shop near me; he would not sell it to the neighbours, but to visitors at a profit.

It was a very gloomy time, lots being killed from this island, more so than in the last war. Hardly a day passed without news by post of someone being killed. The loss of the *Iolaire* at the end of the hostilities put the tin lid on everything.

It was a trying time for everyone, no jobs could be found, people were not so well-off as regards money anyway, as they were in the last one. There was a lot of poverty amongst us, but it helped a lot if we had a good harvest with plenty of potatoes and barley meal, that being mostly our diet at that time.

After the war ended, it took an awful long time for things to pick up. I remember well when our grocer's son got a lorry and they used to travel between Ness and Stornoway, every day. He used to take over a big basket full of loaves holding about six dozen. Soon everyone got to know this, as at that time, loaves were so unusual. During the war-years we did not see a loaf, and people came from far and near trying to get one.

Angus in WWII with the Seaforths

A' Chiad Chogadh
Aonghas Alasdair Mhurchaidh Òig
'Am Puilean'

The First World War
Angus Campbell, 44 Swainbost

Rugadh Aonghas anns an Dàmhair 1903 agus bha e na sgoilear ann an Sgoil Chrois aig àm a' Chogaidh Mhòir. Thug e cunntas air a' chuimhne a bh' aige air a' chogadh do Chomunn Eachdraidh Nis anns na seachdadan. Gheibhear cuimhneachain prìseil Aonghais air an àm seo, cuideachd, anns an leabhar aige, 'A' Suathadh ri Iomadh Rubha' a chaidh fhoillseachaidh le Gairm ann an 1973. 'S e eachdraidh-beatha Aonghais a th' anns an leabhar, agus tha e ag innse mun àm a bha e na phrìosanach san dara cogadh, às dèidh dha a bhith air a ghlacadh anns an Fhraing ann an 1940.

Phòs Aonghas Màiri NicAoidh (Màiri na Pòlaig), 37 Eòropaidh, agu bha ceathrar mhac agus triùir nighean aca. Bhàsaich Aonghas anns an Fhaoilleach 1982, aig aois 78, agus dh'eug Màiri anns an Iuchar 1983, aig aois 73.

Angus was born in October 1903 and was a pupil in Cross School during the Great War. His recollection of the war was given to *Comunn Eachdraidh Nis* in the 1970s. Some of Angus's precious remembrances of the time are also given in his book *A' Suathadh ri Iomadh Rubha* published by *Gairm* in 1973. This book, written in Gaelic, records Angus's life story, including his time as a prisoner during the World War II following his capture in France in 1940.

Angus married Mary Mackay (*Màiri na Pòlaig*) of 37 Eoropie and they had four sons and three daughters. Angus passed away in January 1982 at age 78 and Màiri in July 1983 aged 73.

Cha robh mise aon bliadhna deug a-mach nuair a thòisich an Cogadh Mòr, ach tha cuimhne làidir agam air a h-uile càil a bha co-cheangailte ris anns an sgìre. 'S e a' chiad rud tha cuimhne agam air – bha an t-Sàbaid an uair ud, cha mhòr nach i cruth-mullaich na diadhachd ann a seo – chaidh am Post timcheall Là na Sàbaid le fios chun nan daoine a bh' ann an grèim aca san Nèibhidh, 's anns an Arm 's a' Mhailisidh – thug e a-steach air an t-sluagh man nach tugadh rud sam bith eile cho cudromach 's cho dìomhair 's a bha an rud a bha dol a thachairt.

Cha robh daoine sna h-ionadan seo mothachail air cho cudromach, an-truacanta, sgriosail 's a bha an tionnsgainn air cùl nan rabhaidhean. Bha iad air a bhith cluinntinn mu chogaidhean beaga na h-Ìompaireachd agus cogadh a' Chrimea. Cha robh dol ri aghaidh cath ach saighdearan agus seòladairean ceangailte agus cha robh e buntainn riutha-san ach ann an tomhais bheag, agus sin – ann an cuid de sheaghan - fàbharach. Bha gnàth-chainnt aca: "Cnàmhan de chogadh fad às, a chuireas prìs air caora 's air mart." Is ro-choltach, mur a dèanar maith gun mhulad, gu bheil mulad 's deuchainn chum math cuid mar an ceudna.

Cha robh mòran de òigridh an eilein nach robh fo bhinn a bhith air an togail leis an arm agus leis a' chabhlach-mhara, agus bu mhòr an spionnadh thàinig orra ann an ùine cho

I was just eleven years of age when the Great War started but I remember very well the events connected with it in the district. The first thing that I remember – in those days the Sabbath was treated almost as the pinnacle of godliness here – the postman went round on a Sunday delivering call-up instructions to those who were in bond to the Navy and the Militia. This brought home to the people, like nothing else would, the importance and the solemnity of what was about to happen.

People in these parts were not aware of the impending danger and how pitiless and destructive the forces that gave rise to the warnings were. They had heard of skirmishes throughout the Empire and the war in the Crimea. It was only regular soldiers and sailors that were involved in battle, and it affected them [local people] in just a small measure – in some ways in their favour. The saying was: "The rumblings of the far distant war, set the price of the sheep and the bullock." Maybe good comes out of grief, or similarly, that trials and troubles bring good.

The majority of the youth of the island were liable to be

obann. Tha cuimhn' agam còrsair a thighinn gu Port Nis a thogail leatha gillean an "Reserve", agus cha robh eadar mòran aca dh'fhalbh agus iad a bhith ann an teas agus strì na connspaid ach ùine glè ghoirid.

Bha spiorad an dòchais a' cur crìoch a' chogaidh aig a' Bhliadhna Ùr ach, obh, obh, bha crìoch air beatha mòran dhiubh siud ro thionndadh na bliadhna, a' mhòr-chuid dhiubh sin san Fhraing, far an robh an ùpraid cho uabhasach, an cumhachd cho mòr, agus an t-inneal-cogaidh cho marbhtach. Le naidheachd bròin a' tighinn gu dachaigh an dèidh dachaigh, thàinig daoine gu bhith tuigse gun robh làithean searbh agus doilgheasach air thoiseach orra.

Thòisich beagan airgid a' tighinn don àite ri linn a' chogaidh. 'S e "Separation Allowance" a theireadh iad ris an t-suim a bha air a thoirt seachad leis an riaghaltas air los an fheadhainn a bha ann an seirbheis a' Chrùin. Bha bràthair-màthar agamsa, 'an Dubh, airson an robh mo mhàthair a' faighinn ochd tastain san t-seachdain fad a' chogaidh, agus bu mhòr a leasachadh codaich e an uair ud.

Bhiodh i toirt dhuinn bonn-a-sia a h-uile Disathairne leis an ceannaicheadh tu pìos aran-cridhe no stiall siùcair-dubh, tiodhlac mhòr da-rìreabh. Tha cuimhn' agam a bhith ann an taigh Ailein Chaluim, an ceannaiche, tràth air oidhche agus e thighinn a-steach às a' bhùth a dh'innse dhaibh gun

robh boireannach à Dail bho Dheas, a bha 'n duine aice sa chogadh, air falbh le fiach not de bhiadh 's de bhathar ann an cliabh. Nach e an not a bha mòr anns na làithean ud nuair a bha seo na mhìorbhail. Nuair chaidh prìs an tombaca bho thrì sgillinn gu gròt is bonn-a-sia, bha cuid de na bodaich a thilg a' phìob-chriadhaidh dhan teine air bhonn cho mì-chogaiseach 's a bha phrìs. Siud na bòidean nach do sheas fada ri co-èigneachadh nan ana–miannaibh.

Bhiodh na saighdearan aig an taigh air fòrladh às an Fhraing, a' chuid mhòr dhiubh Sìophortaich agus Camshronaich, ann an truis an fhèilidh agus ri giùlain an gunna 's an acfhuinn-chogaidh nan cois. Bha dol air ais gu aghaidh blàir air deireadh nan saor-làithean na fhìor mhì-thlachd dha na truaghain.

Cha robh mòran ri faighinn pàipearan-naidheachd agus 's e "telegram" làitheil air tachartasan a' chogaidh a bha tighinn gu Oifis a' Phuist as a' Phort. Bhiodh lethbhreac dhith air a leughadh sa bhaile againne aig bucas nan litrichean, nuair bhiodh uair cluiche na sgoile againne, agus b' ainneamh latha nach biodh sinn ga feitheamh. Bhiodh bodach air an robh Murchadh Siar a h-uile latha frithealadh na "telegram" agus fhad 's a bhite ga leughadh, chluinnte Murchadh ag ràdh, "A dhuine, dhuine! A Shìorraidh an t-solais! A chàirdean mo ghaoil! Gu sealladh sealbh a' fhreasdail oirnn!" agus

called up by the military or the navy, and in a short time the operation to enlist these men moved very swiftly. I remember a cruiser coming to Port of Ness to uplift the young men of the Reserve and before long many of them were in the heat of battle.

The spirit of hope set the end of the war at the New Year, but, my, my, many lives would end before the turn of the year, most of them in France where the strife was great; the power, mighty; the instruments of war, deadly. With sorrowful news reaching home after home, people began to understand that days of distress and affliction faced them.

Some money started to come into the area because of the war. They called it a 'Separation Allowance', paid by the government in respect of those who were in the service of the Crown. I had an uncle, *Iain Dubh*, my mother's brother, for whom she was paid eight shillings a week for the duration of the war – and that was a great advantage at that time.

She would give us a halfpenny every Saturday with which you could buy a piece of gingerbread or a strip of black

candy, an excellent gift indeed. I remember being in *Allan Chalum* the shopkeeper's house one evening, when he came in from the shop to tell them that a woman from South Dell, whose husband was in the war, had left the shop with a pound's worth of goods in a creel. The pound was really worth something in those days. When the price of tobacco increased from three-pence to fourpence ha'penny, some of the old men threw the clay pipe into the fire on account of the lack of consideration in the price increase. They were the same old men who couldn't resist the temptation of the tobacco for long though.

The soldiers would be coming home on leave from France, most of them Seaforths and Camerons, kitted out in their kilts, complete with their guns and accessories of war. The poor souls were quite miserable going back to the Front Line at the end of their leave.

Very few received newspapers. A daily telegram arrived at the post office in Port with news of the war. A copy would be read out in our village near the post box around the time of our play break at school. We were there most days waiting

mòran eile. Nuair thigeadh crìoch air an leughadh agus a thòisicheadh an còmhlan ri sgaoileadh, ghabhadh Murchadh grèim ormsa no air fear eile de na balaich agus chanadh e, "An robh iad ag ràdh gur e an taobh againn fhìn a bha buannachadh?"

Bha bodach eile air an taobh eile dhan rathad – 's e an "Engine" a chanadh iad ris – bodach fiosrach, tuigseach, agus bhiodh esan a' toirt dhomh sgillinn a h-uile seachdain airson nuair a thiginn às an sgoil gun innsinn "telegram" a' chogaidh dha. Agus cha leigeadh e dhomh a h-innse idir ann am Beurla airson gun cuireadh e fhèin Beurla air an rud a bha mi a' dol a dh'innse dha, agus bha aige air an sin a dhèanamh glè mhath.

Bha beachdan a' mhòr-chuid den t-sluagh mun chogadh air a bhonntachadh air an teagasg a bha coitcheann san àm. Cha robh màthair-adhbhair – an riaghaltas, an eaglais, am pàipear-naidheachd agus na taighean foghlaim – nach robh cur mar fhiachaibh air na h-uile, iad a bhith eudmhor, dìleas, eadhon gu bàs, don rìgh agus don rìoghachd. Bha na cùis-thruasan, a bha ri aghaidh garbh-ionnsaighean air muir agus air tìr, air an glòrachadh mar threun laoich gaisgeil, a bha airidh air duais is onair. Cha robh cnuasachadh an duine bhochd a' dol tarsainn air reachdan an luchd-iùil, agus bha iad mar sin aonaichte gun robh ceartas air an taobh, gun robh Dia air an taobh, gun tugadh iad buaidh fa-dheòidh, agus an uair a dheigheadh an nàimhdean olc a chur fo cheannsal, gum faigheadh na suinn – na bhitheadh air fhàgail – ceartas, deagh-ghean agus an cuibhreann de theachd-an-tìr ann an dùthaich air a h-ullachadh airson furtachd is fàilte dha buadhaich. Siud na gealltanais a dhearbh a bhith gun bhun no bàrr.

Mar a bha an cogadh ri buntainn rinne, clann na sgoile, cha robh teagamh no imcheist mu iomchaidheachd an adhbhair idir na ceist oirnn. Nach robh a' mhòr-chuid den eachdraidh nar leabhraichean-sgoile a' toirt iomradh air blàir fhuilteach a-nuas tro na linntean a bha nan tachartais cho cudromach agus gu feumadh bliadhna an comharraich a bhith air do chuimhne seachad air nì air bith eile? Mar bu challdaich an cath, is ann bu mhotha a bha an t-adhbhar uaill 's an glòrachadh. Le sin, nuair thigeadh na fir-chòmhraig cuairt dhachaigh air fòrladh, cha robh sinn idir gan co-choimeas ri cunnart-bàis, leònadh, lèireadh ana-cothrom, salchair is clàbar-puill an t-saighdear-cath, no ri gàbhadh luaisgeanach agus bagraidhean bàthaidh an t-seòladair. 'S e bha thu faicinn gaisgich, luchd-dìon rìoghachd a' cheartais agus na còrach. Bha thu a' dèanamh dealbh den t-saighdear fo làn armachd, fhuil air ghoil is inntinn air bhoil le colgaiche is dalmachd a' Ghàidheil sa chonnspaid dhian, ri cur crith is

---

for the news. An old man known as Murdo West would be awaiting the telegram every day and as it was being read out you would hear him say 'O man, O man!' – 'O Eternal Light' – 'My beloved friends' – 'That Providence would favour us' and much more. When the reading of the telegram was finished, Murdo would collar me or one of the other lads, asking: 'Were they saying that our own side was winning?'

There was another elderly man across the road from us – he was known as the 'Engine' – a knowledgable and intelligent man. He would give me a penny every week for relating the contents of the war telegram to him every day after school. I was not allowed to tell him in English, as he liked to translate it himself and he managed that very well.

The opinion of most people about the war was based on the general views that prevailed at the time. The government, the church, the newspaper, the places of learning were encouraging everyone to be zealous, and faithful, even to death, to the king and the kingdom. The poor souls who faced attack on sea and land were glorified as brave and courageous heroes who deserved to be valued and honoured. The lowly man's views didn't conflict with those who led him and they were thus united in the belief that right was on their side, that God was with them, that they would be victorious in the end, and when the evil enemy was subjugated, the heroes– those that remained – would be welcomed and favoured with a share of the rewards in a land fit for heroes. Those were the promises that proved to be without foundation.

As far as we – as school children – were affected by the war, there was no doubt or anxiety in our minds that the cause was justified. Much of the history in our school-books told of bloody wars down through the centuries that were so important that we had to remember the year these happened more than any other fact. The more calamitous the conflict the more reason to glorify it and boast about it. And so it was when the men of war returned home on leave we did not see them as those who had come from the grim despair, horror and mud that was the soldier's lot, or from the the peril of the tempest that threatened to engulf the sailor. We saw heroes, who were defending the just and righteous

fiamh an cridhe a nàmhaid.

B' ann do na Sìophortaich agus rèisimeidean eile an fhèilidh a bhuineadh a' mhòr-chuid dhiubh, ach mar a bha a' chòmhstri ri leudachadh, bha fògarraich à Canada, Astràilia, agus àitichean eile nan luchd-tadhail lìonmhor nar measg. Ged nach b' e roghainn adhbhair a thug an t-astar iad, bha iomadh ath-aonadh sòlasach mar mheadhan air.

Theireadh tu gun robh leth còmhragaich an eilein sa chabhlaich-mhara, agus, ged nach robh an staid 's an àmhghar cho sàraichte no cho gannraichte 's a bha cor an t-saighdeir-cath, cha robh an call-beatha nam measg a' bheag air dheireadh. Nuair a thèid an tubaist challdach ud, ànradh-cuain na h-Iolaire, fhilleadh sa chunntas, chan eil fhios nach ann a bha am barrachd aca ann an àireamh na cruaidh-chàis.

Seo an t-eilean air an tàinig an cruaidh-fhortan. Bha teaghlaichean ann a chaill triùir mhac – nam measg bràthair m' athar an Tàbost. Bha bailtean dùthchail feadh an eilein a bha an call cho àrd ri ochdnar sa cheud, agus sin taghadh nan sonn. Is cuimhne leamsa gul is caoidh rin cluinntinn thall 's a-bhos, ach, nì iongantach, ged a bha adhbhar an iargain da-rìreabh muladach, agus gach bàs dhiubh roi'-mhithich, cha robh iomchair no coireachadh an lorg a' challa ann an seadh dìteadh. Nach robh seo ann an rùn Dhè dhan taobh.

Nach robh iad ri coileanadh an dleastanais don rìgh, 's don rìoghachd - rìoghachd is riaghaltas a dh'fhògair, a spùinn, 's a dh'èignich an daoine 's an athraichean, ach a bha nise toirt teist is cliù orra mar a nì an sìochaire bhios fo dhìon a' churaidh.

Tha cuimhn' agam air oidhche deireadh samhraidh ann an 1915, nuair a bha an dorch air sgaoileadh, thòisich toirm is tàirnich bho siar air Rubha Robhanais, a bha cho garg agus gun robh an cruthachadh air chrith. Chaidh sinne a dh'fheuchainn ri dèanamh a-mach adhbhar na stairirich. Bha lasair à gunnaichean soithich-cogaidh ga fhaicinn mu thrì mìle mach bho thìr agus lean i air losgadh ùine mhòr. Bhrist i uinneagan air feadh na sgìre. Fhuair sinn a-mach fàth an adhbhair an dèidh làimh. Soitheach-cogaidh a bu mhotha agus a bu chumhachdaich a dh'ionnsaigh an ama ud – an *Queen Elizabeth* – ga cur gu toiseach dearbhaidh. Bha i rithist na cùl-taic làidir aca nuair a bha an t-arm ga chur air tìr anns na Dardanelles, ged nach do choisinn sin buaidh no soirbheachadh dhaibh san ionad mhurtail ud, a b' èiginn dhaibh a thrèigsinn an dèidh call agus costas cho mòr.

'S e fìor bheagan ris nach robh luigheachd a' dèiligeadh ann an caochladh thomhasan. Bha call is èislean cuid cho cràidhteach agus nach ruig air a thuigsinn ach a' mhuinntir ris na bhuin e gu iomallan na cruaidh-chàis. 'S ann an dèidh

nation. We imagined them as armed warriors, whose minds and bodies were full of the passion and boldness of the Highlander, defending us, and bringing fear and trembling to the enemy.

Most of them were in the Seaforths or the other kilted regiments, but as the conflict progressed, exiles from Canada, Australia and other places joined up in large numbers. Although it was perhaps not their preferred reason to come such distances, it was a cheerful readiness to be re-united that encouraged them.

You could say that half of the islanders on active service were in the navy, and, although they were perhaps not exposed to the same horror and trials as the soldier-in-battle, the loss of life amongst them at the end was considerable. When the losses in that terrible accident, the sea tragedy of the *Iolaire*, are added, maybe their number lost was greater.

What misfortune had befallen the island. There were families who lost three sons, amongst them my father's brother in Habost. There were some rural villages that lost as many as eight from one hundred, and that, their choice

heroes. I recall the lamenting and mourning here and there, but strangely, although the reason for their sorrow was indeed grievous and every death a great loss, there was no blame or fault attached, and no-one was judged to be accountable for the loss. Was this not God's providence for them? Were they not fulfilling their duty to the king and the nation? A nation and a government that evicted, oppressed and plundered their people and their fathers, but who now sought to esteem and value and treat as heroes those they once held in contempt.

I remember one night at the end of the summer of 1915 when darkness had fallen, a great noise like thunder was heard west of the Butt, so intense that even the creation trembled. On trying to establish the reason for the tumult, we saw the gunfire of a warship about three miles out which continued for a long time. Windows throughout the district were shattered. Later on we discovered what had been going on. The greatest and most powerful warship of that time – the *Queen Elizabeth* – was test-firing. She would later support the landing in the Dardanelles, although it was not

tighinn air tìr an Steòrnabhagh, air an t-slighe dhachaigh air fòrladh às an Fhraing, a chuala "Hero" à Dail bho Dheas gun deach an treas fear de bhràthraibh a chall. Leis nach leigeadh meud a bhròin agus a chlaoidh spioraid leis aghaidh a chur air an dachaigh, 's e tilleadh an oidhche sin air ais dhan trainnse a rinn e.

Bha an gille a b'òige aig Iain, bràthair m'athar, an coinneamh a bhràthar an Steòrnabhagh oidhche call na h-Iolaire. B'e an treas fhear den teaghlach a spùinn an cogadh leis orra.

An duine treubhanta a shnàmh air tìr leis a' bhall, agus a bha na mheadhan air mòran a theasairginn bhon fhairge, chan eil ach ùine ghoirid bho chaochail esan. Tha, mar an ceudna, am fear a chaith an oidhche crochte ri mullach a' chrainn an làthair air a' Chnoc Àrd. Tha calldachd na h-Iolaire air a chumail cho beò air chuimhne agus nach eil e iomchaidh dhòmhsa leudachadh air. Cuspair bròin is iargain bu chianail thàinig a-riamh air Leòdhas agus na Hearadh.

Bha duine còir a bhitheadh ri tighinn a chèilidh orm uaireigin, Dòmhnall Magaidh à Cros, agus bha sinn a' bruidhinn air cunnartan a bh' anns a' chogadh, agus mar a fhuair daoine am beatha leotha uaireannan. 'S ann a thuirt e rium gun innseadh e seanchas dhomh co-cheangailte ris fhèin.

"Bha mi anns an Nèibhidh nuair a thòisich an cogadh agus bha mi air a' chiad duine a chaidh a thogail am measg Leòdhasaich eile. Chaidh ar cur air cruiser ris an canadh iad an *Cumberland*. 'S e an obair a bh' againn, nar cùl-taice no 'escort' dha soithichean a bha dol a-null dhan Fhraing le saighdearan. An turas a bha seo anns an tilleadh, bha mise agus seisear eile agus 'Petty Officer' ag innse rudeigin dhuinn ann an teis meadhan an t-soithich, air an rèile, man a chanas iad as a' Bheurla 'midships'. Am measg a h-uile càil a bh' ann, 's ann a thuirt e riumsa, 'Dhòmhnaill, nach fhalbh thusa suas dhan stòr agus faigh peant 's bruis, 's tu dol a pheantadh rud dhomh.'"

Rinn Dòmhnall sin agus bha e dìreach air an t-àite a ruighinn shuas ma toiseach nuair a fhuair i siud. "Cha do rinn iad a-mach a-riamh," ars esan, "an e torpedo no an e mine a bhuail i ach 's ann a's an dearbh àite san robh mise nam sheasamh còmhla ris an t-seisear eile, 's ann a bhuail e i. Gun teagamh," ars esan, "chuir e a' soitheach fodha ach shàbhail e mo bheatha-sa gun deach mo chur air an turas a bha seo. Thog soitheach a bha faisg oirnn na shàbhail a-mach orm fhìn, agus chuir i air tìr ann am Portsmouth sinn."

Bha iad ann an sin a' feitheamh gus an deigheadh an cur air soitheach eile. Bha iad dhà no trì sheachdainean ann, agus 's e a' chuilbheart a bh' aige agus balach às an Rubha, bhiodh iad a' cur orr' an aodaich a b' fheàrr a h-uile madainn airson

of much help in that disastrous place from which we had to retreat with great losses.

Some were afflicted by the fortune of war in several ways. The loss and suffering of some people was so sore that only those who were similarly tried could understand.

It was on his way back home from Stornoway, on leave from France, that 'Hero' from South Dell heard that a third brother of his had fallen. Such was his grief and sense of sorrow that he couldn't face carrying on home – that night he set out on his way back to the trenches.

My uncle's youngest son, Iain, was in Stornoway to meet his brother the night the *Iolaire* was lost. He was the third one of the brothers who perished in the war. That brave man [John Macleod, Boatbuilder, Port], who swam ashore with the rope and who was the means of saving many from the tempest, has only recently died. The one who spent the night clinging to the mast [Donald Morrison, '*Am Patch*'] is still living in Knockaird.

The loss of the *Iolaire* is still so vivid in our collective memory that I don't need to expand on it – the worst and most tragic event ever to occur in Lewis and Harris.

A kind man from Cross used to visit us, Donald Macdonald, and we spoke at times about the dangers of the war and how some escaped with their lives. He then told me this about himself.

"I was in the Navy when war broke out and was amongst the first to be called up along with many other Lewismen. We were on the cruiser *Cumberland*, engaged in escort duties for troop carriers running over to France. Once, on the return voyage, seven of us were standing by the rail midships talking with a Petty Officer when he said: 'Donald you go to the store for paint and a brush for a job I want you to do'".

So Donald went away and he had just reached the forepeak when the ship was hit. "They never found out," he said, "if it was a torpedo or a mine that struck her, but she was struck in the very place where I had been standing along with the six others. It sank the vessel and the fact that I was sent on that errand saved my life. A nearby ship came to rescue the survivers and later dropped us ashore in Portsmouth".

nuair a thigeadh duine nan iarraidh airson joba a dhèanamh gum b' urrainn dhaibh a chantainn gu robh iad san aodach cheart air sgàth gu robh iad air an cur air draft.

"Chaidh againn a' mhearachd a bha seo a chur air adhart greis mhath. Thuirt mi-fhìn", ars esan, "ri fear an Rubha a' mhadainn a bha seo, 'Dè mu dheidhinn 'dungarees' a chur oirnn an-diugh 's a dhol a dh'obair a' bhadeigin – tha mi a' fàs sgìth dhen rud a tha seo.' Thuirt fear an Rubha gu robh esan cuideachd. Sin man a bha sinn, 's chaidh falbh leinn gu àite ris an canadh iad Whale Island, far an robh tòrr dhan armachd mara air a stòradh. Bha sinn ag obair ann an sin fad an latha. Nuair a thill sinn am beul na h-oidhche bha a h-uile duine chàch dhan chaidh shàbhaladh bhon *Chumberland* air an cur air soitheach eile ris an canadh iad an *Clan McNaughton*, agus dh'fhalbh an *Clan McNaughton* 's cha do thog i ceann a-riamh, 's bha tòrr às an Eilean oirr', nam measg 'Dolera' ann an Dail."

"An tritheamh uair a shàbhail mi mo bheatha, bha mi air an t-slighe dhachaigh nuair a chaidh an Iolaire às an rathad. 'S ann a dh'iarraidh nan seòladairean a thàinig an Iolaire – bha leithid a dhaoine a' tighinn dhachaigh aig a' Bhliadhna Ùir a bha seo agus nach b' urrainn dhan *t-Sheila* 'n toirt leatha gu lèir. Bha mise air bòrd na *h-Iolaire* nuair a thàinig am fear seo, saighdear, 's dh'aithnich e mi. 'Dhòmhnaill,'

ars esan, 'tha botal uisge-beatha agam 's bhiodh sinn glè dhòigheil nam biodh an dithis againn a' dol tarsainn. An dùil ma bheir mi thugad còta 's bonaid saighdeir am biodh agad air toirt a chreids gur e saighdear a th' annad? Seo dìreach mar a thachair. Fhuair mise dhan t-Sheila tro mhearachd agus shàbhail sin mo bheatha an oidhche sin cuideachd. Sin trì uairean às dèidh a chèile a shàbhail mi mo bheatha", ars esan, "tro thachartasan 's co-thachartasan."

Tha a' chuid mhòr a bh' anns a' chiad chogadh air bàsachadh. Agus tha mi 'n dòchas nuair a bhitheas sibh a' smaoineachadh orr' nar h-inntinn, gum bi sibh a' toirt urram dhaibh, a chionn ged a bha an cogadh mu dheireadh marbhtach, fuilteach gu leòr, cha robh e idir, as a' cheàrnaidh seo den t-saoghal co-dhiù, an aon rud ris a' chiad chogadh, 's gu h-àraid na trainnsichean anns an Fhraing, agus duine sam bith a chaidh tron teas agus na h-àmhghairean a bha seo, 's fhiach e urram a chur air agus gum bi cuimhn' agaibh na chaidh iad troimhe.

They were waiting there for another ship for two or three weeks. So Donald and his friend, a lad from Point, dressed in their smartest kit every morning. Every time someone came along looking for help with a job, they could say they were in uniform because they were waiting to be drafted on to a ship.

"We continued with this ruse for a while when I said to the Rubhach this morning: 'Let's just get into our dungarees and get on with some work – I am getting a bit fed-up with this', to which he replied that he was too. So that's what we did and we were taken to a place called Whale Island where most of the maritime armament was stored. We worked there all day, and when we returned in the evening, everyone else who had been saved from the *Cumberland* had been drafted on to the *Clan McNaughton*. And so the *Clan McNaughton* sailed away, never to be seen again. Many from Lewis were in the crew, including 'Dolera' from South Dell."

"The third time my life was spared I was on my way home at the time the *Iolaire* was lost. The *Iolaire* had come to bring the sailors home – there were so many requiring passage

home at New Year that the *Sheila* couldn't accommodate them all. I was on board the *Iolaire* when one I was acquainted with came along and said: 'Donald, I have a bottle of whisky and we would be very contented if we were together on the journey across. If I bring you a soldier's coat and hat maybe they will think you are a soldier.' That's just what happened. That was the third time my life was spared by events and co-incidences."

Most of those who were in the Great War have now died. And I hope when you think of them that you will honour them, because, although the last war was bloody and deadly, it was not, in this corner of the world anyway, like the First World War. Especially, the trenches in France, and anyone who experienced the horror and suffering there, are truly worthy of remembrance for what they endured.

A' Chiad Chogadh
Màiri 'Dholera'

The First World War
Mary Campbell, 6b South Dell

  Chaidh Màiri Chaimbeul, (Màiri Dholera), 6b Dail bho Dheas, a chlàradh air 2 An Cèitean 1981. Tha i a' cuimhneachadh air nithean a ghabh àite aig an taigh aig àm a' Chogaidh, agus tha i ag innse mar a chuala an teaghlach naidheachd bàis a h-athar, Dòmhnall (Dolera).
  Bha Màiri pòsta aig Aonghas Caimbeul (Am Bocsair) a chaidh a thogail aig 44 Suaineabost. Bhàsaich Aonghas anns an Dùbhlachd 1949 aig aois 41. Bha Màiri ceithir fichead 's a còig nuair a chaochail i anns an Fhaoilleach 1995.

  Mary Campbell of 6b South Dell (*Màiri Dholera*) was interviewed on 2 May 1981 and recalls some incidents at home during the Great War, including how the family heard the news of the loss of their father, Donald (*Dolera*).
  Mary married Angus Campbell (*Am Bocsair*) of 44 Swainbost. Angus died in December 1949 age 41 and Mary in January 1995 age 85.

Nuair a thòisich an Cogadh Mòr cha robh mise còig bliadhna. Tha cuimhn' agam air na daoine ri falbh dhan a' chogadh. Bha m' athair, 's e 'Dolera' a chanadh iad ris, agus bha e aig an iasgach, man iomadach fear eile an uair sin, agus thàinig e dhachaigh a dh'iarraidh an 'kit'. 'S e Royal Reservists a bh' annt' agus thàinig iad dhachaigh, mar a thubhairt mi, a dh'iarraidh an 'kit' airson falbh a Chatham, e fhèin 's gu leòr eile a bh' aig an iasgach. Bha e pòst' ann an taigh mu mheadhan a' bhaile (Dail bho Dheas), agus còignear chloinne aige. Bha a-nise an taigh aca fhèin, taigh a mhàthar – 's e banntrach a bh' innt' – aig leth-siar a' bhaile agus bha a mhàthair 's a phiuthar agus a bhràthair, Tarmod, a' fuireach ann a sin. Bha bràthair eile aige air a robh Calum, ach bha esan pòst' cuideachd nuair a thòisich an cogadh agus bha e fuireach anns an Àrd – Àrd Dail. Chaidh an triùir a thogail dhan a' Chogadh Mhòr.

Chan eil càil a dh'fhios agam cuin a dh'fhalbh Tarmod na Calum, ach tha cuimhne agam air a dh'fhalbh m' athair. Tha cuimhne agam a bhith muigh aig a' rathad a' feitheamh an càr a bha ri dol nan toirt air falbh – càr a' phost, cha robh 'n còrr anns an sgìre an uair sin – 's e bhiodh a-null 's a-nall leis a' 'mhail'. Ach cha robh m' athair fada air falbh co-dhiù nuair a chaidh a 'dhraftadh' air Auxiliary Cruiser, soitheach mòr air an robh an *Clan MacNaughton*. Ach bha Calum, a

bhràthair, an dèidh falbh air tè ron a sin – a' 'Majestic' a bh' oirrese. Chan eil cuimhn' agam na dh'fhàg e Tarmod ann am Portsmouth, no an Chatham, na càit a robh e, ach 's ann air tèile chaidh esan air a robh 'An Orama', agus bha i sin air a cur a-null 'foreign'.

'S ann timcheall air 'September', 's ann a chaidh m' athair dhan a' 'Chlan MacNaughton'. Bha e fhèin 's grunnan dhaoine às Leòdhas oirre, agus air an trìtheamh latha de February 1915 chaidh a cur sìos as a' Chuan a Tuath. Chan eil càil a dh'fhios gu dè a chuir sìos i – an e 'shell' na 'submarine' na rudeigin. Bha iad ann a sin a' 'patrolaigeadh' dhà na trì làithean mas deach a cur sìos, oir tha cuimhn' agam aig an àm a bh' ann a sin gun tàinig litir, agus e 'g inns' anns a' litir ('s ann an dèidh a chall a thàinig a' litir), 's chuir e anns a' litir, 'I am writing this passing Tràigh Dhail. I can see the snow on the ben and I'm thinking of the poor sheep. I hope you got fodder from Barvas. I don't know where we are going, so don't write.' 'S ann le peansail purpaidh a bhiodh e sgrìobhadh nan litrichean.

Tha cuimhne mhath agam air a h-uile càil a bh' ann a sin, 's cha robh mi glè aost'. Thug mi dhut na litrichean a bhiodh e sgrìobhadh gu mo mhàthair 's a phiuthar, ach cha d' fhuair sinn lorg air an t' èile a thàinig an dèidh a chall. Tha i an àiteigin an taigh mo mhàthar 's cha deach a lorg

When the war started I was still under five year of age. I remember when they left to go to the war. My father (*Dolera*) was fishing, like many others were at that time. They were Royal Navy Reservists and I remember them coming home for their kit. He and many others went away to Chatham. He was married and living in a house in the middle of South Dell and they had five of a family. His mother, who was a widow, her brother and sister also stayed in South Dell. His other brother, Calum, was married and lived in Aird, Dell. The three of them were called up for the war. I can't remember when Norman and Calum left, but I remember well the day my father left. I still remember him standing out at the roadside waiting for the postman's car to collect him. There were no other cars in Ness at that time. My father hadn't been away long when he was put on to an Auxiliary Cruiser, a large vessel called the *Clan MacNaughton*. Calum had left before that on a ship called the *Majestic*. I can't remember if he left Norman in Portsmouth or Chatham, but I know that he went on a ship called *Orama*, which went foreign.

It was sometime in September that my father went on the *Clan MacNaughton*. There were quite a number of Lewismen with him, and on the 3rd of February 1915 their ship was sunk in the North Sea. They had been patrolling there for three days and I'm not sure if the ship was shelled or if it was a submarine.

[Official records show the *Clan MacNaughton* was sunk during a severe gale (or possibly mined) off the NW coast of Ireland with the loss of all hands – 20 Officers and 261 ratings].

A few days after that a letter arrived from him, written in a purple pencil. He wrote:- 'I am writing this while we are passing Dell shore. I can see the snow on the ben and I'm thinking of the poor sheep. I hope you got fodder from Barvas. I don't know where we are going, so don't write.'

I can still remember that clearly and I wasn't very old. Shortly after he was lost we received news of his brother Calum's death; 'Lost presumed drowned' was written on the telegram. There was another wake in my mother's house then and another one in Aird Dell, in his wife's house. There was

fhathast. Bha esan air a chall an uair sin 's cha tàinig an còrr mu dheidhinn.

Goirid às dèidh sin, cha robh fada gus an tàinig naidheachd bàis Chaluim, a bhràthair, 'Lost presumed drowned', 's e sin a bh' air an 'telegram'. 'S bha taigh-fhaire ann an taigh mo sheanmhar a-rithist, 's bha fear eile anns an Àird anns an taigh anns an robh a bhean. 'S bha duine mhuinntir a' bhaile còmhla ris cuideachd – Aonghas Giolas. Dh'fhàg sin gu robh trì taighean-fhaire anns a' bhaile an t-seachdain sin. Ach thàinig Calum 's Aonghas Giolas beò às a' chogadh, agus chaidh Aonghas, fhuair e lot ann an Gabhsann, agus chaidh e dh'fhuireach a Ghabhsann às dèidh a' chogaidh, le bhean 's le theaghlach.

Ach seachdain na dhà às dèidh sin, airson innse cho iongantach 's a tha rud, bha Seònaid, a phiuthar, ri dol a-mach leis a' chrodh. Bhiodh an uair ud daoine a' dol a-mach leis a' chrodh, cha robh feansaichean na càil ann, 's bhiodh iad ri cur a' chrodh pìos air falbh bhon taigh. An t-Sàbaid a bh' ann a seo, bhiodh Seònaid an còmhnaidh air deireadh co-dhiù, agus bha i a' dol suas a' rathad leis a' chrodh 's nuair a bha i gabhail suas leotha, bha èildear a'mhuinntir a'bhaile ri tilleadh an dèidh an crodh aige fhèin a chur a-mach. Cuimhnich, ged a bha searmon 's coinneamh ann, dh'fheumadh siud a bhith air a dhèanamh – siud am bith-beò aca – beathaichean,

bainne, 's caoraich airson beagan feòil 's iad a' saothrachadh glè chruaidh air a shon. 'S bha 'n t-èildear-s' a' tighinn na coinneimh, Murchadh MacDhòmhnaill Òig, a chanadh iad ris, agus nuair a ràinig Seònaid, thubhairt e rithe, 'Tha thu tighinn leo' a Sheònaid.' Thubhairt i gu robh. 'Dè,' ars esan, 'mar a tha do mhàthair?' Thubhairt ise, 'Bidh i ri 'g èirigh.' 'S math sin,' ars esan, 'Nuair a bha mi tighinn nad choinneamh, na do choimhead a' tighinn, cha b' urrainn dhomh gun m' inntinn a dhol a-mach ann an cianalas 's truas ribh, an darna buille cho aithghearr. Ach bhruidhinn facal an Tighearna rium, agus nuair thèid thusa dhachaigh, can ri do mhàthair gu bheil Calum beò.'

'S thuirt Seònaid ris, 'O, cha chan.' Chuir e làmh air a gualainn 's thubhairt e, 'Canaidh,' ars esan, 'can gun tuirt Murchadh siud riut. Agus a' facal a thuirt riums' e, cha do chuir mi riamh teagamh ann gun canadh e breug.' Nuair a ràinig i dhachaigh co-dhiù, às dèidh bhith air falbh greis dhan a' latha, fhuair i air a chantainn mu dheireadh ri màthair. Agus ghabh i mìorbhaileach e. Chreid i nach canadh Murchadh e gun barantas a bhith aige air rud nach robh aicese.

Glè ghoirid às dèidh sin, thàinig fios gu robh iad beò, gun deach an togail air an fhairge 's an toirt a shoitheach eile.

Nise, leis nach b' urrainn dhaibh 'sèibhigeadh' bha feusagan

one other man from Dell with him, called *Aonghas Giolas*. That meant there were three wakes in Dell that week. As it turned out, Calum and *Aonghas Giolas* weren't drowned after all, they came home alive after the war. *Aonghas Giolas* bought a croft in Galson and moved there with his wife and family.

A couple of weeks after the telegram had come. Calum's sister, Jessie, was out on a Sunday with the cattle. Even though it was Sunday and they went to church, morning and night, the cattle had to be taken out. She met an elder of the church – *Murchadh MacDhomhnaill Òige* – who said: 'When I saw you coming towards me, I couldn't help but feel sorry for your family, it must be terrible for you. But God has spoken to me and when you get home, you tell your mother that Calum is still alive.' Jessie said that she wouldn't say that. Murchadh said that she would have to. So when Jessie got home she told her mother and she took this news wonderfully. Shortly after this had happened, the word came that they were both alive. They had been lifted from the sea and on to another vessel.

They couldn't shave so they had beards. They were able to wander freely around the ship and they met a man who came from the same village – *Aonghas Tam*, nicknamed *Am Poilis*. He was painting and every time they passed him Calum would say to him 'even-strokes Murray'. This went on for a while until they made themselves known to each other. *Aonghas Tam* got quite a shock when he saw them and told them that he'd received a letter from home and there had been a wake for both of them. They believed there had been. They asked him if he had any other news. He told them that there was a great loss in France and also at sea. Calum and Angus hadn't heard any news in a long time. It was also *Aonghas Tam* that told Calum that the *Clan MacNaughton* had sunk and his brother Donald had been lost.

Norman, his other brother, was by this time off the Coast of Africa on a ship called the *Orama*. Seldom was anything heard from the ones that went over there. There was a boy on the *Orama* from Port Gordon who used to get the *Press and Journal*. He passed the paper on to Norman when he was finished with it. Another member of the crew who was

mòra orra, e fhèin 's Aonghas Giolas. Agus a' soitheach a thog iadsan, bha cothrom aig na 'survivors' a bhith dol air feadh an t-soithich. Agus dh'aithnich iad fear a' mhuinntir a' bhaile, Aonghas Tam, 's e Am Poileas a' far-ainm a bh' air. Bha e air an t-soitheach sin, chan eil càil a chuimhne agams' dè an t-ainm a bh' oirre an-drast', ach co-dhiù, 's ann ri peantadh a bha e, agus a h-uile uair a dheigheadh iad seachad air, chanadh Calum ris, 'Even-strokes Murray.' Dheigheadh iad seachad an uair sin 's shealladh Am Poileas às an dèidh 's shealladh Calum agus Aonghas air ais. Lean iad air a sin greis, ach mu dheireadh stad iad agus rinn iad 'ad fhèin aithnicht'. Fhuair e 'shock', 's thuirt e riutha, 'A uill,' ars esan, 'fhuair mis' litir agus bha na taighean-fhaire agaibh ann.' Bha iad a' creids' gu robh. 'Agus dè na naidheachdan eile fhuair thu?' dh'fhaighnich iad. 'A uill,' ars esan, 'chan eil dìth naidheachdan. Tha Fhraing a' dèanamh call mòr 's tha call air a' mhuir cuideachd.'

Bha fada bho nach d' fhuair iad càil a' naidheachd. 'S e a dh' innis do Chalum gun deach a bhràthair a chall. Gun deach an 'Clan MacNaughton' sìos. Bha Tarmod, am bràthair eile, an uair sin an dèidh a dhol a-null as an 'Orama' taobh Coast Africa. 'S ann glè ainneamh a bha càil a' tighinn bhon fheadhainn sin. Bha balach anns an 'Orama' à Port Gordon, 's bhiodh e faighinn pàipear, am 'People's Journal'. 'S e

Poileas a bh' ann an Tarmod mas deach e dhan a' chogadh. Bha e garbh gu bhith leughadh phàipearan 's bhiodh e ag iarraidh am pàipear a bha sin air a' bhalach cho luath 's a leughadh e fhèin e. Nise a' soitheach a bhiodh a' toirt dhaibh a-'mhail', thàinig i agus bha fios aige glè mhath gum biodh am pàipear a' tighinn. Thàinig am pàipear dhan trup-sa co-dhiù, agus bha fear eile dhan a bh' anns a' 'chrew', fear eile à Nis, bha e dol seachad os cionn a' bhalaich às Port Gordon, 's e a' leughadh a' phàipeir, agus 's ann a' coimhead air tè dha na duilleagan a bha e mu chall a' Chlan MacNaughton. Bha sianar ann de bhalaich Leòdhais. 'Lewis men lost on Clan MacNaughton'. Agus bha dealbh m' athar ann. Saoilidh mi gu bheil mi na choimhead fhathast, oir ghlèidh Tarmod an duilleag, 's bha i ac' anns a' Bhìoball. Tha i fhathast an taigh mo mhàthar. Co-dhiù, thuirt e ris a' bhalach, 'Na toir am pàipear sin do Murray idir, 's e a bhràthair tha sin.' Thuirt e ris gu feumadh e thoirt dha oir gu robh fios aige gun tàinig e. Sin far an cuala Tarmod e. Sin a' seanchas man a tha i agamsa co-dhiù, agus 's ann bho Tharmod fhèin a thog mi i.

Chan fhaodadh sinne nar cloinn a bhith cluich a-muigh nuair a bha daoine eile ri caoidh gun sgur. Aig No 19a, Taigh Tharmoid Bhàin, thàinig trì bàsan thuc'. Bha am bàs mu dheireadh uabhasach cianail. Às dèidh dhan a' chogadh sgur 's ann a chaidh Fionnlagh ac' a thogail, agus bhuail

also from Ness saw a heading in the paper, 'Lewis men lost on *Clan MacNaughton*'. My father's photo was there. In my mind, I can still see that photo. Norman cut it out and kept it in his Bible. It is still in my mother's house. The other Ness boy told the Port Gordon boy not to give the paper to Norman Murray, because his brother's photo was in it. He said he had to give it to him and that's how Norman found out about his brother's death.

We weren't allowed, as children, to play outside when other villagers were mourning the ones that died. There were three deaths at No 19a, *Taigh Tharmoid Bhàin*. The last one was especially sad. The war was over when their son, Finlay, was called and they hit a mine near Aberdeen. He was killed along with *Ruairidh Mhurchaidh Ghilis* from Dell and *Iain Chrudhail* from Swainbost. [Official records show that Finlay was lost in 1917 when HMT *Sophron* struck a mine on 22 August. Roderick Gillies, 20b South Dell and John Murray were lost after the war, as Mary recalls. They were still serving in the RNR in 1920 when HMT *St Leonard* sank in gale on 7 January].

I don't think there were many houses in Dell that didn't receive news of a death. Twenty-four men were lost from South Dell alone. Six men left from one house and the six of them came back alive. One of them was wounded, but he survived and another one was on the *Iolaire* when it sank and he also survived. We weren't hearing anything but talk about the war, all over the village.

The telegrams came to Port of Ness and a woman we called *Mairead na Telegram* came to deliver them. It wasn't an easy thing for her to do. Everyone was scared when they saw her coming down *Druim Fhraoich*.

It was snowing the day we received news of my father's death. I was staying in my grandmother's house that day, and she had two cousins visiting her. My grandmother thought they'd been to the mill, because they were dressed up in their best clothes. She didn't feel at ease with them at all. They'd heard the night before that my father had died but Mairead hadn't come with the telegram. She came up after dinner. My mother was out getting peats. A first cousin of mine, John Bull, was home on holiday from England – my

169

iad ann a' 'mine' taobh a-muigh Obar Dheathain 's chaidh a chall ann a sin, e fhèin 's balach eile mhuinntir a' bhaile, Ruairidh Mhurchaidh Ghiolais, agus balach à Suaineabost, Iain Chrùdhail. Chan aithne dhomh mòran thaighean an Dail bho Dheas nach tàinig bàs ann. Chaidh ceithir duine fichead a chall an Dail bho Dheas na aonar. Bha aon taigh ann 's bha sianar dhaoine ac', sianar ghillean anns a' chogadh agus thàinig na sianar dhachaigh beò. Chaidh aon a leòn, ach fhuair e seachad air agus bha fear dhiubh anns a' chall mhòr a bh' ann a siud, 'An Iolaire'.

Cha robh sinne cluinntinn càil ach a bhith bruidhinn air a' chogadh, cha robh 'n còrr a' dol anns a' bhaile. 'S e cailleach, 's cha robh meuran air an dàrna làmh aic', a bhiodh ri tighinn à Port Nis leis na 'telegrams'. 'S ann dhan a' Phort a bhiodh na 'telegrams' a' tighinn agus 's e chailleach sin a bhiodh a' dol timcheall leis na telegraman, a' coiseachd à Port Nis, agus nach ann aic' a bh' an obair chianail. 'S bha eagal am beatha air daoine nuair a chitheadh iad a' cromadh an Druim Fhraoich i. 'S e 'Màiread na Telegram' a bh' againn oirre. Agus a' latha thàinig naidheachd bàis m' athar, bha sneachd ann. Bha mise fuireach an taigh mo sheanmhar air a' leth-siar an uair sin, 's thàinig dà bhoireannach glè thràth air a' latha a chèilidh ann, 'first cousins' dha mo sheanmhair. Agus cha robh Seònaid saorsainneil leotha idir; bha dùil aice an toiseach gun ann dhan a' mhuilinn a thàinig iad. Bhiodh

an uair ud cailleachan, nan tigeadh iad dhan a' mhuilinn, 'dressed' leis na curracan 's leis a h-uile càil a b' fheàrr a bh' ac, bhiodh 's an uair a bhiodh iad a' dol gu faing, currac orra 's phlàidichean. Ach 's e bh' ann gun cuala iad an oidhche roimhe gu robh naidheachd bàis m' athar air a thighinn dhan a' Phort, ach cha robh 'Màiread na Telegram' an dèidh ruighinn, agus cha do ràinig i gus às dèidh na diathad. Bha mo mhàthair ag iarraidh cliabh mònach. 'S cuimhn' agam gu robh fear aig an taigh, 'first cousin' dhomh, 's e Sasannach a bh' ann, air an robh John Bull. Bha piuthar mo mhàthar pòst' ann a Sasainn. Agus bha mi staigh ann an taigh mo sheanmhar nuair a chuir e suas a cheann 's thuirt e ri Seònaid gu robhas ga h-iarraidh. Dh'fhaighnich i dha carson, agus thuirt e, 'O, very sad news.' Tha cuimhn' agams cho math ri càil air aghaidh John Bull anns an doras. 'S dh'fhalbh mise còmhla rithe. 'S ann an uair sin a thuig Seònaid ceart an turas air an tàinig na cailleachan, oir thuirt i rudeigin riutha mas deach i sìos gu taigh mo mhàthar. Co-dhiù, chaidh i shealltainn dè bha ceàrr 's bha an taigh làn dhaoine. Nuair a bha sinn ri falbh, thuirt mo mhàthair riumsa, 'Cha tèid thusa ghràidh suas tuilleadh, fuirichidh tu còmhla rinn fhìn. Ach nuair a dh'èirich Seònaid thug i sùil orm 's dh'èirich mi 's rug mi air chòta oirre. Dh'fhalbh mi còmhla rithe. Cha do sguir Seònaid a-riamh a bhruidhinn air a siud. Sin agad mu bhàs m' athar.

mother's sister was married in England. He went to tell my mother that she was wanted. My mother asked him why and he said 'Oh, very sad news.' I can still see him standing in the doorway. My grandmother told me I wasn't to go down to the house, but I grabbed her coat and went off with her. That was how we got the news of my father's death

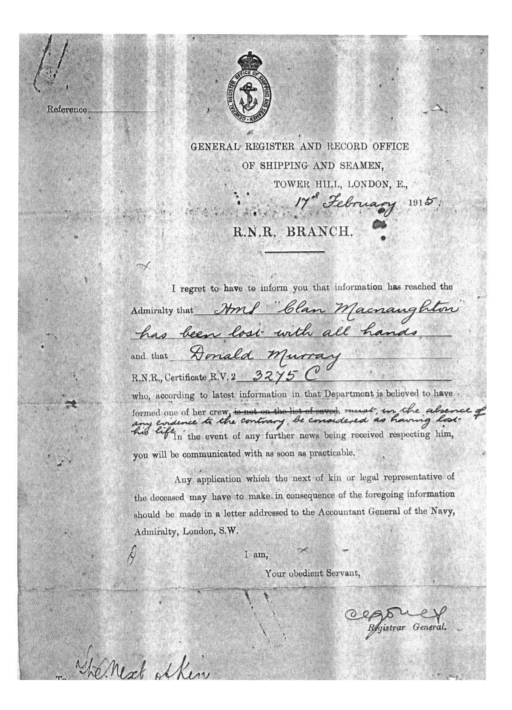

GENERAL REGISTER AND RECORD OFFICE

OF SHIPPING AND SEAMEN,

TOWER HILL, LONDON, E.,

17ᵈ *February* 1915.

R.N.R. BRANCH.

I regret to have to inform you that information has reached the

Admiralty that *HMS "Clan Macnaughton" has been lost with all hands*

and that *Donald Murray*

R.N.R., Certificate R.V.2 *3275 C*

who, according to latest information in that Department is believed to have

formed one of her crew, ~~is not on the list of saved~~ *must, in the absence of any evidence to the contrary, be considered as having lost his life.* In the event of any further news being received respecting him,

you will be communicated with as soon as practicable.

Any application which the next of kin or legal representative of

the deceased may have to make in consequence of the foregoing information

should be made in a letter addressed to the Accountant General of the Navy,

Admiralty, London, S.W.

I am,

Your obedient Servant,

Registrar General.

The Next of Kin

O is iomadh mac mùirneach le mhàthair
Nach d' fhuair i gu chàradh san ùir.
Siud far robh athraichean gràdhach,
'S cha till iad gu pàistean an gaoil.
O 's fuar a bhios dachaigh na banntraich
Gun lorg air a companach caomh
O 's lom a bhios gualainn gun bhràthair
'S iomadh fear àlainn nach till.

O 's tric tha sgeulan ro chruaidh
Ri tighinn bho na cuantan mòr
Luchd luingeis tha muigh air na stuaghan
Air am pianadh gu cruaidh 's air an leòn
Na longan bha greadhnach is uaibhreach
As an robh an uaill 's an dòigh
Nan laigh ann an doimhneachd nan cuantan
Is mòran nan suain fom bòrd.

Le Màiri A NicÌomhair (Am Bac)
Bhon leabhran *Ceòl agus Deòir*

'S ann mu dheidhinn an Dara Cogaidh a chaidh na rainn a sgrìobhadh, ach tha iad freagarrach airson a bhith a' meòrachadh orra anns an leabhar seo far a bheil sgeulachdan tiamhaidh air *A' Chiad Chogadh* far comhair.

'That is all my news just now.
Write soon.
Closing with my best love to you all.
Yours truly
R Murray

Keep your mind up
Are we down hearted
No!
Keep the home fires burning
You are getting plenty of fish at home
I wish I was near you'

Private Roderick Murray 24b South Dell, writing from Mesopotamia to his mother in April 1917

6

Litir dhachaigh

Writing home

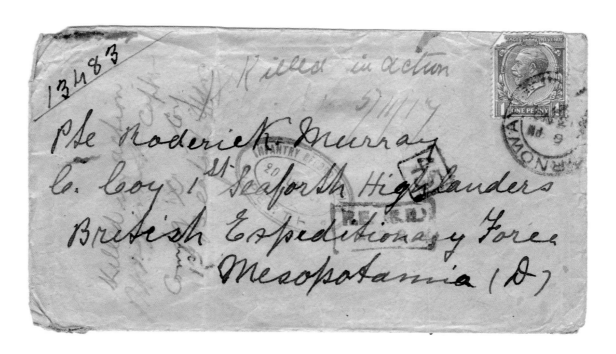

Envelope returned to the family of Private Roderick Murray 24b South Dell marked 'killed in action 5/11/17'

Naval postcards of the Great War

Letters and postcards from the field and from ships are precious memorials of those who were on active service. These two cards were sent from a young RNR sailor, Malcolm Maclean (Glen, 36 Swainbost, pictured above) to his uncle, Malcolm. Glen survived the war but was lost on the Malta convoy in WWII.

On reverse is written:

August 27th
Dear Malcolm PC
To let you know that I am well in health, hopping this will find you in the same state. I may tell you if I be speart I will write soon. I may tell you that I am going to leave Chatham going to Dover going far away. So long
M Maclean

Across top left corner of card is written:

Best regard to you all & all of you are well. Don't forget me.

Postcard of HMS *London*
Postmark: Chatham 27th August 1914

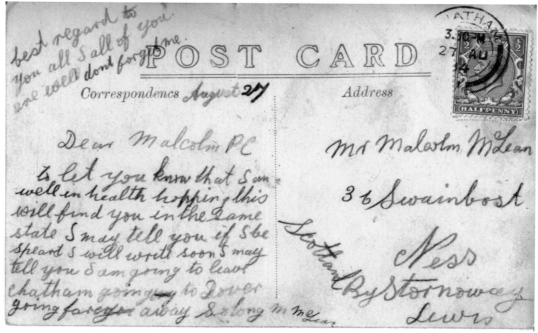

Postcard of HMS *King George V*

On reverse is written:

Dear Malcolm
I writing these few lines in the Barracks and I am well in health hopping this
will find you and all the family and all around I have no news. I think soon we'll
be going on board of the ship about the middle of next week. Well Malcolm I am
not going to say a word to but this: I am in Navy and you may understand what
that meaning.

Written around the outer edge of the card is:

There is no use to me to send my address to you but I will write when I get to the
ship. Be good to the horse and to the land; remember on the dog.

CAMPBELL BROTHERS CORRESPONDENCE

Poignant correspondence from the Campbell lads, Angus and Malcolm (*balaich Fhionnlaigh Shùrdaigh*), to the folk at home, carefully preserved by the family for one hundred years.

Nine young men from our villages, including Angus, fell in France on that deadly day, 9 May 1915. This was the highest number lost on any single day of the war. Malcolm was killed in action just two days after he wrote his last letter on 22 May 1915.

Angus Campbell
16 Habost

Killed in action at Neuve Chapelle 9 May 1915, age 20
Son of Finlay and Margaret Maclean Campbell, 16 Habost.
Service unit: 1st Seaforth Highlanders
Service number: C/7174
Memorial: Le Touret Memorial, Panel 38 and 39

Malcolm Campbell
16 Habost

Killed in action 24 May 1915, age 23
Son of Finlay and Margaret Maclean Campbell, 16 Habost.
Service unit: 2nd Seaforth Highlanders
Service number: 3/7204
Memorial: Ypres (Menin Gate) Memorial, panel 38

Lance-Corporal Malcolm Campbell is on the left.
Lance-Corporal Angus Campbell is on the right.

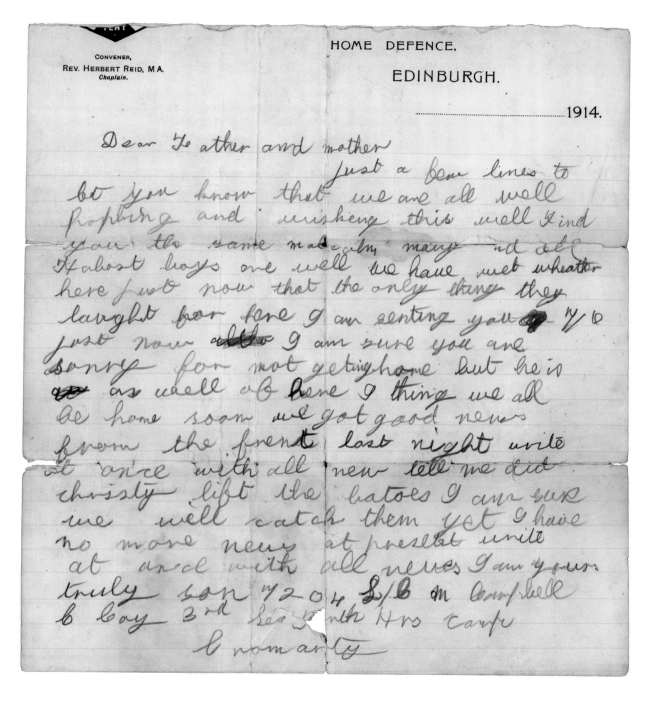

HOME DEFENCE EDINBURGH
1914

Dear Father and mother

Just a few lines to let you know that we are all well hoping and wishing this will find you the same. Malcolm Mary and all Habost boys are well. We have wet weather here just now that the only thing they brought over here. I am sending 7/6 just now. I am sure you are sorry for not getting home but he is as well off here. I think we all be home soon. We got good news from the front last night. Write at once with all news. Tell me did Chirsty lift the potatoes. I am sure we will catch them yet. I have no more news at present. Write at once with all news.

I am yours truly son

L/C M Campbell
C Coy 3rd Seaforth Hrs
Camp Cromarty

HOME DEFENCE EDINBURGH
3 Sept 1914

Pte Angus Campbell
A Coy 3 BATT.
Seaforth Highlanders

Dear Father and mother

I took the pleasure of writing you this few lines to let you know that I am in good health and Malcolm and Donald hoping this will find you the same and Chirsty and all friends. Excuse me for being so long without writing. I was not feeling the time passing. I am sure you are feeling the time very long their. I was very sorry when I heard that Kate my cousin was sick. Their was a fellow in our tent who got a letter from ...... and he was kept their. All Ness boys who went away with Murdo Dell was kept there. I am sure you are wondering I was no away with the rest. It was this, they were taking the oldest in the company first. I was lucky their was a few old ones in my companie. James my cousin is away since a week. He was lucky he won't go from France.

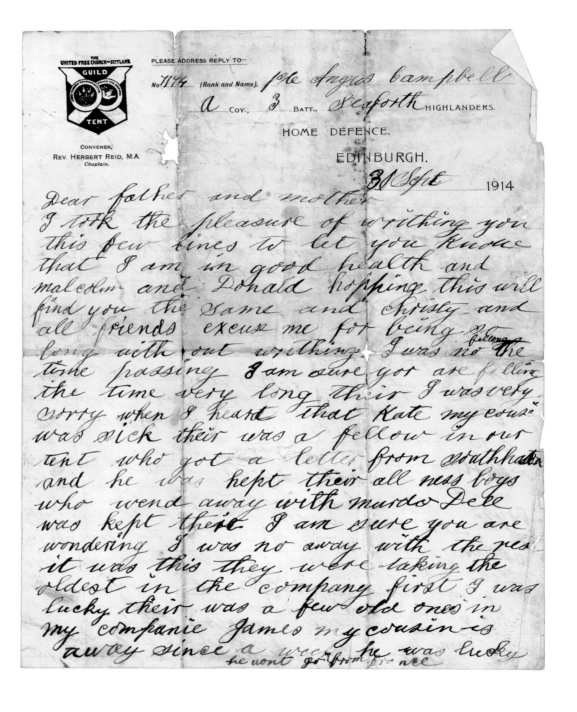

Malcolm Mary is very good in health give my best wishing to Effie. Tell her I was speaking to Dougall the day he is very good. He was lucky he was on the ...... He wont go away now. Taby, Sprickan Allan, Calman and Jonnie Smith are in the best of health. Donald (?Goban ?Johan) ?John, Norman Campbell and Kenneth Beg are all enjoying the best of health. Possie? Took the measles and got over it fine. He is all write now. John Morrison and Donald, his brother are in the best of health. I think that is all Habost boys. Tell me how are you getting on with the work and how is Chirsty getting on with the work. No much news at present time. Give my love to Mary and Chirsty and to John and his wife and to all the family. Tell me is Willie away I hope no. Give them my best wishes and to all that will ask about me. Good night.

From Angus your dear son

The last communication from Angus was a postcard to Kate Campbell, 16 Habost, 24 February 1915 – he was killed the following May

Dear Sister
I got your letter yesterday. I am quite well. Glad to hear you are the same. All Habost boys and James and Murdo Dell

From yours truly
brother Angus

Postcard to Finlay Campbell, 16 Habost

Dear Father and mother
Just a few lines to let you know that I am still in the
land of the living and in the best of health. I am sure you
were feeling long for my letter but don't blame me for it.
I am sure you heard that we were in action and that the
Germans tried with poison. I must now come to an end
hoping to hear from you soon. While I remain yours truly
Son Malcolm
Write at once

Postcard to Finlay Campbell, 16 Habost
13 April 1915

Dear Father and mother
Just a few lines to let you know that I am well hoping and
wishing this will find you the same and all the friends. I
was very sorry for Donald when I heard he was sick but I
hope this will find him better. We have good weather here
now. No more news at present. Write at once.
yours truly
son Malcolm

This was the final communication from
Calum – he was killed two days after he
wrote the card to his sister Kate

Postcard to Kate Campbell, 16 Habost
22 May 1915

Dear Sister
Just a few lines to let you know that I am in the best of
health, hoping and wishing this will find you the same. In
the first place I may tell you that I got the parcel all right.
I got a letter from Donald today and he is well. Excuse me
for my delay in writing for we are taking longer in the
trenches. I will write a letter ...on the next post in a hurry
after coming ...the trenches
Calum

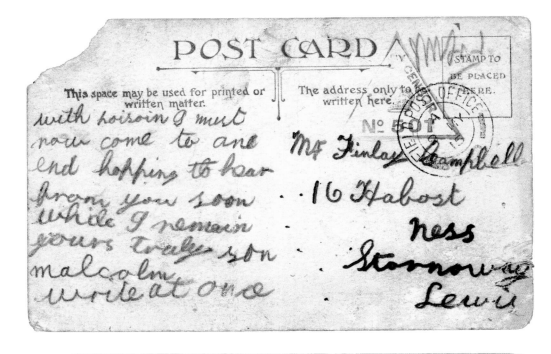

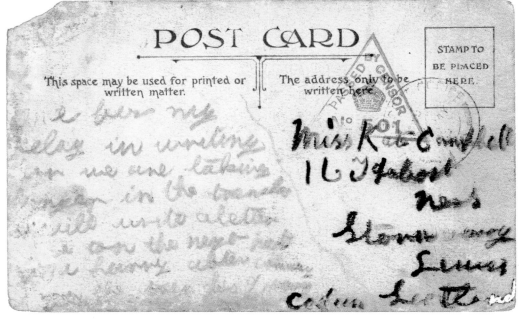

There are many sad and harrowing entries in this book – emotionally overwhelming at times - and these letters probably evoke the most intense feelings of all. Here a young man, eagerly hoping to be home soon with his loved ones, falls in the desert.

RODERICK MURRAY
Ruairidh Thàididh
24b South Dell

Killed in action in Mesopotamia
5 November 1917 age 20
1st Seaforth Highlanders
Service number: S/13483
Son of Norman Murray merchant
Memorial: Basra Panel 37 and 64

Four young men from the villages fell in Mesopotamia on 5 November 1917. The other three were:
  Alexander Murray 11 Skigersta age 24
  Donald Campbell 27 Lionel age 29
  John Smith 8 South Dell age 20

Full many a flower is born to blush unseen
And waste its sweetness on the desert air
Thomas Gray

RODERICK MURRAY
Ruairidh Thàididh
Correspondence

keep the horse prisk till I
get home next spring

181

Letter from Roderick to his sister Effie
30 December 1916

*ARMY Y.M.C.A. OF INDIA
HEADQUARTERS; 9 RUSSEL ST., CALCUTTA
MESOPOTAMIA EXPEDITIONARY FORCE*

Dear Sister

*Just a few nots to let you know that I am in good health
hopping this will find you the same and the rest of the
family. Myself and Alexander Morrison is very jolly hear
he is sending his best wishes to you. He diden know me
when he saw me bud I know him at once. I am out of
the trenches for a rest just now. Send to me the highland
news. Tell me are thay geten from George Murray is he
still in the trenches yed. Tell me how are they geten on
with the work. I belive their is nobody left there now that
will do the work. Give my best wishes to all the frind
roundabout. That all my news just now. Write soon to*

*Your brother Rody
C coy 1st Seaforth*

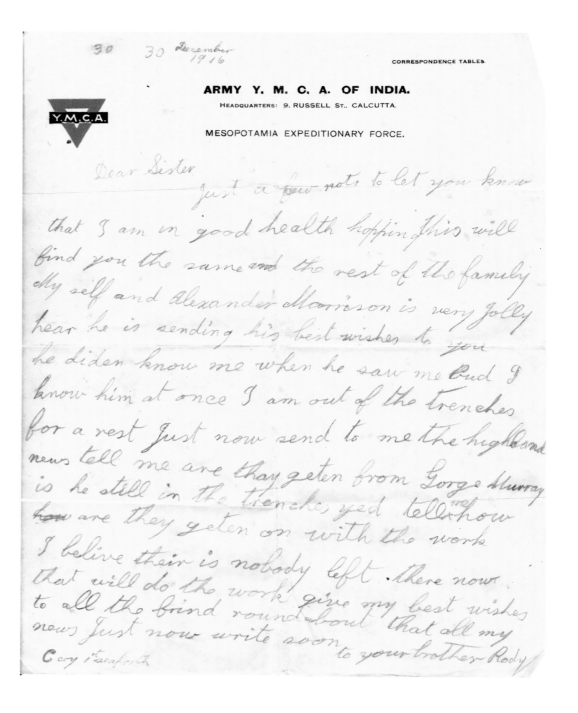

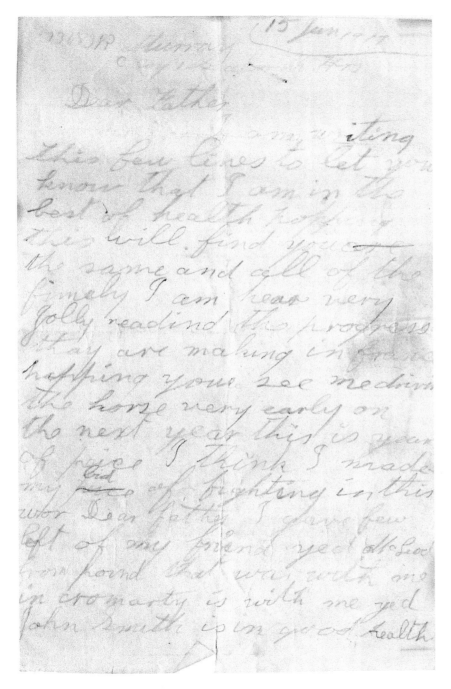

Letter from Roderick to his father
15 January 1917

13483 R. Murray
C Coy 1 Seaforth Hrs

Dear Father

I am writing this few lines to let you know that I am in the best of health, hoping this finds you the same and all of the family. I am hear very jolly reading the progress they are making in France, hoping you see me driving the horse very early on the next year. This is the year of peace. I made my bit of fighting in this war, dear father. I have few left of my friends, yet Macleod from Lionel that was with me in Cromarty is with me yet. John Smith is in good health, and D Morrison, Shader, is in the best of health. A Smith, Cross, is away on staff job on police somewhere down the line. I saw two lads from Swainbost today and I was asking them about James Morrison, Aird, and they told me that they left him in Bombay and Alex Gunn, Cross and big Alex from Cross is in Bangalore. You didn't tell me James was coming out here – you're not telling me anything. Tell me, is my brother Donald wanting to join the army. He can do so if he is wanting a broken heart. I wish I was in John Nicolson's place. I wrote a letter to Effie and Mary Gillies this last mail. Excuse (me) for bad writing, I can't keep my mind on the letter. Give my best love to my Mother, brothers, sisters and all the friends around. Closing, with my love to you. Write soon

Yours truly
son R Murray
Slan lat
goodnight

I must go and water four mules and get down to it and have a dream of home

183

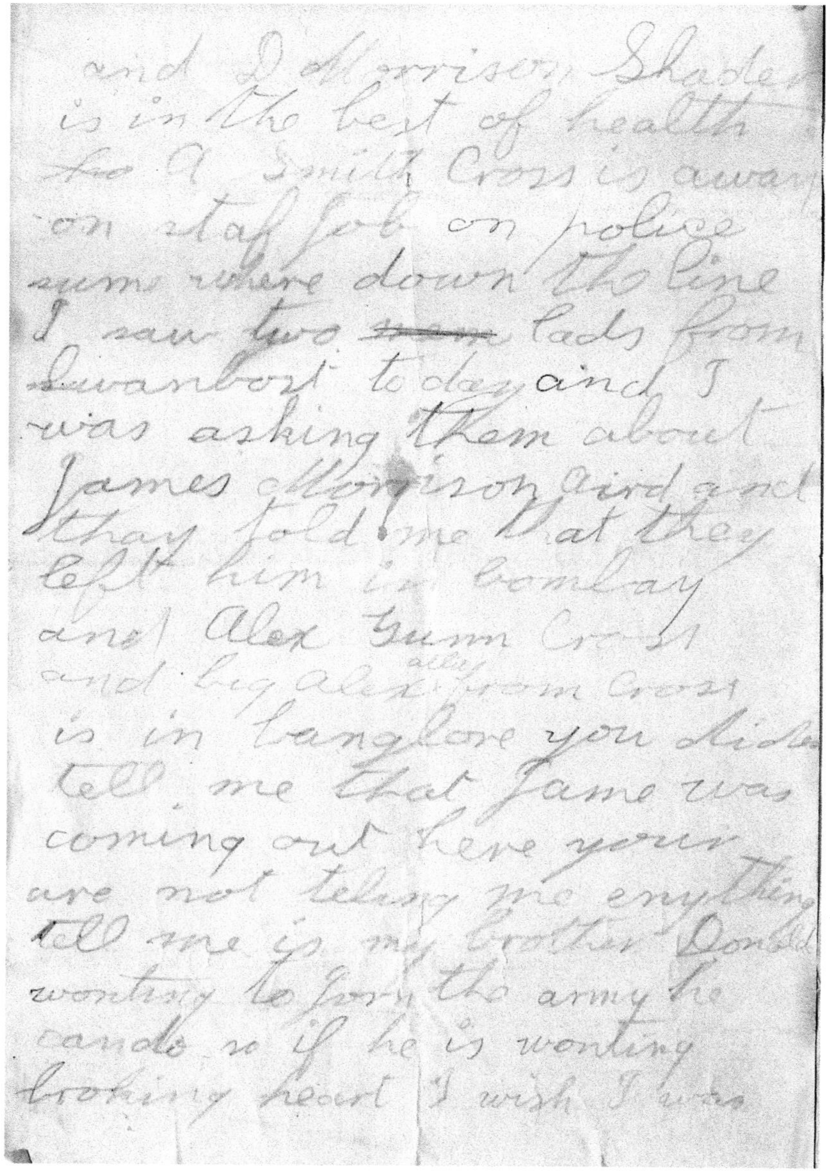

and D Morrison Shader
is in the best of health
to A Smith Cross is away
on staf job on police
sume where down the line
I saw two ~~—~~ lads from
Swanbort to day and I
was asking them about
James Morrison Aird and
thay told me that they
left him in bomlay
and Alex Gunn Cross
and big alex from Cross
is in banglore you did
tell me that Jame was
coming out here your
are not teling me enything
tell me is my brother Donald
wonting to jorn the army he
cande so if he is wonting
broking heart I wish I was

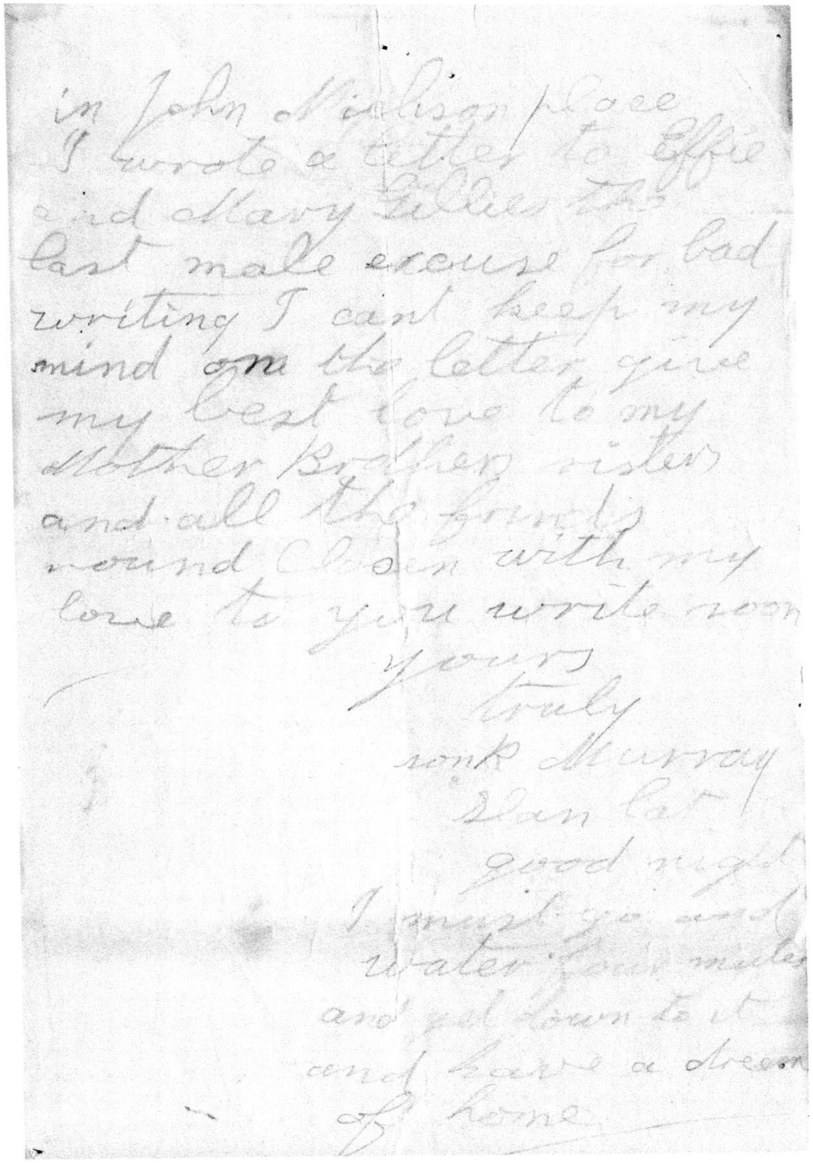

in John Nicolson place
I wrote a letter to Effie
and Mary Gilles the
last male excuse for bad
writing I cant keep my
mind on the letter give
my best love to my
Mother Brothers sisters
and all the frinds
round Closen with my
love to you write soon
yours
truly
sonk Murray
slan lat
good night
I must go and
water four mules
and get down to it
and have a dream
of home

'Slan lat
goodnight
I must go and water four mules and get down to it and have a dream of home'

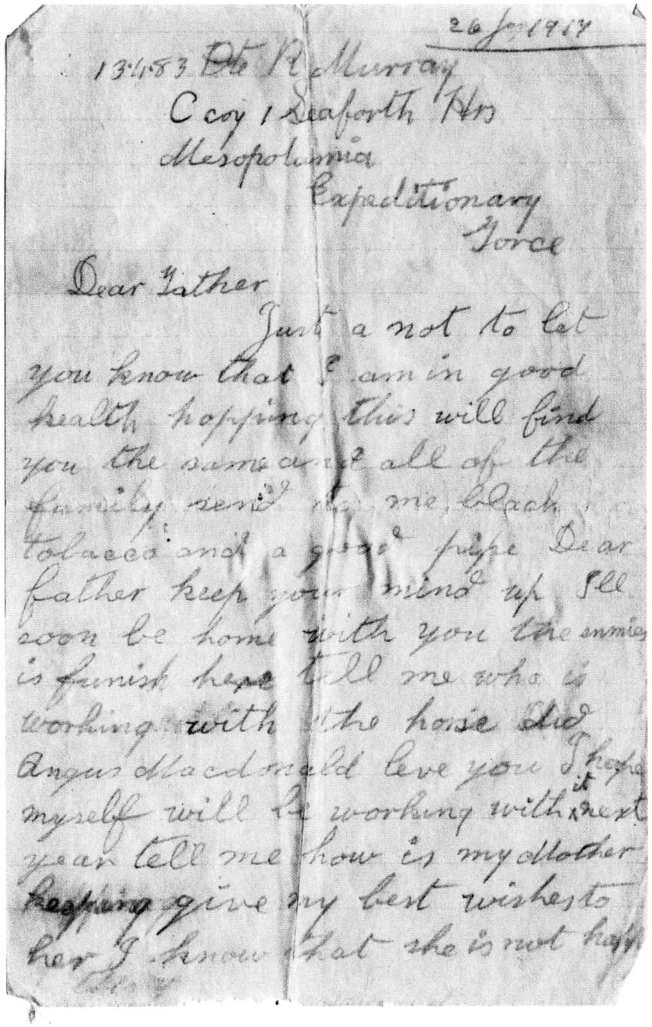

Letter from Roderick to his father

26 January 1917
13483 Pte. R Murray
C Coy 1st Seaforth Hrs
Mesopotamia
Expeditionary Force

'Yours truly
R Murray
Good by
Slan lat
We must drink the cup
that is out for us and
that a sore one for the
soldiers anyhow'

Dear Father

Just a note to let you know that I am in good health, hoppin this will find you the same and all the family. Send me black tobacco and a good pipe. Dear Father keep your mind up, I'll soon be home with you. The enemy is finished here. Tell me who is working with the horse. Did Angus Macdonald leave you. I hope myself will be working with it next year. Tell me, how is my mother keeping. Give my best wishes to her. I know that she is not happy.

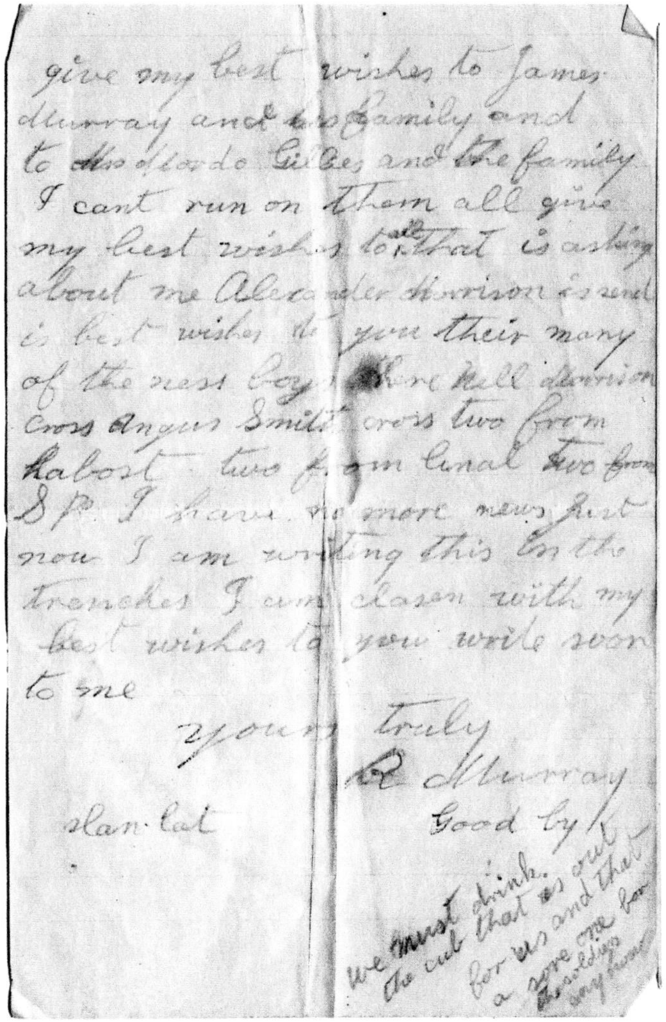

Give my best wishes to James Murray and his family and to Mrs Murdo Gillies and the family. I can't run on them all. Give my best wishes to all that is asking about me. Alexander Morrison is sending his best wishes to you. There are many of the Ness boys here – Neil Morrison, Cross, Angus Smith, Cross, two from Habost, two from Lionel, two from Skigersta.
I have no more news just now. I am writing this in the trenches. I am closing with my best wishes to you. Write soon to me.

Letter from Roderick to his mother
13 April 1917

13483 R Murray
C Coy 1st Seaforth Hrs

Dear Mother

Just a note to let you know that I am in good health hoping this will find you the same state of health and all the family.
Dear Mother I didn't get a letter away since a long time now. We are still advancing yet. This place is a very hot climate now but he is getting colder as we are going up the country. I'll be home soon the war is over. Here the Turks is finished.
My father said to me in his letter if any of the Turks fell in my hands that he hopes that I will not deal cruelly with them, but I am a Scotsman; I would do the same as they would do to me! I don't need to tell you …

Tell me did you start on the work yet. Who is working with the horse. All the Dell boys is in good health, A Morrison, D Smith and R Smith, Peel. Give my best wishes to all of the family and to the friends round. Donald Morrison shader is in good health.
That is all my news just now. Write soon. Closing with my best love to you all.
Yours truly
R Murray

Keep your mind up
Are we down hearted
No!
Keep the home fires burning
You are getting plenty of fish at home; I wish I was near you.

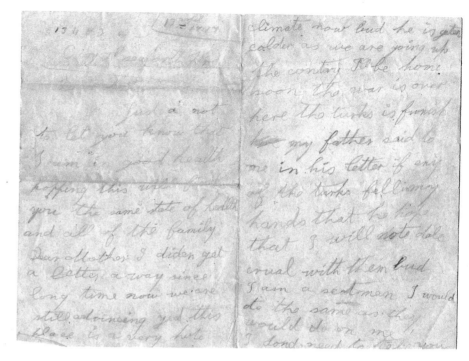
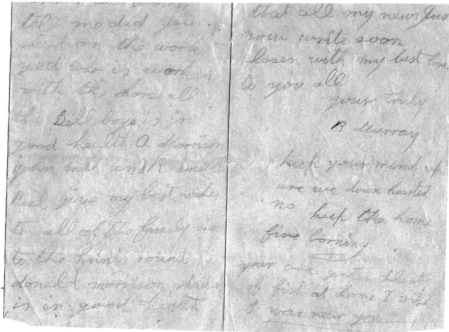

Letter from Roderick to his father
25 April 1917

Dear Father

I am writing this few lines to let you know that I got your welcome letter today and I am glad to hear that you and the family was well at the time of writing. This leaves me, Alex Morrison and John Smith in the best of health. You are wondering that I am not writing to you every week – I was writing to you every week before this advance. I took four weeks without getting a letter away, but you will get them now every week if I can. John Smith (Lollan?) is with me here – you may tell that to his father.
Tell me is it true that Mrs Angus Murray, 27, died. Tell me all the news; you are not telling me anything that is happening at home. Your letter is the second one I got from home. I got the Highland News on the same post.
Donald Morrison, Shader, is sending his best wishes to you. He is in good health. Give my best wishes to my mother, brothers, sisters.
Tell me who is your carter just now.
That is all my news. I will conclude with my best love to you. Write soon to your son
R Murray
Slan lat

I was speaking to Peel Smith. I saw him after finishing letter. He is looking very well.

Letter from Roderick to his brother
26th April 1917

From Roddy
To my brother Donald

Dear Brother

Just a few lines to let you know that I am in good health, hoping this will find you the same and the rest of the family. Dear brother, if they are calling you up just now, don't come this way, go to the navy. I lost two of my mates this week in a big attack. Peel is badly wounded, Alex Morrison went away sick. J Smith and A Smith, Cross is in good health. D Morrison, Shader is sending his best wishes to my father. Give my best love to father and mother, brothers and sisters. Tell me how you are getting on with the work. Write soon.

13483   Pte R Murray
C Coy 1st Seaforth Hrs
Mesopotamia Expeditionary Force

Letter from Roderick to his father.

It is not dated but he tells that 'Malcolm Macleod, Swainbost died… two days ago'. This would have been Calum Iain Bhig, 19 Swainbost, who died on 12 July 1917.

13483 Pte R. Murray
C Coy Seaforth Hrs.

My Dear Father
Just a note to let you know that I am in the best of health, hopping you are all the same. I wasn't a day sick since I came to this country but I don't know what out for me yet. We have very hote wether just now. The cases of sunstroke is very often here. Malcolm Macleod, Swainbost, died with sunstroke two days ago. I was speaking to Alex Morrison today. He is up here again and he is looking very healthy. He is sending his best respects to you. John Smith is in good health. I am not getting any letters from home. I don't know what's wrong. I got a letter from Mrs Gillies, Glasgow, last week.
Tell me are they calling up Donald. D Morrison, Shader, is in the best of health. That's all my news. I'll give you all my news sitting beside the fire before the New Year. I hope so any hows, but we die with hope. Give my best respects to my mother, brothers, sisters and all the friends around. Close with my best love to you.
From R Murray
Write soon
goodnight

Letter from Roderick to his father
13 May 1917

Dear Father
Just a note to let you know that I am alive yet, in the best of health. I received two letters from you yesterday and paper. I am glad to learn that all of you are in the best of health at the time of writing. I am wondering what's up on Effie. I am not getting any letter from her and I am writing home to you turn about. I wrote to Donald long ago. Tell me did he get my letter.
Dear Father I think the war is over here. There is a fortnight since we were in the last attack. I think that's the last.
Your parcel didn't arrive here yet. I think I'll be waiting long for it. I was speaking to Kenneth Morrison, Habost, and Angus Smith, Cross, Donald Morrison, Shader, John Smith, Donald Campbell is in good health.
Peel is wounded, Alex Morrison, Neil Morrison are away to hospital, sick. Macdonald from Lionel and Finlayson from Sk(Skigersta) is in good health.
Dear Father I have plenty news but not for a letter.
Give my best wishes to D and his family. Tell me are they getting from George – is he still living yet. Tell John Gillies to write to me. Give my best wishes to their family and James Muray and family.
I can't run on them all. Give my best wishes to all the friends round.
You was telling me that Hellen(?) got my letter. I didn't get an answer yet. That's all my news. I am fed up. I wish this war was over and all the enemies in their grave.
Write soon to your son R Murray.
Good night Father
I'll be with you at the end of the year.

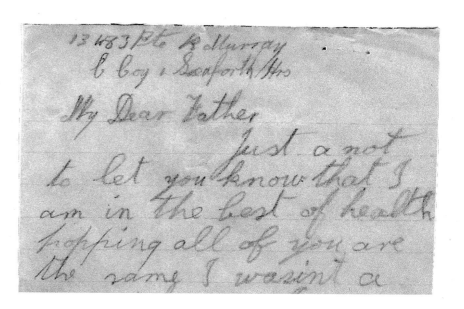

1 1917

Pt R Murray
C Coy 1 Seaforth Hrs
Mesopotamia Expeditionary
force

Dear father I reseved your welcom letter this week and glad to learn that all of you was in the best of health at the time of writing this leves me in the same state I got a letter from Effie and mary Gillies this week you was asking me about James Morrison and bud I didn see him yet he is in India I was

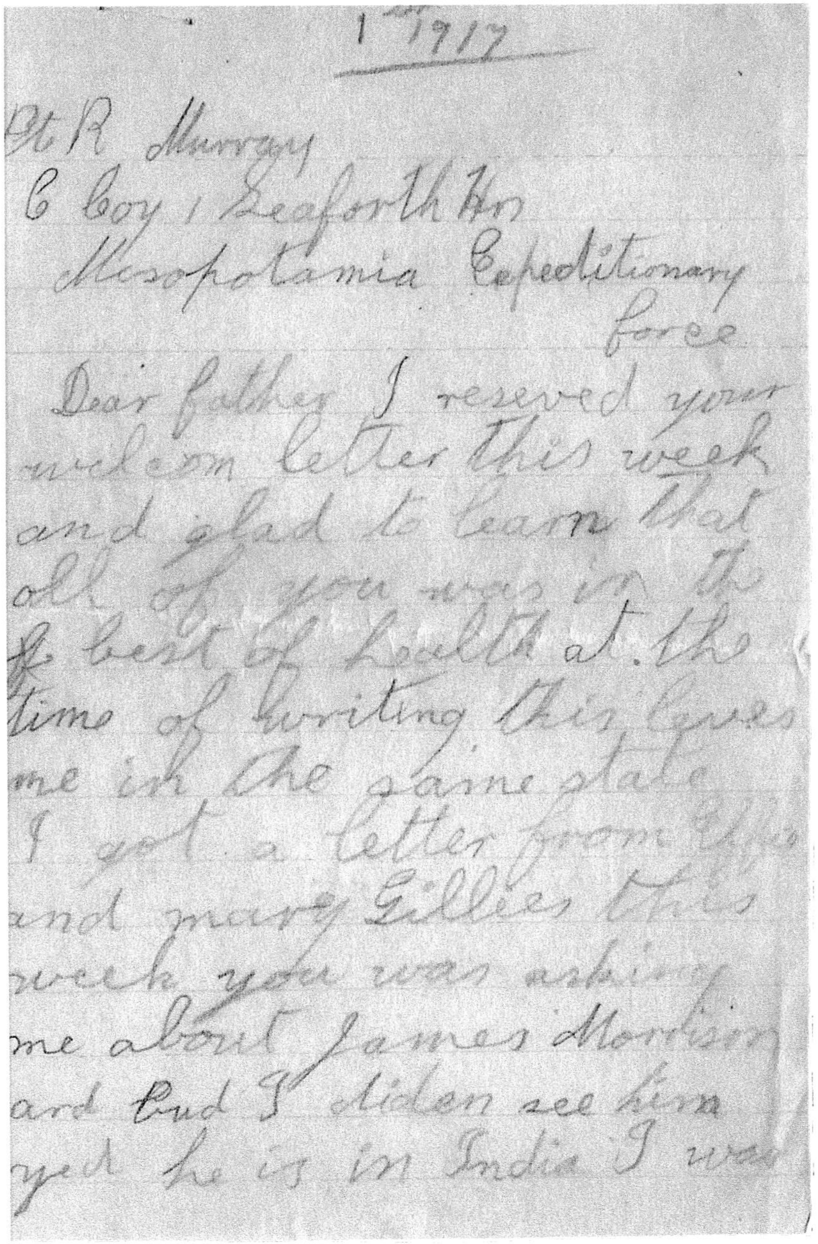

Letter from Roderick to his father
1 September 1917

Dear Father

I received your welcome letter this week and glad to learn that all of you was in the best of health at the time of writing. This leaves me in the same state. I got a letter from Effie and Mary Gillies this week. You was asking me about James Morrison but I didn't see him yet. He is in India. I was speaking to A Gunn, Cross. He was able to tell me that James is on the staff in India. A Morrison, John Smith, Neil Morrison, Donald Morrison, Shader, and all the boys is in good health. Everyone here is living in hope. When we lose the hope we will be looking poor. Dear Father give my best love to my Mother, brothers and sisters and to all the friends round. Tell me are they getting (hearing?) from George. Is he still in France. I didn't get a word from him yet, nor from John Gillies. I have no news to tell you. I am looking for the news from yourself. Write soon, closing with my love to you all.

From your son Roddy
Slan lat
Good night
Far away from home

R Murray October 13 1917
C Coy Seaforth Hrs
Mesopotamia

Dear Father
I reseved your most welcom letter two day by which I am glad to learn that all of you was in the best of health at the time of writing this leves me the same and A Morrison John Smith Donald Morrison Shader and the rest of the ness boys In the first place I may tell you that I reseved the porsal two days ago he was in good condishen I am smoking the amber pipe just now the black tobacco is a treat for us in this contry I am expecten the other porsal next male you are only geten letter from me once a month bud dear father I am writing home every week since we stop advincing in april Dear father I am not going home I am going to marry a arab Girl what a hope this is worst place I ever seen no grass nor buggerall bud sand and a few arabs I will never complan to work at home after this give my best respect to my mother Brothers and sister and to all cosuns and frinds to mordo all glandall cosen Rody

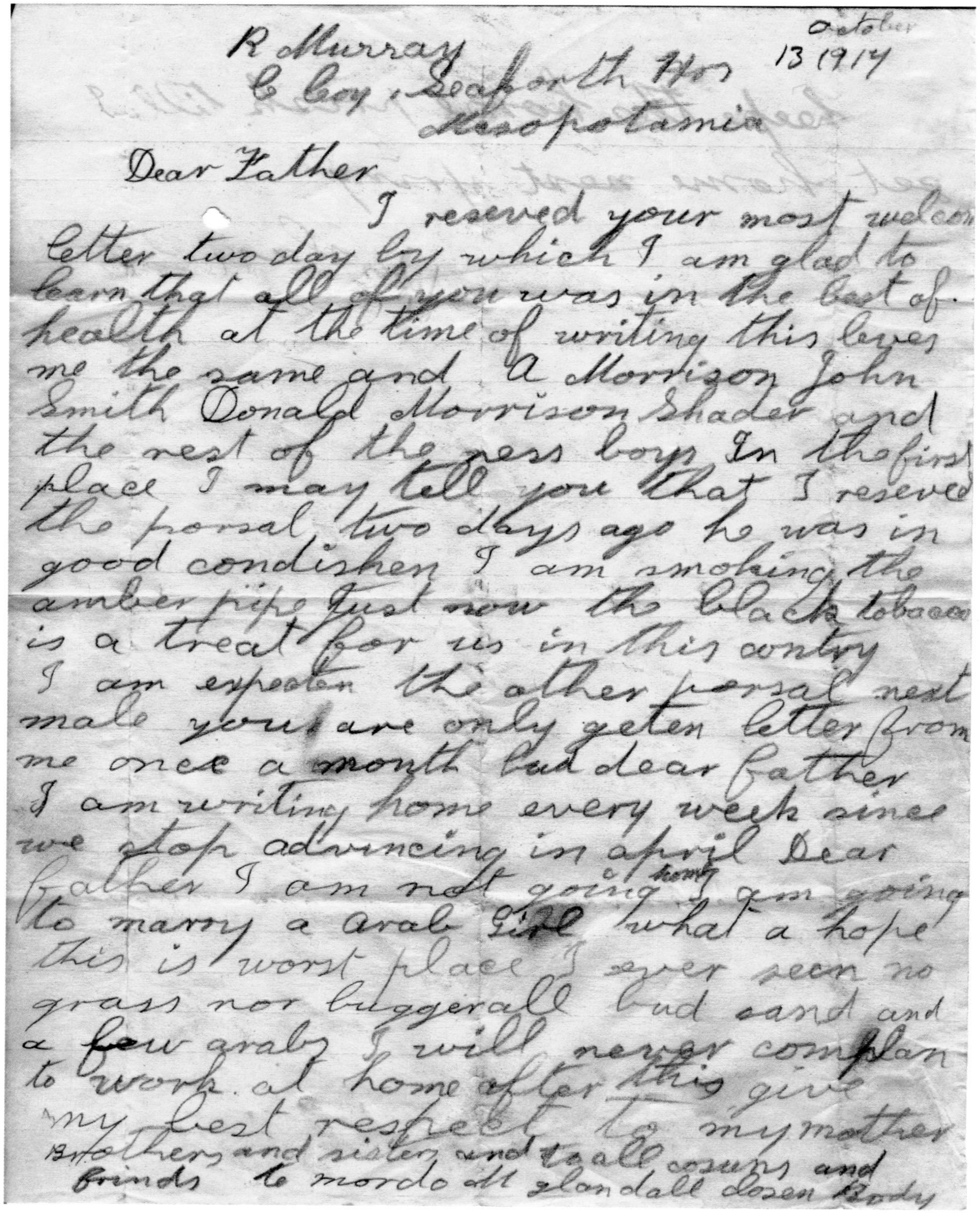

Letter from Roderick to his father

R Murray
13/10/17
C Coy. Seaforth Highlanders
Mesopotamia

Dear Father

I reseved your most welcome letter two days by which I am glad to learn that all of you was in the best of health. At the time of writing this leaves me the same and A Morrison, John Smith, Donald Morrison, Shader and the rest of the Ness boys. In the first place I may tell you that I reseved the porsal two days ago he was in good condishen. I am smoking the amber pipe just now. The black tobacco is a treat for us in this contry. I am expecten the other porsal next male You are only geten letter from me once a month but dear father I am writing home every week since we stopped advancing in April. Dear father I am not going home. I am going to marry a arab girl; what a hope! This is the worst place ever seen – no grass, nor buggerall but sand and a few arabs. I will never complain to work at home after this. Give my best respect to my mother, brothers and sister, and to all cousins and friends. To Murdo, GlenDall, cousin Roddy.

Keep the horse prisk till I get home next spring.
Slan lat

Letter to Roderick from his father Norman

Roderick had already been killed when his father wrote this letter to him. It was returned marked **killed in action**

South Dell Ness, by Stornoway
November 13th 1917
Pte Roderick Murray

My dear Son

Your welcome letters to hand today, one to John and one to myself and we are very glad that you were well at the time of writing, also all the rest of the boys along with you. This leaves us all in the usual health and all the friends and neighbours. We had a letter from Donald your brother from Glasgow and he is well and very jolly with all the Ness boys in Glasgow. I told you in my last letter that Sergeant D Gillies, Angus' son was killed in action on 4th October and his death cast a gloom over the district. Donald was telling me in his letter that he wrote you last week and I hope you will have his letter by the time you will get this. Your Uncle Donald was all last week home on leave from France and he went away today, and Angus Murray your cousin has been in Dingwall first Thursday so your uncle is very lonely.
We have lifted the potatoes and we have 90 creels this year. I see by today's paper that you had a battle last week and I am afraid all the Ness lads did not come safe out of it but I hope they are all safe. I may tell you that John Smith (Spagan) was taken away last week so we are all left very lonely. I have no news,

you could give me more news than you are giving me. I see the Turk is meeting there match South of Jerusalem, and I hope Jerusalem will soon be in our hands, only the Russians has sold this country(and) all our allies over to the enemy and I hope Russia will suffer for it yet.
Ann is always asking when are you coming home. If you will write to Donald this is his address:
Donald Murray
c/o Mr Alexander Macleod
3 Tennant Street
Renfrew
By Glasgow
James Murray and family & Murdo Gillies' family & Uncle Donald & family sends there best respects to you. Give my best respect to A. Morrison, J. Smith, R. Smith, N. Morrison, & D. Morrison. Shader, and tell them all that their relatives are well at home.
We have very rough weather since the first of September. We did not taste fresh fish since 2 month. I hope this will find you living and in good health and we are all very glad that you are writing us so often. I conclude with love from your mother, John, Effie, Ann and Marybelle, not forgetting you myself. Hoping you will trust in the Lord that can take you through all the hardships you may have. Hoping you will write us as often as you can. You did not tell us did you get the parcel. May the Lord bless you and all that is along with you. Good night, I am, dear son, your affectionated father
Norman Murray

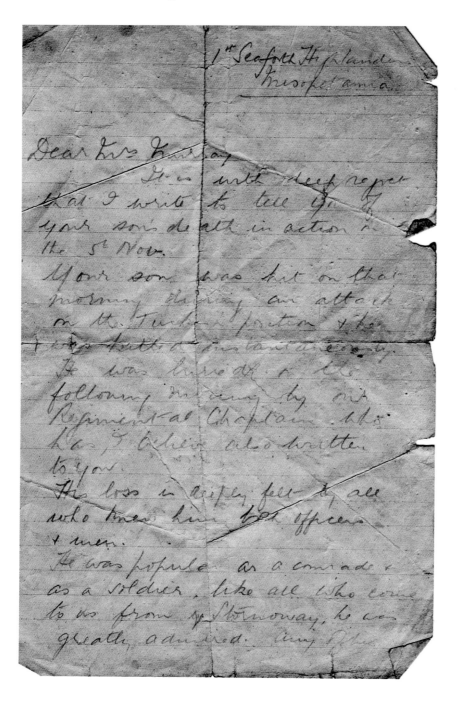

Letter to Mrs Murray from Roderick's Commanding Officer

1st Seaforth Highlanders
Mesopotamia

Dear Mr Murray
It is with deep regret that I write to tell you of your son's death in action on 5th Nov.
Your son was hit on that morning during an attack on the Turk's position and he was killed instantaneously. He was buried the following morning by our Regimental Chaplain, who has, I believe, also written to you.

His loss is deeply felt by all who knew him, both officers and men.
He was popular as a comrade and as a soldier, like all who come to us from Stornoway.
He was greatly admired …

Tributes from *Stornoway Gazette*, 1917-1918
Roderick Murray

The many friends and acquaintances of Mr Norman Murray, merchant, South Dell, will learn with deep regret that his son, Pte Roderick Murray, Seaforths, fell in action in Mesopotamia on the 5th November last. Roderick was one of the first in the Ness district to attest under the Derby Scheme, and was immediately posted to the County Regiment. He was a most popular young man and held in much respect by all who knew him. Mr Murray received many letters of condolence from the officer of his battalion. The adjutant of the battalion wrote as follows:

"It is with deep regret that I write to tell you of your son's death in action on 5th November. Your son was hit on that morning during an attack on the Turks position and he was killed instantaneously. His loss is deeply felt by all who knew him, both officers and men. He was popular as a comrade, as a soldier, and like all who came to us from Stornoway he was greatly admired"

Letter to Mrs Murray from Chaplain

1st Bn Seaforths
20/11/17

Dear Mr Murray

Please accept my deep sympathy in the loss of your brave son (13483 Pte R. Murray) who fell doing his duty bravely at Tekrit on the 5th Nov. I had the sad duty and honour of laying him to rest where he fell– about 1¾ miles S.W. of Tekrit, along with a comrade Pte. Page. My best wish is that the words of hope and victory with which we committed them may be your strength and comfort in your sorrow.
Again with much sympathy
Yours sincerely
R Ghee(?)
Chaplain

From Lance-Corpl. A Macleod, Mr Murray received the following letter:

"I regret very much that I should have to write such a letter as this to you, but being much attached to your son Roderick, who was killed here on the 5th November, I am bound to write. When this scrap took place, Roderick and I were for it. Now, I cannot say how your son met his death, but in the fray, I was detached from my Company all night, and on joining it next morning, I set about making enquiries for my beloved companion, but it was late in the day when Donald Morrison, Shader, told me that Roderick was killed. I could mention a few things which I noticed in his career which were examples for other soldiers. I am in possession of a Gaelic Testament he gave me, also a pipe he got in a parcel. May God, whose mercy never fails, give you strength to bear the sadness and sorrow of your bereavement."

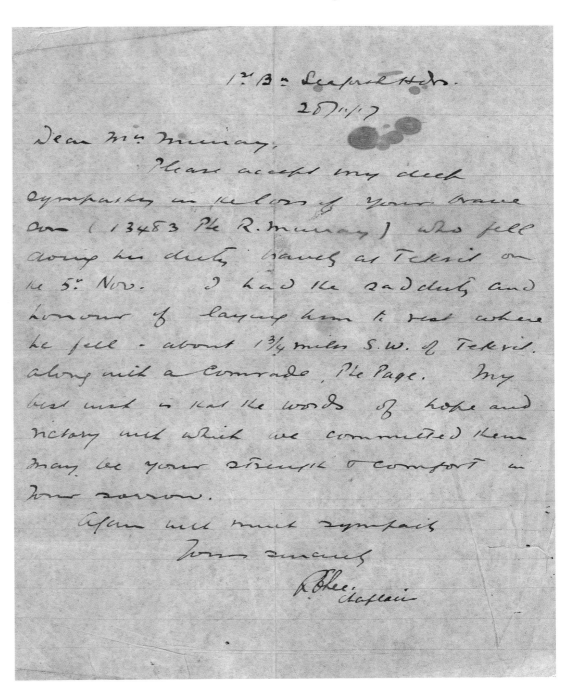

RODERICK GRAHAM, 30 Borve

Letter to his sister

Private Roderick Graham, was killed at Frezenberg Ridge as the 8th Seaforth Highlanders moved up to the front on 20th August 1917. Roderick Graham is remembered at Tyne Cot - the largest CWGC cemetery in the world - on the memorial wall along with 34,952 other soldiers who have no known grave. Roderick's brother, Donald was killed in the early action of the war in France on 29 October 1914.

RODERICK GRAHAM
30 Borve
Killed in action in France, 20 August 1917 age 21
Service unit: 8th Seaforth Highlanders
Service number: 3/7352
Tyne Cot Memorial, Panel 132 to 135 and 162A.
Son of Duncan and Mary Graham of 30 Borve
Ruairidh Dhonnchaidh Bhìodain

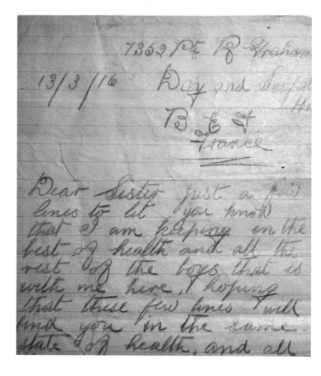

7352 Pte R Graham
D Coy 2nd Seaforth Hrs
B E F
France

13/3/16

Dear Sister

Just a few lines to let you know that I am keeping in the best of health and all the rest of the boys that is with me here, I hoping that these few lines will find you in the same state of health, and all the friends around you. I may tell you that we have very cold weather with snow and frost. Tell me what kind of weather you have at home just now. Tell me how are they in Roderick's house and how is Margaret. Tell me is any of the Navy boys at home on leave. Tell me was Alex Macdonald at home yet. Tell me is John Graham and John Morrison in Cromarty.
I haven't much news at the present time closing up with my best wishes to you all. Mind write soon with all your news. Tell all the boys I was asking about them. No more news just now.

Letter is signed

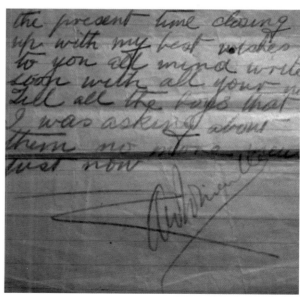

RODERICK MURRAY
Ruairidh Aonghais 'an Duinn
27 South Dell

RODERICK MURRAY
Ruairidh Aonghais 'an Duinn
27 South Dell
Son of Angus and Catherine Murray
Died of wounds sustained at Ypres
4 June 1915 age 23
2nd Seaforths
Service number S/7034
Interred Vlamertinghe Military
Cemetery grave I. G11
Previously wounded in 1914

Letter from Chaplain Chevasse to Catherine Murray,

Clearing Hospital
9.VI.15

Dear Mrs Murray –
I am very grieved to have to tell you of the death of your son Pte Murray of the 1st Seaforths. He passed away in this hospital at 5.30am on the 6th. He came in badly shot in the body on the 4th – he used to suffer a good deal of pain, but was very patient with it. I often used to visit him and he used to like me to pray with him, but I could never get him to realise how ill he was. He was always full of hope and would not let me write to you – as he wished to wait till he was better. I saw him last later in the evening of the 5th. He was feeling weaker and asked me to pray– he also said he would like me to send you his love and to his brothers and sisters at home. Soon after he began to ramble and finally passed peacefully away. We buried him next day in the little cemetery of this place, in a special spot reserved for soldiers fallen in the War. A cross with his name upon marks the exact position of his grave. A Firing Party attended and did all we could to do honour to a brave soldier.
May God himself be your comfort in this severe great sorrow, and always remember that like Our Blessed Lord Himself, he died in the service of others.

Yours very sincerely
C.M. Chavasse, C.F/C of E

195

Actual size individual memorial issued to
families of the fallen in the Great War

7
A' Charragh-cuimhne

The memorial

Tha mi duilich, 's mi tha duilich
'S duilich leam na thàinig oirnn
Gillean a bha calma, fìnealt,
'N-diugh nan sìneadh fo na fòid.

Coinneach MacChoinnich, Siadar

The Cenotaph in Whitehall, London

The fallen of the Great War from our villages are commemorated on memorials from America to Australia, Africa to Asia and throughout Europe.

The first memorial erected in Lewis for the dead of the Great War was at St Moluag's Church in Eoropie. It was unveiled on 26 August 1918 by the Lewis proprietor, Lord Leverhulme.

On 24 September 1924, at a ceremony attended by over 2000 people, Lord Leverhulme again had the honour of formally marking the completion of the impressive memorial tower on the outskirts of Stornoway, in remembrance of all from Lewis who gave their lives in the 1914-18 conflict. On 10 November 2001 dedication services were held for the splendid memorials at Cross and Borve, where the names of those from our own villages lost in the two World Wars, are engraved in the stone panels.

Every year since, many people – young and old – have joined in remembrance services at these focal points of commemoration.

The decision to honour, with permanent gravestones and memorials, the great number from the British Empire who fell in the First World War was agreed at the War Conference in London in 1917. The Imperial War Graves Commission (now the Commonwealth War Graves Commission) was subsequently constituted.

A Commission report of 1925 [extracts are included in this section] sets out the extraordinary care and attention that was given to the task.

The Cenotaph in Whitehall, London is the focus for the United Kingdom's annual remembrance where the monarch, religious leaders, politicians, representatives of state and the armed and auxiliary forces, gather to pay respect to those who gave their lives defending others. On the Sunday nearest to 11 November at 11am each year, a Remembrance Service is held at the Cenotaph to commemorate British and Commonwealth servicemen and women who died in the two World Wars and later conflicts. The memorial, made from Portland stone, was unveiled in 1920. The inscription reads simply 'The Glorious Dead'.

Tha a' mhuinntir a chaidh a chall às na bailtean againn anns a' Chogadh Mhòr air an cuimhneachadh air carraighean-cuimhne bho Ameireaga gu Astràilia, bho Afraga gu Àsia, agus air feadh na Roinn Èorpa. B' ann aig Teampall Mholuaidh ann an Eòropaidh a chaidh a' chiad charragh-cuimhne a chur an àirde ann an Leòdhas. Chaidh a toirt am follais gu h-oifigeil air 26 Lùnastal 1918 leis a' Mhorair Leverhulme, uachdaran Eilean Leòdhais aig an àm.

Air 24 Sultain 1924 bha 2000 duine an làthair nuair a bha am Morair Leverhulme a-rithist a' comharrachadh gun robh an tùr-cuimhneachaidh àlainn a chaidh a thogail air iomall Steòrnabhaigh, mar chuimhneachan air a h-uile neach à Leòdhas a chaillear anns a' Chogadh Mhòr, a-nise crìochnaichte. Air 10 Samhain 2001 chaidh seirbheisean coisrigidh a chumail aig na carraighean-cuimhne brèagha a chaidh a chur an àirde ann an Cros agus Borgh, far a bheil ainmean gach neach bho na bailtean againn a chaidh a chall san dà Chogadh sgrìobhte air clàran cloiche. Gach bliadhna bhon uair sin tha mòran de mhuinntir na sgìre, sean is òg, air a bhith a' tighinn còmhla airson seirbheisean cuimhneachaidh aig an dà làrach sin.

Chaidh aontachadh aig Còmhdhail a' Chogaidh ann an Lunnainn ann an 1917 gun deigheadh leacan-uaghach agus carraighean-cuimhne a chur an àirde mar chuimhneachan air an fheadhainn a bhuineadh do dh'Ìompaireachd Bhreatainn a chaidh a chall sa Chogadh Mhòr. Chaidh Coimisean Uaighean Cogaidh na h-Ìompaireachd (an-diugh 's e Coimisean Uaighean Cogaidh a' Cho-fhlaitheis a chanar ris) a chur air chois greiseag an dèidh seo. Tha aithisg bhon Choimisean ann an 1925 [tha earrannan bhon aithisg anns a' chuibhreann seo den leabhar] ag innse mun chùram shònraichte a bh' orra nan obair.

Gach bliadhna bidh aire sluagh na rìoghachd air an Cenotaph, ann a' Whitehall an Lunnainn, nuair a bhitheas a' Bhanrigh, ceannardan creideimh, luchd-poilitigs agus riochdairean bhon stàit agus bho Fheachdan na Dùthcha agus bhuidhnean-taice a' tighinn còmhla airson urram a chur air a' mhuinntir a fhuair bàs ann a bhith a' dìon chàich. Air an t-Sàbaid as fhaisg air 11 den t-Samhain, aig aon uair deug gach bliadhna, tha Seirbheis Cuimhneachaidh air a cumail aig an Cenotaph airson na muinntir bho Bhreatainn agus bhon Cho-fhlaitheas a chaidh a chall anns an dà chogadh mhòr agus ann an còmhstrithean a thachair bhon uair sin. Chaidh an Carragh-cuimhne seo, a th' air a dèanamh de chloich Portland, a toirt am follais ann an 1920. Tha na facail, 'The Glorious Dead' air an snaigheadh oirre.

Chithear a' chiad charragh-cuimhne cogaidh a chaidh a chur an àirde ann an Leòdhas aig doras Theampall Mholuaidh ann an Eòropaidh. Chaidh a toirt am follais gu h-oifigeil leis a' Mhorair Leverhulme air 26 Lùnastal 1918 agus chaidh a ghlanadh agus a sgioblachadh às ùr mu 2002.

Near the door of the ancient St Moluag's Church in Eoropie stands the first memorial erected in Lewis in remembrance of those who made the supreme sacrifice in the Great War. Originally unveiled by Lord Leverhulme on 26 August 1918 it was cleaned and restored around 2002.

The Right Hon. Lord Leverhulme unveiling "Memorial Cross" at Eoropie to Lewis men who have fallen in the Great War.
26/8/18

On the last Monday in August 1918 Lord Leverhulme came to Ness - probably driven across the Barvas moor and through the villages in one of his estate's Ford motor cars. The recently restored St Moluag's was full to hear the proprietor's address. Roger Hutchinson in 'The Soapman', page 88, describes the scene:

On a fine, dry day the unconscripted people of Ness, the old and the very young – many if not most of whom would have been monoglot Gaels – gathered in that silent place to watch and to hear the Englishman who had promised so much. They filled St Moluag's until there was standing room only at the back. The proprietor spoke at length, as usual, but he fittingly limited his observations to the pity of war and the virtue of building rather than destroying. Lewis had, he said, given more men to the armed forces in proportion to population than any other part of Britain, 'but we can look back with pride, and our children's children will look back with pride, on the bravery and self-sacrifice of the gallant dead.'

The original inscription at the base of the 14-foot high stone Cross was in Gàidhlig. The first part, from the Book of Revelation chapter 2 verse 7, reads, 'Do'n ti a bhuadhaicheas bheir mise R'a itheadh de chraoibh na beatha, A tha ann am meadhon pharrais Dhe.'

The inscribed dedication reads 'Tha a chrois seo air a cur suas chum glòir Dhè, agus mar chuimhneachan air fir Leodhais a thuit ann an cogadh mor na h-Eorp.'

An English translation is now included in the plinth: 'To him that overcometh will I give to eat of the tree of life, which is in the midst of the paradise of God' and 'This cross was erected to the glory of God and in memory of the men of Lewis who fell in the Great War of Europe'.

The memorial is in the form of a Celtic Cross with decorative carving similar to the intricate knotwork found on ancient Celtic artwork. Although the monument was erected in the most northerly part of Lewis it is dedicated to all the Lewismen who fell in the Great War and was probably the first memorial of its kind in the island.

Lord Leverhulme unveiling the memorial cross at
St Moluag's Church on 26 August 1918

An Carragh-cuimhne aig Teampall Mholuaidh, Eòropaidh

The memorial at St Moluag's Church, Eoropie

Norman Smith in remembrance, May 2003
at the restored and cleaned memorial

Carragh-cuimhne Chrois, Nis

Memorial, Cross, Ness

Tha an carragh-cuimhne grinn seo ann an Cros, Nis, a' comharrachadh na muinntir eadar Sgiogarstaigh agus Dail bho Dheas a chaillear anns an dà chogadh. Tha ainmean 211 fear agus aon bhoireannach sgrìobhte air na còig clàran cloiche.

The fine memorial in the village of Cross, Ness, commemorates the war dead from Skigersta on the north-east and all the villages around the coast to South Dell. The five stone plaques include the names of 211 men and one woman who lost their lives in the two World Wars of the 20th century.

The memorial was unveiled on 10 November 2001 at a dedication service organised by the North Lewis War Memorials Committee. Norman Smith (see picture above right), chairman of the Committee, paid tribute to those who, from the time the project started, had contributed their skills and time in research, fundraising and construction of the Memorial. He said: "It is with a measure of gratitude and, I may say pride, that after all the intervening years we have in our own district a memorial most suited to the end for which was built; that is to remember those who went away from our homes and villages and helped to win the freedom which we still enjoy. They made the supreme sacrifice and did not return. Let us today remember them."

Mr Smith then invited 88 year-old Donald Graham of South Dell, who had served throughout WWII to unveil the memorial plaque.

Roderick Morrison a native of Cross, who had also served in WWII, then spoke:

"I suppose that these are the most appropriate words that were written during the First World War – but apply to all wars – by the English poet, Laurence Binyon:

They shall grow not old, as we that are left grow old:
Age shall not weary them, nor the years condemn.
At the going down of the sun and in the morning
We will remember them.

Agus faodaidh sinn a chuir dhan a' chànan chaomh againn fhèin:

Aig dol fodha na grèine agus aig àm dhith èirigh
Bithidh sinn a' cuimhneachadh orra."

This was followed by a period of contemplative silence broken by the lone piper, Norman MacLeod of Lionel, playing the *Flowers of the Forest*.

The service of dedication of the memorial, led by the Rev Kenneth Ferguson, commenced with singing of Psalm 121. Rev Ian Murdo Macdonald, minister of Cross Church of Scotland read from the Old Testament, the first book of Samuel chapter 7, reading from 7 through to verse 12. 'Then Samuel took a stone, and set it between Mizpah and Shen, and called the name of it Ebenezer, saying, Hitherto hath the Lord helped us'

Mr Ferguson then continued with the dedication: "At 11am on the 11th day of the 11th month of 1918 the Armistice was signed, bringing the hostilities of WWI to a close. This day was commemorated annually till the year 1945 when Armistice Day was replaced by Remembrance Sunday which was held on the second Sunday of November each year.

"From the millions who lost the lives in the two world wars we have the names of 212 here engraved on this splendid memorial behind me. These men and women were known and loved by many in these villages and they have been mourned and, we believe, are still being mourned by those nearest and dearest to them. In our way we seek to mourn with you as we remember them today. Truly they are worthy of remembrance not only in our hearts but in this public, permanent fashion. Like King David's mighty men of old, whose names are engrossed in the Biblical records, those who have died for our freedom are worthy of being remembered in this fitting way. But what is more, God is to be remembered as the One who gave us as a community, young men and women who were willing to give their lives in order that we should continue to have the freedom and privileges that we now enjoy."

Rev Alasdair Macdonald, retired, former minister of Cross Church of Scotland, then concluded the dedication service with prayer.

Above: Donald Graham, South Dell, who served throughout WW2 and had the honour of unveiling the memorial with Councillor Katie Mackenzie, Eorodale.

Left: Seonaidh Gillies, Lionel, WWII veteran, lays a wreath at the dedication service on 10 November 2001. Roderick Morrison, Cross, who served in the Royal Navy, looking on.

The five memorial plates and the 2013 Remembrance Day service.
John Angus Mackay, Lionel School, reciting the *Exhortation to
Remembrance* in Gaelic at the Cross Memorial on 9 November 2013.
Elizabeth Mackenzie, Lionel School, recites Binyon's lines at Cross
on 9 November 2013.

Habost
1914 - 1918

Croft	Name	Service	Lost	Age
2	Morrison, R	R.N.R	1.1.19	44
3	Thompson, A	R.N.R	12.2.18	29
6	Morrison, N	Canadians	2.4.18	28
11	Murray, D	R.N.R	1.1.19	23
12	Macdonald, D	Camerons	11.5.15	22
13	Macdonald, D	Seaforths	22.10.14	38
14	Smith, D	Seaforths	9.5.15	20
16	Campbell, A	Seaforths	9.5.15	20
16	Campbell, M	Seaforths	24.5.15	22
17	Maclean, A	R.N.R	31.5.16	32
18a	Macdonald, D	Seaforths	7.1.16	21
18a	Macdonald, A	Seaforths	1.7.16	19
19	Smith, F	Canadians	19.1.19	29
19	Smith, J	Seaforths	25.4.15	19
25	Morrison, K	Seaforths	4.8.18	21
27	Macleod, D	Seaforths	24.4.16	24
33	Macdonald, D	Canadians	22.4.15	34
34	Macritchie, D	R.N.R	1.1.19	21
41a	Campbell, M	R.N.R	3.19	19
41	Campbell, N	R.Eng	23.3.16	27
41	Campbell, M	K.O.S.B	17	30
41	Campbell, A.J	R.N.R	1.1.19	22

1939 - 1945

Croft	Name	Service	Lost	Age
8	Maclean, J.M	R.Can.Navy	24.8.41	39
Ex9	Maciver, N	R.Can.A.F	30.10.42	21
13	Macdonald, M	M.N	21.1.41	60
20	Murray, K	M.N	7.2.43	38

Skigersta
1914 - 1918

Croft	Name	Service	Lost	Age
3	Morrison, A	Canadians	12.6.17	30
10	Macdonald, J	R.N.R	1.1.19	32
11	Murray, A	Seaforths	5.11.17	24
16	Morrison, J	Seaforths	1.7.16	18
17	Mackay, M	Seaforths	9.5.15	19
18	Finlayson, A	Camerons	21.10.14	19

1939 - 1945

Croft	Name	Service	Lost	Age
4	Macdonald, M	M.N	30.11.39	49

Adabrock
1914 - 1918

Croft	Name	Service	Lost	Age
1	Macritchie, D	H.L.I	19.8.17	34
1	Macritchie, A	Seaforths	11.4.17	37
4	Morrison, J	R.N.R	20.10.14	41
12	Morrison, D	R.N.R	19.1.17	41
18 upper	Morrison, J	R.N.R	13.12.17	35
18 outer	Mackay, W	Seaforths	1.7.16	19

1939 - 1945

Croft	Name	Service	Lost	Age
11	Campbell, D	R.N.R	3.10.40	20

Eorodale
1914 - 1918

Croft	Name	Service	Lost	Age
2	Macdonald, D	Seaforths	19.10.18	22
3	Mackenzie, N	Seaforths	23.8.15	18
4	Campbell, M	R.N.R	1.1.19	19
6	Morrison, M	Camerons	23.9.18	26
9	Macdonald, D	Canadians		
9	Macdonald, M	R.N.R	22.7.17	
13	Macleod, J	R.N.R	1.1.19	20
14	Morrison, A	Seaforths	1.7.16	20
15	Gunn, M	Seaforths	1.7.16	19

1939 - 1945

Croft	Name	Service	Lost	Age
16	Macleod, A	M.N	24.1.44	20
Ex 5	Murray, M.C	R.Can.A.F	22.10.43	33

Lionel
1914 - 1918

Croft	Name	Service	Lost	Age
5	Campbell, J	Seaforths	4.5.17	26
7	Macleod, D	R.N.R	17.9.14	23
8a	Morrison, J	Canadians	26.9.16	34
10	Macleod, D	R.N.R	18.10.19	37
14	Gillies, A	Canadians	25.5.15	34
15	Gillies, J	Seaforths	23.4.17	25
15	Gillies, A	Seaforths	10.10.16	28
16	Macleod, J	Seaforths	7.1.16	20
16	Macritchie, J	Seaforths	9.6.15	21
17	Morrison, N	R.N.R	1.1.19	21
19	Macdonald, D	Seaforths	10.4.17	23
21	Macdonald, A	Seaforths	7.1.16	21
23	Morrison, J	R.N.R	13.12.17	35
27	Campbell, D	Seaforths	5.11.17	29
27	Campbell, J	M.N	19.5.17	22
28	Macritchie, J	Seaforths	2.9.18	24
31	Campbell, D	R.N.R	1.1.19	44
32	Maciver, J	Seaforths	7.10.16	21
36	Murray, J	R.N.R	1.1.19	46

1939 - 1945

Croft	Name	Service	Lost	Age
3	Macdonald, A	R.N.R	12.6.42	22
6	Campbell, D	R.N.R	21.1.40	21
11	Smith, J	Seaforths	10.6.40	21
29	Morrison, M	R.N.R	17.10.40	20
36	Murray, N	M.N	13.8.42	30
30	Morrison, M	Lost in Clyde	5.9.41	48
30	Morrison, J	Mine Disaster	5.9.41	40

Port Of Ness
1914 - 1918

Croft	Name	Service	Lost	Age
3	Campbell, A	Canadians	11.8.18	34
3	Macdonald, A	R.N.R	1.1.19	24
12	Morrison, J	Gordons	26.10.14	23
16	Mackenzie, M	Argyles	16.3.18	31

1939 - 1945

Croft	Name	Service	Lost	Age
9	Smith, A	R.N.R	11.5.42	29
Bayview	Macaulay, D	R.N.R	22.9.40	34
Ocean View	Macleod, Marion C	Min/Info	19.1.42	52

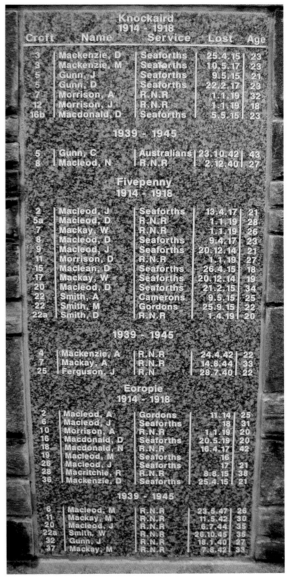

Knockaird
1914 - 1918

Croft	Name	Service	Lost	Age
3	Mackenzie, D	Seaforths	25.4.15	23
3	Mackenzie, M	Seaforths	10.5.17	23
5	Gunn, J	Seaforths	9.5.15	21
5	Gunn, D	Seaforths	22.2.17	23
7	Morrison, A	R.N.R	1.1.19	32
12	Morrison, J	R.N.R	1.1.19	18
16b	Macdonald, D	Seaforths	5.5.15	23

1939 - 1945

Croft	Name	Service	Lost	Age
5	Gunn, C	Australians	23.10.42	43
8	Macleod, N	R.N.R	2.12.40	27

Fivepenny
1914 - 1918

Croft	Name	Service	Lost	Age
2	Macleod, J	Seaforths	13.4.17	21
5a	Macleod, D	R.N.R	1.1.19	28
7	Mackay, W	R.N.R	1.1.19	26
8	Macleod, D	Seaforths	9.4.17	23
9	Macleod, J	Seaforths	20.12.14	21
11	Morrison, D	R.N.R	1.1.19	27
15	Maclean, D	Seaforths	26.4.15	18
17	Mackay, W	Seaforths	20.12.14	19
20	Macleod, D	Seaforths	21.2.15	34
22	Smith, A	Camerons	9.5.15	25
22	Smith, M	Gordons	25.9.15	22
22a	Smith, D	R.N.R	1.4.19	20

1939 - 1945

Croft	Name	Service	Lost	Age
4	Mackenzie, A	R.N.R	24.4.42	22
7	Mackay, A	R.N.R	14.8.44	33
25	Ferguson, J	R.N	28.7.40	22

Eoropie
1914 - 1918

Croft	Name	Service	Lost	Age
2	Macleod, A	Gordons	11.14	25
6	Macleod, J	Seaforths	18	31
10	Morrison, A	R.N.R	1.1.19	20
16	Macdonald, D	Seaforths	20.5.19	20
18	Macdonald, N	R.N.R	16.4.17	42
19	Macleod, M	Seaforths	16	
26	Macleod, J	Seaforths	17	21
28	Macritchie, A	R.N.R	8.6.15	38
36	Mackenzie, D	Seaforths	25.4.15	21

1939 - 1945

Croft	Name	Service	Lost	Age
6	Macleod, M	R.N.R	23.5.47	26
11	Mackay, M	R.N.R	11.5.42	30
20	Macleod, J	R.N.R	6.7.44	35
22a	Smith, W	R.N.R	26.10.45	35
32	Gunn, M	R.N.R	16.1.40	27
37	Mackay, M	R.N.R	7.8.42	33

Carragh-cuimhne Bhuirgh
Memorial, Borve, Lewis

Ri taobh Talla Coimhearsnachd Chlann Mhic Guaire ann am Borgh, chithear a' charragh eireachdail seo a tha a' comharrachadh na feadhna a chaidh a chall às na bailtean bho Ghabhsann gu Baile an Truiseil. Sgrìobhte air na trì clàran cloiche tha ainmean nan 84 fear a chaillear anns an dà chogadh, agus aon fhear a chaidh a mharbhadh ann an Cogadh nam Boer.

In the village of Borve, next to the Clan MacQuarrie Community Centre, stands the worthy memorial to the war dead of the villages from Galson to Ballantrushal. Engraved on the three stone plaques are the names of 84 men who lost their lives on active service in the two World Wars and one man lost in the Boer War.

The memorial was unveiled on 10 November 2001 when a large crowd gathered at the Borve Memorial for the dedication service. Murdo Louis Macdonald, Vice Chairman of the Committee welcomed everyone and thanked all who had contributed in many ways to the completion of the Memorial. He called on Angus Graham, the oldest ex-serviceman in the district from Galson to Ballantrushal.

After unveiling the plaque Mr Graham addressed those present in Gaelic in words suitable to the occasion. Alasdair Murray formerly of Galson then spoke:

"This memorial is in remembrance of those who gave their all so that you and I and the generations to come will live in security and peace. I had the sad and precious privilege of saying my goodbyes to some of them a few short hours before they were gone forever. I realised then the depths of the bonds that bind us all together - a bond that was built on friendship, fellowship, hardship, danger and death. There is a sacred place in our hearts where their images are forever young."

Rev Kenneth Ferguson then read from the Gospel of John Chapter 15 verses 1 to 13 followed by a short address where he said:

"War is often associated with attitudes of selfishness, pride, confusion and hatred ... but the gathering here today is not to remember the two World Wars as such but in particular to remember those who made the ultimate sacrifice, those who gave themselves for our freedom.

"They died fighting for a worthy cause to defeat the oppressor in order to secure peace and freedom. We have the names of ninety men from these villages inscribed on this memorial and it is fitting that they be given such a permanent place of honour in our community.

"I pray that this memorial stone will keep before the mind of each succeeding generation the great price that was paid for their freedom in two World Wars. And also turn their thoughts and ours in true gratitude to the greater sacrifice made and the everlasting freedom secured by our saviour the Lord Jesus Christ."

Rev Murdo Smith a native of Shader then addressed the gathering on behalf of the community.

"Those of us who are 56 years or under know nothing of what it is like to live through World Wars. We know nothing of what it is like to have our nation under attack from an enemy.

"I would like us to think back to what this community was like 90 years ago – full of people with many children and young people making it a lively and vibrant community. They lived in thatched houses and worked the land for their livelihood, they joined the RNR and the Militia to receive some kind of remuneration to support them in living here.

There was a rhythm to the life that people lived growing crops, looking after stock and going to the shieling. Then on the 4 August 1914 the postman came with envelopes addressed to all those who were in the RNR and the Militia. Hundreds of young men were called up that day to fight in the trenches. They left a warm happy summer here in the island and within months they were in the mud and the blood and the carnage that was the Western Front. Before the end of year other envelopes were arriving reporting that loved ones had been lost, killed in action. Two people from Borve, I think it was Donald and William Graham, were the first to lose their lives in October of 1914 and by the end of the year eight people from here had been killed, four of them on the same day, 22 December 1914.

"Before the First World War was over another fifty or so names had been added to that list and the cruellest blow of all was when the *Iolaire* went down on New Year's Eve 1919 when a further six men were lost. Over sixty men in the prime of their lives went away and never came back."

Facing Page: The Borve Memorial.
Upper Left : Murdo Louis Macdonald
Lower Left: L/Cpl Macleod, 10 November 2001.

North Galson 1939 - 1945

Croft	Name	Service	Lost	Age
44	Finlayson, K.D	R.N.R	26.5.44	25
50	Macdonald, A	R.N.R	2.3.44	23
52	Macdonald, A	R.N.R	18.1.42	32

South Galson 1939 - 1945

Croft	Name	Service	Lost	Age
22	Martin, R	M.N.	26.11.42	37
23	Macdonald, J	Camerons	24.10.42	20
25	Gillies, D	R.N.R	29.6.40	27

Melbost Borve 1939 - 1945

Croft	Name	Service	Lost	Age
5	Macleod, M	R.N	27.1.44	51
6	Morrison, J	R.N.R	21.1.40	39
13	Campbell, J	R.N.R	5.4.42	21

Mid Borve 1914 - 1918

Croft	Name	Service	Lost	Age
1H/Borve	Mackenzie, M	Camerons	26.4.17	24
1H/Borve	Mackenzie, W	Seaforths	1.7.16	19
3aH/Borve	Macdonald, J	Camerons	25.9.15	22

Borve 1914 - 1918

Croft	Name	Service	Lost	Age
2	Maciver, J	R.N.R	9.10.17	23
4	Morrison, J	Seaforths	27.2.19	25
10	Morrison, M	Canadians	28.4.16	21
10	Morrison, M	Seaforths	18.5.15	23
15	Macdonald, M	R.N.R	1.1.19	18
23	Mackenzie, P	R.N.R	30.9.16	35
23	Mackenzie, W	Seaforths	9.6.15	19
24	Smith, D	Canadians	4.6.16	24
24	Smith, M	Camerons	28.9.15	21
25	Nicolson, R	Seaforths	6.10.17	19
29	Graham, W	Gordons	19.10.14	24
30	Graham, D	Gordons	29.10.14	21
30	Graham, R	Seaforths	20.8.17	21
36	Graham, J	R.N.R	27.7.17	45
41	Morrison, D	R.N.R	3.2.15	46
48	Maciver, M	Seaforths	11.4.17	20

1939 - 1945

Croft	Name	Service	Lost	Age
26b	Macdonald, M	Seaforths	4.6.40	35
30	Saunders, N	Seaforths	6.4.43	25
Moor House	Smith, M	Scots Guards	11.9.43	30
Church St	Graham, M	R.N.R	14.12.39	29

Ballantrushal 1914 - 1918

Croft	Name	Service	Lost	Age
3	Maclean, J	Seaforths		
4	Maclean, A	Seaforths	16.4.17	26
7	Macdonald, M	Seaforths	22.12.14	18
10	Macleay, A	Argyles	12.10.17	33
10b	Macleay, J	R.N.R	26.4.18	43
11	Macleod, C	Gordons	15.11.14	21
14	Macleay, R	Seaforths	18.5.15	21
14	Macleay, L	Seaforths	10.1.18	19
15	Smith, A	Seaforths	23.3.18	29
15	Smith, J	M.N	25.11.15	17
18	Smith, M	Seaforths	4.10.17	21
18	Smith, D	R.N.R	26.7.17	18
21	Macdonald, N	R.N.R	16.9.17	24
21	Macdonald, A	Seaforths	11.4.17	21

1939 - 1945

Croft	Name	Service	Lost	Age
1	Macdonald, J	Seaforths	10.7.47	32
9	Macdonald, D.J	R.N.R	7.10.44	21
9	Macdonald, A	R.N.R	7.11.44	29
11	Macleod, J	R.N	27.4.43	30
New Park	Macdonald, D	R.N	8.3.43	21

Upper Shader 1899 - 1902 Anglo-Boer War

Croft	Name	Service	Lost	Age
1	Macleod, J	Scots Guards	24.11.99	21

Lower Shader 1914 - 1918

Croft	Name	Service	Lost	Age
8	Martin, N	R.N.R	1.1.19	42
13	Macleod, M	Seaforths	11.4.17	28
14	Macdonald, J	Camerons	23.7.16	24
14	Macdonald, A	Seaforths	25.6.16	21
18	Macleod, M	R.N.R	20.1.19	28
23	Macaskill, J	Camerons	22.12.14	23
25	Macleod, J	R.N.R	16.7.17	45
25a	Macdonald, J	R.N.V.R	1.1.19	32
29	Smith, N	Camerons	22.12.	21
29	Smith, D	Canadians	25.6.17	31
32	Smith, J	R.N.R	11.1.16	37
33	Martin, A	R.N.R	27.11.18	30
34	Macdonald, D	R.N.R	25.2.19	29
34	Macdonald, J	Camerons	25.9.15	19
38	Macleay, J	R.N.R	26.8.15	38
38	Macleay, A	R.N.R	1.1.19	38
39	Macdonald, D	R.N.R	28.11.16	27

1939 - 1945

Croft	Name	Service	Lost	Age
9	Graham, D	Camerons	6.9.44	24
16	Martin, J	R.N.R	1.9.40	26
27	Macleod, J	Black Watch	13.8.44	25
30	Macdonald, A	R.N.R	4.10.41	24

Upper Shader 1914 - 1918

Croft	Name	Service	Lost	Age
3	Matheson, M	Australians	6.5.17	26
6	Saunders, A	Seaforths	8.7.16	22
10	Matheson, M	R.N.R	1.1.19	27
13	Macdonald, J	Canadians	22.5.16	29
16	Smith, D	Camerons	3.9.16	20
20	Macdonald, D	Seaforths	14.8.16	26
21	Mackay, D	Royal Eng.	11.5.16	36
23	Macleay, A	Camerons	22.12.14	17
24	Smith, M	Camerons	15.12.14	19
24	Macleay, D.C	Canadians	8.8.18	22
30	Martin, N	Scots Guards	19.6.16	34
31	Morrison, A	R.N.R	1.1.19	20

Carragh-cuimhne Leòdhais

Lewis War Memorial

Ann an 1924 chaidh crìoch a chur air Carragh-cuimhne Leòdhais – tùr 85 troighean a dh'àird air iomall Steòrnabhaigh – agus chaidh a toirt am follais gu h-oifigeil leis a' Mhorair Leverhulme. Tha Calum Dòmhnallach bho Chomunn Eachdraidh Steòrnabhaigh air a bhith a' rannsachadh eachdraidh na carragh-cuimhne seo.

In 1924 the Lewis War Memorial – an 85 ft tower near Stornoway – was completed and unveiled by Lord Leverhulme. Malcolm Macdonald of the Stornoway Historical Society has researched the history of the Memorial.

THE LEWIS WAR MEMORIAL

by Malcolm Macdonald

A competition for the design of the memorial was held and the winning entrant was chosen as Mr J.H.Gall of Inverness. The contract was soon awarded and, by June 1924, the masonry work was complete, forming a very striking and prominent landmark on the 300-feet high Cnoc nan Uan. The internal work, not including the mounting of 16 bronze plaques representing the four parishes of Lewis, was completed by August 1924.

The memorial takes the form of a Scottish Baronial Tower rising to a height of over 85 feet. Internally, the tower is divided into an arched entrance chamber 20 feet high, and four upper chambers accessed by square and circular steel stairs and by granite turnpike stairs to the turret. A separate chamber was allotted to each of the four parishes of Lewis and in each, bronze plaques were mounted, bearing the inscriptions of every one of the fallen. The stairs allowed visitors to access the view of the Parishes from whence the dead had come. The dressed work is of fine axed Aberdeenshire granite, the walls are of native Gneiss and the floors of reinforced concrete.

The Contractors were: Messrs P & B Mitchell of Huntly, Builders; Mr Angus Macleod of Stornoway, Masons; Messrs Kerr & Macfarlane of Stornoway, Concrete and Carpenter Work; Messrs Macdonald & Son, Stornoway, Smith Work. At a the total cost of £4,000, the project transpired to be much more modest than the Appeal for Funds had first expected.

On Friday 24 September 1924, in perfect weather, over two thousand witnessed the unveiling of the Memorial by Lord Leverhulme. Contrary to the sure belief of all those attending, the 1914-1918 was not the war-to-end-all-wars. During the Festival of Britain in 1951, there were talks in progress to erect a further memorial of some kind to commemorate those from the island who lost their lives in the Second World War. The Ross & Cromarty County Council, The Stornoway Town Council, The Lewis Remembrance Thanksgiving Fund with the Lewis Branch of the Royal British Legion took up the idea and Charles Henshaw & Sons Ltd, of Edinburgh, were commissioned to produce additional bronze plaques. On 13 September 1958, General Sir Richard O'Connor, the Lord Lieutenant of Ross & Cromarty and commander of many Lewismen during that war, unveiled the seven new plaques representing the Divisions of Lewis.

Sadly, the Memorial was closed to the general public in 1975 as a direct consequence of the gradual erosion of the fabric of the stone walls and the wrought iron internal staircase. The restraints on expenditure by public bodies made it difficult for the money to be found for restoration and in 1978 a Joint Appeal Committee was set up with Members of the Western Isles Council and the Royal British Legion (Lewis Branch). The Committee, known as the Lewis War Memorial Restoration Appeal Fund Committee, set a target to raise £35,000 to restore the Memorial. In 1981, extensive internal work was undertaken and in 1982, a silicone based waterproof coating was applied to the external walls at a cost of £5,759.

Despite these remedial works, the ingress of water to the building continued to cause deterioration. The Royal British Legion (Lewis Branch) with significant financial assistance from the Western Isles Council commissioned repointing works to the exterior which were carried out in 1990 by Scott & Brown, Builders, Edinburgh, at a cost of £59,800. These works were not successful in keeping out the heavy Lewis rain.

With the building still unfit for public use, the refurbished plaques were mounted outside the tower, on granite stones. A viewing path and seating area was also provided. This last project was completed in time for Armistice Day 2002.

Saddler Philip Macleod (Steinish) of the Royal Field Artillery was the first Lewis soldier to fall at the Battle of Mons in August 1914, dying in No-Mans-Land. His name is recorded here with 1,150 others from the First World War and 376 from the Second World War. The majority of those lost in 1914-18, died in the entrenched warfare of France. The casualties of the 1939-45 war, were mostly at sea but included members of the Royal Air Force and several servicewomen.

Though the new century draws on, the names of battles such as Ypres, Somme, Gallipoli, Jutland, El Alamein, Monte Cassino and the Atlantic remain in the memories of all Lewis folk. The exact figure of those serving in WW1 forces was recorded as 6,712, seventeen per cent of whom gave their lives for the cause. If the ratio of those killed to the total population (29,603 - 1911 Census) is taken into account, it can be seen that this island paid dear, losing twice the rate of men as the rest of the British Isles. Recognition of that fact was given due notice in the House of Commons by the late Lord Shinwell, but it was but small comfort to an island robbed of a generation and so cruelly made to mourn again when 174 Lewismen were among those lost at the Beasts of Holm as 1919 dawned.

No exact figure of those serving in the Second World War has ever been officially recorded, but from the Rolls of Honour compiled by the various historical societies in the island, a figure in excess of 5,500 can be confidently extrapolated. The population figures of 25,205 for 1931 reveal that the level of service given in the Second World War was every bit as loyal as that committed in the First.

Mr Gibson's address included the following words, which equally apply to all who were on active service:

'We are met to remember 148 members of the School who laid down their lives in the Great War. Some had done their share of the world's work before the war called them, others passed straight out from the quiet of the classrooms to the roar of the guns. Their services on sea and land scattered them far and wide. The bitter winter weather of the Atlantic, the storms of the North Sea and the Channel, the inland waters of the Mediterranean, the icy blasts of the White Sea, the torrid heat of the Persian Gulf and the Indian Ocean, the far-spread waters of the East – all had their share – made their constant demand for hardy endurance; and everywhere the secret mine, the lurking submarine, the unexpected attack of commerce raiders, or open battles with the warships of the enemy. And so on land – from frozen Murmansk to the steaming forests of Central Africa, and from the muddy trenches of Western France to the salt shores of the Caspian and the wastes of Mesopotamia, the ridges of Gallipoli, the sands of Egypt, the hot hollow of the Jordan Valley, the rocky hills of the Balkans – there was no fighting front without its share of these Lewis lads of ours.

The dust of most of them rests in foreign soil – from Flanders fields to the sands of the Two Rivers – and beneath the seas of all the oceans, but their memory lives here, an inspiration to you and all who come after.'

From *The Last Warrior Band* pp 1144-1145, Colin Scott Mackenzie

The Ross Mountain Battery Memorial

The cairn outside the Drill Hall, Church Street, Stornoway, remembers those of the Ross Battery who fell in action. The memorial which takes the form of a Highland cairn, stands some fifteen feet high, is constructed of local whinstone and has an inscribed bronze plate (shown at left). The memorial was unveiled by General Sir Ian Hamilton on Wednesday 29 September 1927.

The Nicolson War Memorial

On 13 April 1931, a bronze plate erected on the wall of the Francis Street school bearing the names of 148 former pupils of the Nicolson Institute who fell in the Great War, was unveiled by W.J.Gibson, former rector.

Carragh-cuimhne nam Maraichean

Memorial to the Seafarers

Bha còrr air 3000 Leòdhasach ann an seirbheis an Nèibhidh aig àm a' Chogaidh Mhòir. Bha a' chuid bu mhotha aca anns an RNR. Tha a h-uile maraiche a chaillear sa chòmhstri, 's a th' air ainmeachadh san leabhar seo, air a chuimhneachadh cuideachd air carraighean ionadail agus roinneil, air leacan-uaghach ann an cladhan aig an taigh, agus eadhon cho fada air falbh ri Peru.

More than 3000 Lewismen were on active service in the naval divisions during the Great War – the vast majority were in the Royal Naval Reserve (RNR). All the seafarers of the Great War listed in the Roll of Honour in this book, who gave their lives in the conflict, are remembered with honour on local and regional memorials and on individual gravestones in cemeteries at home, and even as far away as Peru.

The Chatham Naval Memorial.
Reproduced from the IWGC report of 1925.

After the First World War, an Admiralty committee recommended to the Imperial War Graves Commission that the three manning ports in Great Britain - Chatham, Plymouth and Portsmouth – 'should each have an identical memorial of unmistakable naval form, an obelisk, which would serve as a leading mark for shipping'.

The Chatham Naval Memorial, unveiled by the Prince of Wales (the future King Edward VIII) on 26 April 1924, commemorates 8,517 sailors of the First World War. At Portsmouth the names of 9,666 mariners lost in the Great War are engraved on the memorial.

Those from the Merchant Service, who have no grave but the sea, are commemorated in perpetuity on the memorial at Tower Hill, London.

Extract from THE FIFTH ANNUAL REPORT OF THE IMPERIAL WAR GRAVES COMMISSION published in 1925

The three memorials which have been erected in the United Kingdom to the dead of the Senior Service are also, strictly speaking, Memorials to the "Missing". The Admiralty appointed a Naval Memorials Committee in 1920, to advise the Commission as to the most suitable form of memorials to the 25,567 ranks and ratings who had lost their lives at sea. The Committee decided on three memorials at the three manning ports, Chatham, Portsmouth and Plymouth. They came to the conclusion that "It would greatly add to the sentiment and perpetuation of the memorial to associate it with some practical naval purpose. And what could one have to better fulfil both these conditions than a sea-mark or leading mark near the foreshore? Surely the combination of a Naval Memorial at Portsmouth, with a beacon to guide the ships into their Home Port, and to guide the liberty boats over the Swashway, will appeal to all."

The sites selected were in the Park on the North side of the Hoe at Plymouth, on Southsea Common at Portsmouth, and on the Great Lines at Chatham. The three memorials are similar in design, and a photograph of that at Chatham is included in this Report. The names of the dead are recorded on bronze panels, that in front bearing the following inscription:

"In honour of the Navy and to the abiding memory of these ranks and ratings of this Port who laid down their lives in the defence of the Empire and have no other grave than the sea. 1914-1918."

That on the back gives the single ship actions, and those on the sides general actions at sea and actions with enemy land forces. The total height of the memorial is about 100 feet. In describing his design, Sir Robert Lorimer, with whom was associated Mr. H. Poole, the Sculptor, says:

"The crowning feature of the four buttresses which project at the four angles of the base will be a seated figure of a lion.

"The column, which rises from the base, is treated with extreme simplicity until the top is reached, where at the angles there are bronze figures representing the four winds, and projecting from the angles below these figures are to be carved the prows of ships, the crowning feature of the memorial being a golden globe. The figures and globe are intended to symbolise our far-flung Empire."

Tower Hill Memorial, London

The memorial is situated in the Tower Gardens near the river Thames, London. The First World War section, designed by Sir Edwin Lutyens with sculpture by Sir William Reid-Dick, commemorates almost 12,000 Mercantile Marine casualties who have no known grave. The memorial was unveiled by Queen Mary on 12 December 1928.

Losses of merchant vessels were high and by the end of the war, 3,305 merchant ships had been lost with a total of 17,000 lives.

In the Second World War, 4,786 merchant ships were lost with a total of 32,000 lives.

The Second World War extension to the memorial commemorates almost 24,000 casualties who have no known grave. It was designed by Sir Edward Maufe, with sculpture by Charles Wheeler and unveiled by Queen Elizabeth II on 5 November 1955.

Between the two memorials are columns against which stand sculptured figures, by Charles Wheeler, representing merchant seamen. A Lewis seaman, Kenneth Stewart, a bosun with New Zealand Shipping Co in the 1950s was the model for one of the sculptures.

The Tower Hill Memorial to the Merchant Service

Carragh-cuimhne a' Chatha

The Battlefield Memorial

Tha na mìltean de chladhan le uaighean agus carraighean-cogaidh air feadh an t-saoghail, gach fear air a chumail an àirde le Coimisean Uaighean-cogaidh a' Cho-fhlaitheis. Bidh càirdean na muinntir a chaidh a chall a' tadhal air cladhan ann am Flanders agus san Fhraing airson beagan fhoghlam mun ìobairt a rinn na laoich sin air ar sgàth.

Throughout the world there are thousands of cemeteries with war graves and memorials, all maintained by the Commonwealth War Graves Commission. Many relatives of the fallen, seeking to understand the sacrifice and heroism of the Great War, now visit the battlefields of Flanders and France.

Above: Lionel School on a visit to the Western Front in 2006. Facing Page: Storm Cloud at Tyne Cot.

The battlefields of the Western Front include numerous cemeteries, memorials and museums where the fallen of the Great War are remembered with honour. France and Belgium have nearly 1,000 World War One Cemeteries and more than 1,500 Communal cemeteries and churchyards.

At Mons, the cemetery contains the graves of the first and last British soldiers killed on the Western Front.

The battle of Loos in 1915, the first big British offensive of the war, claimed many of our young soldiers. Dud Corner Cemetery has 2000 graves and the Loos Memorial commemorates 20,000 soldiers whose bodies were never found.

Thiepval, the memorial to the missing of the Somme, commemorates 72,000 British and South African soldiers who have no known grave. The largest Commonwealth war cemetery, Tyne Cot, is near Ypres in Flanders. Ypres has a heartbreaking past and was largely destroyed in the war but has now been rebuilt into an attractive town. The Menin Gate is an impressive structure across one of the main routes into Ypres. The names of 55,000 missing soldiers are engraved on it. The Vimy Ridge memorial tops the ridge where Canadian soldiers were engaged in a fierce battle. 11,000 have no known grave and are commemorated on one of the most dramatic memorials of the Great War.

The war in Mesopotamia and Gallipoli also claimed the lives of many of our own soldiers and sailors and they are remembered on memorials at Basra and elsewhere as recorded in the individual record held by the Commonwealth War Graves Commission.

The sheer scale of the global remembrance of the Great War is evident from the 1925 Annual Report of the Imperial War Graves Commission:

'In Switzerland there is one cemetery at Vevey, where the remains of the British prisoners of war who died in that country have been gathered together.

The chain continues across Italy, where there are in all 93 cemeteries in which the Commission has an interest. It stretches across Macedonia, the Balkans and the Greek Islands, where there are 25 cemeteries, and down the Gallipoli Peninsula, where there are 31, to Smyrna; through Syria, where there are two, through Palestine, where there are 10, passing over the Mount of Olives itself, then branching off south through Egypt, where there are 9, into East Africa, where there are 40, and eastward to Iraq, where there are seven. Then the chain extends across the north of India to China, where there is a cemetery at Tsingtao, and 23 other scattered burial grounds, to Australia and New Zealand, across Canada, and back to the United Kingdom, where there are more than 67,000 graves in some 7,500 churchyards and cemeteries. There are 50 other countries, off the track followed, where British War Graves have been found.'

An emotional tour of the battlefields of the Great War

In July 2013, Mary G Kahraman of Borve and Aberdeen and her brother Derek Macleod visited the battlefields of Flanders and Belgium to honour four great-uncles and others who had fallen in the Great War.

Mary's moving and poignant diary account of their trip was published in *fios* in December 2013.

Day 1 First stop was at the Commonwealth War Graves cemetery at Etaples, France which is the 2nd largest CWGC cemetery in the world. We discussed the work and origin of the CWGC. A drive of 1 ½ hrs took us to the Somme and onto Newfoundland Memorial Park in Beaumont Hamel. The memorial site is the largest battalion memorial on the Western Front and the largest area of the Somme battlefield that has been preserved. Along with preserved trench lines, there are a number of memorials and cemeteries. We wandered amongst the trench lines of July 1916 and visited the 51st (Highland) Division Monument.

In the afternoon we went to Thiepval Memorial to the 72,204 soldiers who have no known grave. Last stop of the day was at High Wood/ Delville Wood in the town of Longueval where the only cavalry charge of the Somme battle took place on 15th Sept 1916. Overnight stay in Cambrai, Northern France.

Day 2 Leave Cambrai and start the day on the Arras Battlefield of 1917 at Vimy Ridge. The Canadian Memorial, which took 11 years to build, is probably the most spectacular on the Western Front. In the afternoon we visited the grave of John 'Jack' Kipling, the only son of the British author Rudyard Kipling. He was only 18 years old when he was killed at the Battle of Loos. The death of John inspired Rudyard Kipling to become involved with the Commonwealth War Graves Commission and he developed the epitaph that appears on the graves of unidentified soldiers for which no details are known - 'a soldier of the great war known unto God'.

The rest of the day was spent on the Loos battlefield of 1915. We visited The Loos Memorial which forms the sides and rear of Dud Corner Cemetery. The cemetery got its name from the large number of unexploded German shells found there. Along with 20,610 soldiers who have no known grave we remembered our great uncle L/Cpl Murdo Smith, 24 Borve 1st Bn Queens Own Cameron Highlanders, 1st Division, 1st Brigade. He was killed on 25th September 1915 aged 21. He is remembered on The Loos Memorial Panel 119-124 where we placed his picture and a poppy spray. Our guide Chris then recited a poem entitled, "The day my family came" by Michael Edwards - a very poignant moment.

We also visited the area near Hulloch village where they were fighting with their Regiments. On the way to Ypres, Belgium we visited The Neuve Chapelle Memorial. The Indian Memorial commemorates the 4,700 Indian soldiers and labourers who lost their lives on the Western Front during the first World War and have no known graves.

Serried ranks at Etaples, France.
[Photo: Mary G Kahraman]

Day 3 We started the day south of Ypres at Fromelles (Pheasant Wood) Military Cemetery. Completed in July 2010, it is the first new war cemetery to be built by the Commonwealth War Graves Commission in fifty years. The cemetery contains 250 Australian and British Soldiers, whose remains were recovered in 2009 from a number of mass graves located behind nearby Pheasant Wood, where they had been buried by the Germans following the battle of Fromelles in July 1916. At this cemetery we paid our respects at the grave of a 16 year old Australian - the youngest soldier's grave we had seen on our trip. Our guide

Chris then read the poem, *Young fellow my lad* by Robert William Service.

Returning towards Ypres we stopped on Messines Ridge to visit the Bayernwald German Trenches at Witjtschate. This is an excavated German strongpoint from The Battle of Messines (7-14th June 1917)

The original trench system dating from 1916 has been carefully restored under archaeological conditions. It includes the following features: sandbagging, trench sides made of woven wickerwork branches, duckboard walkways, stone and reinforced concrete dugouts and mine shafts.

The Battle of Messines began with the detonation of 19 underground mines which devastated the German front line defences. This led us to visit our next location; two of the mine craters at Hill 60, a strategically important landmark of the war.

In the afternoon we visited the Hill 62 Museum and Trenches at Sanctuary Wood. This site is now one of the few places on the Ypres Salient battlefield where an original trench layout can be seen in some semblance of what it might have looked like. It is in the fields surrounding here that the Canadians fought the battle of Mount Sorrel from the 2nd-13th June 1916. On the 4th June 1916 our great uncle Donald Smith, 24 Borve, was killed, serving with the 43rd Infantry Battalion, Cameron Highlanders of Canada. He was 24 years old. He has no known grave and is remembered on The Menin Gate Memorial Panel 24-30.

We also visited the area around the village of Gheulvelt where the BEF halted the German advance in October 1914. The 2nd Gordon Highlanders defended the cross-roads east of the village. Lieutenant James Anson Otho Brooke was a 30 year old Lieutenant in the 2nd Battalion, Gordon Highlanders. On the 29th of October 1914 Lieutenant Brooke led two attacks on the German trenches under heavy rifle and machine-gun fire, regaining a lost trench at a critical moment. He prevented the enemy from breaking through the British line at a time when a general counter-attack could not have been organised. Having regained the lost trench, he went back to bring up support, and while doing so was killed. Lieutenant Brooke was posthumously promoted to Captain (effective Sept 1914) and awarded the Victoria Cross - the highest and most prestigious award for gallantry in the face of the enemy. His Victoria Cross is displayed at the Gordon Highlanders Museum in Aberdeen, his home city. He is buried at Zantvoorde British Cemetery, Zonnebeke, near Ypres Belgium which we also visited.

It was during this action on the 29th October 1914 that our great uncle Private Donald Graham, 30 Borve, 2nd Gordon Highlanders, 20th Brigade, 7th Division was also killed. He was 21 years old. He has no known grave and is remembered on The Menin Gate Memorial, Panel 38.

That evening we attended the 8pm Last Post Ceremony at the Menin Gate Memorial to the Missing in Ypres. The gate bears the name of 54,896 soldiers killed in the Salient who have no known grave, including Donald Smith and Donald Graham. We had the opportunity to lay a wreath in their memory that evening and, although it was emotional and somewhat nerve racking, it was a huge honour and something we will never forget. We also made sure their pictures were displayed with the wreath.

Day 4 With some free time to look around Ypres in the morning we visited the Flanders Fields Museum in the Cloth Hall. After Ypres we visited a German war cemetery near the village of Langemark in West Flanders. A very interesting experience and glad that it was part of the tour. More than 44,000 soldiers are buried here, the village was the scene of the first gas attacks by the German Army, marking the beginning of the second battle of Ypres in April 1915. As you walk into the cemetery there is a mass grave which contains 24,917 soldiers – 7,977 unknown. The names of those known are on the surrounding basalt blocks. Between the oak trees, next to this mass grave, are another 10,143 soldiers including two British soldiers killed in 1918. At the rear of the cemetery is a sculpture, added in 1956, of four mourning figures, said to be the guardians of the dead. We paid our respects at the grave of a young unknown German soldier and our guide Chris read the poem *Some Mother's Son*. For me this was a very thought provoking moment to say the least.

We travelled onwards to the Saint Julien Memorial, a Canadian War Memorial and small commemorative park located in the village of Saint-Julien. The memorial commemorates the Canadian First Division's participation in the second battle of Ypres which included the defence against the first poison gas attacks along the Western Front. The sculpture is known as *The Brooding Soldier*. 2000 soldiers fell and lie buried nearby.

On to Tyne Cot, the largest CWGC cemetery in the world. Our great uncle Private Roderick Graham, 30 Borve, 8th Battalion Seaforth Highlanders, 44th Brigade, 15th Scottish Division, BEF was killed on 20th August 1917. He was 21 years old and is remembered here on the memorial wall (panel 132-135) along with 34,952 other soldiers who have no known grave. We paid our respects, placed his picture and laid a poppy spray with Chris reading the poem *Lest we Forget*.

Our last visit in this area was to the Frezenberg Ridge where Roderick Graham was killed as the 8th Seaforth Highlanders moved up to the front on 20th August 1917. The national memorial for all the Scottish soldiers killed in WW1 is situated on the ridge and we remembered all the brothers here. I placed four Scottish saltire flags around the base of the memorial, one flag for each of them with their details written on the white of the flag.

On the way back to the Channel Tunnel our guide kindly detoured to Poperinge to Dozinghem Military Cemetery. This cemetery is in the middle of woods up a track as it was a field hospital/casualty clearing station. Our neighbour's uncle is buried here. Private Roderick Nicolson, Seaforth Highlanders, was killed on 6th October 1917 age 19. We paid our respects to him by leaving a poppy spray and our guide read the poem *Silent Cities* by Rudyard Kipling. His grave is marked in Gaelic 'Tha sinn an dòchas gu bheil e beò ann an Criòsd.' I felt so glad we had been able to visit here and seeing those words in Gaelic so far from home, although very sad, seemed to bring a fitting end to our journey.

Roderick Nicolson killed in action 6 October 1917.
Tha sinn an dòchas gu bheil e beò ann an Criòsd.
[Photo:Mary Kahraman]
Facing Page: Seaforths memorial near Arras.
[Photo: Marianna Mackenzie]

In remembrance of a grandfather,
Alexander MacLeay

In 2013 Sandra and Donald Martin of Stornoway travelled to France and Belgium to visit some of main battlefields of World War One. Sandra's grandfather, Alexander MacLeay, 10 Ballantrushal, was a piper in the Argyll and Sutherland Highlanders and was killed in action at Passchendaele in October 1917. His body was never recovered but his name is recorded on the wall of Tyne Cot Cemetery, which they were able to visit.

Sandra and Donald also took part in a ceremony at the Menin Gate Memorial in Ypres, where a service is held at 8pm every evening, during which the *Last Post* is played and which is attended by crowds of visitors from all over the world.

Sandra said it was a great honour to be invited to lay a wreath and be able to take part in the ceremony in honour of her grandfather.

Among the Ness and West Side men listed are: Angus Finlayson, 18 Skigersta; Angus MacLeod, 2 Eoropie; Malcolm Campbell, 16 Habost; Donald MacDonald, 33b Habost; John Morrison, 12 North Dell; Donald Smith, 24 Borve; Donald Graham, 30 Borve; Donald Stewart, Upper Shader and Roderick MacLeay, 14 Ballantrushal.

They also visited the Thiepval Memorial – the memorial to the missing of the Somme. It bears the names of more than 72,000 officers and men of the United Kingdom and South African forces who died in the Somme between 1915 and 1918 and have no known grave. Over 90% of those commemorated died between July and November 1916.

The Ness and West Side lads listed at Thiepval are; Alex Morrison, 14 Eorodale; Malcolm Gunn, 15 Eorodale; John Morrison, 16 Skigersta; Kenneth Campbell, 35 Swainbost; Murdo MacKenzie MacFarqhuar, Dell House; Donald Murray, 5 South Dell and Donald Smith, 16 Upper Shader.

At the Seaforth Cemetery, Cheddar Villa in Belgium sixteen Lewis men are among the one hundred Seaforth Highlanders who are buried here.

Among them are four Ness men: John Smith, 19 Habost; Murdo Morrison, 31 Cross; Dugald MacKenzie, 36 Eoropie and Donald MacLean, 15 Fivepenny.

The memorial at Beaumont-Hamel [Photo: Marianna Mackenzie]

No. ~~O.2 RECORD OFFICE~~ 3721?1
(In replying, please quote above No.)
Ref. No.
PERTH

ARMY FORM B. 104—82.

Infantry Record Office,
Tay St. Perth
10th November, 1914.

Madam,

It is my painful duty to inform you that a report has been received from the War Office notifying the death of :—

(No.) *4/805* (Rank) *Corporal*
(Name) *Alexander MacLeay*
(Regiment) *Argyll and Sutherland Highrs.*
which occurred *in France*
on the *12th October, 1914.*
The report is to the effect that he *was killed in action.*

By His Majesty's command I am to forward the enclosed message of sympathy from Their Gracious Majesties the King and Queen. I am at the same time to express the regret of the Army Council at the soldier's death in his Country's service.

I am to add that any information that may be received as to the soldier's burial will be communicated to you in due course. A separate leaflet dealing more fully with this subject is enclosed.

I am,

Mrs. Jno. McLeay,
18, George St.,
Whiteinch,
Glasgow.

Madam,
Your obedient Servant,
Alex. P. Haig, Capt.
for Officer in charge of Records. No. 2.
Record Office P.T.O.

18307. Wt. 15148/M 1365. 175M. 2/17. (R. & L., Ltd.

8

Dìleab Cogaidh

The fortune of war

In terms of loss of human life, the First World War was unprecedented. The number of war dead from the villages was over 200. Many more were also victims – those wounded and traumatised and the thousands at home - the widows, parents, brothers, sisters, children and friends who lost loved ones between 1914 and 1919.

Add in the suffering caused by the virulent influenza pandemic and the scale of the grief for those left to pick up their lives at the end of the war is almost unimaginable. Many war wounded succumbed to illness and injury after the cessation of hostilities.

Donald Macleod (pictured left), 10 Lionel, wounded at the Dardanelles, had his leg amputated and died at home on 18 October 1919

There was desperate poverty and little opportunity for young men returning from the war to get paid employment. It surely was not a land fit for heroes – there was no land for them, despite the agitation of the crofters before the war. A Board of Agriculture scheme for dividing farms at Gress, Galson, Uig and South Lochs was left on hold till after the war. About 150 holdings could be created out of the farms but by March 1919 the Board had received 1,273 applications.

Lord Leverhulme bought the island in 1918 and his plans were to retain the farms at Galson and Gress and build them up as dairy farms to supply milk to the expanding town of Stornoway. He considered the Board's plans to be a waste of public money, believing that small crofts would be uneconomic. His assessment was that the crofting system was a medieval life-style that had no place in his scheme for developing the island.

He had ambitious plans to develop the fishing industry, with improved harbours and ancillary industries creating jobs and opportunities for each family. By early 1919 his Lewis development was making good progress with houses being built and work started on the Ness-Tolsta road. There were plans for a railway from Stornoway along the east coast of Lewis to Port of Ness, another to Carloway on the west to link with improved harbours.

But the returning servicemen wanted crofts as well as employment and there were land raids on the farms at Tong, Coll and Gress. Leverhulme's response was to order dismissal of sixty men from his employment. His offer to reinstate the sacked workers was rejected by the raiders and in May 1920 Lord Leverhulme stopped all his island operations. This was a huge blow to families suddenly deprived of their living. Many felt that the suffering inflicted on a large number of islanders was directly attributable to the actions of the raiders.

In 1921 the schemes were re-started on a reduced scale but continuing action of the raiders resulted in Leverhulme announcing on 31 August that all his projects were suspended. He was also by this time in financial difficulties and his plans for creating wealth and prosperity for the island were in ruins.

The farm at Galson was broken up into crofts which were allocated by lot. Many families from South Dell and Shader settled in the township.

Around the same time, the Board of Agriculture bought a parcel of land in Ness, extending to around 500 acres, to provide a few acres for families for housing, growing crops and stock, thus easing the pressure on the congested crofting townships.

Over 100 separate holdings of between 2 and 8 acres were created in a ribbon of land between the main road crofts and the moor, now known as the Cross-Skigertsa Fishermen's Holdings.

1923 was a particularly distressing year in Lewis when crops failed and bad weather prevented people getting their peats home.

A newspaper report in September 1923 highlighted the situation:

'the … state of affairs in the district was very bad at present, and … there were worse times ahead. The local merchants were keeping their customers alive by doling out handfuls of meal. It had been a stormy, wet season – the wettest ever known there – and the peats had not dried, or the few that had were inaccessible owing to flooded cart-tracks …'

Emigration provided a way of escape and thousands left the island. Perhaps the most famous emigrant ship was the *Metagama* which weighed anchor at Stornoway harbour on Saturday 21 April 1923 with 260 men and women from Lewis setting out for a new life in Canada.

Decades later, Donald Macleod, Michigan, USA, (*Dòmhnall Tullag*, Knockaird), would recall the SS *Metagama*:

"I was twenty-one years old when I went on board the SS *Metagama*, anchored outside Stornoway Bay on the 23rd of April 1923 – a day that always remains fresh in my memory. Were we homesick? A stronger word would be more suitable! It was the kind of

SS *Metagama*

homesickness you could feel. A boy told me he was so blind with his tears that he could not see. We sailed north, and around the Butt of Lewis. There was deep silence among the three hundred Lewismen on board as our beloved Island faded in the distance with those whom we loved standing on its shores. For many, it was a last glimpse. Our destination was Toronto; there we parted. Life on the Canadian farm was quiet and simple. In many ways it was much like our own: there was no crime; Sabbath was kept; it was against the law to work on Sunday; shops were closed; many went to Church; no professional sport was allowed on Sunday (Sunday's law has since changed); no discrimination; food was plentiful. I was used to work, but it was work from morn' till dusk and wages were low. It was work, eat and sleep. Soon we drifted away when other work became available. We were lonely and homesick. Two of us found work with a fishing company but this was seasonal as the lakes freeze in the winter. One Sunday we had nowhere to go but to sit on the bank of Lake Eyrie looking into space, the seashore at Knockaird passing in review. I thought singing a Gaelic Psalm would be in order. Psalm 137: *Aig struthaibh coimheach Bhabiloin shuidh sinn gu brònach bochd* etc. It was not long before the mournful wail of my friend rose above the highest note."

Just a year after the *Metagama*, the CPR vessel SS *Marloch* sailed out of Stornoway with 290 young men and women on passage to Canada.

The Dundee Courier
March 5, 1924

Land at tuppence-ha'penny an acre

Only One Lot of Isle of Lewis Sold.

There was an amusing episode during the auctioneering yesterday at Messrs Knight, Frank, & Rutley, London, of the Island of Lewis, the sporting estate belonging to Lord Leverhulme. The property consisted of total area of 288,479 acres, the whole being divided into eight lots. The only one which was sold was the last in the list, and the second largest area offered. £500 was offered and taken for Galson estate, which has an area of 56,008 acres. When this sum was offered a chuckle went round the crowded room. "Is there no lady or gentleman who will pay more than £500 for 56,008 acres?" pleaded the gentleman with the hammer. Then in an aside to his clerk he asked how much it worked out per acre. The answer was tuppence-ha'penny [1p in today's coinage]. The auctioneer coaxed in vain, for there was no bigger offer forthcoming. Then in a manner as if presenting a prize, he said to the bidder, "It's yours."

The sport on this part of the estate is mixed shooting.

In March 1924 the island was offered for sale and as reported in the Dundee Courier of March 5 the 56,000 acres of Galson Estate including all the villages from Skigersta round the coast to Upper Barvas was sold for £500.

Lord Leverhulme's last duty before departing Lewis forever was to preside at the dedication of the Lewis War Memorial on 24 September 1924. Roger Hutchinson in *The Soapman*, 2003 pp 222-223 records the requiem:

Viscount Leverhulme spoke with so strong a voice in the sunlit silence that 'even those on the outskirts of the crowd were able to follow clearly.'

"These outer islands, of which Lews is the largest and most populous, provided a greater number of volunteers for service, from the very instant of the firing of the first gun in the Great War, in proportion to population, than any other part of His Majesty's Empire … the men and women of these islands have proved for all time to be like the strength of oak and granite rock, to withstand all attacks and storms and stress, and to resist without flinching all assaults of man.

And the people of these islands have accomplished this in spite of the fact that no people so dearly loved or are so deeply attached to peace and the arts of peace and to their beloved native island. Lewis men love their home, their wife, their children with a passionate ardour that few can realise who have not lived in these wind- and storm-swept isles …"

He then turned to the ex-servicemen who stood bare-headed and proud around him, whose comrades' desperation for housing and an acre of land had supposedly undermined his work in Lewis:

"You have returned from the War demobilised but not demoralised. You and we all must live our lives bravely and worthily of the sacrifice the dead heroes have made and set ourselves to perform our task … Farewell, brave dead! With parting words we pray that your brave lives and noble deeds may forever endure fresh and fragrant in the memories and lives of all living and countless generations yet unborn."

The memorial was then unveiled by two west coast veterans: Seaman Donald Macleay of Upper Shader in the parish of Barvas, who had lost his right leg and his right arm in the second month of the war, and Corporal Donald MacGregor of Tolsta-Chaolais, who had been severely wounded at Beaumont-Hamel on the Western Front in July 1916.

The Evening Telegraph
27 Sept, 1923

NEED OF BREAD AND ROADS IN LEWIS.

" Hardest Winter Ever Anticipated."
Appeal for State-Aided Employment.

Acute distress is reported as prevalent in the northern end of the island of Lewis, owing to the extremely congested population and the prolonged lack of employment. The Port-of-Ness Nursing Association, at a meeting in Edgemoor Mission Hall, presided over by Mr John Gunn, considered the situation, and agreed to act as a Relief Committee in an effort to relieve the existing destitution. Mr John M. Nicholson, Edgemoor Hall, and Miss Macrae were appointed joint secretaries.

School Children's Hardships.

Mr Gunn, addressing the meeting, said the present state of affairs in the district was very bad at present, and he was sure, there were worse times ahead. The local merchants were keeping their customers alive by doling out handfuls of meal. It had been a stormy, wet season – the wettest ever known there – and the peats had not dried, or the few that had were inaccessible owing to flooded cart-tracks. He appealed to the association to act temporarily as a relief committee.

They would have to appeal directly to the Highland Parliamentary Group and to the leader of the Opposition. They desired the fullest investigation of the conditions prevailing in the district. They did not want the dole system; they had material at hand for steady employment if only they could assured the financial payment.

Need of Bread and Roads

" Our people," continued Mr Gunn, "need bread and roads; where I stand is a hamlet of possibly 60 souls, and among these are 20 children without one foot of proper roadway to the school. "For about six months in the year these children come to school through rivers of water and mud, and sit all day with wet feet shivering in scanty clothes. Many of them have no regular breakfast, and others have only poor potatoes three times a day. Do you wonder that tuberculosis finds this material such an easy prey?

"There is no fish obtainable; English and East Coast trawlers are responsible for that, and despite continual protests this plundering goes on still. There were not 20 lings landed Port-of-Ness this season, where hundreds of thousands were cured annually once upon a time."

Lord Leverhulme's Regime.

Mr Nicholson, Edgemoor Hall, then addressed the gathering. Referring to what he called " Lord Leverhulme's regime in the Lewis," Mr Nicholson said that, if some of these schemes appeared Utopian to the people of Ness, they had nevertheless placed no obstacle in his Lordship's way till such a time as he might see for himself where they would succeed and fail. The Viscount's action, however, in penalising a population of 28,000 souls for the transgressions of about a dozen misguided men, irrespective of the awful hardships so created, they at Ness deplored to the full. They had hoped that at the least the works begun might be resumed some day and the derelict roads finished in decent order; but they had been disappointed.

Surely now it was not too much to expect that the Imperial Parliament, which voted £10,000,000 for the construction of naval facilities at Singapore, would now spend the twentieth part of that sum for relief works in Lewis. The people had no alternative means of subsistence; both potato and barley crops had been blasted.

A Government subsidy would enable the starving men to make roadways to their peats and their homes. These roads might cost the Government £8000 to £10,000, but the work would tide 5000 people over the hardest winter ever anticipated in the island of Lewis.

Other speakers emphasised the necessity for State assistance as the only possible means of relieving the hardship in the district and the Association, as already noted, decided to constitute itself a temporary relief committee.

THE EVENING TELEGRAPH, THURSDAY, SEPTEMBER 27, 1923.

NEED OF BREAD AND ROADS IN LEWIS.

"Hardest Winter Ever Anticipated."

Appeal for State-Aided Employment.

Acute distress is reported as prevalent in the northern end of the island of Lewis, owing to the extremely congested population and the prolonged lack of employment. The Port-of-Ness Nursing Association, at a meeting in Edgemoor Mission Hall, presided over by Mr John Gunn, considered the situation, and agreed to act as a Relief Committee in an effort to relieve the existing destitution. Mr John M. Nicholson, Edgemoor Hall, and Miss Macrae were appointed joint secretaries.

School Children's Hardships.

Mr Gunn, addressing the meeting, said the present state of affairs in the district was very bad at present, and he was sure there were worse times ahead. The local merchants were keeping their customers alive by doling out handfuls of meal. It had been a stormy, wet season—the wettest ever known there—and the peats had not dried, or the few that had were inaccessible owing to flooded cart-tracks. He appealed to the association to act temporarily as a relief committee.

They would have to appeal directly to the Highland Parliamentary Group and to the leader of the Opposition. They desired the fullest investigation of the conditions prevailing in the district. They did not want the dole system; they had material at hand for steady employment if only they could be assured the financial payment.

Need of Bread and Roads.

"Our people," continued Mr Gunn, "need bread and roads; where I stand is a hamlet of possibly 60 souls, and among these are 20 children without one foot of proper roadway to the school.

"For about six months in the year these children come to school through rivers of water and mud, and sit all day with wet feet shivering in scanty clothes. Many of them have no regular breakfast, and others have only poor potatoes three times a day. Do you wonder that tuberculosis finds this material such an easy prey?

"There is no fish obtainable; English and East Coast trawlers are responsible for that, and despite continual protests this plundering goes on still. There were not 20 lings landed at Port-of-Ness this season, where hundreds of thousands were cured annually once upon a time."

Lord Leverhulme's Regime.

Mr Nicholson, Edgemoor Hall, then addressed the gathering. Referring to what he called "Lord Leverhulme's regime in the Lewis," Mr Nicholson said that, if some of these schemes appeared Utopian to the people of Ness, they had nevertheless placed no obstacle in his Lordship's way till such a time as he might see for himself where they would succeed and fail. The Viscount's action, however, in penalising a population of 28,000 souls for the transgressions of about a dozen misguided men, irrespective of the awful hardships so created, they at Ness deplored to the full.

They had hoped that at the least the works begun might be resumed some day, and the derelict roads finished in decent order; but they had been disappointed.

Surely now it was not too much to expect that the Imperial Parliament, which voted £10,000,000 for the construction of naval facilities at Singapore, would now spend the twentieth part of that sum for relief works in Lewis. The people had no alternative means of subsistence; both potato and barley crops had been blasted.

A Government subsidy would enable the starving men to make roadways to their peats and their homes. These roads might cost the Government £8000 to £10,000, but the work would tide 5000 people over the hardest winter ever anticipated in the island of Lewis.

Other speakers emphasised the necessity for State assistance as the only possible means of relieving the hardship in the district, and the Association, as already noted, decided to constitute itself a temporary relief committee.

As you come to end of the book, the sacrifice and suffering, the terror and carnage of the Great War has been the constant theme and, despite the scale of the human slaughter, it was not the 'war to end war'. Within twenty years, the axes of evil, in the form of the demonic dictators, Hitler, Mussolini and Hirohito, would once again stalk the nations of the world and another generation of our young men and women would answer the call to defend their country and secure the freedom that is our inheritance today.

This is the story of the nine hundred from Skigertsa to Ballantrushal on active service in the Great War – perhaps not always recorded in eloquent prose, but never-the-less an epic drama of harrowing experiences and extraordinary bravery in the heat of battle, and of the loneliness and grief of loved ones left at home; even the lists that follow of names and dates, ages and addresses, regiments and ships, near relatives and far away graves, tell a story more poignant than volumes of descriptive narrative.

Let us remember them all.
'When can their glory fade
Noble nine hundred'

There were a number gallantry awards.
The order of precedence of WW1 decorations is:

Victoria Cross (V.C.)

Distinguished Service Order (D.S.O.)

Distinguished Service Cross (D.S.C.)

Military Cross (M.C.)

Distinguished Flying Cross (D.F.C.)

Air Force Cross (A.F.C.)

Distinguished Conduct Medal (D.C.M.)

Conspicuous Gallantry Medal (C.G.M.)

Distinguished Service Medal (D.S.M.)

Military Medal (M.M.)

Distinguished Flying Medal (D.F.M.)

Air Force Medal (A.F.M.)

Meritorious Service Medal (M.S.M.)

Mentioned in Despatches (M.I.D.)

Citation for a Gallantry Award

9

Clàr nan Gaisgeach

Roll of Honour

WILLIAM GRANT ("Stornoway Gazette"),
Editor, "Loyal Lewis Roll of Honour."

Tha sinn an-diugh gu mòr an comain Uilleim Ghrannd agus luchd-sgrìobhaidh bho sgìrean Leòdhais, aig an robh de lèirsinn an leabhar 'Loyal Lewis Roll of Honour 1914-1918' a chur ri chèile. Chaidh a chlò-bhualadh le Gasaet Steòrnabhaigh ann an 1920.

Tha cunntas air a h-uile sgìre de Leòdhas anns a' chlàr shònraichte seo den Chogadh Mhòr. Tha e freagarrach na h-earrannan tiamhaidh a bhuineas don sgìre bho Sgiogarstaigh gu Baile an Truiseil a chur aig toiseach Chlàr nan Gaisgeach.

Chaidh iad sin an sgrìobhadh le Gordon MacLeòid, Oifis a'Phuist, Port Nis, Raibeart Fenton, Ceannard Sgoil Chrois agus Iain MacChoinnich, Ceannard Sgoil Airidh an Tuim. 'S e 'Loyal Lewis' an stòr bunaiteach as fheàrr airson obair rannsachaidh mun fheadhainn às an eilean a ghabh pàirt anns a' Chogadh Mhòr. Tha e iongantach ann an leabhar anns a bheil uimhir de fhiosrachadh, gu bheil cho beag de mhearachdan ann.

We are today indebted to William Grant and the correspondents from the Lewis Districts who had the vision to produce the book *Loyal Lewis Roll of Honour 1914 - 1918*, printed by the *Stornoway Gazette* in 1920.

Every district in Lewis features in that remarkable record of the Great War.

It is therefore appropriate that we set the tone for this Roll of Honour with the poignant accounts from *Loyal Lewis* which introduced the sections relating to the Skigersta to Ballantrushal district written by Gordon Macleod, Postmaster, Port of Ness; Robert Fenton, Headmaster, Cross School and John Mackenzie, Headmaster, Airidhantuim School.

Loyal Lewis is the best primary source for researching those from our villages who served in the Great War. It is quite extraordinary, that in a work of such complexity, very few errors and omissions have been identified.

Some of those on active service were entered in more than one village list:

Angus Macritchie 7 West Adabrock is also listed in Swainbost

Donald Morrison 36 Eoropie also in Cross

Angus Morrison 35 Eoropie also in Cross

Finlay Macritchie Back St, Habost also in North Dell

Norman Gunn 20b Lionel also in North Dell.

228

The names of over nine hundred men and several women belonging to the eighteen villages round the coast from Skigersta to Ballantrushal, who were on active service during the Great War, are recorded here.

The principal source used in compiling the *Clàr nan Gaisgeach* – Roll of Honour was the 1920 edition of *Loyal Lewis* – the chapters relating to Lionel, Cross and Airidhantuim school Districts.

The 1920s croft numbers in *Loyal Lewis* have been retained, but the addition of the patronymic and later addresses, help to relate the names to more recent times. Although many men remained at the same address throughout their lives there was a substantial number who moved on through marriage and emigration.

For example, *Loyal Lewis* records that Malcolm Maclean was at 17 Habost. When the patronymic, *Calum Iain Aonghais*, is added, along with the later address of 84 Cross Skigersta, the record becomes much more meaningful.

Unfortunately there are some names in the *Loyal Lewis* list for which we have no additional information. These names have been retained in this list as they were set down in the original Roll of Honour, even if the croft numbers given are no longer used.

Other sources were:

Commonwealth War Graves Commission website
Comunn Eachdraidh Nis Croft Histories
Croft History, Isle of Lewis, Volume 19 – Bill Lawson
Roll of Honour Ness to Bernera 1939 - 1945
Faces from Lewis War Memorial website
The War memorials at Borve and Cross
Ness Cemetery Record
Galson Cemetery Record
Forces War Records website

and …

… the many friends from the villages who provided valuable information to ensure that all who served King and Country in the Great War will not be forgotten.

This group of men and women 'on war service' includes
Mary Murray, *Màiri Ròigean*, 48 Habost (seated left)

Tha e iongantach a' chuimhne th' anns
a' choimhnearsachd air seòid a' Chiad Chogaidh.

'We will remember them'
'Bidh sinn a' cuimhneachadh orra'

229

Clàr nan Gaisgeach

Sgiogarstaigh
Eòrodal
Adabroc
Am Port
An Cnoc Àrd
Na Còig Peighinnean
Eòropaidh
Lìonal
Tàbost
Suaineabost
Cros
Dail bho Thuath
Dail bho Dheas
Gabhsann
Mealbost
Am Bail' Àrd
Borgh
Siadar Iarach
Siadar Uarach
Baile an Truiseil

LOYAL LEWIS

The first edition of *Loyal Lewis* was published by William Grant in 1915. The village lists were then in alphabetical order by surname and classified by the service, whereas, in the version published in 1920, the names were listed by address in the school district and village.

'S na balaich a dh'fhàs sa bhaile-s' leam 'n àird
'N-diugh 'n sàs air muir agus tìr
An nàmhaid gun truas – ach gheibh sinn a' bhuaidh
Ged 's goirt agus cruaidh oirnn a' phrìs

Calum Mac'IllEathain à Tàbost, Nis
[Bàrdachd bhon Dara Cogadh]

AIRIDHANTUIM SCHOOL DISTRICT.

(Lower Shader, Upper Shader, Ballantrushal, Borve and Mid-Borve.)

Population last Census, 1153 (Males, 530 ; Females, 623).
Number of Men serving, 197 (17% of total ;
37% of Males.)

Royal Naval Reserve.

GRAHAM, JOHN ... ... 36 Borve.
GRAHAM, MURDO ... ... 28 Borve.
GRAHAM, RODERICK ... ... Park, Borve

MACASKILL, MURDO ... 23 Lower Shader.
On Mine-sweeper; took prominent part in sinking German
submarine off Peterhead, 5th June, 1915.

MACDONALD, ALEX. ... ... 38 Borve.
MACDONALD, ANGUS ... 39 Lower Shader.
On H.M.S. "Kent" at Falkland Islands fight, and at sinking of
"Dresden."

MACDONALD, ANGUS ... 20 Upper Shader.
MACDONALD, ANGUS ... 32 Borve.
MACDONALD, DAVID ... 10 Lower Shader.
MACDONALD, DONALD ... Park, L. Shader.
MACDONALD, DONALD ... 5 Lower Shader.
MACDONALD, DONALD ... 34 Lower Shader.
MACDONALD, DONALD ... 39 Lower Shader.
MACDONALD, DONALD ... 1 Park, Borve.
MACDONALD, JOHN ... ... 21 Ballantrushal.
MACDONALD, JOHN ... ... 1 Borve.
MACDONALD, JOHN ... ... 26 Borve.
MACDONALD, KENNETH ... 9 Ballantrushal.
Prisoner in Germany since Antwerp.
MACDONALD, KENNETH ... 12 Ballantrushal.
On H.M.S. "Carmania" at sinking of "Cap Trafalgar."
MACDONALD, LOUIS ... ... 6 Lower Shader.

Page 131 from 1915 edition of *Loyal Lewis*, published by William Grant. The lists in this first edition were by school district, classified by the service, with names in alphabetical order of surname.

Dr John L Roberton, HM Inspector of Schools wrote the preface to both editions and edited extracts of his contributions are reproduced below.

Extract from preface to first edition, December 1915

This terrible war which burst on an astonished world a year ago, and which, after a course of unexampled violence and destructiveness, is apparently far from its fateful crisis, is of supreme and undying interest to the Island of Lewis. In no part of His Majesty's Dominions, home or oversea, has a rural community of under 30,000 souls made a finer response in manhood and efficiency to the call to Naval and Military service in defence of the Empire and its Allies, and all that the Empire champions — freedom for the man and the State all over the habitable world. This Hebridean contribution to the Forces by land and sea is remarkable, alike in numbers and variety of service, and this record, with the subjoined statistics, collected and arranged with great care by Mr William Grant, deserves, and will receive, handsome acceptance from Lewis men and women and their friends everywhere.

Since the Napoleonic struggle the military tradition has been continued and extended, and Lewis, in the Navy, the Army, and Militia, has long been represented from every village in the Island. The fighting record is magnificent.

The Royal Naval Reserve was started in Stornoway in 1874, and for a long time was drilled annually at the Battery Station there — in its day the largest single station in the Kingdom. The physique and efficiency of the Reservemen were surpassed by none, according to official reports. In later years actual service aboard a man-of-war has been insisted on, and the local Training Station was discontinued. This splendid R.N.R. contingent, numbering about 2000, promptly answered the mobilisation summons of the Admiralty on the memorable 2nd August last year. It must, however, be kept in mind that the connection of Lewis with the regular Navy has been very close for fully a century, though the recruitment was not large, and that in this war up to date several Lewismen of the regular Navy, apart from R.N.R. seamen, have conspicuously distinguished themselves. The people will cherish the memories of the Heligoland Bight, the Falkland Islands, the North Sea Battle, and, with special regard, the brilliant exploit of the *Carmania*."

The old Artillery Volunteers (1st Ross-shire), Stornoway, was supplanted some years ago by the new organisation, the Ross Mountain Battery (T.F.), and the Stornoway Company thereof is now valorously fighting in the dreary and blood soaked slopes of the Dardanelles. With the Company are serving 41 of the Secondary pupils of the Nicolson Institute, actually on the working roll of the school when the war broke out, and former pupils also in large numbers have contributed to the splendid war record of this distinguished school. Nothing redounds more to the high credit of the Island's endeavour in this world conflict than the voluntary enlistment of young men of Lewis birth or extraction, both at home (though furth of the Island), and in the Colonies, the States, the Argentine and elsewhere in foreign parts. From Canada alone some 250 Lewis lads are now in the trenches in Flanders. And the Island will remember with just pride that all through the progress of the war there has been a modest, but steady, local recruiting for all branches of the Forces — Regular, R.N.R., and Territorial.

Alas! that with all this military enterprise and pageantry the toll of life and limb by land and sea has been distressingly severe. Already the death casualties alone are well into the third hundred, and every week now little groups of men, maimed or hopelessly war-worn, are finding their way to the family hearths in all parts of the Island. Lewis is sorely stricken, and the patriotic devotion and the resignation of the inhabitants will, there is every reason to fear, have to face greater tribulation before Peace resumes its reign. Many pages will have to be added to this Roll of Honour. To all of us the abiding consolation remains that those who never come back have laid down their lives in one of the greatest causes in the history of mankind. Let us at home have an unflinching faith in the certainty of a triumphant issue to this stupendous struggle, and do our part, however humble, with a deep sense of personal obligation.

J. L. R.
Dr John L Robertson,
HM Senior Chief Inspector of Schools,
Stornoway, August, 1915.

Dr Robertson also wrote the preface to the second edition published by William Grant in 1920.

Extract from preface to second edition

In this short note the main chronicle of the war cannot find even a modest summary. For our own Empire the outstanding facts are the heroic and resistless valour of our soldiers and sailors, the marvellous resource and stability of our own nation and our comrade dominions and colonies, and our restraint and determination, alike in victory and casual defeat. In the darkest hours, and they were not few, faith in the justice of our ideals and in a victorious issue never really faltered, and never in our annals have the high purpose and material might of the Empire been more acclaimed through-out the world.

The story of the achievement of the Island of Lewis by land and sea is a glorious one. The recital of its losses in the finest of its manhood is, alas, harrowing! and in no phase of the war was the cry of lamentation nor the agony of anxious hearts absent in any village in the land. The fact that out of a population of less than 30,000 over 1000 gave up their lives, not to reckon the distressingly large proportion of wounded and permanently disabled who have been straggling back to their mourning homes, has stirred the hearts and won the admiration of our kinsmen everywhere, and of the nation at large.

The crowning sorrow of the *Iolaire*, that inexplicable calamity of last New Year's Day, only remained to fill to overflowing the cup of universal grief for this Island. Verily, Lewis by its sacrifices has raised an imperishable monument to itself in the saddened hearts of our countrymen.

May the following pages be a widespread memorial, now and henceforth, of the days of high emprise, and, unhappily, of sore trial and affliction.

J. L. R.
Stornoway, April, 1919.

Mr GORDON MACLEOD

1
Sgìre Sgoil Lìonail

Sgiogarstaigh
Eòrodal
Adabroc
Am Port
An Cnoc Àrd
Na Còig Peighinnean
Eòropaidh
Lìonal
Tàbost

Gordon Macleod, who operated the
post office and telegraph service at Port
of Ness, wrote the introduction in *Loyal
Lewis* for the Lionel School district.
Gordon died in April 1943 aged 65

LIONEL SCHOOL DISTRICT

**Population last Census [1911]
Males 911; Females 1085**

The hour of testing and our men were ready. I mean the men of Lewis whom I knew and know. Meantime I have before my notice men included in the Lionel School Area, of whom I shall attempt a short sketch.

In that first week in August 1914, many of our men and lads were engaged in the East Coast fishings, where they heard and answered the call of their country. Many of them left for home to receive their mobilisation instructions, arriving in Stornoway on Saturday, 8th August. There being no conveyances available, the men lost not a moment but set out and walked across the moor to their homes, a distance of over twenty miles. After snatching a few hours much needed rest, those who were attached to the Army Special Reserve embarked next morning (Sunday) on board the drifter *Fraserburgh* of Hull, whose skipper kindly volunteered to take the men to Stornoway. From there they left for their several destinations. Alas, how very few of that stalwart band returned! From the Lionel School area 390 answered the call and served in the branches of the Services. Of these, 91 made the supreme sacrifice.

Military Medals awarded, 4
D.S.M., 1
D.C.M., 1
M.C., 1
Russian Cross of the Order of St. George, 1
Silver Medal of the Royal Humane Society, 1
Many 1914 Stars
Officers, 2 (Lieuts.)

It was certainly cheering for the friends to see the lads depart in such high spirits, and week after week letters were received from all over the world telling of their coming home to take part in the struggle. One young lad wrote, banteringly to his mother, "We are en route; expect me home when we settle the Germans." Another lad wrote, "We embark tomorrow. I am pleased and proud to come and strike a blow for the dear old country." Such is the spirit in which our lads answered the call to arms.

The tension during these years was somewhat allayed in this district by a daily telegram which was received at Port of Ness P.O., and hung up for the public to read. Large numbers waited daily for that telegram and went to their homes joyful or otherwise, but always hopeful of a final victory. No wonder the 11th November 1918 is a day to be remembered. The signing of the Armistice brought tears of joy and an outburst of thankfulness, and little we then thought that we had to suffer the most crushing event of the war – the wreck of H.M.Y. *Iolaire* on New Year's morning, 1919. We were for a time unable to comprehend its vastness, but we now know that we still stagger under that overwhelming crash. Words are inadequate to describe our feelings. The Lionel School area lost 17 gallant seamen. Many of them were coming home discharged, and we, and they, predicted a bright future, but such is the irony of fate. John F. Macleod from this district is the lad who swam ashore with a line and succeeded in securing the hawser which was attached to it, so that many lives were saved; indeed, almost all who were saved owe their lives to the heroic efforts of this young man. Donald Morrison, also from this district, was the last survivor of the *Iolaire*. For eight hours he clung to the mast until rescued next morning, exhausted, but able to assist himself down from the mast and into the small boat that took him off his perilous position.

GORDON MACLEOD
Post Office, Port of Ness

26 MACDONALD—JOHN, R.N.R.
27 MORRISON—MALCOLM R.N.R. ANGUS, Seaforths; wounded. DONALD Canadians.
28 GRAHAM—MURDO, R.N.R.
29 GRAHAM—DONALD, Labour Corps. *WILLIAM, 2nd Gordons; killed in action in France, 19th October, 1914; aged 23; was first man from Borve to lose his life. MURDO, Gordons; seriously wounded. RODERICK, R.N.R.T.; saved from the "Iolaire." (Sons of the late Mr Roderick Graham).
30 GRAHAM—*DONALD, 2nd Gordons; killed in action in France 29th October, 1914; aged 21. *RODERICK, Seaforths; killed in action in France 1917; aged 21. (Sons of Widow Duncan Graham).
31 SMITH—NORMAN, R.N.R.
32 MACDONALD—ANGUS, R.N.R.
36 GRAHAM—*JOHN, R.N.R.; invalided home and died, aged 46.
38 MACDONALD—ALEXANDER, R.N.R.
41 MORRISON—*DONALD, R.N.R.; drowned in the "Clan Macnaughton" disaster February, 1915; aged 46. Left six orphans. ANGUS, R.N.R.; took part in the defence of Antwerp; saved from the "Iolaire"; holds Mons Star. DONALD, R.N.R.
45 MACIVER—MURDO, R.N.R.
47 SMITH—KENNETH, Scots Guards; was prisoner in Germany since 1915, holds Mons Star. JOHN, Seaforths. MACLEOD—DONALD, R.N.R (T.)
48 MACIVER—DUGALD, R.N.R. *MALCOLM, Seaforth; killed in action in France, 11th April, 1917; aged 20. Was called up with 3rd Seaforths at outbreak of war and was in France from the beginning of operations; was seriously wounded in action in 1915. (Sons of the late Mr Peter Maciver).
MACLEOD—SANDY, Canadians. DONALD, Canadians.

MID BORVE.

1 MACKENZIE—*MALCOLM Sergt., Camerons; was awarded the Military Medal for gallantry in France; killed in action in 1917, aged 25; was one of the champion bombers of his Division. (Son of Mr Malcolm Mackenzie).
1a MACKENZIE—MALCOLM, Gordons. *WILLIAM, Seaforths; killed in action in France, 1916, aged 19; had been previously wounded (Sons of Mr Kenneth Mackenzie).
2 SMITH—ANGUS R.N.R. GEORGE, Camerons; was so severely wounded that leg had to be amputated.
3 MATHESON—MALCOLM, Camerons.

3a MACDONALD—MALCOLM, Seaforth; wounded *JOHN, 1st Camerons; killed in action at Loos, 25th September, 1915; aged 22. Had been previously wounded and only returned to the trenches about a month before he was killed. (Sons of Mr Donald Macdonald).
4 MACKENZIE—MALCOLM, P.O., R.N.R.
6 MACDONALD—JOHN, Sergt., Gordons; was promoted Sergeant and awarded the Military Medal for his gallant services in France. Crossed to France in August, 1914, when only a little over 15 years of age.
6a MATHESON—DONALD, R.N.R. MURDO, R.N.R.
8 MACKAY—MURDO, Seaforths.
9 MORRISON—ANGUS, R.N.R
10 MACKENZIE—ANGUS. DONALD, Gordons; wounded. NORMAN, Corpl., Seaforths; awarded the D.C.M. "for conspicuous gallantry and devotion to duty in sole charge of his Lewis gun, the remainder of the team having become casualties. When the enemy counter-attacked he reserved his fire and knocked over many, checking their advance. His company officer was killed while attempting to reach him with Lewis gun magazines, but he retrieved the ammunition and remained firing at his post when men were falling back on both flanks."

BALLANTRUSHAL.

MATHESON—RODERICK, New Park, R.G.A. DONALD, R.N.R. WILLIAM, Shipwright, Mercantile Marine. ANGUS, Sergt., Seaforths; wounded in France and Mesopotamia.
2 MACDONALD—JOHN, Mercantile Marine. PETER, Royal Scots Fusiliers.
3 MACLEAN—ANGUS, R.N.R. (T.) *JOHN, Seaforths; killed in action in France. (Sons of Mr Donald Maclean).
3b MACKAY—ALEXANDER, Mercantile Marine.
4 MACLEAN—*ANGUS, Seaforths; died of wounds in France, 17th April, 1917. DONALD, R.N.R. (T.) (Sons of Mr Malcolm Maclean).
MACLEAN—ANGUS (John), R.N.R.T.; was mined and rescued.
5 MACLEAN—JOHN, Staff-Sergeant-Major, Seaforths; awarded the Meritorious Service Medal. ANGUS, R.N.R.; was interned in Holland, 1914 Star. MURDO (Angus), Seaforths; twice wounded.
6 MACRITCHIE—JOHN (Sen.) Seaforths; wounded. NORMAN, Seaforths, wounded JOHN, R.M.B.
7 MACDONALD—*MURDO, Seaforths; killed in action in France, 22nd December, 1914. (Son of Mr John Macdonald).

Page 175 from 1920 edition
In the 1920 edition, again classified by school district, each village
is taken as a separate unit, and the names are arranged according to
home address.

Mr R. J. FENTON.

2
Sgìre Sgoil Chrois

Suaineabost
Cros
Dail bho Thuath
Dail bho Dheas

Robert John Fenton wrote this introduction in *Loyal Lewis* for the Cross School district. He was headmaster of Cross School from 1901 till he retired in 1927. He married one of the assistant teachers Christina Macdonald (*Cairistiona Tharmoid Bhuidhe*) 14 Cross and they lived in the schoolhouse until his retirement. He then bought Galson Lodge and they lived there until he died in April 1943 aged 79. Ness Cemetery Record shows that he was interred at Habost Cemetery on the very same day, 17 April 1943, as Gordon Macleod, Postmaster, who wrote the Lionel School District account in *Loyal Lewis*.

CROSS SCHOOL DISTRICT

Population last Census [1911]
Males 521; Females 625

When the War broke out the natives of Cross District, both in the home townships and from the most distant parts of the world, answered bravely to the call. They came from Australia and South Africa, from New Zealand and from the far North West of Canada. They were found on every British front in Europe, Asia and Africa. A large number served on two or more different fronts in France and Mesopotamia, in the Dardenelles, Egypt, and Salonika, in France and Italy. Several had almost miraculous escapes, as a perusal of the Roll will show; some were wounded many times and are still alive and well; a few went through it all without a scratch.

We meet these survivors daily. They have 'done their bit' – and a right brave and noble 'bit' it was in the case of many – lads who had been through the very hottest of the fighting; who had fallen into, and made their escape from the hands of the Hun; who had been picked up from the water after their ships had been torpedoed; or who had survived the *Iolaire* disaster. We can hardly imagine, as we see them going about their daily occupations, that they lately came from scenes so terrible. Who shall ever forget that it was through these and such as these, and the comrades they left, alas, on the 'other side', that today we still breathe the breath of freedom.

The record of Cross District is a proud one and a sad one – so many fought for the cause; so many died for it.

The 247 men serving from the district was drawn from the different townships as follows:

Swanibost, 36 Navy, 37 Army
Cross, 24 Navy, 23 Army
North Dell, 10 Navy, 23 Army
South Dell and Aird Dell, 47 Navy, 47 Army
Showing percentages of 47 of the male population and 21.4 of the total population [of Cross District].
The number of lives lost were as follows:
Swanibost, 7 Navy, 6 Army
Cross, 3 Navy, 4 Army
North Dell, 6 Army

South Dell and Aird Dell, 9 Navy, 18 Army.
A total of 53

There were five cases of double bereavement. Mr Donald Mackay, 20 Cross lost two sons – Angus and William – in Mesopotamia in 1916. Donald and Murdo Macdonald, sons of Mr John Macdonald, 13 Swanibost, perished together in the ill-fated *Iolaire*. That great disaster also claimed Malcolm Macleod, 28 Swanibost, whose brother, Sergt. John Macleod, Seaforths, was killed in France, March 1918. On 9th May 1915, Murray Murray, 5 South Dell, fell in France, and his brother Donald Murray, was killed 13th October 1916. Roderick and John Murray, 27 South Dell, both died of wounds. Three men from 19 South Dell were drowned – Alexander, Finlay and Angus Morrison.

R.J.FENTON
Schoolhouse, Cross

AIRIDHANTUIM SCHOOL DISTRICT

Population last Census
Males, 530; Females, 623

This District embraces the scattered villages of Ballantrushal, Upper and Lower Shader, Borve and Mid-Borve. The advent of the Great War in August 1914, summoned the men of these villages to take their stand in the Empire's defence, and they all loyally responded. Young and old were to be seen in the throng – men who had seen active service in many parts of the world, and mere striplings who had hardly ever heard the shot of a gun in their lives before.

Close upon 200 men from the district were at the post of duty by the end of the first week, and the number steadily increased as the days and the weeks went by. Many "went down to the sea in ships," but the greater part by far were the militia-men, and their lot was cast among the greater scenes of horror and destruction on the bloody fields of France and Flanders. Before the end of August many of the brave lads had taken their part in helping to stem the onrush of the Hun, and in this connection it may be of interest to note that Roderick Macleay, 14 Ballantrushal, was among the first draft of the infantry that crossed to France. Draft after draft followed, each containing its quota of the district's lads, until, by September, all who were of military age found themselves in the trenches.

There were several instances, however, in which the soldier was only about 16 years of age. One interesting case may be quoted. John Macdonald, 6 Mid-Borve, joined the Militia when still of school age; in fact he was only about 13 years old. He was called up at the outbreak of war and sent to France when he was just 15. He stoutly and persistently refused to be recalled home as being under age, and in due time he was promoted to the rank of Sergeant and awarded the Military Medal, the due reward of so brave a soldier.

The old folk left at home, who had, naturally, at first been thrown into confusion, began now to take a keen interest in the various phases of the war. The glorious and memorable action off Trinidad between the 'Carmania' and the 'Cap Trafalgar' first brought home, in a real sense, that we were at war with an enemy as cruel and remorseless as ever drew the sword, for among the casualties on that occasion was Donald Macleay, 14 Upper Shader, a man with many years in the Naval Reserve to his credit. He was so grievously wounded that his right arm and right leg had to be amputated. His life was for long despaired of, and his recovery has been a marvel to the surgeons and nurses who tended him in his illness.

The first man to fall in battle was Lance-Corpl. Charles Macleod, Gordon Highlanders, son of Mr John Macleod, 11 Ballantrushal, who fell at Ypres on the 11th October, 1914, at the age of 19. He was a lad who typified in a wonderful degree the extraordinarily fine characteristics that distinguish the British soldier. He was so strong, so brave, so fearless, and withal so modest. The sacrifice of his beautiful life in defence of his King and country, and of his old folk at home, created a deep and abiding impression.

[According to the Commonwealth War Graves Commission record Charles was killed in action on 15 November 1914, age 21]

Those left, however, continued to fight with magnificent dash and valour, and this was exemplified by the award to them of numerous war decorations. In addition to quite an exceptional number of 1914 Stars, the district can boast of one D.C.M., awarded to Corpl. Norman Mackenzie, Seaforths, 10 Mid-Borve; a D.S.M. to Alexander Macdonald, R.N.R., 1 Park, Borve; a Meritorious Service Medal to Sergt.-Major John Maclean, Seaforths, 5 Ballantrushal, and Military Medals to Corpl. John Macdonald, Camerons, 22 Ballantrushal; Norman

Macleay, Canadians, 10 Ballantrushal; Wm. Smith, Gordons, 29 Lower Shader,; Sergt.John Macdonald, Gordons, 6 Mid-Borve; and to the late Sergt.-Major Alexander Smith, Seaforths, 15 Ballantrushal and the late Sergt. Malcolm Mackenzie, Camerons, 1 Mid-Borve. Two men from the district held commissions in the R.F.A., another was a Lieutenant and quartermaster in the Seaforths. Still another, the Rev. Dr. Isaac Macdonald, was a chaplain to the Canadians with the rank of Captain.

When all the families in the district did so well, it would be invidious to make mention of individual households. There are one or two, however, worthy of note. Of the family of the late Mr John Martin, 33 Lower Shader, six sons took their share in the Empire's defence, and one of them died on service in December, 1918. Five sons of Mr Murdo Smith, 29 Lower Shader, responded to the call, and two of them made the supreme sacrifice in France, while another was seriously wounded and was awarded the Military Medal. Of those of our lads who had the misfortune to fall as prisoners into the hands of the Huns little can be said save that they were treated with the same system of wanton brutality as was usually the lot of those in their position. They themselves are rather reticent about their experiences, but their emaciated bodies tell the tale. Three men from the district, who formed part of the Naval Brigade sent to the relief of Antwerp in 1914, were captured during the retreat, while several others had the same misfortune in France during the following years.

Alas! That with this splendid record of military glory and enterprise, the toll of life from this district has been exceedingly heavy. In every theatre in which the forces of Britain were engaged in the conflict, many of our boys bravely scaled the 'toppling crags of duty' only to meet, on the top, the shadow that sits and waits for us all. And all the seven seas increased the toll. Of 52 men on service from Ballantrushal, 15 (or 29%) gave their lives. 58 men from Upper Shader were on service, and 12 (or 21%) laid down their lives. 71 men from Lower Shader were engaged, and 17 (or 24%) made the supreme sacrifice. Of 65 men from Borve, 16 (or 25%) did not return. In the case of Mid-Borve, 18 men were on service, and three fell in France,

Mr JOHN MACKENZIE,
(Formerly Schoolhouse, Airidhantuim).

3
Sgìre Sgoil Àiridh an Tuim

Borgh
Am Bail' Àrd
Siadar Iarach
Siadar Uarach
Baile an Truiseil

John Mackenzie, wrote this introduction in *Loyal Lewis*, for the Airidhantuim School district.

making a percentage of 17. Four families in Ballantrushal each lost two sons. In Lower Shader there were also four similar cases. In Borve there were three families which each gave two sons.

With the cessation of hostilities in November, people breathed a sigh of relief. No more would the cold official notice conveying the details of the death of someone near and dear come to the district. Already the Borve and Shader losses had been distressingly heavy, but the blow dealt by the loss of the *Iolaire* on the black and never-to-be-forgotten morning of January 1st put all the previous losses into the shade. The utter prostration and stupefaction that benumbed people on this occasion was incredible. From the Airidhantuim district six men perished that night. Peculiarly pathetic and worthy of special mention was the death of Gunner Malcolm Matheson, R.N.R.T., 10 Upper Shader. As a special reservist in the Seaforth Highlanders, he was called to the colours at the outbreak of war, and sent to France towards the end of 1914. There he fought valiantly through all the hot battles of 1915, and, for his gallant conduct at Ypres, was mentioned in Sir John French's despatches. Towards the end of 1915 he was transferred to Mesopotamia, where he suffered all the horrors incidental to that dread climate. In 1916 he was seriously wounded – so seriously that he was temporarily discharged. Anxious to do his bit again, he re-enlisted in the Trawler Section of the R.N.R., and after successfully passing through a course of gunnery at Chatham, was sent to sea as a gunner on H.M. Trawler *Iceland*. Here once again he gave a good account of himself. While patrolling in the North Sea one day, two German Zeppelins were observed making for the English Coast. Matheson at once engaged them, and after a protracted fight eventually succeeded in bringing them down, whereupon their crews were made prisoners. The fact that he perished within a few yards of his beloved Island made the circumstances of his death all the more poignant. But he died as indeed he lived, faithful and loyal – one of Nature's gentlemen.

Let us always hold in veneration and ever keep green the memory of "the brave that are no more." By their sacrifice they made possible the triumph of Right over Might, and the establishment of Righteousness, justice and peace amongst the nations of the world. Who can forget their lovable personalities, their sterling worth and their steadfastness of purpose? Fighting for the emancipation of the world, gladly they toiled, gladly they suffered, and gladly they made the last great sacrifice of all, that "the thousand wars of old may give place to a thousand years of peace."

JOHN MACKENZIE
Formerly Schoolhouse, Airidhantuim

JOHN MACDONALD, 10
Skigersta
(*Iain 'an Dhoilligean*) lost on the *Iolaire*
1 January 1919

John was the son of John MacDonald (*Mac Dhòmhnaill Iain Bhreacair*), 14/15 Knockaird and Christina MacLean (*ni'n Aonghais Dhòmhnaill*), 10 Skigersta. On 8 October 1918 he married Jessie Finlayson of 18 Skigersta – less than 3 months before he was lost. John returned to active service just three weeks after they were married.

The young bride eagerly awaited his return and travelled to the quay in Stornoway anticipating a joyful re-union. Her long vigil ended in heartbreaking sorrow, as news of the tragedy filtered down from Holm, confirming her worst fears. Jessie died in June 1974. Her sister, Peigi, was married to *Iolaire* survivor, John F Macleod, 4 Port.

Sgiogarstaigh
Clàr nan Gaisgeach

Skigersta
Roll of Honour

Chithinn Leac Cabhsgeir
An Cidhe is Geodha nan Cnàmh
Lighe an Òir 's a-mach an taobh
Gu Gob a-muigh na h-Àird
Chithinn muir is mòinteach ann
Is cladach bòidheach sàil
'S tha feamainn dubh is faochagan
Is maorach ann a' fàs.

Siud mar a chuimhnich Murchadh Moireasdan à Adabroc air Sgiogarstaigh, baile beag air bàrr nan creag an achlais a' Chuain Sgìth a Tuath; baile beag na cheithir pàirtean – Lathamor, Grèin-a-Mol, Am Baile Shuas agus Am Baile Àrd.

'S e trì fichead a bh' air an casan nuair a ràinig sinn,
dha na seachd ceud deug, eadar leòn agus marbh. Bha
mi 'n dùil gu robh mi cluinntinn gun thuit dà fhichead
Leòdhasach an latha sin a chaidh mise a leòn.

Tarmod Tharmoid a' cuimhneachadh air ais air a' Chogadh Mhòr nuair a bha e ceithir fichead 's a ceithir

CROFT	NAME	SERVICE
1a	ANGUS MACFARLANE Aonghas Chaluim USA	RNR
1b	ALEXANDER MURRAY Alasdair 'an Bhàin 1899-1962 married in East London South Africa	RNR
	DONALD MURRAY Dòmhnall 'an Bhàin d. May 1939 age 43	Merchant Service
	MURDO MURRAY Murchadh 'an Bhàin Later 63 Cross Skigersta Rd d. May 1980 age 85 m. Annie Finlayson 18 Skigersta	With 3rd Seaforths in France from October 1914 to March 1915 then in Palestine as a Lce. Corpl., King's Own Scottish Borderers Seriously wounded 8 November 1917 in the Battle of Gaza Also served in WWII. Was captured (SS *Maimoa*) and taken prisoner
2	ANGUS MORRISON Aonghas Murchaidh Tharmoid Alasdair Aonghas a' Chaoidhich 'Ròmanach' 1888-1917 Son of Murdo Morrison and Annie Morrison 3 High St Skigersta	Killed in action in France 12 June 1917 aged 29 102nd Canadian Infantry (Central Ontario Regiment) Service number 103286 Interred Cabaret-Rouge British Cemetery, Souchez North Angres, British Cemetery, Memorial 34
5	ANGUS MACDONALD Aonghas Chaluim Màg d. January 1971 age 73	Seaforths Wounded twice
7	DONALD MACDONALD Dòmhnall Rudair d. May 1961 age 66	Merchant Service
8	DONALD MORRISON Dòmhnall Iain Bhig D'll a' Bhàird Later 4 High St Skigersta d. December 1974 age 82 m. Joan Thomson (Dec.1901-1964) Ni`n Aonghais Iain Dhòmhnaill 2 Skigersta	Canadians

CROFT	NAME	SERVICE
	MURDO MORRISON Murchadh Iain Bhig d. January 1947 age 47 m. Mary Mackay (1901-1943) Ni'n Mhurchaidh Dhòmhnaill 21 Skigersta	Survivor of *Iolaire* disaster 1 January 1919
9	NORMAN MORRISON Tarmod Mh'dh Tharmoid Alasdair 'Solomon' Later Canada	Highland Light Infantry Wounded 8 November 1917 in Palestine
10	JOHN MACDONALD Iain 'an Dh'll Iain Bhreacair. Husband of Jessie Finlayson Son of John and Christina Macdonald	Drowned in sinking of HMY *Iolaire* 1 January 1919 aged 31 Royal Naval Reserve HMY *Seahorse* Service number 4490/A Interred Swainbost St Peter Old Churchyard
11	JOHN MURRAY Iain Tharmoid Alasdair Seonaidh an t-Sasannaich 1899-1983 Later USA m. Mary Morrison 15 Habost	RNR
	RODERICK MURRAY Ruairidh Tharmoid Alasdair Ruairidh an t-Sasannaich 1896-1970 Later Newmarket Stornoway m. Catherine Macdonald 28 Upper Shader	Merchant Service
	NORMAN MURRAY Tarmod Tharmoid Alasdair Tarmod an t-Sasannaich d. October 1970 age 80	Canadians
	ALEXANDER MURRAY Alasdair Tharmoid Alasdair Alasdair an t-Sasannaich 1893-1917 Sons of Norman and Mary Murray	Killed in action in Mesopotamia 5 November 1917 age 24 Seaforth Highlanders Service number 3/7039 Son of Norman and Mary Murray Memorial: Basra plaque 37 and 64

CROFT	NAME	SERVICE
13	DONALD MACKAY Dòmhnall Tharmoid Tharmoid Fhionnlaigh Ruaidh 'Dànaidh' Later 72 Cross Skigersta d. March 1959 age 76 m. Annie Macritchie 28 Eoropie	RNR
	JOHN MACKAY Seonaidh Tharmoid d. March 1976 age 87	Royal Naval canadian Volunteer Reserve (RNCVR)
	NORMAN MACKAY Tarmod Tharmoid Fhionnlaigh Ruaidh 1895-1980	Camerons Wounded in France May 1915
14	NORMAN MACKAY 'Balach' Ailean Later 19 Eorodale d. January 1959 age 63 m. Isabella Gunn (Iseabail a' Bhrogaich) 5 Knockaird	Merchant Service
	ANGUS MACKAY Aonghas Ailean b.1886 Married in Kinlochleven	Seaforths Wounded 9 May 1915
16	JOHN MORRISON Iain Alasdair Ruaidh Son of Alexander and Ann Morrison	Killed in action in France 1 July 1916 age 18 2nd Seaforths Service number 3/7358 Memorial: Thiepval Pier and Face 15C
17	DONALD MACKAY Dòmhnall Mòr Fhionnlaigh later 139 Cross Skigersta d. February 1957 60 m. Margaret Morrison (Màiread Plò) 35 Lionel	Seaforths Twice wounded
	MURDO MACKAY Murchadh Chaluim Dh'll Fhionnlaigh Ruaidh Son of Malcolm and Margaret Gunn Mackay	Killed in action in France 9 May 1915 age 19 1st Seaforths Service number 3/7188 Memorial: Le Touret Panel 38 and 39
18	ALEXANDER CAMPBELL 'Alasdair Eòrodail' Later 11 High St Skigersta d. August 1970 age 84 m. Mary Finlayson 18 Skigersta	RNR

CROFT	NAME	SERVICE
	DONALD FINLAYSON Dòmhnall Sheòrais Anndra Later High St Skigersta and St Ronan's Drive Lionel d. December 1979 age 87	RNR
	NEIL FINLAYSON Niall Tharmoid Sheumais d. November 1943 age 46	Seaforths Wounded France April 1915
	ANGUS FINLAYSON Aonghas Tharmoid Sheumais Son of Norman and Catherine Morrison Finlayson	Killed in action in France 21 October 1914 age 19 1st Cameron Highlanders Service number 3/5274 Memorial: Ypres Menin Gate panel 38 and 40
20	ANGUS MACKENZIE Aonghas Beag Dh'll Tàilleir Later 12 Skigersta m. Joan Morrison 22 Habost d. March 1970 age 80	RNR
	MURDO MACKENZIE Murchadh Dh'll Tàilleir Later 19 Skigersta d. June 1954 age 75 m. Catherine Thomson 36 Habost	RNR
21	JOHN MACKAY Seonaidh Sgiogarstaigh Later 22 South Dell d. May 1977 age 81 m. Jessie Macleod 22 South Dell	Seaforths Wounded three times
22	ANGUS THOMSON Aonghais Ruadh Dh'll Mhòir Later 2 Skigersta d. November 1972 age 76 m. Catherine Mackay, 17 Skigersta	Gordons Wounded 14 December 1914 in France
26 [There is no trace of this croft number]	NORMAN MACLEAN Norman 'An Rabaid' Maclean ex 10b Knockaird d. October 1953 age 79 m. Margaret Mackenzie 20 Skigersta Later 9 High St Skigersta	RNR

CROFT	NAME	SERVICE
32 [There is no trace of this croft number]	DONALD MACKAY Dòmhnall Aonghais Dh'll Fhionnlaigh Ruaidh 'An Giomanach' 28 High St Skigersta Later 19 Lionel d. June 1969 age 80 m. Annie Macdonald (1896 – 1988) 19 Lionel	Canadians

Donald Mackay 17 Skigersta
Dòmhnall Fhionnlaigh

Angus Morrison 25 Skigersta *Aonghas Mhurchaidh Tharmoid Alasdair*
Donald Morrrison 8 Skigersta *Dòmhnall Iain Bhig*

Alasdair Murray 11 Skigersta

Angus Finlayson 18 Skigersta

Neil Finlayson 18 Skigersta

Donald Finlayson 18 Skigersta

John Murray 11 Skigersta

Angus Macfarlane
1a Skigersta

'S e bu mhotha a lean rium bhith air mo thiodhlaiceadh man radan anns na trainnsichean – salach agus fuar – deich latha innt' agus seachdain aist' – dha do sgrìobadh fhèin bho pholl agus lèig.

Chan eil fhios carson a dh'fhàgadh mise beò mar seo nam ablach, a bharrachd air a liuthad duine òg a bharrachd ormsa dh'fhalbh.

Alasdair Thomain, 3 Eòrodal, a' cuimhneachadh air ais air a' Chogadh Mhòr,
nuair a bha e timcheall air ceithir fichead bliadhna

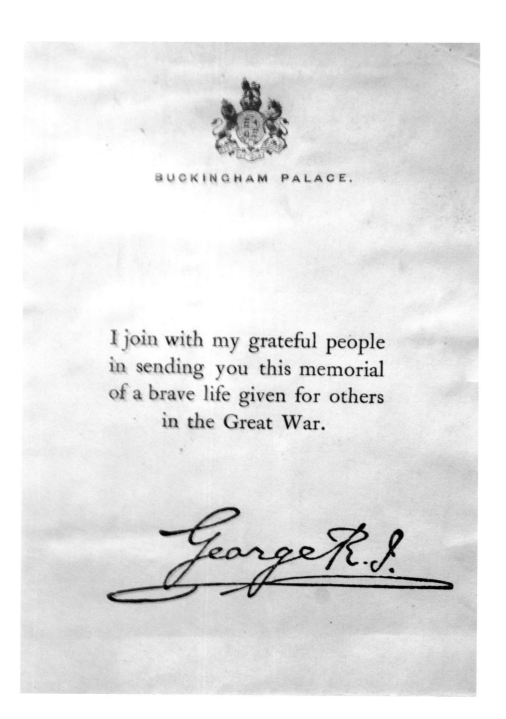

Donald Macdonald, 2 Eorodale
Dòmhnall Dh'll Dhànaidh
Killed in action in France, 19 October 1918 age 22
Son of Donald and Effie Macdonald (nee Macleod 31 Cross)
2nd Seaforth Highlanders
Donald was the last recorded battlefield loss from the villages
from Skigersta to Ballantrushal. Shown at left are the scrolls
received by his grieving family: examples of many such scrolls
received by families throughout the district.

HE whom this scroll commemorates was numbered among those who, at the call of King and Country, left all that was dear to them, endured hardness, faced danger, and finally passed out of the sight of men by the path of duty and self-sacrifice, giving up their own lives that others might live in freedom.

Let those who come after see to it that his name be not forgotten.

Pte. Donald Macdonald
Seaforth Highrs.

CROFT	NAME	SERVICE
1	**MALCOLM MACDONALD** Son of John Macdonald, baker	Engineer Artificer, RN Survivor of HMY *Iolaire*
	DONALD MACDONALD Dòmhnall Beag Tharmoid Chaluim d. 1971 m. Catherine Macleod 5 Adabrock	RNR
2	**DONALD MACDONALD** Dòmhnall Dh'll Dhànaidh Son of Donald and Effie Macdonald (nee Macleod 31 Cross) 2 Eorodale	Killed in action in France 19 October 1918 age 22 2nd Seaforths Service number S/26486
	JOHN MACDONALD Later Canada	Seaforths Interred Queant Road Cemetery, Buissy, grave I. A. 2
	DOLINA MACDONALD Dà bhràthair agus piuthar Mhurdigean a' Chuaraidh.	Munitions Worked in Vale of Leven Munitions factory
3b	**ALEXANDER MACKENZIE** Alasdair Thomain Later Glasgow and 'Bungalow' Skigersta d. June 1984 age 86 m. Mary Macdonald 20 Adabrock	Seaforths. Taken prisoner at the Somme. Escaped after two years. Served in World War 2 in Merchant Navy. Taken prisoner from SS *Maimoa* in 1940.
3	**DONALD MACKENZIE** Dolaidh Fhionnlaigh d. January 1974 m. Ann Morrison 3 Skigersta	RNR
	ANGUS MACKENZIE Aonghas Fhionnlaigh Later 51 Cross Skigersta d. May 1976 m. Ann Morrison 26 Habost	2nd Seaforths
	JOHN MACKENZIE Later Canada m. Christina Smith, Tong	Royal Naval Canadian Volunteer Reserve

CROFT	NAME	SERVICE
	NORMAN MACKENZIE	Killed in action in France 23 August 1915 age 18 1st Seaforths Service number 3/7277
	Sons of Finlay Mackenzie	Interred Sucrerie Military Cemetery, Colincamps, grave I. AA. 3.
4	MURDO CAMPBELL Murchadh Gheadaidh	Drowned in sinking of HMY *Iolaire* 1 January 1919 age 18 RNR HMS *Matthew Flynn* Service number 20536/DA Interred Swainbost St Peter Old Churchyard
	DONALD CAMPBELL Dòmhnall Gheadaidh Later Cleveland, Ohio d. January 1959 age 63	RNR
	NORMAN CAMPBELL Tarmod Gheadaidh d. December 1937 age 38	Gordons
	Sons of Donald and Catherine Campbell, 4 Eorodale (Maclean – 10 Knockaird)	
6	ANGUS MORRISON Aonghas Dh'll Ruaidh Bràthair 'Dìnidh' d. November 1947 age 50 m. Anna 'Ròsag' Macdonald 18 Habost	RNVR
	MALCOLM MORRISON Calum Dh'll Ruaidh	Killed in action in France 23 September 1918 age 26 1st Camerons Service number 3/5402
	Sons of Donald and Annie Morrison (nee Macdonald 1 Eorodale)	Interred Marteville communal cemetery, Attilly, grave B. 15 Mons Star
9	DONALD MACDONALD Dòmhnall Tharmoid Bhuidhe	Killed in France 19 May 1917 102nd Bat., Canadians Service number 703568 Interred Boulogne Eastern Cemetery

CROFT	NAME	SERVICE
	MURDO MACDONALD Murchadh Tharmoid Bhuidhe Sons of Norman and Isabella Macdonald	RNR Drowned on HMS *Otway* Ship sunk by submarine 22 July 1917 Service number 2790/B Memorial: Chatham Naval panel 26
10	ALEXANDER MORRISON Alasdair Fhionnlaigh b. 1900 d. 1958 Australia	RNR Trawler Section
	JOHN MORRISON Iain Fhionnlaigh d. May 1946 age 58 m.1. Dolina Campbell of 21 Lionel d. February 1923 age 33. m.2. Joan Gillies 25/26 Lionel	RNR At defence of Antwerp 1914 Star
11	ALEXANDER MORRISON Alasdair Mhurchaidh Dh'll Ruairidh Buachaill'	RNR Trawler Section
13	JOHN MACLEOD Iain Thorcail Son of Donald and Mary Macdonald Macleod, of 13, Eorodale	Drowned in sinking of HMY *Iolaire* 1 January 1919 age 20 RNR HMS *Attentive III* Service number 15739/DA Interred Swainbost St Peter Old Churchyard
14	ALEXANDER MORRISON Mac Choinnich Mhic Alasdair. Son of Kenneth and Catherine Morrison 14 Eorodale	Killed in action in France 1 July 1916 age 20 2nd Seaforths Service number 3/7429 Memorial: Thiepval Pier and Face 15 C
15	JOHN GUNN 'An Giagan' Teacher Lionel School	RNR Trawler Section
	MALCOLM GUNN Son of Murdo and Margaret Gunn	Killed in action in France 1 July 1916 2nd Seaforths Service number 3/7267 Memorial: Thiepval Pier and Face 15 C

John Gunn,
15 Eorodale

Norman Mackenzie,
3 Eorodale

Dolina Macdonald 2 Eorodale

John Macdonald 2 Eorodale

Norman Macleod 5 Adabrock

Alexander Gunn 3 West
Adabrock (125 Cross-Skigersta)

Donald Morrison 12 Adabrock

Donald Macdonald 2 West Adabrock
(126 Cross-Skigersta)

John Morrison 4 West Adabrock (127 Cross-Skigersta)

Adabroc
Clàr nan Gaisgeach

Adabrock
Roll of Honour

Cha robh càil ach naidheachd bàis cha mhòr a' tighinn air a' phost a h-uile latha no a h-uile seachdain. Chuir an Iolaire clach-mhullaich air a h-uile càil a bh' ann. 'S e tìde glè dhuilich, 's glè dheuchainneach air daoine a bh' ann.

Hardly a day, or a week anyway, passed without news by post of someone being killed. The loss of the *Iolaire* at the end of the hostilities capped it all.

An Gruagan a' cuimhneachadh air àm a' Chiad Chogaidh nuair a bha e na bhalach sgoile ann an Cros.

Dolaidh Fhionnlaigh agus *Dòmhnall Mòr Alasdair Dhoilligean*

253

CROFT	NAME	SERVICE
1	DONALD MACRITCHIE Dòmhnall an Rìgh	Died in France 19 August 1917 18th Highland Light Infantry Service number 28259 Interred Templeux-le-Guerard British Cemetery, grave II. H. 20
	ANGUS MACRITCHIE Husband of Annie MacRitchie Aonghas an Rìgh Sons of Donald Macritchie (16 Lionel) and Ann Morrison (12 Port)	Died in France 11 April 1917 age 37 2nd Seaforths Service number S/6862 Interred Brown's Copse Cemetery, Roeux, grave III. D. 35
2	JOHN MACLEAN Originally from Knockaird 'Bodach' Dh'll Bhàin d. September 1962 age 86 m. Chirsty Campbell, Ciorstaidh Chaluim 'ic 'an Bhàin, 2 Adabrock	RNR
2	DONALD MORRISON Dòmhnall Eachainn - from 4 Adabrock d. January 1921 age 40 m. Annie Campbell 2 Adabrock	RNR
4	JOHN MORRISON Iain Eachainn Husband of Henrietta Morrison 4 Adabrock (nee Mackenzie 11 Knockaird)	Died in Chatham Hospital 20 October 1914 age 41 RNR HMS *Pembroke* Service number 2786/B Interred Gillingham (Woodlands) Cemetery, grave Naval. 13. 652
	MALCOLM MORRISON Calum Eachainn d. October 1973 age 84 m. 1. Dolina Macleod 7 Eorodale d. June 1935 age 45 m. 2. Henrietta Murray 3 Skigersta d. Oct. 1979 age 80 Sons of Hector and Margaret Macfarlane Morrison	Royal Naval Canadian Volunteer Reserve
5	NORMAN MACLEOD Tarmod Dh'll Mhaoil d.1929 m. Mary Campbell 21 Lionel Emigrated 1926	Canadian Highlanders
	JOHN MACLEOD 'Am Bogataibh' Later 16 Eorodale d. November 1933 age 40 m. Annie Macdonald 1 Eorodale	Gordons Wounded and disabled for life

CROFT	NAME	SERVICE
6	ALEXANDER MACDONALD Alasdair 'Dilear' d. July 1953 age 55 m. Flora Maclean 36 Swainbost	RNR
9	KENNETH GUNN 'An Carraicean' Later 10 High St Skigersta d. May 1933 age 52 m. Christina Macdonald 9 Adabrock	RNR
11	DONALD MORRISON 'Syme' Dòmhnall Dh'll 'ic Iain 'ic Dhùghaill	Seaforths Twice wounded
	DONALD CAMPBELL 'Polaidh' ex 9 Port d. February 1934 age 59 m. Jessie Morrison 11 Adabrock	RNR
12	DONALD MORRISON Dòmhnall Alasdair Buachaill Husband of Christina Morrison 12 Adabrock Left five sons Son of Alex and Peggie Morrison	Drowned on HMT *Morocola*, sunk by mine 19 November 1917 off Queenstown, Ireland, age 41 RNR, Service number 1471/C Memorial: Chatham Naval panel 26
14	KENNETH MACDONALD Coinneach Dh'll Bhàin Later 'Bungalow' Skigersta d. November 1945 age 58 m. Johanna Mackenzie 3 Eorodale	Royal Marines Light Infantry
15	NORMAN MURRAY Tarmod Dh'll Alasdair d. October 1946 age 60 His father discovered a hoard of bronze objects when he was cutting his peats in May 1910, in what is now the Eorodale Park (An t-Slugaid). Thought to date from 750BC and now in the National Museum Edinburgh; known as the Adabrock Hoard	RNR

CROFT	NAME	SERVICE
18	JOHN H MORRISON Iain Choinnich Bhàin 132 Cross Skigersta Husband of Mary Macdonald Morrison 18 Adabrock Son of Kenneth and Marion Morrison 23 Lionel	Drowned 13 December 1917 age 35 when the HMS *Stephen Furness* was sunk by U-21 west of the Isle of Man RNR Service number 3486/A Memorial: Chatham Naval panel 26. On the memorial at Cross, John's name is on the Adabrock plate and the Lionel plate
18 Outer	MALCOLM MACKAY Calum Catriona Iain Òig Later Australia	RNR
	WILLIAM J MACKAY Uilleam Catriona Iain Òig. Sons of Catherine MacKay, of Upper Adabrock Mairi ni'n Catriona Iain Òig, was their only sister.	Killed in action in France 1 July 1916 age 19 Seaforths Service number 3/7382 Interred Redan Ridge Cemetery no 1, Beaumont-Hamel, grave C.8
Upper Adabrock	RODERICK MACRITCHIE Husband of Catherine MacRitchie, Upper Adabrock (nee Macdonald, 18 Lionel) Son of Angus and Mary MacRitchie 28 Eoropie Athair Rodaidh Catriona 131 Cross Skigersta. Rodaidh died in May 2000 age 87 so would have been 1 or 2 years when his father was lost. Catriona died in April 1961 age 79	RNR Killed age 38 when HMS *India* was sunk by U-22 near Bodo, Norway 8 August 1915 Also served on HMS *Carmania* and took part in sinking of German ship *Cap Trafalgar* Service number 3398B, Memorial: Chatham Naval panel 14 On Cross memorial under 28 Eoropie

After the Cross Skigersta Fishermen's Holdings were allocated around 1923, the West Adabrock and Upper Adabrock addresses were changed to Cross-Skigersta Road numbers

CROFT	NAME	SERVICE
1 WEST 123 Cross Skigersta	DONALD MACDONALD 'Lochan' 1873 - 1925 m. Annie Macdonald 10 Skigersta	RNR
2 WEST 126 Cross Skigersta	JOHN MACDONALD Later Wales	Royal Engineers
	DONALD MACDONALD d. October 1965 age 75 m. Annie Morrison 16 Skigersta	RNR

CROFT	NAME	SERVICE
	DONALD MACDONALD (Junior) Later 140 Cross Skigersta d. December1962 age 65 m. 2. Mary Morrison 7 Knockaird (piuthar dhan 'Phatch') Balaich Alasdair Dhoiligean (3 Lionel)	Seaforths
3 WEST 125 Cross Skigersta	DONALD GUNN d. May 1926 age 25	RNR
	ALEXANDER GUNN Later Australia Balaich Shantaidh Sons of Alexander Gunn (24 Lionel) and Annie Macleod (30 Cross)	Seaforths
4 WEST 127 Cross Skigersta	JOHN MORRISON 'An Podaran' d. December 1957 age 84 m. Christina Smith 22 Fivepenny	RNR Survivor from HMS *Hermes*
7 WEST 124 Cross Skigertsa	ANGUS MACRITCHIE 'Saidh' Aonghas Chaluim, who is also in Swainbost Roll of Honour (No 42) m. Effie Macdonald 3 Lionel	RNR
8 WEST 69 Cross Skigersta	JOHN D MORRISON Seonaidh Dhàidh Tharmoid 'an Òig (35 Lionel)	RNR

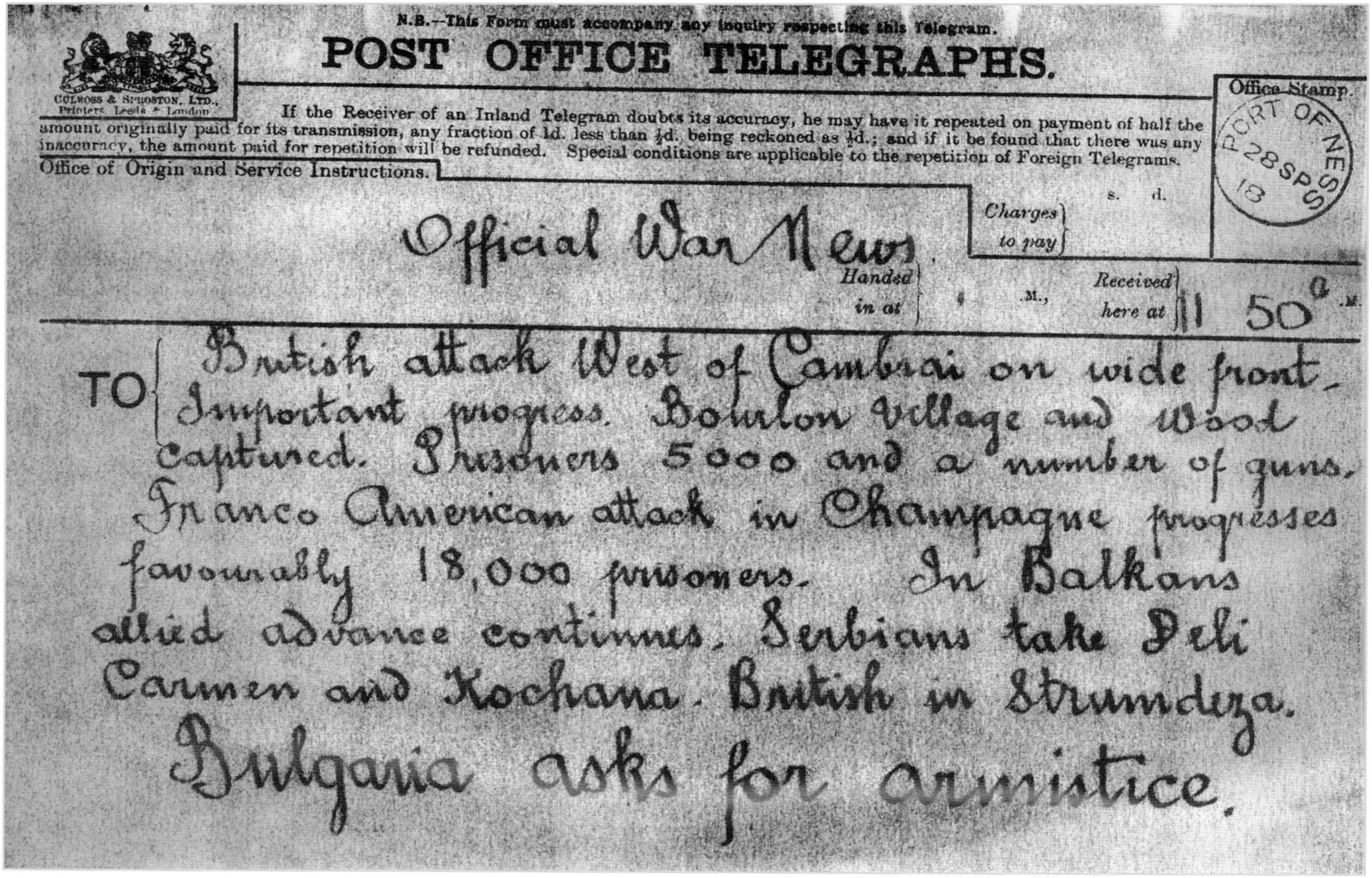

POST OFFICE TELEGRAPHS.

N.B.—This Form must accompany any inquiry respecting this Telegram.

If the Receiver of an Inland Telegram doubts its accuracy, he may have it repeated on payment of half the amount originally paid for its transmission, any fraction of 1d. less than ½d. being reckoned as ½d.; and if it be found that there was any inaccuracy, the amount paid for repetition will be refunded. Special conditions are applicable to the repetition of Foreign Telegrams. Office of Origin and Service Instructions.

Office Stamp.
PORT OF NESS
28 SP 18

Charges to pay

Official War News

Handed in at   .M.,   Received here at   11 50 a .M.

TO British attack West of Cambrai on wide front. Important progress. Bourlon Village and Wood captured. Prisoners 5000 and a number of guns. Franco American attack in Champagne progresses favourably 18,000 prisoners. In Balkans allied advance continues. Serbians take Deli Carmen and Kochana. British in Strumdeza.

Bulgaria asks for armistice.

*Chunna mi an duine bh' ann – bha e letheach
slighe steach, thàinig muir mòr, chaidh e
suas air a' chreig – chaidh am muir suas air
a' chreig 's esan na chùl – 's chunna mi e an
uair sin dol a mach bho an deireadh aic' –
cha robh e 'slack' an duine ud. An ath trup a
thàinig e steach, bha e math air an t-snàmh,
chaidh e am bàrr na suaile, 's fhuair e grèim
air a' chreig co-dhiù, 's chum e ròp innt'
cuideachd.*

*I saw him halfway across, a huge wave cast him
up on the rocks, then I saw him again coming
round the end of the ship. This time, when he
got to the rock he managed to keep his footing
and secure the rope …*

Am Patch ag innse mu oidhche an *Iolaire* 1 Faoilleach 1919

Port Nis
Clàr nan Gaisgeach

*Port of Ness
Roll of Honour*

MURDO MACKENZIE
Murchadh Tharmoid Mh'dh Phìobair
Died of wounds 16 March 1918

MURDO MACDONALD MC
Murchadh Alasdair Uilleim
Awarded the Military Cross

CROFT	NAME	SERVICE
1	DONALD CAMPBELL Dòmhnall 'an Dhannsain Donald (1871-1957) m. Mary Maclean (1878-1962) 4 Lionel Later 30b Lionel	RNR
2	DONALD MACKENZIE	Argyll & Sutherland Highlanders
	ALEXANDER MACKENZIE	Mercantile Marine
2	ANGUS CAMPBELL	Killed in action in France 11 August 1918 age 34 72nd Canadian Infantry (British Columbia Regiment) Service number 1016000 Memorial: Vimy Memorial
	RODERICK CAMPBELL	Mercantile Marine Awarded a sum of money for meritorious services rendered in Mediterranean when ship was torpedoed
	DONALD CAMPBELL	RNR Trawler Section
	Sons of Angus and Christina Campbell Port of Ness	
3	MALCOLM MACDONALD Calum went to Australia	RNR Trawler Section
	ANGUS MACDONALD Angus 'Niall' to USA. Skipper on Great Lakes. d.September 1968	RNR Trawler section
	ANGUS MACDONALD Aonghas Chaluim Breabadair Sons of Angus and Margaret Macdonald 3 Port-of-Ness	Drowned in sinking of HMY *Iolaire* 1 January 1919 age 24 RNR, HMD Primrose Service number 2597/SD Interred Crossbost Cemetery
4	JOHN F MACLEOD Iain Mhurdo (1889 - 1978) m. Margaret Finlayson 18 Skigersta (1892 - 1957)	Carpenter, RNR Awarded silver medal of Royal Humane Society for gallantry in swimming ashore from the wreck of the *Iolaire*, with a line, by which a hawser was brought ashore, and many were saved
4	FINLAY MACFARLANE	Mercantile Marine

CROFT	NAME	SERVICE
	ANGUS MACFARLANE	RNR Trawler Section
5	ANGUS MACDONALD 'Dìthead'	RNR Survivor of HMS *Hermes*
	MALCOLM MACDONALD 'Am Bàdaidh' Sons of Malcolm Macdonald	RNR Trawler Section
6A	NEIL MACDONALD	RNR
6B	MURDO MACDONALD Murchadh Alasdair Uilleim Murdo emigrated to New Zealand around 1912. His date of birth is shown in Military Records as 30 August 1891.	2nd Lieutenant in the New Zealand Rifle Brigade (Earlier New Zealand Expeditionary Force) Awarded the Military Cross [The Military Cross is fourth in the order of precedence of WWI gallantry awards]
	DONALD MACDONALD sons of Alexander Macdonald (1847-1911) (Mac Uilleam Dhòmhnaill) and Catherine Nicolson (1853-1928) (Ni'n Ailein Mhurchaidh) 47 Swainbost	Mercantile Marine
8	MURDO CAMPBELL	RNR
9	NORMAN CAMPBELL	Sergeant Seaforths
	MURDO CAMPBELL	Royal Irish Fusiliers
10	ALEXANDER THOMSON	Mercantile Marine
12	JOHN MORRISON Iain Sheonaidh	Killed in action at La Bassee 23 October 1914 age 22 1st Gordon Highlanders Service number 3/5670 Memorial: Le Touret Panel 39 to 41
	NORMAN MORRISON Tarmod Sheonaidh Sons of John and Catherine Morrison 12 Port of Ness	RNR 1917-18 Trawler Section Also served in WWII RNR 1939-45
12 Thule House	RODERICK MURRAY	Chief Engineer, Mercantile Marine

CROFT	NAME	SERVICE
14	DONALD MACDONALD	Coast Watcher
15	MURDO MACLEAN Murchadh Tharmoid Aonghais 10 Knockaird Murchadh Mòr 1871-1922 m. Isabella Morrison 15 Port	RNR
15	ALEXANDER MORRISON Alasdair Sheonaidh Dh'll 'ic Ruairidh 1897-1924 (107 Cross Skigersta and Australia)	Gordons and Machine Gun Corps Wounded
	JOHN MORRISON	Canadians
	Sons of John Morrison	
16	MURDO MACKENZIE Murchadh Tharmoid Mh'dh Phìobair Son of Norman and Margaret MacKenzie,	Died of wounds in hospital in Manchester 16 March 1918 age 30 8th Argyll & Sutherland Highlanders Service number 300236 Interred Swainbost St Peter Old Churchyard
19	ANGUS MACDONALD	RNR 13th Destroyer Flotilla
	JOHN MACDONALD	RNR Trawler Section
21	CHRISTINA MACFARLANE Chirsty Bheag Mhurdaidh	Munitions Glasgow
22	ALAN MACDONALD	2nd Transvaal Scottish
	NORMAN MACDONALD	Electrical Engineer Corps, Madras Volunteers
Ocean Villa	GORDON MACLEOD	Corps of Guides
	DAVID G MACLEOD	South African Defence Corps
	JAMES M MACLEOD	2nd Rhodesia Regiment Also served with the Lovat Scouts in Boer War
	JACK M MACLEOD	Lce. Corpl, 24th Signalling Company, Royal Engineers
	WALTER MACLEOD	Sergeant, Military Transport Corps, American Army
	The five sons of John Macleod	

Angus Campbell, 3 Port of Ness

Murdo Macdonald, 6 Port of Ness

Murdo Maclean, 15 Port of Ness

John Gunn, 8 Knockaird

Donald Mackenzie, 3 Knockaird

Angus Morrison, 12 Knockaird

Donald Macdonald 16 Knockaird

Alexander Morrison 3 Knockaird
Malcolm Macdonald 23 Swainbost
Donald Finlayson 18 Skigersta

Càirdean a' Chnuic Àrd san RNR
Dolaidh Aonghais Òig, Donald Maclean 9 Knockaird and his cousin,
Murchadh Mòr, Murdo Maclean, 15 Port.

Tha mise smaoineachadh air a h-uile càil dheth
fhathast – bha salchair ann toiseach a' chogaidh –
's e 'Lornes' a bh' oirnn nuair a chaidh sinn a-null
an toiseach. Bha sinn dhan call as na trainnsichean,
dol am bogadh.

Iain a' Bhrogaich a' cuimhneachadh air an trainnse aig Givenchy ann an 1914

CROFT	NAME	SERVICE
1	ANGUS MACLEOD Aonghas Iain Riabhaich	Gordons Wounded
2	ANGUS MACLEAN Aonghas Dh'll Bhàin Dh'll Riabhaich Later 17 Port d. August 1965 age 79 m. Margaret Macdonald 17 Port	RNR Survivor from HMS *Calgarian*
	JOHN MACLEAN m. Chirsty Campbell 2 Adabrock d. September 1962 age 86	RNR
3	ALEXANDER MORRISON 'Sparaig' d. 1950 age 68 m. (1) Mary Morrison 3 Knockaird m. (2) Dolina Maclean 1 Knockaird	RNR
3	DONALD MACKENZIE Son of Donald and Henrietta Mackenzie	Killed in action at Hill 60 France 25 April 1915 age 23 2nd Seaforths Service number 3/6923 Interred Seaforth Cemetery Cheddar Villa grave B.1. (Headstone "A" 41)
	MURDO MACKENZIE Son of Donald and Henrietta MacKenzie	Died of wounds at Etaples 10 May 1917 age 22 2nd Seaforths Service number 3/7286 Interred Etaples Military Cemetery, grave XVIII. L. 11
4	KENNETH MACLEAN 'An Cùirear' d. April 1945 age 72 m. Christina Morrison	RNR
5	JOHN GUNN	Killed in action in France 9 May 1915 age 21 1st Seaforths Service number 3/7035 Memorial: Le Touret, panel 38 and 39

CROFT	NAME	SERVICE
	DONALD GUNN	Killed in action 22 February 1917 age 23 1st Seaforths Service number S/7070 Memorial: Basra panel 37 and 64
	JOHN GUNN Iain a' Bhrogaich d. December 1985 age 89 m. Mary Macdonald 17 Knockaird	Seaforths Wounded
	The three sons of Murdo and Annie Gunn. Another son, Colin, was killed at El Alamein in WWII, age 43.	
6	DONALD SMITH Dòmhnall a' Spàinnich d. March 1970 age 71 m. Catherine Mackenzie 2 Aird Dell	Camerons
7	ANGUS MORRISON	Petty Officer RNR Drowned in sinking of HMY *Iolaire*, was never found 1 January 1919 age 32 RNR HMS *Vivid* Service number 5306/A
	JOHN MORRISON Seonaidh Dh'll a' Choire Later 17 Eorodale d. October 1955 age 64 m. Agnes Morrison 10 Eorodale	RNR
	DONALD MORRISON 'Am Patch' d. July 1990 age 91 m. Catherine Morrison [1900-9 April 1939] 31 Cross	RNR Trawler Section Clung to the mast of the wrecked *Iolaire* for eight hours until rescued.
	Sons of Donald and Jessie Morrison	
8	KENNETH MACLEOD 'Tulag' d. April 1958 age 88 m. Catherine Macdonald 8 Knockaird	RNR

CROFT	NAME	SERVICE
9	DONALD MACLEAN Dolaidh Aonghais Òig d. August 1968 age 84 m. Effie Mackenzie 19 Skigersta	RNR
	NORMAN MACLEAN Later New Zealand	Mercantile Marine
10	NORMAN MACLEAN Tarmod Dh'll Tincear Later Australia d. 1982 m. Edith May Hockley (Australia)	RNR
	ALEXANDER MORRISON Bràthair 'Bàgaidh' [She was a teacher in Lionel]	RNR
11	DONALD MACLEOD 'Stoolaidh' d. May 1957 m. Annie Macdonald 14 Knockaird	RNR
12	JOHN MORRISON Iain an t-Saighdeir	Drowned in sinking of HMY *Iolaire* 1 January 1919 age 18 RNR HMY *Iolaire* Service number 21746/DA Interred Swainbost St Peter Old Churchyard
	ANGUS MORRISON 'A Cheàrnag' d. December 1980 age 81 m. Johanna Mackay 142 Cross Skigersta	RNR
	Sons of Norman and Margaret Morrison 12 Knockaird	
14	JOHN MACDONALD 'Am Blastair' d. August 1953 age 73 m. Mary Macleod 32 Swainbost	King's Own Scottish Borderers

CROFT	NAME	SERVICE
16B	DONALD MACDONALD Dòmhnall Shrachain	Died of gas poisoning 5 May 1915 age 23 2nd Seaforths Service number 3/7105 Interred Hazebrouck Communal Cemetery, grave II. D. 15
	ALEXANDER MACDONALD Alasdair Shrachain Sons of Donald and Annie Macdonald, 16B Knockaird	RNR
18	ANGUS SMITH	Labour Corps

Donald Macleod 20 Fivepenny

John Macleod 9 Fivepenny

John Macleod 19 Fivepenny

Donald Macleod 5a Fivepenny

Donald Smith 22 Fivepenny

William Mackay 7 Fivepenny

Na Còig Peighinnean
Clàr nan Gaisgeach

Fivepenny
Roll of Honour

Balaich nan Còig Peighinnean an sàs air muir agus tìr.
Iain na Gruagaich, RNR, agus Aonghas '*Titus*' a bha 'n rèisimeid nan
Camshronach agus a choisinn Military Medal.
John Macleod 5a Fivepenny and Angus Macleod MM 27 Fivepenny.

CROFT	NAME	SERVICE
1	DONALD MACKENZIE Dòmhnall Aonghais Dh'll Mhurchaidh Tàilleir 'An Coileach' d. April 1988 age 88 m. 1934 Margaret Maclean 24 Swainbost	RNR 1917-1918 Also served in WWII RNR 1939-45
2	ALEXANDER MACLEOD 'An Gèidsear' d. March 1956 m. Mary Morrison 13 Fivepenny	Sergeant in Seaforths, Awarded the Meritorious Service Medal on 17 July 1916, for saving the life of his class on several occasions while at live bombing practice
	JOHN MACLEOD	2nd Seaforths Wounded 11 June 1915 Killed in action in France 13 April 1917 age 21 Service number 3/7405 Memorial: Arras bay 8
3	KENNETH MACRITCHIE 'Muillear' Athar 'Cheògaidh'	RNR
4	JOHN MACKENZIE 'Somalaidh' d. May 1945 m. Catherine Murray 21 Swainbost	RNR
5A	JOHN MACLEOD d. December 1952 m. Catherine Macdonald 17 Knockaird	RNR
	ALLAN MACLEOD Later New Zealand	RNR
	KENNETH MACLEOD Later Vancouver	RNR
	DONALD MACLEOD Dolaidh na Gruagaich	RNR Trawler Section Drowned in sinking of HMY *Iolaire*, 1 January 1919 age 28 Was never found
	The four sons of Angus and Margaret Macleod	Service number 10941/DA Memorial: Chatham Naval panel 32

CROFT	NAME	SERVICE
5B	ALEXANDER MACLEOD 'Santaidh' Later 70 Cross Skigersta d. August 1958 age 77 m. Mary Macleod 70 Cross Skigersta	RNR
	KENNETH MACLEOD d. January 1950 age 73 m. Gormelia Morrison 11 Fivepenny	RNR
	JOHN MACLEOD	Canadians
	Three sons of Angus Macleod and Mary Murray (Cuidhsiadar and 7 Eorodale)	
7	KENNETH MACKAY	Canadians
	WILLIAM MACKAY Uilleam Màiri Bhàn Only son of William Mackay (Uilleam Aonghais) 28 South Dell and Mary Mackay 6/7 Fivepenny Ness	Signaller, RNVR Drowned in sinking of HMY *Iolaire* 1 January 1919 age 26 HMS *Vivid*, Service numberZ/8218 Interred Swainbost St Peter Old Churchyard Memorial: Nicolson Institute WWI Middle Panel William Mackay was an assistant teacher at Cross School when called up for military service in November 1916.
8	ALLAN MACLEOD Ailean an Deiceir Later 32 South Galson d. June 1974 age 87 m. Margaret (Peigi) Murray 20 Swainbost	RNR
	JOHN MACLEOD	RN Died of illness 3 December 1918 age 29 HMS *Pembroke* Service number 4649/A Interred Swainbost St Peter Old Churchyard Not listed on the Cross memorial
	DONALD MACLEOD Dòmhnall an Deiceir	Lance Corpl. 1st Seaforths, Service number 3/6965 Died of wounds Persian Gulf 22 February 1917 age 23 Memorial: Basra panel 37 and 64

CROFT	NAME	SERVICE
	DONALD MACLEOD d. 24 March 1919 age 22. A sister, Annie, age 27, died 2 days earlier Four sons of John and Henrietta Macleod 8 Fivepenny Ness	2nd Seaforths Wounded
9	JOHN MACLEOD Bràthair dhan t-Sìthean Son of Angus and Catherine [Macritchie] Macleod 9 Fivepenny Ness	Killed in action in France 20 December 1914 age 19 1st Seaforths Service number 3/7206 Memorial: Ploegsteert Panel 9
10	MURDO MACLENNAN d. June 1963 age 75	RNR
11	DONALD MORRISON Dolaidh Buachaill' Son of Donald and Gormelia Morrison	RNR Drowned in sinking of HMY *Iolaire* 1 January 1919 age 27 HMT *Sir Mark Sykes* Service number 11859/DA Previously served in 2nd Seaforths at Ypres - wounded Interred Swainbost St Peter Old Churchyard
	MURDO MORRISON Murchadh Buachaill' Later Machair House d. July 1961 age 72 m. Isabella Macleod 19 Fivepenny	Seaforths
14	JOHN MORRISON Seonaidh Iain Bhig	Royal Flying Corps
15	DONALD MACLEAN Dòmhnall Tharmoid 'an Tholastaidh	Killed in action 26 April 1915 age 17 2nd Seaforths Service number 3/7401 Interred Seaforth Cemetery, Cheddar Villa, grave B. 1. (Headstone "A" 6).
	JOHN MACLEAN Iain Lòrdaidh Later 9 Cross d. December 1978 age 83 m. Catherine Macleod 21 Fivepenny Sons of Norman and Janet Maclean [nee Morrison ni'n Ruairidh Choinnich 8/9 Cross]	RN

CROFT	NAME	SERVICE
16	ANGUS MACLENNAN 'An Calman' d. August 1964 age 86 m. Annie Macdonald 16 Fivepenny	RNR
	NORMAN MACLEOD	RNR
17	DONALD MACKAY d. August 1979 age 81 m. Gormelia Morrison 7 Knockaird	Seaforths Wounded
	WILLIAM MACKAY Uilleam Anna	Killed in action in France 20 December 1914 age 19 1st Seaforths Service number 3/7102 Interred Arras Road Cemetery, Roclincourt, grave III. C. 19
	JOHN MACKAY Seonaidh Anna	RNR
	Sons of John and Annie Mackay [nee Macleod 2 Fivepenny]	
19	JOHN MACLEOD Iain Mhurchaidh Peigi d. November 1953 age 76 m. Margaret Macdonald 27 Eoropie	Argyll & Sutherland Highlanders
20	DONALD MACLEOD Dòmhnall Iain Ruaidh Son of John and Catherine Macleod	1st Seaforths Killed in action in Givenchy, France 21 February 1915 age 34 Had previously served in Egypt
21	JOHN MACLEOD Iain Aonghais Ruaidh d. December 1925 age 40	Camerons
	ANGUS MACLEOD 'An Òrlach' d. August 1960 age 88 m. Gormelia Mackenzie 4 Fivepenny	RNR
	Sons of Angus and Margaret Macleod	

CROFT	NAME	SERVICE
22	DONALD SMITH Dòmhnall Iain Ruairidh Son of John and Dolina Smith 22 Fivepenny Ness	RNR HMS *Glory* Died in hospital in Granton, after being invalided from Russia 24 April 1919 age 20 Service number 13740/DA Interred Swainbost St Peter Old Churchyard
22	ALEXANDER SMITH Alasdair Ailein Ruairidh	1st Cameron Highlanders Killed in action in France 9 May 1915 age 22 Service number 3/5189 Memorial: Le Touret Panel 41 and 42
	MURDO SMITH Murchadh Ailein Ruairidh	2nd Gordon Highlanders Killed in action in France 25 September 1915 age 20 Service number 3/5638 Memorial: Loos Panel 115 to 119
	JOHN SMITH Seonaidh Ailean Later 85 Cross Skigersta d. June 1953 age 64 m. Margaret Mackenzie 32 Habost Sons of Allan and Jessie Smith 22 Fivepenny Ness Triùir mhic Ailein Ruairidh	RNR
23	DONALD MORRISON Dòmhnall Biagaidh	Black Watch
27	ANGUS MACLEOD 'Titus' Later Australia m. Vera Macleod	Lance Corporal Military Medal
	MURDO MACLEOD Murchadh Dh'll a' Bhlue Murchadh 'Paw' Later 15 Fivepenny d. January 1966 age 73 m. Effie Macdonald 27 Eoropie Sons of Donald and Isabella Gillies Macleod	Camerons

Alexander Smith 22 Fivepenny is seated at left

Murdo Macleod 27 Fivepenny

Donald Macleod 12 Eoropie

Dugald Mackenzie 36 Eoropie

Angus Macleod 3 Eoropie

Roderick Macritchie 28 Eoropie
and Upper Adabrock

Eoropaidh
Clàr nan Gaisgeach

Eoropie
Roll of Honour

Na Seòladairean

Back second left – Malcolm Macleod 34 Eoropie *Calum na Leadaidh*
Back centre – Murdo Macleod 7 Eoropie *Murchadh Dh'll Iain Òig*
Front left – Donald Macleod 6 Eoropie/27 Lionel *"A' Lew"*
Front centre – John Murray 36 Lionel *Iain Thomais*

CROFT	NAME	SERVICE
1	ALEXANDER MACDONALD Alasdair an Dolasain d.Oct 1953 age 79 m. Annie Murray	RNR
2	ANGUS MACLEOD Aonghas Dhòmhnaill Mhòir Son of Donald and Marion Macleod	Killed in action in France 31 October 1914 age 25 2nd Gordon Highlanders Service number 3/5639 Memorial: Ypres Menin Gate panel 38
4	RODERICK SMITH Ruairidh Tiomad d. September 1967 age 75 m. Catherine Maclean (Ranish)	Seaforths Wounded
5	MALCOLM MACLEOD Calum Rèilidh d. 1972 age 96 m. Ann Ferguson (d. March 1962 age 76)	RNR
6	JOHN MACLEOD Iain Mhurchaidh Iain Son of Murdo Macleod and Mary Ferguson	Lance Corporal Seaforths Was discharged after being gassed. Died in Glasgow 25 April 1918 age 31
	DONALD MACLEOD 'Lou' d. April 1978 age 87 m. Effie Campbell 27 Lionel (d. September 1923 age 31)	RNR Was at bombardment of Nieuport on the Belgian coast. He received £50 for destroying a submarine in the Mediterranean.
7	DONALD MACLEOD Dòmhnall Anna d.March 1925 age 39 m. Margaret Campbell 4 Adabrock (Peigi Gheadaidh) Father of 'Queil' and 'Bibidh'	Camerons
	MURDO MACLEOD Murchadh Dh'll Iain Òig d. September 1971 age 72 m. Annie Macleod 28 Swainbost	RNR
10	MALCOLM MACLEOD Calum a' Ghiurra d. March 1961 age 62 m. Dolina Campbell 24 Eoropie (d. January 1975 age 75)	4th Seaforths Wounded

CROFT	NAME	SERVICE
	ANGUS MORRISON Aonghas Iain Buachaill' Son of John and Catherine Morrison	Drowned in sinking of HMY *Iolaire* 1 January 1919 age 20 - was never found. RNR HMS *Implacable* Service number 14310/DA Memorial: Chatham Naval panel 32
12	JOHN MACLEOD Iain Chaluim 'an 'ic Leòid d. November 1949 age 60 in accident in Butt of Lewis Lighthouse	RNR
	DONALD MACLEOD Dòmhnall Chaluim 'an 'ic Leòid d. October 1926 age 32	Camerons Gassed and never recovered his health
	Sons of Malcolm Macleod and Isabella Macdonald 14 Knockaird	
14	ANGUS MACDONALD 'Daibhidh' brother of 'Lùdhsaidh' d. April 1956 age 61	RNR
	NORMAN MACDONALD 'Lùdhsaidh' d. February 1965 age 73 m. Dolina Macdonald 18 Habost Later 149 Cross Skigersta	Seaforths
	Sons of Donald and Ann Macdonald	
16	DONALD MACDONALD Dòmhnall Shiurra Son of Donald and Margaret Macdonald 16 Eoropie	Invalided from Persian Gulf and died in hospital in England on 20 May 1919 age 21 D Coy. 2nd Garrison Bn. Royal Scots Fusiliers Service number 34318 Interred Swainbost St Peter Old Churchyard
17	JOHN MACDONALD 'An Ya' d. June 1943 age 65 m. Gormelia Morrison 9 Skigersta (d. May 1947 age 65)	RNR

CROFT	NAME	SERVICE
18	NORMAN MACDONALD Tarmod Iain Mhurchaidh 'ic Dhùghaill m. Johanna Macdonald 22 Eoropie Son of John and Annie Macdonald	Leading Seaman RNR SS *Cairndhu* Drowned 16 April 1917 age 42 Service number 2750C Ship sunk by UB-40, 25 miles west of Beachy Head, en route from the Tyne to Gibraltar. UB-40 surfaced and rammed one of the two lifeboats killing 11 men. The captain was among the survivors. Memorial: Chatham Naval panel 26 Took part in the defence of Antwerp with Royal Naval Division 1914 Star
19	MURDO MACLEOD Murchadh Dh'll Ùisdein Son of Donald Macleod (Tailor) and Barbara Macleod (nee Maclennan)	Died of gunshot wounds in France 9 October 1917 age 19 2nd Seaforths Service number 5302 Interred Dozinghem Military Cemetery, grave IX. J. 16 Year of death on Cross memorial incorrectly marked as 1916
20	JOHN MACLEOD 'Rèilidh' d. November 1938 age 68 m. Mary Murray 21 Swainbost	RNR
21	DONALD MACLEOD	RNR
24	DONALD CAMPBELL 'Dòmhnall Dubh' d. April 1954 age 81 m. 1. Ann Mackay 11 Eoropie (d. April 1914 age 39) m. 2. Catherine Macdonald 14 Eoropie (d. June 1925 age 38)	RNR
26	JOHN MACLEOD Iain Dhòmhnaill a' Phrois JOHN MACLEOD Sons of Donald and Annie Macleod	Died of wounds in France in 1917 age 21 Seaforths Canadians Wounded in France
27	ANGUS MACDONALD 'Coimhead' d. July 1959 age 82 m. Margaret Macdonald 17 Knockaird ANGUS JOHN MACDONALD	RNR - served in defence of Antwerp and awarded 1914 Star Survivor of the destroyer HMS *Strongbow* sunk by German cruisers 65 miles east of Lerwick on 17 October 1917 RNR

CROFT	NAME	SERVICE
28	JOHN MACRITCHIE Iain Bàn d. September 1954 age 81 m. Christina Gillies 15 Lionel (d. February 1934 age 56) Son of Angus and Mary MacRitchie John's brother - Roderick Macritchie lost 8 August 1915 - is listed in Adabrock	RNR
31	ANDREW FINLAYSON 'Anndra' ex 18 Skigersta Later 67 Cross Skigersta d. January 1935 age 52 m. Margaret Gunn (d. March 1971 age 83)	RNR
33	KENNETH MACKENZIE Coinneach a' Bhodaich d. February 1980 age 81 m. Mary Ann Morrison 10 Eoropie	RNR
	MURDO MACKENZIE	RNR
	MURDO MACKENZIE	Camerons
34	JOHN MACLEOD 'Iain na Leadaidh' decorated for his work as a policeman in Clydebank during the 2nd World War d. 1977 m. Johan Macleod – Swainbost and 23 Cross	RNR
	MALCOLM MACLEOD 'Calum na Leadaidh' Later USA d. 1981 m. Dolina Thomson 2 Skigersta	RNR
35	ALEXANDER MORRISON	Colour Sergeant Scots Guards
	JOHN MORRISON 'Sàm' d. January 1960 age 76 m. Christina Morrison 16 Swainbost	RNR

CROFT	NAME	SERVICE
	DONALD MORRISON Dòmhnall 'an Thangaidh	Sergeant Camerons Wounded
	ANGUS MORRISON 'Skye' Aonghas 'an Thangaidh [Also listed at 16 Cross]	Sergeant Seaforths
	JOHN MORRISON	Seaforths Wounded
36	DUGALD MACKENZIE Dùghall an 'ic Eansaidh	Killed in action in France 25 April 1915 age 21 2nd Seaforths Service number 3/7108 Interred: Seaforth Cemetery, Cheddar Villa, grave B. 1. (Headstone "A" 44)
	ANGUS MACKENZIE Aonghas an 'ic Eeansaidh d. August 1949 age 75 m. Bella Macleod 20 Eoropie	RNR. Was on HMS *Carmania* when the German ship Cap Trafalgar was sunk
	DONALD MACKENZIE Dòmhnall an 'ic Eeansaidh d. 20 January 1923	RNR
	Sons of John and Annie Morrison Mackenzie	
36	DONALD MORRISON 'Am Peilear' Later 1 Cross Skigersta d. September 1959 age 74 m. Christina Mackenzie Son of Angus 7 Knockaird and Isabella Morrison 36 Eoropie [Donald is also listed in Cross]	RNR
No Eoropie address details	DONALD MACLEOD His parents were from Eoropie and Lionel. Father - John Macleod, Kilbowie Road, Clydebank.	Company Quartermaster Argyle and Sutherland Highlanders Served in France and Belgium from October 1917

John Macritchie 28 Eoropie

L-R: Donald Macleod 6 Eoropie
Murdo Macleod 7 Eoropie

John Campbell 5 Lionel

Catriona and John Mackay 6 Lionel

John Gillies 15 Lionel

7th Bn, Seaforth Hrs.,
B.E.F.
28/10/16

Dear Mrs Gillies,

It is with the deepest feelings of regret that I write to
you of the death of your son Pte. A Gillies,(6517), of
"B"Coy.
He was killed in action on the 12th inst. when the Bn.
was attacking a sector of the enemy's line. His body
was recovered the following evening and buried
behind our front line trenches with several of his
comrades.
We who are left in the Coy. feel the loss very keenly.
He was a very good soldier and all who knew him
liked him. We all wish to offer you our most heartfelt
sympathies and pray that God will comfort and help
you bear the loss.

Yours sincerely

R.W.S. Shaw, 2nd Lt
"B" Coy

Two years later Lt Shaw, now promoted Captain,
was also killed in action.

Lìonail
Clàr nan Gaisgeach

*Lionel
Roll of Honour*

ANGUS GILLIES 15 Lionel
Aonghas Dh'll Ghilis was killed in
action 10 October 1916. The letter of
condolence from Lt RWS Shaw has
been preserved by the family.

CROFT	NAME	SERVICE
1	MURDO SMITH Murchadh Ailean d. September 1949 age 67	RNR Trawler Section
3	ANGUS MACDONALD An Leàmhnaid d. July 1952 age 71	RNR
	DONALD MACDONALD Dolaidh Dh'll Seònaid Later Head Teacher Dunoon Grammar	Naval Schoolmaster HMS *Repulse*
4	ANGUS MACLEAN Aonghas Mòr Riabhach Later Balallan	RNR Survivor HMS *Calgarian*
5	JOHN CAMPBELL Seonaidh Mhurchaidh Duibh 'Doodie' Son of Murdo and Annie Campbell 5 Lionel	Killed in action in France 4 May 1917 age 26 2nd Seaforths Service number 317056 Interred Crump Trench British Cemetery, Fampoux, grave II. C. 16
6	JOHN MACKAY Iain Ailein Bhàin Emigrated Canada 1924 (ex 14 Skigersta) d. March 1965 age 89 m.Catherine Campbell 6 Lionel – Catriona Dh'll 'ic Tharmoid	RNR
7	DONALD MACLEOD Dòmhnall Choinnich Ùigich	RNR Service number 4503A Lost with HMS *Fisgard II* 17 September 1914 age 23 Memorial: Chatham Naval panel 8
	FINLAY MACLEOD Fionnlagh Choinnich Ùigich 'Nàbha' d. February 1970 age 81	RNR Interned in Holland 1914 Star
	Sons of Kenneth and Annie Macleod 7 Lionel	
8	ALEXANDER CAMPBELL Ailig Phluicean Later 119 Cross Skigersta d. May 1954 age 74	Seaforths

CROFT	NAME	SERVICE
	JOHN MORRISON A' Chasag d. August 1946 age 67	Sergeant Seaforths
	JOHN MORRISON Bràthair a' Ghladstoin Son of Donald and Jane Morrison 8 Lionel	Killed in action in France 26 September 1916 age 34 29th Vancouver Battalion, Canadians Service number 75247 Memorial: Vimy Memorial
10	DONALD MACLEOD Dòmhnall Tharmoid	RNR Wounded in Dardanelles Leg amputated Invergordon Hospital. Died 18 October 1919 at home age 37
11	JOHN SMITH Seonaidh Iain Mhurchaidh Tharmoid Later Clydebank. Policeman	Highland Light Infantry and Machine Gun Corps Wounded
11	JOHN MURDO MORRISON Mac Mhurchaidh Iain Bhig Later Canada	RNR Trawler Section
12	JOHN GILLIES Seonaidh Mòr 'an Ghilis Later Australia	Mercantile Marine
14	NORMAN GILLIES Tarmod Iain Ruaidh Later 7 High St Skigersta d. July 1964 age 84	RNR
	ALEXANDER GILLIES Alasdair Iain Ruaidh Husband of Isabella Gillies 39 28th Avenue West Vancouver, British Columbia. Son of John and Annie Gillies 14 Lionel	Killed in action in France 25 May 1915 age 34 15th Canadian Infantry (Central Ontario Regiment) Service number 77624 Memorial: Vimy Memorial Had previously served with 3rd Seaforths
15	JOHN GILLIES Seonaidh Dh'll Ghilis	Lance Corporal 8th Seaforths Service number 3/7007 Killed in action in France 23 April 1917 age 24 Interred Guemappe British Cemetery, Wancourt, grave I. B. 26

CROFT	NAME	SERVICE
	ANGUS GILLIES Aonghas Dh'll Ghilis	Killed in action in France 10 October 1916 age 28 7th Seaforths Service number S/6517 Interred Warlencourt British Cemetery, grave VII. L. II
	ALEXANDER GILLIES Alasdair Dh'll Ghilis d. January 1953 age 73	RNR HMS *Edinburgh Castle* Also served with Seaforths in Boer War
	Sons of Donald and Mary Gillies 15 Lionel	
	MURDO GILLIES 'Deelidh' later Outer Adabrock. Cousin of above at 15	RNR Trawler Section Murdo was in the Merchant Navy after the war and in 1922 settled in New Zealand where he married and had a family
16	JOHN MACLEOD Son of Annie Macleod	Killed in action Persian Gulf 7 January 1916 age 20 1st Seaforths Service number 3/7017 Memorial: Basra Iraq Panel 37 and 64
	JOHN MACLEOD 'Am Bugalair' d. May 1985 age 89	RNR Trawler Section
	JOHN MACRITCHIE Iain Anna Riabhach Son of Angus and Annie Maclean Macritchie 16 Lionel	Lance Corporal Died in hospital at Cromarty 5 June 1915 age 19 3rd Seaforths Service number 317161 Interred Swainbost St Peter Old Churchyard
17	ANGUS MORRISON Aonghas Dh'll Eachainn Later Harris	Seaforths Wounded
	NORMAN MORRISON Tarmod Dh'll Eachainn	Drowned in sinking of HMY *Iolaire*, 1st January 1919, age 20 RNR HMT *Urka* Service number 12088/DA Interred Swainbost St Peter Old Churchyard
	DONALD MORRISON Dòmhnall Dh'll Eachainn d. December 1922 age 22	RNR (Trawler Section)
	Sons of Donald and Jessie Morrison 17 Lionel	

CROFT	NAME	SERVICE
18	JOHN CAMPBELL Seonaidh Beag Aonghais Chaluim	RNR Interned in Holland 1914 Star
	MALCOLM CAMPBELL	New Zealand Merchant Service
	DONALD CAMPBELL Dòmhnall Beag Aonghais Chaluim	2nd Hand, RNR Trawler Section
	MALCOLM CAMPBELL Later Australia	RNR Trawler Section
	Sons of Angus Campbell	
18b	ALLAN MACDONALD Ailean Dh'll Chaluim Later New Zealand	Seaforths
	DUNCAN MACDONALD Donnchadh Dh'll Chaluim Later Glasgow	Seaforths
	DONALD MORRISON	RNR; 1914 Star
19	DONALD MACDONALD Dòmhnall Aonghais 'an 'ic Leòid	Killed in action 10 April 1917 age 23 2nd Seaforths, D Coy Service number 7048 Interred St Nicolas British Cemetery, grave I. D. 5
	DONALD MACDONALD Dolaidh Mòr Aonghais 'an 'ic Leòid	RNR Trawler Section When serving on board HMT *Livingstone*, the ship was sunk by German action in the North Sea. He was made a prisoner and was in Germany for about a year
	ALEXANDER MACDONALD Later 6b Port of Ness	RNR
	JOHN MACDONALD Seonaidh Aonghais 'an 'ic Leòid Later New Zealand	RNR
	Sons of Angus and Annie Macdonald 19 Lionel	

CROFT	NAME	SERVICE
20a	ANGUS MACLEOD Iceal Rodaidh Later 128 Cross-Skigersta d. April 1952 age 64	RNR Took part in defence of Antwerp 1914 Star
20b	KENNETH GUNN Coinneach Aonghais Ghuinne	RNR Trawler Section
	NORMAN GUNN Tarmod Aonghais Ghuinne m. Catherine Campbell 15 North Dell Later 30 Galson; also listed in North Dell	Sergeant Seaforths
21	ALEXANDER MACDONALD	Killed in action Persian Gulf 7 January 1916 age 21 1st Seaforths Service number 7047 Memorial: Basra Iraq, Panel 37 and 64
	ANGUS MACDONALD Later England	Sergeant 1st Seaforths Wounded in action
	Sons of Murdo Macdonald Balaich Mhurchaidh Chaluim	
	ALEXANDER CAMPBELL	RNR Trawler Section
	DONALD CAMPBELL	RNR Trawler Section
	Sons of Donald Campbell, Teaghlach an Arcaich	
23	DONALD MORRISON Later Dunbar Brother of John Morrison, lost 13 December 1917 (see 18 Adabrock); sons of Kenneth and Marion Morrison	Royal Garrison Artillery
24	ALEXANDER MORRISON A' Chiulag	Seaforths - gassed
	KENNETH MORRISON Gille Ceanaidh Later 17 Cross Skigersta	Mercantile Marine Prisoner for 18 months in German raider SS *Moewe*, and for the last 10 months of the war a prisoner of war in Germany.
	NORMAN MORRISON	New Zealand RN
	Sons of Kenneth Morrison	

CROFT	NAME	SERVICE
26	DONALD GILLIES 'Young' d. December 1957 age 76	RNR
	JOHN GILLIES Seonaidh Mòr Later 59 Cross Skigersta d. August 1953 age 69	RNR
	Sons of Alexander and Christina (nee Maciver)	
27	DONALD CAMPBELL Dòmhnall Iain Tharmoid	Corporal 1st Seaforths Service number 311 Killed in Mesopotamia 5 November 1917 age 29 Memorial: Basra Iraq, Panel 37 and 64
	JOHN CAMPBELL Seonaidh Iain Tharmoid Sons of John and Ann Campbell (nee MacRitchie) 27 New St Lionel.	Mercantile Marine Lost when ship sunk by submarine 4 May 1917 age 23 Merchant Marine SS *Farnham* Memorial: Tower Hill
	ANGUS CAMPBELL Aonghas Choinnich Tharmoid Later Dumbarton	Gordons
	DONALD CAMPBELL Dòmhnall Choinnich Tharmoid Later Free Church Missionary at Isle of Coll, Uist, Staffin, Uig Skye, Borve Lewis, Waternish, Glenelg and Achmore. d. 1991 age 92	RN
	Sons of Kenneth Campbell	
28	JOHN MACRITCHIE Bràthair Chailidh Son of James and Catherine MacRitchie 28 Lionel	Corporal. Killed in action in France 2 September 1918 age 24 2nd Seaforths Service number 3/8462 Interred Dury Crucifix Cemetery, grave II. K. 43
29	NORMAN MORRISON	Canadians
	ANGUS MORRISON	RNR
	Balaich Aonghais Bhig	

CROFT	NAME	SERVICE
30a	JOHN MORRISON	Mercantile Marine
	MURDO MORRISON	Seaforths
	John and Murdo were lost during WWII when a tug they were working on as civilian crew was sunk in the Clyde by a mine.	
	DONALD MORRISON	RNR Trawler Section
	Sons of Angus Morrison, Aonghas Beag an Loch	
31	ANGUS CAMPBELL 'Illa' Husband of Susy Ann Campbell 31 Lionel Father of three Only son of Donald and Catherina Campbell 31 Lionel	Drowned in sinking of HMY *Iolaire* 1 January 1919 age 40 Was never found RNR HMS *Excellent* Service number 3590C Memorial: Chatham Naval panel 32
32	MURDO MACIVER Murchadh 'an Mhaoil	RNR Prisoner of war in Germany from fall of Antwerp until the end of the war
	DONALD MACIVER	Seaforths
	ALLAN MACIVER	Mercantile Marine
	JOHN MACIVER	Corporal 8th Seaforths Service number S/7207 Killed in France 7 October 1916 age 21 Interred Adanac Military Cemetery, Miraumont, grave VIII. A. 15
	Sons of John and Catherine Campbell MacIver 32 New St Lionel	
33	DONALD CAMPBELL 'An Gòg'	RNR Interned in Holland 1914 Star
	JOHN CAMPBELL 'An Àidhleag'	Scottish Rifles

CROFT	NAME	SERVICE
35	DONALD MORRISON 'Am Picin' Dòmhnall Dhàidh Tharmoid 'an Òig Later 13 Adabrock d. January 1969 age 72 m. 1. Christina Morrison 7 Adabrock m.2. Isabella Macdonald 6 Adabrock	Seaforths Wounded
36	JOHN MURRAY Husband of Annie Murray (Anna Thòmais) 36 Lionel Ness Father of four	Drowned in sinking of HMY *Iolaire* 1 January 1919 age 46 RNR, HMS *Pembroke* Service number 2061/C Interred Swainbost St Peter Old Churchyard
37	NEIL MORRISON Niall a' Chaillteanaich Son of William Morrison Lionel School-house	Chief Gunnery Instructor, Royal Australian Navy In charge of Wireless Station at Cookston, Queensland
Lionel Schoolhouse	DONALD MACKAY 9 Upper Barvas Donald was head teacher at Lionel School for a number of years. He married another teacher, Miss Cameron, and they later moved to the Black Isle	Gunner Ross Mountain Battery Awarded Gold Medal for valour by the King of Serbia

John Morrison 8 Lionel

Donald Macdonald 19 Lionel

Donald Macleod 7 Lionel

Norman Morrison 17 Lionel

Donald Campbell 27 Lionel

Donald Mackay, Lionel School

L–R: Angus Morrison 17 Lionel
Alasdair Gunn 3 West Adabrock
Donald Macdonald 18 Habost
(52 Cross-Skigersta)

Alexander Macdonald 19 Lionel

John Gillies 26 Lionel

Alexander Gillies 15 Lionel

Norman Campbell 41 Habost

Murdo Campbell 41 Habost

John Macdonald 24 Habost

Angus Campbell 16 Habost

Donald Macleod 27 Habost

Donald Macdonald 12 Habost

Donald Macdonald 13 Habost

41b Habost: Alex John (lost on the *Iolaire*) his sisters, Margaret and Christina and brother Murdo, who died in Palestine in April 1917

Back: Gormelia Murray 11 Habost *Gormal 'an Chailein*, Norman Murray 5 Habost *Tarmod Ruadh*, Malcolm Murray 5 Habost *Calaman* Front: Catherine Murray 11 Habost *Catriona 'an Chailein*, Donald Morrison 1 Habost *Dòmhnall Sheocain*

Tàbost
Clàr nan Gaisgeach

Habost
Roll of Honour

Marbhrann le Iain Caimbeul, Tàbost, Nis, do a bhràthair Ailig John a chaidh a chall air an *Iolaire*.
Chaill 'an Dubh 's a bhean, Iseabail, 41b Tàbost, Nis, triùir mhac anns a' Chiad Chogadh, Murchadh, Tarmod agus Ailig John. Bha Iain, a sgrìobh na rainn seo, ro òg airson a' chogaidh ach bhàsaich e òg – sa Mhàirt 1920

An elegy by John Campbell, 41b Habost for his brother Alex John who was lost on the Iolaire. *Their father, John, and his wife, Isobel, lost three sons in the Great War – Murdo, Norman and Alex John. John, who composed these verses, was too young to join up but he too died soon after the end of the war – in March 1920*

Air feasgar Dimàirt bha mòr fhàbhar leis a' ghaoith
Bha iomadh seòltair àlainn air an t-sràid an Caol Loch Aills
Air an t-slighe gu tìr an àraich às na ceàrnaidhean bha thall
'S iad uile tighinn air fòrladh 's an cogadh mòr air tighinn gu ceann.

'S ann an siud a bha an t-aoibhneas ann an Caol Loch Aills air oidhche Mhàirt
Gach seòltair is gach saighdear bu ghrinn ag imeachd sràid
Le cridhealas 's le aoidhealas gu coibhneil crathadh làmh
'S iad uile air an turas mhòr gu Steòrnabhagh nan sràid.

Dh'fhalbh i uair a thìde ro 'Sheila' mhòr nan tonn
Cur aghaidh air an tìr sin bu dìleas leis na suinn
Nuair chaill i a cùrs' 's ann dhìobair i, toirt sgrìob air creagan lom
'S an tighinn a-steach na bliadhn' ùir chaidh na fiùrain ud a chall.

'S ann siud bha sealladh bu chianail a bhith gan iadhadh suas gu tràigh
An tràigh nach tèid à dìochuimhne dhomh gu sìorraidh ri mo latha
Mi fhìn a' falbh gad iarraidh 's mi sileadh sìos gu làr
Ach, òh, Alaig, cha robh sgeul ort a-muigh ri cliathaich caladh tàmh.

CROFT	NAME	SERVICE
1	**DONALD MORRISON** Dòmhnall Sheocain d. November 1979 age 83	Sergeant Seaforths Served in France 1914 until May 1918 Twice wounded and gassed
	JOHN MORRISON Iain Sheocain d. November 1923 age 30 Sons of John 'Seocan' and Johanna Morrison	Sergeant Seaforths Military Medal for gallantry in France Twice wounded
2	**RODERICK MORRISON** 'Loirgean' Ruairidh Chaluim Ruairidh Husband of Gormelia Morrison (Gormal Buachaill') Father of eight children Back Street Habost (89 Cross Skigersta) Son of Malcolm and Margaret Morrison	Drowned in sinking of HMY *Iolaire* 1 January 1919 age 43 RNR HMS *Ganges* Service number 1750/CH Interred Swainbost St Peter Old Churchyard
	DONALD MORRISON Dòmhnall Chaluim Ruairidh b. 23 September 1885 Leth bhràthair 'Loirgean' Son of Malcolm and Mary Morrison Later Winnipeg Canada d. Canada August 1955 m. Louise Murison Mcleod b. Whitehill Aberdeenshire	Corporal later Sergeant 43rd Camerons Canadian Served in France Wounded and gassed Military Medal for bravery in the field
	JOHN MORRISON 'Bob' Iain Chaluim Ruairidh Later 47 Cross Skigersta d. 1928 age 46	Seaforths
	DONALD MORRISON Dòmhnall mac Alasdair Chaluim Ruairidh d. 1967 m.1. Màiri a' Phadaidh (d. 1934 age 38) m.2 Gormal (Tolsta)	Seaforths
3	**ANGUS THOMSON** Seumas' Aonghas Aonghais Alasdair Later 91 Cross Sgigersta d. January 1971 age 90 m. 1. Annie Murray 28 Swainbost d. 1915 m. 2. Jessie Campbell 38 Habost d. 1926	RNR Angus was the last interment in St Peter's Old Churchyard Swainbost (1 February 1971)
	ANGUS THOMSON Son of Angus (d.1927) and Elizabeth (d.1931) Thomson	RNR Service number 4413/A Drowned when MFA *Eleanor* sunk by torpedo 12 February 1918 age 29 Memorial: Portsmouth Naval panel 31

CROFT	NAME	SERVICE
4	DONALD MACLEAN Dòmhnall Aonghais Ruaidh 'An Giagan' d. July 1972 age 81 m. Mary Mackay 142 Cross Skigersta	RNR
5	NORMAN MURRAY 'Tarmod Ruadh' d. May 1965 age 70 m. Johanna Mackenzie 8 Habost	RNR and Camerons
	MALCOLM MURRAY 'Caluman' Later 14 Swainbost d. July 1943 age 47 m. Agnes Thomson 14 Swainbost	Seaforths
	JOHN MURRAY 'Cuthais' – 10 Habost d. 1946 age 46 m. Margaret Murray 10 Habost Sons of John and Isabella Murray Balaich Iain Tharmoid Ghobha	RNR Trawler Section
8	MURDO MACLEAN 'Lòisidh' later 26 Cross d. 1964 age 65 m. Jane Campbell 26 Cross	RNR Trawler Section
9b	NORMAN THOMSON Tarmod a' Chàimein d. April 1987 age 90 m. Catherine Macdonald (1901-1976) 35 Cross	RNR Served on Q-ship HMS *Pargust* in engagement with submarine U-29 7 June 1917 *Pargust* crew nominated for Victoria Cross
	JOHN THOMSON Iain a' Chàimein later Mine Hill New Jersey d. 1968 age 78 m. Margaret C. Steven USA Sons of Norman and Annie - Anna Bheag - Thomson	Canadians

CROFT	NAME	SERVICE
9	ANGUS MACLEOD Aonghas Iain Bhig later Carluke	Trooper 2nd Scottish Horse
	DONALD MACLEOD Dòmhnall Iain Bhig later Lochganvich	RNR
	Sons of John and Margaret Macleod	
10	WILLIAM MURRAY Uilleam Ailein Ruaidh d. March 1961 age 85	RNR
11	DONALD MURRAY Dòmhnall 'an Chailein Son of John and Margaret Murray 11 Habost	Drowned in sinking of HMY *Iolaire* 1 January 1919 age 22 RNR HMT *Joseph Burgen* Service number 9804/DA Interred Swainbost St Peter Old Churchyard
12	DONALD MACDONALD Dòmhnall Mhurchaidh Son of Murdo and Margaret MacDonald	1st Camerons Died of wounds 11 May 1915 age 22 Service number 3/5280 Memorial: Le Touret panel 41 and 42
13	DONALD MACDONALD 'A' Bhìog' Athair 'Churlaidh' Husband of Peigi Macdonald 13 Habost	Killed in action 22 October 1914 age 38 2nd Seaforths B Coy Service number 6533 Interred Houplines Communal Cemetery extension, grave II D21 Took part in defence of Antwerp 1914 Star
	MURDO MACDONALD 'Am Peic' d. 1941 age 61 Interred Londonderry m. Anna 'an Uasail Annie Macdonald 23 Habost	RNR Took part in the defence of Antwerp 1914 Star
	Sons of Angus (a' Chaluinn) and Catherine Macdonald	
14	DONALD SMITH Dòmhnall Dh'll Rodaidh	Killed in action at Neuve Chapelle 9 May 1915 age 20 1st Seaforths Service number 3/7135 Memorial: Le Touret Panel 38 and 39

CROFT	NAME	SERVICE
	NORMAN SMITH 'Tàbaidh' d. July 1981 age 84 m. Mary Thomson 2 Skigersta	Seaforths
	NEIL SMITH later in Canada	RNR Trawler Section
	RODERICK SMITH 'Ruaireachan' later 45 Cross-Skigersta Road d. April 1986 age 89 m. Johanna Morrison 16b Swainbost (Seonag Nocs) Sons of Donald and Annie Smith Balaich Dh'll Rodaidh	RNR Trawler Section Merchant Navy Boatswain WW2
15	JOHN MORRISON Iain an Dùdain Son of Donald and Annie Morrison	Sergeant Camerons Military Medal for gallantry in field 1916 Twice wounded and gassed
16	ANGUS CAMPBELL	Killed in action at Neuve Chapelle 9 May 1915 age 20 1st Seaforths Service number C/7174 Memorial: Le Touret Panel 38 and 39
	MALCOLM CAMPBELL	Killed in action 24 May 1915 age 23 2nd Seaforths Service number 3/7204 Memorial: Ypres Menin Gate Panel 38
	DONALD CAMPBELL Dòmhnall Cruaidh d. February 1982 age 84 m. Agnes Thomson 2 Skigersta Sons of Finlay and Margaret Maclean Campbell 16 Habost, Mic Fhionnlaigh Shùrdaigh	Seaforths
16B	MALCOLM MACLEAN Calum Màiri Bhàin d. 1966 age 87 m. Henrietta Mackenzie 36 Eoropie (Oighrig 'an 'ic Ceansaidh)	Sergeant Seaforths

CROFT	NAME	SERVICE
17	**ANGUS MACLEAN** Aonghas Iain Aonghais Husband of Jessie - nee Macdonald (They had two sons, Kenneth 'Cong' d. 1980 and Angus, died in August 1917 age 1. Jessie also lost two brothers Donald and Allan – 18 Habost. Jessie died in 1921 age 32.) Son of John and Margaret Maclean 17 Habost (CWGC records as son of John and Jessie)	Lost at the Battle of Jutland 31 May 1916 age 32 RNR HMS *Invincible* Service number 3965A Memorial: Chatham Naval Panel 18 Took part in the engagement off the Falkland Islands
	MALCOLM MACLEAN Calum Iain Aonghais later 84 Cross Skigersta d. 1965 age 83 m. Mary Morrison 86 Cross Skigersta	RNR Signalman Served in WW2 Merchant Navy Taken prisoner on SS *Maimoa* 1940 POW till end of WW2
	Sons of John (d.1920 age 63) and Margaret Maclean (d.1933 age 83) 17 Habost	
18	**MURDO MACDONALD** Murchadh Darkie 'Pòisidh' later 52 Cross Skigersta d. May 1977 age 79	Seaforths
	DONALD MACDONALD 'Am Baidealan' later 52 Cross Skigersta d. June 1964 age 69	Seaforths
	NORMAN MACDONALD 'Tobaidh' m. Marion Macrae Ranish Lochs	RNR Trawler Section
	Sons of Donald d.1939 and Catherine d.1935 Macdonald	
	DONALD MACDONALD Dòmhnall Ròsag d. October 1964 age 85 m. Jessie Thomson 36 Habost (d. 1947)	RNR Trawler Section

CROFT	NAME	SERVICE
	RODERICK MACDONALD Rodan Ròsag d. January 1960 age 71 Sons of Norman and Catherine Macdonald	Gordons
	ALLAN MACDONALD	Killed in action at the Somme 1 July 1916 age 19 2nd Seaforths Service number 7216 Interred Euston Road Cemetery Colincamps special Memorial A. 8
	DONALD MACDONALD Sons of John and Catherine Macdonald 87 Cross Skigersta	Killed in action in Mesopotamia 7 January 1916 age 21 Seaforths Service number 3/7092 Memorial: Basra panel 37 and 64
19	JOHN SMITH Iain 'an 'ic Alasdair	Killed in action in France 25 April 1915 age 19 (*Loyal Lewis* 23 April) 2nd Seaforths Service number 3/7402 Interred Seaforth Cemetery Cheddar Villa grave B1 Headstone A63
	FINLAY SMITH Fionnlagh 'an 'ic Alasdair d. Canada 19 January 1919 age 29 Sons of John and Mary Smith 19 Habost	Canadian Engineers Service number 887744 Interred Saskatoon Woodlawn Cemetery grave War P44 B55 G C Wounded in action in France and lost the sight of his left eye Returned to Canada after discharge
23	MALCOLM MACDONALD Calum 'an Uasail	Gordons Severely wounded in action France 1914 Left leg amputated
	DONALD MACDONALD Dòmhnall 'an Uasail later of Tong Sons of John and Jessie Macleod Macdonald (Jessie was from Aird Tong)	Canadians
24	JOHN MACDONALD Seonaidh Mhurchaidh Chaluim Head Teacher in Perth d. 1967 m. Agnes Macgregor Perth	Lieutenant Royal Garrison Artillery Military Medal for gallantry at the Battle of Arras

CROFT	NAME	SERVICE
	DONALD MACDONALD Settled in Wellington Known as 'Soldier Dan' on the Wellington waterfront d. 1967 Sons of Murdo and Mary Macdonald	RNR Trawler Section
24b	CHRISTINA MACDONALD Ciotag 'an Duibh Married a Carloway man, Dòmhnall Ghladaidh, and lived in Glasgow. Daughter of John Macdonald Shoemaker 24b Habost	Women's Army Auxiliary Corps
25	KENNETH MORRISON	Killed in action in Mesopotamia 4 August 1918 age 21 1st Seaforths Service number 3/7219 Interred Ramleh War Cemetery Israel grave F 39
	MURDO MORRISON Murchadh Beag Composed the Gaelic song 'An Caiòra' and others d. 1932 age 33 Sons of Alexander d.1901 and Annie d.1952 Morrison 25 Habost (Bràithrean Ceit Bheag)	RNR Trawler Section
26	NORMAN MORRISON Tarmod 'an Deirg d. May 1972 age 86	RNR
	RODERICK MORRISON Ruairidh 'an Deirg later 81 Cross Skigersta d. April 1974 age 85 m. Annie Macdonald Shader Sons of John (Iain Dearg) and Margaret Morrison	RNR Trawler Section
27	DONALD MACLEOD Dòmhnall Beag 'an 'ic Dhòmhnaill - leth bhràthair dha Tulag agus bràthair athar Iain Iseabail	Died of wounds in Mesopotamia 24 April 1916 age 24 Sergeant 1st Seaforths Service number 3/6875 DCM and Russian Cross of the Order of St George for conspicuous gallantry on 10 March 1915 at Neuve Chapelle in bombing the enemy in their trenches and driving them out Interred Amara War Cemetery, Iraq, grave II A4

CROFT	NAME	SERVICE
	ANGUS MACLEOD Athair Cairstiòna Iseabail d. 1925 m. Isabella Thomson 33 Habost	RNR Took part in the defence of Antwerp 1914 Star
	JOHN MACLEOD m. Mary Thomson 33 Habost Sons of John and Mary Macleod 27 Habost	Canadians
28	DONALD MACIVER Dòmhnall Choinnich Ruaidh Son of Kenneth (Tolsta) and Christina Maciver Emigrated to Canada before the Great War Returned to Ness after the war m. Cairstiona Màiri Habost (Calum Màiri's sister)	Canadian 72nd Infantry
29	NORMAN THOMSON 'An Torrachan' later 9 Cross Skigersta d. November 1973 age 86 m. Christina Mackay (Ciorstaidh Dh'll Aonghais)	Seaforths Mesopotamia Crossed the river Jordan with Rob Smith South Dell
32	ANGUS MACDONALD	RNR Trawler Section
33a	JAMES THOMSON Son of John and Rachel Thomson	RNR Trawler Section
33b	DONALD MACDONALD Dòmhnall Mhuraicean d. 1959 age 76 m. Annie Mackay (Anna Dh'll Aonghais)	RNR
	DONALD MACDONALD Sons of Murdo and Catherine Thomson Macdonald	Killed in action in France 22 April 1915 age 34 16th Canadian Infantry (Manitoba Regiment) Service number 28650 Memorial: Ypres Menin Gate panels 24 26 28 30
34	DONALD MACRITCHIE Dòmhnall Fhionnlaigh Tharmoid Sheonaidh Son of Finlay d.1932 and Catherine d.1940 Macritchie.	Drowned in sinking of HMY *Iolaire* 1 January 1919 age 21 RNR HMT *Scarboro* Service number 13258 Memorial: Chatham Naval panel 32

CROFT	NAME	SERVICE
	WILLIAM MACRITCHIE b 1876 Uncle of Donald above Son of Norman Macritchie	Australians
35	NORMAN CAMPBELL 'Tàbaidh' later 6 Lionel d. November 1954 age 70 m. Margaret Macleod 19 Swainbost	RNR
37	ALEXANDER MORRISON Sandaidh Dh'll Bhàin Later Cliff House Port d. May 1974 age 81 m. Christina Macfarlane Port	Gordons Wounded and hospitalised Aberdeen Merchant Navy Boatswain WW2
	DONALD MORRISON Dòmhnall na Piseag Later New Zealand m. Victoria Sons of Donald and Mary Morrison	RAF
39	NORMAN MURRAY Tarmod 'an Duinn d. October 1984 age 86 m. Annie Morrison	RNR Trawler Section
	DONALD MURRAY Dòmhnall 'an Duinn d. September 1953 age 57 Later 36 Habost Sons of John and Mary Murray	Mercantile Marine
40	FINLAY MACKENZIE A' Chàib' d. June 1979 age 81 m. Annie Macdonald 35 Cross Son of Norman and Catherine Macdonald Mackenzie	RNR Trawler Section Merchant Navy Boatswain WW2

CROFT	NAME	SERVICE
41a	MURDO CAMPBELL Murchadh Ruairidh Òig Died at home of TB 31 March 1919 age 19 (Ness Cemetery Record states he was interred on 22 March 1919 age 20)	RNR Discharged medically unfit Interred Swainbost St Peter Old Churchyard
	NORMAN CAMPBELL Tarmod Ruairidh Òig d. November 1922 age 25	Seaforths Interred Habost Cemetery
	Sons of Roderick (d.1922) and Margaret Campbell 41 Habost	
41b	MURDO CAMPBELL Murchadh 'an Duibh	Died of wounds Palestine 19 April 1917 age 30 1st / 4th Royal Scots Fusiliers Service number 203368 Memorial: Jerusalem panel 18
	NORMAN CAMPBELL Tarmod 'an Duibh	Died in hospital Manchester 23 March 1916 age 27 Sapper Royal Engineers Service number 36297 Interred Swainbost St Peter Old Churchyard Discharged 18 January 1916
	RODERICK CAMPBELL Ruairidh 'an Duibh Later Glasgow m. Margaret Mackenzie – Skigersta (Mairead Oighrig)	Seaforths Wounded and gassed
	ALEXANDER JOHN CAMPBELL Ailig John 'an Duibh Four sons of John and Isabella Campbell Balaich 'an Duibh	Drowned in sinking of HMY *Iolaire* 1 January 1919 age 20 - never found RNR HMS *Venerable* Service number 11999/DA Memorial: Chatham Naval panel 32
42b	KENNETH MORRISON Coinneach Ailean Mhurdo 'Sprigean' 41 Cross Skigersta	Seaforths
43	ALEXANDER SMITH Ailig Fionghal d. August 1945 age 68	RNR

CROFT	NAME	SERVICE
44	DONALD MURRAY Dolaidh Tharmoid Dh'll Ruaidh d. July 1977 age 77	Seaforths 1916-18 Served in WW2 Royal Army Service Corps 1939-45
45	FINLAY MURRAY Fionnlagh Anna Iain Ailein Son of John Murray	RNR Trawler Section
46	JOHN MURRAY 'Sturraigean' Later 25 Cross Skigersta	RNR
	ANGUS MURRAY 'Gaisean' Fòilidh d. July 1967 age 71	Seaforths
48	DONALD MURRAY	Seaforths
	ANGUS MURRAY	Camerons
	ALEXANDER MURRAY	Australians
	NORMAN MURRAY	Royal Engineers
	MARY MURRAY 1899-1975	On war service (see photo on page 229)
	Family of Roderick Murray Teaghlach Ròigean	
Back St	ALEXANDER MORRISON 'An Tigear' d. January 1972 m. Margaret Campbell 6 Lionel	RNR Survivor HMS *Otway* sunk by submarine near Rona 22 July 1917
Back St	NORMAN MORRISON Bràthair 'Stobaidhean' 86 Cross Skigersta (6 Habost on Memorial at Cross) Son of Alexander and Annie Morrison 48 Back Street Habost Norman had emigrated to Canada before the war He left a young widow Maud and family in England Maud later married Donald Macdonald Dòmhnall Maol 23 Swainbost	Killed in action in France 2 April 1918 age 28 Canadians Fort Garry Horse Service number 421106 Interred Roye New British Cemetery grave II AA 16

CROFT	NAME	SERVICE
Back St	NORMAN MURRAY Tarmod a' Phadaidh Had his home in England Son of Kenneth Murray	RNR Trawler Section
Back St	FINLAY MACRITCHIE m. Margaret Morrison 37 Habost They emigrated to Australia after the war with their five children. Another five born in Australia. Son of Norman Macritchie North Dell Finlay also listed in North Dell	Sergeant Seaforths

Murdo Morrison 25 Habost

**Angus Thomson, 3 Habost (lost 12 February 1918)
with his sister Annie (1887-1967)**

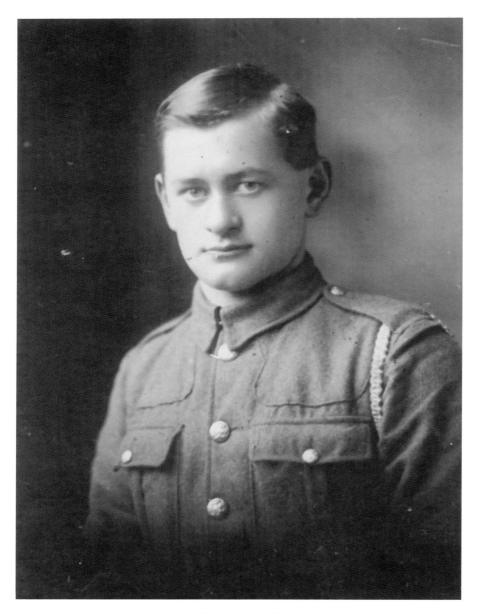

Donald Campbell 16 Habost

Donald Maclean 4 Habost

John Morrison 1 Habost

L-R: Norman Murray 5 Habost
and Norman Murray 48 Habost

Donald Morrison 1 Habost

Kenneth Campbell, 35 Swainbost, *Coinneach an Einnsean*, was the sender of the Field
Postcard dated 10 August 1916 to Annie Maclean 36 Swainbost. Just two months later
Kenneth was killed in action age 23.
After the war Annie married Allan Macleod
47 Swainbost and they settled at 26 Cross Skigersta.

NOTHING is to be written on this side except the date and signature of the sender. Sentences not required may be erased. **If anything else is added the post card will be destroyed.**

I am quite well.

I have been admitted into hospital

{ sick } and am going on well.
{ wounded } and hope to be discharged soon.

I am being sent down to the base.

I have received your { letter dated_____
{ telegram „ _____
{ parcel „ _____

Letter follows at first opportunity.

I have received no letter from you

{ lately.
{ for a long time.

Signature only. } K Campbell Sgt,

Date 10 - 8 - 16.

[Postage must be prepaid on any letter or post card addressed to the sender of this card.]

(93871) Wt. W3497-293 4.500m. 7 16 J. J. K. & Co., Ltd.

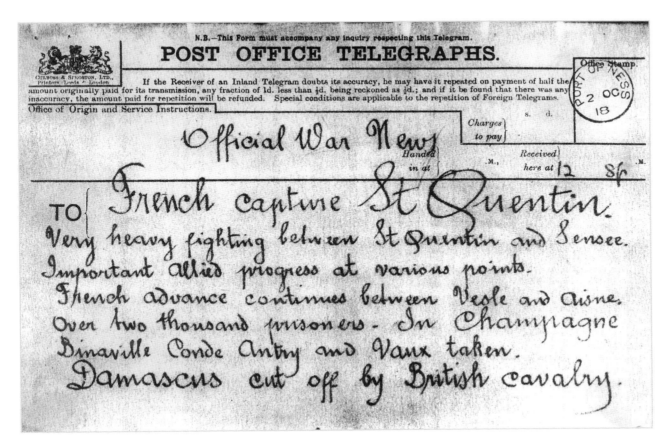

N.B.—This Form must accompany any inquiry respecting this Telegram.

POST OFFICE TELEGRAPHS.

If the Receiver of an Inland Telegram doubts its accuracy, he may have it repeated on payment of half the amount originally paid for its transmission, any fraction of 1d. less than ½d. being reckoned as ½d.; and if it be found that there was any inaccuracy, the amount paid for repetition will be refunded. Special conditions are applicable to the repetition of Foreign Telegrams. Office of Origin and Service Instructions.

Official War News

TO French capture St Quentin.
Very heavy fighting between St Quentin and Sensee.
Important allied progress at various points.
French advance continues between Veole and Aisne.
Over two thousand prisoners. In Champagne
Binaville Conde Antry and Vaux taken.
Damascus cut off by British cavalry.

'Cha robh mòran ri faighinn pàipearan-naidheachd agus 's e "telegram" làitheil air tachartasan a' chogaidh a bha tighinn gu Oifis a' Phuist anns a' Phort. Bhiodh lethbhreac dhith air a leughadh sa bhaile againne aig bucas nan litrichean, nuair bhiodh uair cluiche na sgoile againne, agus b' ainneamh latha nach biodh sinn ga feitheamh.'

'Very few received newspapers. A daily telegram arrived at the post office in Port with news of the war. A copy would be read out in our village near the post box around the time of our play break at school. We were there most days waiting for the news'

Aonghas Caimbeul '*Am Puilean*' a' cuimhneachadh nuair a bha e na bhalach ann a Suaineabost tron Chiad Chogadh.

CROFT	NAME	SERVICE
1	DONALD MACIVER Dòmhnall 'an 'ic Ìomhair Later set up a successful building business in Vancouver with his brother Louis and Donald Weir m. Catherine Weir 39 Swainbost	Corporal Canadians
2	MALCOLM GUNN Calum Fhionnlaigh Dh'll 'ic Uilleim d. October 1974 age 82 m. Anna Morrison (Lionel) Aonghais Bhig a' Loch	2nd Seaforths Gassed Ypres 2 May 1915
3	PETER J MACIVER (Rev) Pàdraig Ruairidh Aonghais 'ic Ìomhair d. March 1949 age 73 m. Olive Murray (Stornoway) Son of Roderick and Christina Morrison Maciver	Chaplain Houton Bay Aerodrome Scapa Flow Later minister in Kintail Inchture (between Perth and Dundee)

In 1937 Rev Peter conducted the first ever Gaelic radio broadcast of a
religious service. It was from Albert Square Church Dundee and probably
coincided with the National Mod which was held in Dundee that year.
He was a regular Mod adjudicator.

CROFT	NAME	SERVICE
4	KENNETH MACLEOD 'Totes' Coinneach a' Phoc Later San Francisco USA	RNR Trawler Section
5	JAMES MACRITCHIE Seumas Mhurchaidh Mhòir Son of Murdo and Catherine Macritchie 49 Swainbost	Killed in action at La Bassee 31 May 1915 age 18 1st Seaforths Service number 3/7288 Interred St Vaast Post Military Cemetery Richebourg- L'Avoue I D 9
8	ANGUS MURRAY Aonghas Dh'll Mhurchaidh Ruaidh	Lance Corporal 2nd Seaforths Service number 3/7282 Died of wounds in Boulogne 21 May 1915 age 18 Interred Boulogne Eastern Cemetery VIII D40
	MURDO MURRAY Later worked in shipyard in Glasgow d. 1929 m. Mary Macdonald (Bayble) Father of 'Bìodan Pholly' a piper	RAF

CROFT	NAME	SERVICE
	JOHN MURRAY Iain Ruadh d. August 1970 age 71 m. Christina Macdonald 21 Lionel The three sons of Donald and Catherine Maciver Murray 8 Swainbost	RNR Merchant Navy in WW2
11	NORMAN MACLEOD Tarmod Choinnich Spell 'An Cruasdan' Later Stornoway d. January 1966 m. Margaret Macleod (Point)	RNR Trawler Section
	ALEXANDER MACLEOD Alasdair Bàn Later 5 Swainbost d. April 1979 age 78 m. Margaret Macritchie 5 Swainbost	RNR Trawler Section RNR in WW2 1939-1945
12	MURDO MACLEAN Murchadh Alasdair 'an Tholastaidh Murchadh Ruadh ex 16 Fivepenny d. February 1929 age 52 m. Kirsty Macleod 12 Swainbost	RNR
13	MURDO MACDONALD Murchadh Iain Mhurchaidh 'Pòcha' Later 16 Swainbost d. June 1981 age 92 m. Effie Morrison 16 Swainbost	RNR
	DONALD MACDONALD	Drowned in sinking of HMY *Iolaire* - never found 1 January 1919 age 27 RNR SS *Mandala* Service number 5351/A Memorial: Chatham Naval panel 32
	MURDO MACDONALD The three sons of John and Mary MacDonald 13 Swainbost: Balaich Iain Mhurchaidh Òig	Drowned in sinking of HMY *Iolaire* 1 January 1919 age 21 RNR HMD *Aspire* Service number 11997/DA Interred Swainbost St Peter Old Churchyard

CROFT	NAME	SERVICE
14	MALCOLM THOMSON Calum 'Mob' Son of John and Christina Maclean Thomson 14 Swainbost	Drowned in sinking of HMY *Iolaire* 1 January 1919 age 27 RNR HMS *Redoubtable* Service number 4557/A Interred Swainbost St Peter Old Churchyard
15	ALLAN THOMSON Bràthair 'Mob' Son of John and Sofia Thomson	Died in hospital at Chatham 26 October 1914 age 45 RNR HMS *Pembroke* Service number 3047/B Interred Gillingham Woodlands Cemetery grave Naval 14 704
16	FINLAY MORRISON Fionnlagh an t-Sabhail m. Christina Maclean 17 Habost	Sergeant 2nd Seaforths Wounded three times in France – 11 April 1917, 28 February 1918, 24 April 1918
	DONALD MORRISON 'Topsy'	1st Camerons Wounded at Richbourg 13 March 1915
	MURDO MORRISON Murchadh an t-Sabhail 'A' Chuiseag' Emigrated to Wellington New Zealand Brothers Norman and John were also there	RNR Trawler Section
	ALLAN MORRISON Ailean Knox Cousin of above Morrisons He was killed in an explosion in a tunnel in New York after the war	RNR
18	DONALD MORRISON Dòmhnall Ruadh Athair 'Pods'	3rd Camerons
	FINLAY MORRISON Leth bhràthair 'Pods' Father and son	Canadians
19	JOHN MACLEOD Iain Beag d. October 1951 age 88 m. Margaret Campbell 25 Eoropie	Yacht Patrol

CROFT	NAME	SERVICE
	ANGUS MACLEOD Aonghas Iain Bhig Athair Màiread NicÌomhair Sràid Àrd Sgiogarstaigh	2nd Hand RNR Trawler Section
	MALCOLM MACLEOD Calum Iain Bhig Bràthair 'Spilt'	Killed in action in Palestine 12 July 1917 1st Seaforths Service number 317468 Interred Baghdad North Gate War Cemetery grave IX E 3
19	ANGUS GRAHAM 'Suileabhan' Aonghas Iain Aonghais Bhàin	US Army
21	JOHN MURRAY Bràthair 'Chrùidheil' Son of Donald and Flora Murray 21 Swainbost	Drowned when ship sank in a gale 7 January 1920 age 19 2nd Hand RNR Trawler Section HMD *St Leonard* Service number 22055/DA Memorial: Chatham Naval panel 32
22	MURDO MACLEOD 'An t-Ùigeach' Murchadh Phàdraig Was in San Francisco with 'Totes' No. 4 before returning to settle at 137 Cross Skigersta d. March 1962 age 83 m. Margaret Finlayson 18 Skigersta – Màiri Sheòrais	RNR
23	DONALD MACDONALD Dòmhnall Maol b. May 1885 m. Maud widow of Norman Morrison Back Street Habost	Sergeant Canadians
	MALCOLM MACDONALD Ìmeag d. July 1975 age 83 m. Annie Morrison 30 Eoropie Sons of William 3 Lionel and Catherine Macdonald Balaich Uilleam Ghoilligean	RNR

CROFT	NAME	SERVICE
24	DONALD MACLEAN Athair 'Stingear' d. March 1939 age 70 m. Annie Macritchie 49 Swainbost	RNR Trawler Section
	KENNETH MACLEAN 'Gèilean' Later 18 New Road d. June 1965 age 82 m.1 Isabella Maclean 16 Fivepenny m.2 Christina Campbell 35 Swainbost	RNR
	JOHN MACLEAN 'An Poins' Later 13 New Road d. February 1959 age 73 m. Annie Mackay 28 South Dell	RNR
	Sons of Murdo and Chirsty Macdonald Maclean Balaich Mhurchaidh Iain	
	MURDO MACLEAN Murchadh Bìodan Murchadh Dh'll Mh'Iain Bràthair 'Stingear' Son of above Donald at 24 and Annie Macritchie Maclean	Wounded 14 September 1918 Died of head wounds in hospital in Aberdeen 22 March 1919 age 20 Tank Corps Service number 305324 Interred Swainbost St Peter Old Churchyard
27	FINLAY MACRITCHIE Fionnlagh Dhonnchaidh Later Kirkhill b. July 1878 m. Rachel Macritchie 33 Cross (d.1943)	Scottish Horse
	JOHN MACRITCHIE 'Shake' Iain Dhonnchaidh d. December 1958 age 82 m.1 Marion Macarthur Carloway m.2 Peggy Mackay 10 Swainbost	RNR
	Sons of Duncan and Ann Morrison Macritchie	

CROFT	NAME	SERVICE
28	MURDO MACLEOD 'Crud' d. August 1947 age 87 m. Chirsty Macleod 28 Swainbost	3rd Camerons
	MALCOLM MACLEOD 'Càidhsean' d. January 1955 age 65 m. Catherine Macritchie 19 Cross	RNR Survivor HMS *Fisgard II* 17 September 1914
	DONALD MACLEOD Later 35 Swainbost d. June 1970 age 78 m. Margaret Macritchie 12 Cross Skigersta	Seaforths Gassed Ypres 25 April 1915
	JOHN MACLEOD	Sergeant 2nd Seaforths Wounded 25 April 1915 Killed in action in France 28 March 1918 age 23 Service number 317110 Memorial: Arras Bay 8
	MALCOLM MACLEOD 'Cronje' (after the Boer War General) Four sons of Murdo and Chirsty Macleod 28 Swainbost – their father Murdo 'Crud' above also served	Drowned in sinking of HMY *Iolaire* - never found 1 January 1919 age 20 RNVR HMS *Maidstone* Service number J/65506 Memorial: Plymouth Naval panel 31
28	DONALD MACLEOD 'Am Plugan' Dòmhnall 'Osag' On 31 December 1918 at Kyle, Donald, newly demobbed after being wounded earlier in the battle of Ypres while serving as a Sergeant Major in the Canadian Army, was refused permission to accompany his cousin seaman Malcolm 'Cronje' Macleod of 28 Swainbost on board HMY *Iolaire*. Donald, later of 14 New Road Swainbost, died in 1933 age 47	Staff-Sergeant Canadians Wounded 2 June 1916
	MALCOLM MACLEOD Calum 'Osag'	RNR

CROFT	NAME	SERVICE
30	**KENNETH MURRAY** Coinneach a' Phost - 'Gràidean' m. Ann Mackay (Galson) Later Stornoway Operator of first motorised mail service to/from Stornoway	Army Service Corps (Motor Transport)
	JOHN MURRAY Iain a' Phost m. Ann Maclean Later Sydney Australia	Lovat Scouts
31	**NORMAN MACDONALD** 'Lastaig' d. May 1942 m. Margaret Maclean 24 Swainbost	RSM
	KENNETH MURRAY Coinneach Aonghais a' Ghobha b. 14 December 1887 Later New Zealand Son of Angus Murray 20 Habost and Peggy Macdonald 31 Swainbost	Military Medal Corporal Machine Gun Corps
	DUNCAN MACLEOD Donnchadh Dh'll Bharabhais d. Sierra Leone c1920 m. Madge Asher Fraserburgh	Major Lancashire Fusiliers Served in Nigeria, Palestine and Egypt
	NORMAN MACLEOD Tarmod Dh'll Bharabhais m. Annie Macleod (Harris) Settled in Uist where he was in charge of the Board of Agriculture Store. Known as 'Tarmod a' Bhùird'. Father of Rev Dr Roderick Macleod Gaelic editor of Church of Scotland publication *Life and Work* and minister at Lochfyneside. Bràithrean bean 'Ghiobaidh'	Sergeant Lovat Scouts
32	**NORMAN MACLEOD** 'Samson' m. Catherine Macdonald 87 Cross-Skigersta	Sergeant 1st Seaforths
33	**ANGUS MACRITCHIE** 'Columbus'	Ross Mountain Battery

CROFT	NAME	SERVICE
	MURDO MACRITCHIE 'Murdaigean' m. Margaret Macdonald 12 Habost	1st Seaforths Served in WW2 – Army
	JOHN MACRITCHIE 'Am Boy' m. Christina Macdonald 12 Habost	RNR Served in WW2 - Army
	Sons of Donald and Jessie Murray Macritchie Balaich Dhòmhnaill Iain Chaluim	
34	MURDO MACAULAY Murchadh Choinnich Alasdair (Uig) 'Khan' Made a fortune in Rhodesia and set up the Macaulay Trust which still makes donations to local worthy causes. He wanted to join the British forces but was turned down and then he financed a fleet of ambulances for the French on the Western Front.	French Automobile Corps Came from Rhodesia to join up; served with the French Army; awarded the *Croix de Guerre*: 'when taking down wounded from the firing line a German shell hit his car smashed it to atoms and buried him under the debris. Although much shaken dazed and bleeding he made desperate and successful attempts to get the wounded away under cover from the bombardment'. Also served in WW2 in munitions factory East Anglia.
35	KENNETH CAMPBELL Coinneach an Einnsean Son of Norman and Mary Campbell 35 Swainbost	Sergeant 8th Seaforths Killed in action in France 12 October 1916 age 23 Service number 316805 Memorial: Thiepval Pier and Face 15C
36	MALCOLM MACLEAN Glen Later 32 Cross Skigertsa m. Chirsty Macdonald 21 Ballantrushal	RNR Merchant Navy in WW2 Lost from MV *Waimarama* in Malta Convoy 13 August 1942 age 52
37	ANGUS MACRITCHIE Aonghas Mh'dh Aonghais Mhòir 'Giobaidh' Later 31 Swainbost m. Kate Macleod 31 Swainbost	RNR
	MURDO MACRITCHIE Murchadh Mh'dh Aonghais Mhòir	Killed in explosion on HMS *Bulwark* at Sheerness 26 November 1914 age 37 RNR HMS *Bulwark* Service number 2164/A Interred Gillingham Woodlands Cemetery grave Naval 18 924
	JOHN MACRITCHIE Iain Mh'dh Aonghais Mhòir m. Annie Macleod 40 Swainbost	RNR Interned Holland
	Sons of Murdo and Annie MacKenzie Macritchie 37 Swainbost	

CROFT	NAME	SERVICE
38	**ANGUS MACRITCHIE** Aonghas Dh'll Màiri Aonghas Dh'll Aonghais Mhòir Son of Donald and Henrietta Mackenzie Macritchie 38 Swainbost	Drowned in sinking of HMY *Iolaire* 1 January 1919 age 20 RNR HMT *Hero* Service number 16522/DA Interred Swainbost St Peter Old Churchyard
40	**ALLAN MACLEOD** Ailean Beag Ailein Chaluim (Bùth Ailein) m. Elizabeth Mackenzie 19 North Dell	Corporal 5th Seaforths Wounded
42	**JOHN MACRITCHIE** Iain Chaluim Aonghais Mhòir First local loss of the war along with Donald Macleod 7 Lionel	Drowned when HMS *Fisguard II* sank in gale 17 September 1914 age 22 RNR HMS *Fisguard II* Service number 5303/A Interred Portland Royal Naval Cemetery grave 534
	ANGUS MACRITCHIE Aonghas Chaluim Aonghais Mhòir 'Saidh' Later 124 Cross Skigersta d. September 1956 age 83 m. Effie Macdonald 3a Lionel Sons of Malcolm and Catherine Macritchie	RNR
43	**ALEXANDER MACDONALD** 'Feòlacan' Alasdair Aonghais a' Ghàraidh Bràthair Mod Later Liverpool	1st Seaforths Wounded
44	**MURDO CAMPBELL** Murchadh Alasdair Mhurchaidh Òig 1900 – 1974 Later became a minister in the Free Church and served at Fort Augustus, Partick Highland and Resolis Ross-shire. m. Mary Fraser of Strathpeffer Mary died in 1991 age 92	Army Murdo was called up in October 1918 at age 18 while he was living in Berneray Harris where his father was a missionary. In his book *Memories of a Wayfaring Men* he recalls: 'When I reached the age of eighteen years, I, with other local lads, was called to the army, for the Great War was then raging in Europe. Meantime, however, we decided that instead of army service we should go to sea. Supplied by local fishermen with over-generous proofs of our maritime qualifications we left for Stornoway. The examining doctor received all the lads kindly, except me, whom he rejected on account of the sensitive scar below my knee. Shortly afterwards, in October 1918, my companions left for a southern seaport and I became a soldier. I came home before the end of the year.' Murdo, now Rev Murdo, served in WW2 as Naval Chaplain Portsmouth and Plymouth.

CROFT	NAME	SERVICE
46a	JOHN MACLEAN Iain Dh'll 'ic Dh'll Riabhaich	3rd Camerons
	DONALD MURRAY 'Millar' ex 3 Skigersta d. September 1947 age 74 m. Kate Maclean 46 Swainbost	RNR
46b	JOHN MACLEAN b. 1884 Later Australia or possibly Luxembourg m. Charlotte Barbier	Sergeant Australians
	DONALD MACLEAN d. December 1928 age 42	RNR Trawler Section
	NORMAN MACLEAN 'Mam' b. 1890 Later Portnaguran m. Catherine Macdonald 2 Portnaguran	RNR Trawler Section
	DONALD MACLEAN b.1897 Later Australia	7th Seaforths
	Balaich Dhòmhnaill Dh'll 'ic Dh'll Riabhaich	
47	NORMAN MACLEOD 'An Tarrag' d. January 1980 age 92 m. Anne Macleod 19 Swainbost (d. October 1966 age 72)	Canadian Army Service Corps
	ALLAN MACLEOD Ailean Mòr Later 26 Cross Skigersta m. Anne Maclean 36 Swainbost (d. October 1990 age 96)	RNR Also served in WWII Lost from MV *Waimarama* in Malta Convoy 13 August 1942 age 52
48	COLIN MACLEOD Cailean Mhurchaidh Siar m. Catherine Morrison 3 Skigersta	Corporal Labour Corps

CROFT	NAME	SERVICE
50	JOHN MURRAY 'Toraidh' d. July 1944 age 68 m. Mary Maclean 46 Swainbost on 4 March 1914	5th Seaforths Prisoner of War until Armistice

Murdo Macdonald *Pòcha* 13 Swainbost

John Macritchie 42 Swainbost

Malcolm Macleod 28 Swainbost

John Macleod 28 Swainbost

Malcolm Macleod 19 Swainbost

Allan Macleod 47 Swainbost

John Murray 50 Swainbost

Top Left: Malcolm Macdonald
Top Centre: Donald Macdonald
Both 23 Swainbost

Murdo Maclean 24 Swainbost

Finlay Morrison 16 Swainbost

Murdo Morrison 16 Swainbost is at left

Malcolm Gunn 2 Swainbost

MURDO MORRISON Murchadh Wattie, Bràthair Foggily,
31 Cross, killed in action age 19

DONALD MACRITCHIE Dòmhnall Aonghais Chaluim,
'Peedle' 19 Cross (1872 – 1963), served with the Highlanders
at The Battle of Omdurman, 1898 and as sergeant with the
Seaforths in the Great War.

CROFT	NAME	SERVICE
3	DONALD MORRISON Dòmhnall Iain Beag Mhurchaidh Bhàin m. Annie Macdonald of 14 Adabrock Bràthair 'Piaraidh'	Lost when ship sunk by UB-64 off Corsewall Point 13 September 1918 age 45 Merchant Marine SS *Buffalo* Service number 2134/C Memorial: Chatham Naval panel 30
	ALEXANDER MORRISON Sons of John and Annabella Morrison 3 Cross	Died of wounds on the Somme 15 October 1916 age 31 43rd Canadian Infantry Manitoba Regiment Service number 420317 Interred Portsdown Christ Church Military Cemetery grave B70
4	ALEXANDER MORRISON 'An Tìgear' Alasdair 'an 'ic Alasdair d. May 1962 age 88 m. Margaret Morrison 7 Knockaird	RNR Survivor of the *Hermes* and the *Iolaire*
6	NEIL MORRISON Niall Aonghais Nèill m. Jane Macaulay 16 Sheshader Lived in Stornoway	Sergeant Served in France 1914 and Palestine Wounded Palestine
	MURDO MORRISON 'Bison' Murchadh Aonghais Nèill d. November 1946 age 68 m. Catherine Morrison 32 South Dell	RNR
7	ALEXANDER MURRAY 'Seordach' na Mùig d. February 1965 age 77 m. Mary Macleod 39 South Dell Later 4 Cross Skigersta	RNR
	NORMAN MURRAY Tarmod na Mùig d. October 1974 age 79 m. Alice Ann Macdonald 18 Habost	Seaforths In France 1914-1919 Wounded four times
8	DUNCAN MACDONALD Donnchadh Tharmoid Dh'll Òig d. January 1963 age 79 m. Annie Graham 19 Swainbost	RNR

CROFT	NAME	SERVICE
	JOHN MACDONALD 'An Cobhs' Iain Mòr Tharmoid Dh'll Òig d. January 1959 age 65 m. Effie Maclean 118 Cross Skigersta	United States Army
11	DONALD SMITH Dòmhnall an-t Siaraich m. Mary Macdonald Màiri a' Bhostaidh (1885-1929) 32b Habost	Lost at Battle of Jutland 31 May 1916 RNR HMS *Invincible* Service number 2491B Memorial: Chatham Naval panel 18 Served on *Invincible* at the Battle of the Falklands
	ANGUS SMITH Aonghas an t-Siaraich Married in Canada	Seaforths In France 1914 then in Mesopotamia until 1919
	Sons of Norman and Catherine Smith	
12	ANGUS MACLEOD 'Girean' d. November 1934 age 64 m. Christina Morrison 4 Cross	RNR
13	MALCOLM MACKAY Calum Tuathanach d. December 1962 age 92 m. Barbara Maciver 48 Borve	RNR
	MURDO MURRAY Winnipeg Canada	Canadian Navy
	ALLAN MURRAY 'Nìdsidh' d. July 1968 age 81 m. Mary Macdonald 19 Lionel Later 21 North Dell	Corporal Canadians
	JOHN MURRAY 'Sucaidh' d. October 1973 age 82 m.1. Annie Macphie (Skye) m.2. Màiri an Tìgear 4 Cross	Corporal Canadians
	Murdo, Allan and John - sons of Angus Murray and Ann Macdonald Murray, Glenhouse Cross	

CROFT	NAME	SERVICE
14	DONALD MACDONALD Dòmhnall Tharmoid Bhuidhe Bràthair Criosaidh Fenton	Corporal Canadians Gassed and wounded Ypres 1917
16	ALEXANDER MACLEOD Sandaidh 'an Bhàird d. January 1967 age 79 m.1. Dolina Macleod 5 Adabrock d. 1933 m.2. Dolina Macleod 12 Cross d. 1979	RNR
	DONALD MACLEOD Dòmhnall 'an Bhàird	Sergeant-Major Seaforths Distinguished Conduct Medal Came from India to Mesopotamia then in Palestine
	ANGUS MORRISON 'Skye' Aonghas 'an Thangaidh d. March 1923 age 35 Also listed in Eoropie m. Màiri 'an Bhàird Mary Macleod d.1947	Sergeant Wounded in Mesopotamia
19	DONALD MACRITCHIE 'Peedle' Dòmhnall Aonghais Chaluim d. June 1963 age 91 m. Catherine Macleod 2 Fivepenny d. March 1935 age 63	Sergeant Seaforths With 3rd Seaforth Reservists at Fort George and Cromarty At Battle of Omdurman 1898
20	DONALD MACDONALD Dòmhnall na Callainn Dòmhnall Maggie Ex 13 Habost d. February 1943 age 69 m. Màiri Ailein Mary Macfarlane 24 Cross d. September 1963 age 83	RNR Survivor of HMS *Hermes*
New Road	ANGUS MACKAY	Killed in action Persian Gulf 7 January 1916 age 19 1st Seaforths Service number 3/7470 Memorial: Basra Iraq Panel 37 and 64

CROFT	NAME	SERVICE
	WILLIAM MACKAY Sons of Donald and Rachel Mackay 20 Cross Balaich Dhòmhnaill Aonghais 142 Cross Skigersta	Killed in action in Mesopotamia 12 April 1916 age 21 1st Seaforths Service number 3/7310 Memorial: Basra Iraq Panel 37 and 64
21	ALLAN MACKAY 'Am Bob' Ailean Tuathanach d. September 1957 age 76	RNR
22	ANGUS MACRITCHIE 'Fiadh' Aonghas Dhonnchaidh Ex 27 Swainbost d. February 1950 age 83 m. Annie Macleod 22 Cross d. 1928 age 57	RNR
	DONALD MACRITCHIE Dòmhnall an Fhèidh Father and son	RNR Trawler Section
24	KENNETH MACFARLANE Ceanaidh Chraig d. November 1948 age 61 m. Maisie Edwards – teacher in Cross School Later 3 Cross Skigersta	Royal Field Artillery
	MURDO MACFARLANE Emigrated to USA	ERA Survivor of *Iolaire*
26	MALCOLM CAMPBELL Calum Dh'll Aonghais Son of Donald and Catherine Campbell	Killed in action in France 1 July 1916 age 22 2nd Seaforths Service number 3/7308 Interred Serre Road Cemetery no 2 grave IK6
27	MALCOLM MORRISON Calum Rob d. May 1965 age 85 m. Mary Maciver 3 Swainbost	RNR Distinguished Service Medal for sinking submarine

CROFT	NAME	SERVICE
28	ANGUS MACLEOD b. 1896 Son of Alexander 'Sneggan' Macleod 28 Cross and Annie Mackenzie 10 North Dell	Argyll and Sutherland Highlanders Served 236 days in France Also Served in Merchant Navy from 1917
	MURDO MACLEOD Murchadh Dhòmhnaill Phìobair 'Cèic' d. July 1953 age 82 m. Mary Macdonald 5 Port	RNR
29	ALEXANDER MACLEOD Ailig Ailidh Ex 21 North Dell d. July 1949 age 69 m. Margaret Morrison 29 Cross	Seaforths In India until 1920
30	DONALD MACLEOD Dòmhnall Aonghais Bhig m. Mary Smith 1 North Dell - Màiri Iain Bhàin d. August 1968 age 86 Son of Angus and Annie Macleod Bràthair 'Girean'	Drowned when ship HMS *Hermes* sunk by U-boat 31 October 1914 age 39 RNR Service number 3477/B Memorial: Chatham Naval panel 8
31	MURDO MORRISON Murchadh 'Wattie' Son of John and Annie Morrison 31 Cross Bràthair 'Foggily'	Killed in action 25 April 1915 age 19 2nd Seaforths Service number 3/7220 Interred Seaforth Cemetery Cheddar Villa grave B1 Headstone A57
32	MALCOLM SMITH Calum Doisean d. March 1962 age 66	Corporal Seaforths Wounded twice and gassed
34	ANGUS GUNN 'Inch' Aonghas Ailean d. March 1984 age 91 m. Isabella Macleod - Stornoway d. January 1987 age 85	Lovat Scouts Served in Dardenelles, Egypt and Salonika
	ALLAN GUNN 'Lag' Missionary Poolewe m. Effie Macleod	RNR Trawler Section

CROFT	NAME	SERVICE
35	DONALD MACDONALD Dòmhnall Eirig a' Ghriasaich Emigrated to Canada at age 17 d. May 1959 m. Leona, Ninette, Manitoba Son of Malcolm ex 23 Habost and Effie Macdonald	Canadians Enlisted Winnipeg 6 January 1915 In France with the 43rd Battalion Canadian Expeditionary Force Gassed
35	DONALD MACLEOD Dòmhnall Ruairidh a' Ghriasaich d. 1950	2nd Lieutenant Indian Army Also served in WWII as Lieutenant Colonel in the Straits Settlement Volunteer Force Singapore Imprisoned by the Japanese at the fall of Singapore. His wife Dorothy was also imprisoned - in Sumatra - and died there of malnutrition shortly before the end of the WW2 in 1945 Their son Iain records the story in his book 'I Will Sing to the End'
	IAIN MACLEOD Also known as John Roderick Macleod Iain Ruairidh a' Ghriasaich Sons of Roderick and Christina Gordon Macleod Fore Street Avenue London EC1	Killed in action 9 April 1917 Acting Lance Corporal 6th Seaforths Service No. 267369 A cadet in the Mercantile Marine at the outbreak of war Came from Buenos Aires to join up Initially assigned to a Lowland regiment Later enlisted with the 6th Seaforths Interred Highland Cemetery Roclincourt
36	ANGUS MURRAY 'Fionn' Aonghas Dh'll Gobha d. November 1958 age 74 m. Christina Thomson 36 Habost d. November 1956 age 74	RNR Serving on *Orama* at the sinking of the *Dresden*
1 New Road	DONALD MORRISON 'Am Peilear' Dòmhnall Aonghais Liath Ex 36 Eoropie d. September 1959 age 74 m. Christina Mackenzie d. August 1971 age 83 Donald is also listed in Eoropie	RNR

CROFT	NAME	SERVICE
Post Office Side	NORMAN MACKENZIE 'Làrag' Tarmod Dh'll'an Bhàin d. July 1954 age 54	RNR Survivor of the *Iolaire*
37	MURDO MACDONALD Murchadh Fhionnlaigh Bhuidhe Ex 15 Cross d. January 1940 age 64 m. Mary Macdonald 14 Adabrock d. February 1959 age 83 Father of Rev Donald Macdonald Greyfriars Inverness	RNR Survivor of the *Otway*
39	MURDO MACLEOD Murdo Spell d. September 1956 age 84 m. Margaret Macdonald 15 Cross d. July 1943 age 69	Scottish Rifles Gassed and wounded
	NORMAN MACLEOD Tarmod Dh'll Fhionnlaigh	RNR Trawler Section
Free Church Manse	REV DUNCAN MACDOUGALL Minister of Cross Free Church 1909 - 1918 d. 1954	Chaplain to the Gaelic speaking men of the Royal Naval Brigade interned in Holland – HMS *Timbertown*
	DR HELEN MACDOUGALL Sister of Rev Duncan	According to 1911 census she was a medical student living at the Manse (probably Glebe, South Dell – Manse at Cross was completed in 1912). Helen served as a doctor with the Scottish Women's Hospital in Serbia in 1915 and later in France in a hospital supporting the wounded from the Battle of the Somme. Taken prisoner in Serbia but later released.

Donald Macleod 35 Cross

Malcolm Campbell 26 Cross

Allan Gunn 34 Cross

Malcolm Smith 32 Cross

Donald Macdonald 20 Cross

Kenneth Macfarlane 24 Cross

Allan Murray 13 Cross

John Macdonald 16 North Dell

Donald Morrison 18a North Dell

John Morrison 18a North Dell

Murdo Macfarquhar, Dell House

William Macleod 3 North Dell

Norman Morrison 22 North Dell

It is thought that this photo is of the Macritchie brothers from 2 North Dell. Finlay, on the left, married Margaret Morrison 37 Habost. They emigrated to Australia with their five children. Another five were born in Australia. Kenneth, seated, was an army chaplain and Angus, right, served with the Canadians.

Alexander Morrison 6 North Dell

CROFT	NAME	SERVICE
2	ANGUS MACRITCHIE	Canadians
	FINLAY MACRITCHIE Also listed in Habost Back Street	Sergeant Seaforths
	KENNETH MACRITCHIE	Sergeant Seaforths Army Chaplain
	Sons of Norman Macritchie Tarmod Aonghais Mhòir	
3	WILLIAM MACLEOD Uilleam Màiri Bharbhais later 17 North Dell m. Janet Morrison MacLeod North Dell	Killed at Buzancy 28 July 1918 age 42 8th Seaforths Service number 316398 Interred Buzancy Military Cemetery grave I B25 Served in Egypt during the South African Campaign
	JOHN MACLEOD Iain Màiri Bharbhais Emigrated to New Zealand after the war	Sergeant Royal Garrison Artillery Croix de Guerre (Belgian) at the 3rd Battle of Ypres October 1917
	Sons of John and Mary MacLeod	
4	ALEXANDER CAMPBELL 'An Cusan' 1879-1966	Seaforths Wounded at Armentieres and discharged
	WILLIAM CAMPBELL Uilleam Chaluim 1887-1956 m. Effie Mackay 14 Skigersta Later Glasgow	Seaforths Wounded at Hill 60
5	MALCOLM MURRAY Calum Fhearchair m. Annie Macritchie 42 Swainbost Cnoc Fional	RNR
6	DONALD SMITH Dòmhnall na Masaig Emigrated to Trail BC Canada Son of Donald and Annie Campbell Smith	Seaforths
	ALEXANDER MORRISON 'Bullar' 1897-1972 Brought up by his aunt Catherine Smith (màthair na Masaig) Emigrated to Trail BC Canada	RNR His ship was sunk but he was in 'the brig' because he had slept while on watch

CROFT	NAME	SERVICE
7	FINLAY MORRISON Fionnlagh Dh'll 'an Òig m. Murdina Murray 7 Cross Emigrated to Canada.	Corporal Canadians
8	NORMAN CAMPBELL Tarmod Màrdanan 1871-1931 m.1 Annie Macdonald 5 Adabrock m.2 Effie Macdonald 19 Port	RNR
9	ANGUS MACDONALD Stiùbhart a' Ghoill Emigrated to Vancouver	Seaforths Wounded at Somme July 1916 Lost forearm at Arras April 1917
	DONALD MACDONALD Toban a' Ghoill m. Mary Smith 11 Cross Màiri an t-Siaraich	Inland Water Transport British Expeditionary Force Also Seaforths Wounded in France
10	NORMAN MACKENZIE 'Tòd' later Swainbost Farm	Canadians
12	JOHN MORRISON	Killed in action at Hill 60 24 April 1915 age 30 7th Canadian Infantry (British Columbia Regiment) Service number 23411 Memorial: Ypres Menin Gate panel 18 - 28 - 30
	ANGUS MORRISON 'Am Bogaran' m. as second husband of Annie Campbell 'An Twins' Sons of John and Margaret Morrison 12 North Dell Balaich Iain 'ic Aonghais Bhàin	RNR
13	MALCOLM GILLIES Calum Gilios 1874-1946 m. Kirsty Macdonald 14 Knockaird	RNR
15	FINLAY CAMPBELL Fionnlagh Phluicean m. Margaret Macleod 1 Knockaird later 12 Galson	Canadians Wounded at the 3rd Battle of Ypres September 1917

CROFT	NAME	SERVICE
16	JOHN MACDONALD Iain a' Bhàird Mac Mhurchaidh Alasdair Mhòir 23 Habost and Christina Morrison 16 North Dell	Gassed 1 May 1915 Died 9 May 1915 age 22 2nd Seaforths
	ANGUS MACDONALD 'An Caoran' 1894-1970 m. Effie Campbell 5 Lionel later 100 Cross Skigersta	RNR
18a	DONALD MORRISON Dolaidh Tharmoid Alasdair Spent most of his life in Vancouver Canada Died in Glasgow	Seaforths Served in France and Mesopotamia Wounded three times
	JOHN MORRISON Iain Tharmoid Alasdair Sons of Norman and Catherine Morrison 18 North Dell	Killed in action in Arras 23 May 1917 age 31 123rd Canadian Pioneers Service number 430014 Interred La Targette British Cemetery Neuville-St Vaast grave I B27
18b	ALLAN MURRAY Ailean Màiread Alasdair d. New Zealand and buried in Wellington m. Catherine Campbell 4 North Dell as her second husband - Catriona Spàigean	RNR
20	MURDO MACDONALD 'Murdaig' 1876-1954 mac Mhurchaidh Mhòir m. Christina Campbell 16 Habost nighean Fhionnlaigh Shùrdaidh	RNR
22	JOHN MORRISON 'An Coileach' Iain mhic Ailein m. Annie Macdonald 20 North Dell nighean Mhurchaidh Mhòir	Canadian Navy
	FINLAY MORRISON Fionnlagh mhic Ailein 1894-1977 Lived at 22 North Dell with John's widow and family	Seaforths Wounded at Festubert 9 May 1915

CROFT	NAME	SERVICE
	NORMAN MORRISON Tarmod mhic Ailein Sons of Angus and Effie Mackenzie Morrison	Died of wounds in France 1 October 1918 7th Seaforths Service number S/13107 Memorial: Tyne Cot panel 132 to 135 and 162A
23	JOHN FINLAY MACDONALD Brother of Seonaidh Knox – Farquhar and William Macdonald's father 18a North Dell	Canadians
	JOHN MACLEOD Iain 'an Uallach Emigrated to USA	RNR
	NORMAN GUNN 'Am Bìodan' ex 20b Lionel Later 30 Galson m. Catherine Campbell 15 North Dell Also listed in Lionel	Sergeant Seaforths and Highland Light Infantry
DELL HOUSE	MURDO MACFARQUHAR Mac Mhurchaidh 'ic Fhearchair Son of Murdo Macfarquhar	2nd Lieutenant Killed in action in France 15 September 1916 age 27 9th King's Own Scottish Borderers (attached 7th/8th) Memorial: Thiepval Pier and Face 4A and 4D
	RACHEL MORRISON Raonailt Alasdair Bhàin b.1893 Ex 4 North Dell and later opposite Cross School Later Mrs Halcrow, Edinburgh	Women's Auxiliary Army Corps

Donald Morrison 4 Aird South Dell

Norman Morrison 7 South Dell

Roderick Murray 16 South Dell

John Murray 12 South Dell

Finlay Morrison 19 South Dell

Angus Morrison 19 South Dell

Alex. Morrison 19 South Dell

Donald Graham 18 South Dell

Donald Murray 33 South Dell

Roderick Murray 27 South Dell

Kenneth Graham Aird South Dell

Murdo Murray 5 South Dell

Dail bho Dheas
Clàr nan Gaisgeach

South Dell
Roll of Honour

Rob Aonghais Smit, Iain Mhurchaidh Alasdair Ghilis
Robert Smith, 36b South Dell, Sergeant 1st Seaforths; served in France and Mesopotamia.
John Gillies, 20b South Dell, 2nd Seaforths; wounded in France.

An taigh Tharmoid Mhurchaidh Ruaidh

'…Calum agus am Poileas, bhiodh iad ann, a' Seordach Beag, le stòraidhean Ameireagaidh, Murchadh Beag, Seumas agus Ailean Dhoilidh; Scotty agus Dòdubh……làn an taigh a h-uile oidhche …Chan eil duine beò an-diugh … B' fheàrr leam gu robh iad ann agus gu faighnichinn dhaibh mu na Dardanelles, agus an robh duin' aca ann an Gallipoli agus dè mu dheidhinn Mesopotamia …'

Bho *An Naidheachd bhon Taigh* le Tarmod Caimbeul

Tha chagailt bha blàth
Cho falamh 's cho fàs
Tha osnaich an àit' a' chòmhraidh;

Bho *An Dealachadh* le Aonghas Caimbeul 'Am Bocsair'

CROFT	NAME	SERVICE
1	JOHN MORRISON Iain Beag Later 6 Melbost d. 1957 age 82	RNR Survivor HMS *Hermes*
	JAMES MORRISON Seumas Beag d. 1933 age 56 m. Mary Macdonald 13 Habost	2nd Seaforths Gassed 2 May 1915 then posted to 1st Seaforths Mesopotamia
	MURDO MORRISON Murchadh Beag Later 10 South Dell d. 1956 age 76	RNR
	Sons of John Morrison 4 South Dell and Margaret Morrison 7 South Dell	
3	NORMAN SMITH 'Am Bìogonach' d. 1949 age 74 Father of Capt. John Smith 'Loch Seaforth'	RNR
4	DONALD MORRISON	Died of gas poisoning 9 May 1915 age 20 1st Seaforths Service number 3/6998 Memorial:: Le Touret Panel 38 and 39
	JOHN MORRISON Later 20 South Galson d. 1968 age 78 m. Catherine Murray 11 Habost	2nd Seaforths Gassed 9 May 1915 Discharged time-expired November 1915 Later joined RNR Trawler section
	Sons of Roderick Morrison 4 South Dell	
5	MURDO MURRAY Murchadh Dh'll Duinn m. Kate Murray 79 Cross Skigersta Rd Son of Donald and Catherine Murray 5 South Dell	Killed in action in Flanders 9 May 1915 age 31 1st Seaforths Service number 3/7054 Memorial: Le Touret Panel 38 and 39
	DONALD MURRAY Dòmhnall Dh'll Duinn	Killed in action at the Somme 13 October 1916 age 23 2nd Seaforths Service number 3/7040 Had been gassed in 1915 Memorial: Thiepval Pier and Face 15C

CROFT	NAME	SERVICE
	NORMAN MURRAY Tarmod Dh'll Duinn 'Deeds' d.1967 age 69	RNR Trawler Section
	ALEXANDER MURRAY Alasdair Dh'll Duinn 'Araid' Later 37 South Galson d. 1964 age 73 m. Margaret Macdonald Galson	RNR Served in the DAMS (Defensively Armed Merchant Ships mainly engaged on bringing food supplies to the UK)
6a	ALEXANDER MURRAY 'Làistidh' Later 10 Melbost d.1962 age 82	RNR Served in the Dardanelles Survivor from the *Boy Georges*
	DONALD MURRAY Dòmhnall Dubh 'Dòdubh' Later Park House South Dell d. 1968 age 75 m. Gormelia Morrison 31 Cross	2nd Seaforths Discharged time-expired Joined the RNR Trawler Section Also served in WWII RNR 1939
	JOHN MURRAY Iain Help Later Gress d. 1966 age 79 m. Catherine Stewart (Gress)	RNR Served in the Dardanelles Survivor from the *Iolaire*
	NORMAN MURRAY 'Tòhan' Lived in Montana. Returned to Park House d. 1973 age 77	Seaforths Wounded in France
	WILLIAM MURRAY Emigrated to Australia d. 5 May 1974 age 75	RNR Trawler Section

Sons of Norman and Catherine Murray
A sixth son Angus was also on active service –
see 40 South Dell
Balaich Tharmoid Dhuinn 'Tam'

CROFT	NAME	SERVICE
6	DONALD MURRAY Dòmhnall Iain Dh'll Duinn Later 6a South Dell d. December 1983 age 84	7th Seaforths Wounded in France 4 October 1918
6b	JOHN CAMPBELL 'An t-Sùist' Later 35 South Galson d. 1972 age 95 m. Johanna Morrison 7 South Dell	Company Sergeant Major 2nd Seaforths Wounded 11 April 1917 at Vimy Ridge Served on Italian front Survivor from Hospital Ship *Donegal*
7	ANGUS MACLEOD Aonghas a' Bhàird Angus and family lived at 6b South Dell Later moved to Stornoway where he operated the building business Angus Macleod and Sons	Lance-Corporal Royal Engineers Wounded at Beaumont-Hamel 18 November 1916
	KENNETH MACLEOD Coinneach a' Bhàird Later 24 Cross Retired to Churchill Drive Stornoway d. 1981 age 90 m. Annie Macfarlane (Cross)	Lieutenant RNVR Survivor from HMT *Tern*
	JOHN MACLEOD Iain a' Bhàird	Captain Australian Mercantile Marine
7b	ALLAN MORRISON Ailean Dholaidh d. 1947 age 57 m. Margaret Mackenzie 11 Habost	Leading Seaman RNR
	NORMAN MORRISON Tarmod Dholaidh Son of Donald and Christina Morrison 7 South Dell	Killed in action in Mesopotamia 23 April 1916 age 21 1st Seaforths Service number 3/7112 Memorial: Basra Panel 37 and 64
8	JOHN SMITH Son of Allan and Mary Smith 8 South Dell	Killed in action in Mesopotamia 5 November 1917 age 20 1st Seaforths Service number 3/7199 Memorial:: Basra Panel 37 and 64

CROFT	NAME	SERVICE
9	NORMAN GRAHAM 'Tòmas' d. 1954 age 76 m. Murdina Macleod 11 Lionel	Petty Officer RNR
10A	ALEXANDER MORRISON Later 38 South Dell d. 1957 age 61	1st Seaforths Wounded in Mesopotamia
	MURDO MORRISON	RNR
	NORMAN MORRISON Sons of Murdo and Flora Morrison of 10 South Dell Balaich Mhurchaidh Tharmoid	Died of wounds at home 16 March 1917 age 23 Discharged at Aberdeen on 29 May 1916 due to gunshot wounds and TB 3rd Gordons Service number 3/5645 Interred Swainbost St Peter Old Churchyard
10	MALCOLM MORRISON Calum Aonghais Tharmoid 1894-1987 Later a Free Church minister m. Mary Ann Nicolson - Skye	Sergeant Camerons Military Medal Wounded in France April 1918 Also served with Machine Gun Corps
	NORMAN MORRISON Tarmod Aonghais Tharmoid d. Canada	Canadians Served in Russia
12	JOHN MURRAY Iain a' Nòlaidh	Died of wounds in France 2 May 1915 age 22 2nd Seaforths Service number 3/6690 Interred Boulogne Eastern Cemetery grave VIII B13
13	JOHN NICOLSON Later Canada d. Canada	RNR Trawler Section
	MALCOLM NICOLSON Later New Zealand d. Auckland age 81	Mercantile Marine
	ALLAN NICOLSON d. 1939 age 44 Balaich Aonghais Ailein	Mercantile Marine

CROFT	NAME	SERVICE
14	**NORMAN MURRAY** d. 1955 age 82	RNR
15	**WILLIAM MURRAY** Uilleam Aonghais Goisdidh Later Barvas d. 1982 age 85 m. Christina Morrison 4 South Dell d.1981	RNR Served in Persian Gulf and Mediterranean
	DONALD MURRAY Dòmhnall Aonghais Goisdidh d.1979 age 80	RNR Trawler Section 1917-18 Also served in WWII RNR 1939-45
16	**RODERICK MURRAY** 'Seordach Mòr' m. Marion 'Mòr' Mackenzie 4 children	Died at Naval Hospital Great Yarmouth 1 May 1918 age 46 RNR HMS *Pembroke* Service number 23980 Interred Great Yarmouth Caister Cemetery grave B51
17	**DONALD MURRAY** Dòmhnall Stufain d. 1955 age 75 m. Margaret Murray 12 South Dell	RNR Served in the Dardanelles
	ANGUS MURRAY Aonghas Stufain m. Edith Murray Oregon USA	Killed in France 9 August 1918 age 34 29th Canadian Infantry British Columbia Regiment Service number 2137501 Interred Rosieres Communal Cemetery extension grave I C 10
	JOHN MURRAY	Sergeant United States Army Wounded twice
18	**DONALD GRAHAM** Dòmhnall Thuathain	Killed in action in France 9 May 1915 age 20 1st Seaforths Service number 3/7090 Memorial: Le Touret Panel 38 and 39
	ANGUS GRAHAM Aonghas Thuathain d. 1992 age 91 m. Mary Murray 10 Habost	RNR Trawler Section

Sons of Angus and Annie Graham 18 South Dell

CROFT	NAME	SERVICE
19a	JOHN MORRISON 'Hero' Iain Tharmoid Bhàin Tailor d. 1962 age 68	Ross Mountain Battery
	FINLAY MORRISON	Lost when ship sunk by mine 22 August 1917 RNR HMT *Sophron* Service number 9104/A Interred Edinburgh Seafield Cemetery Screen Wall M377
	ALEXANDER MORRISON	Lost when ship sunk by submarine U-84 50 miles W of Fastnet 20 January 1917 age 29 RNR SS *Bulgarian* Service number 3763/A Memorial:: Chatham Naval panel 26 Survived sinking of HMS *Fisgard II*
	ANGUS MORRISON m. Catherine Morrison d. 1976 32a Habost Sons of Norman and Annie Morrison Ceathrar bhalach Tharmoid Bhàin	Lost when ship sunk by submarine UC-22 Aegean Sea 20 January 1918 age 35 RNR HMS *Louvain* Service number 2782/B Memorial: Chatham Naval panel 30
19	ANGUS MORRISON (JUN) Aonghas Alasdair Iain 'ic Aonghais d. 1924 age 33 m. Christina Macleod 26 Eoropie - later Mrs Crichton	RNR
	JOHN MORRISON Iain Alasdair Iain 'ic Aonghais d. 1962 age 69 Sons of Alexander Morrison	2nd Seaforths
19	JOHN MORRISON Iain Rochaidh Iain Ruairidh Iain 'ic Aonghais Later 42 North Galson d. 1963 age 73 Son of Roderick Morrison	RNR

CROFT	NAME	SERVICE
20	DONALD GILLIES Later 24 South Dell d. 1950 age 69 Father of Rev Donald Gillies (Crossbost)	Sergeant Seaforths
	ANGUS GILLIES Later 25 South Galson d. 1947 age 70 Balaich Alasdair Ghilis	RNR Survivor from HMS *Majestic* The *Majestic* was one of the largest battleships of WW1 Supported the Gallipoli landings before being torpedoed at Cape Helles with the loss of 49 men
20b	JOHN GILLIES Iain Mhurchaidh Alasdair Ghilis Later 16 South Galson d. 1974 age 81 m. Jessie Morrison	2nd Seaforths Wounded in France
	RODERICK GILLIES Ruairidh Mhurchaidh Alasdair Ghilis Sons of Murdo and Annie Gillies 20 South Dell	Drowned 7 January 1920 age 20 Ship sank in a gale RNR HMT *St Leonard* Service number 20647DA Memorial: Chatham Naval panel 32
22	GEORGE MUNRO Mac Cairstiòna Nèill, Stornoway from her first marriage to Donald Munro. She later married Alexander Macleod 34 South Dell. Son of Donald and Christina Macleod Munro 56 Kenneth Street	Lance-Corpl Seaforths Died in hospital at Cromarty 16 April 1917 age 18 Service No 3/7529 Interred Sandwick cemetery On Lewis War Memorial George is listed on Burgh Central Division plate not on the Ness one. The *Loyal Lewis* entry for 22 South Dell is: '2nd Seaforths; invalided from France and died in Cromarty Military Hospital 6 April 1916'. This is also the date on the Memorial at Cross
23	MALCOLM MURRAY Calum Mhurchaidh Ruaidh d. 1959 age 83 m. Christina Murray	RNR Survivor from HMS *Majestic*
24	GEORGE MURRAY Rev George L Murray 1896 - 1956 Later Canada	7th Seaforths

CROFT	NAME	SERVICE
	ANGUS MURRAY Later Canada d. 1973 age c.74 m. Nora Smith 11 Cross	7th Seaforths
	MALCOLM MURRAY Sons of Donald and Annabella Murray Balaich Dhòmhnaill Sheoc	Died of pneumonia on board ship *City of Cairo* 11 October 1918 age 27 1st Reserve Bn Canadian Infantry British Columbia Regiment Service number 2024955 Interred Plymouth Efford Cemetery grave General C4352
24b	RODERICK MURRAY Ruairidh Thàididh (see Murray Correspondence in Chapter 6 Litir Dhachaigh) Son of Norman Murray merchant South Dell	Killed in action in Mesopotamia 5 November 1917 age 20 1st Seaforths Service number S/13483 Memorial: Basra Panel 37 and 64
26	DONALD MACDONALD Later Glasgow d. 1948 age 69 m. Mary Morrison 7 Habost	Petty Officer RNR
	JOHN MACDONALD d. March 1969 age 80 m. Isabella Morrison 4 Aird	RNR Trawler Section
	ANGUS MACDONALD 'An Ceilcean' Later 48 North Galson d. 1969 age 83 m. Christina Smith 6 North Dell	Sergeant 7th Seaforths Military Medal Wounded at Lys Canal 20 October 1918
	ALEXANDER MACDONALD Sons of Angus and Annie Macleod Macdonald Balaich Aonghais Shiadair	Killed in action in France 20 December 1914 age 24 1st Seaforths Service number 3/6682 Memorial: Le Touret panel 38 and 39
27	JOHN MURRAY	Died in hospital 8 March 1915 of wounds sustained 2 days earlier age 21 1st Seaforths Service number 3/7233 Interred Merville Communal Cemetery grave I D9
	RODERICK MURRAY Sons of Angus and Catherine Murray Balaich Aonghais 'an Duinn	Died of wounds sustained at Ypres 4 June 1915 age 23 2nd Seaforths Service number S/7034 Interred Vlamertinghe Military Cemetery grave I. G11 Previously wounded in 1914

CROFT	NAME	SERVICE
28	DONALD MACKAY Son of John and Marion Mackay 28 South Dell	Company Sergeant-Major Killed in action 17 August 1916 age 25 8th Seaforths Service number 3/6744 Interred Pozieres British Cemetery Ovillers-la-Boisselle grave IV P45
30	ALEXANDER MACLEAN 'Lag' d. 1965 age 96 m. Annie Murray	RNR Served in Dardanelles
31	DONALD GILLIES Dòmhnall Aonghais 'an Ghilis	Sergeant 2nd Seaforths Service number 3/6683 Killed in action in France 4 October 1917 age 23 Interred Cement House Cemetery grave XI E26 Previously wounded at Ypres April 1915
	NORMAN GILLIES Tarmod Aonghais 'an Ghilis 'Turmid' Later Moorland Cottage d. 1977 age 77 m. Mary Murray 5 Habost Sons of Angus and Mary Gillies 31 South Dell	RNR Trawler section
32	ALLAN MORRISON d. 1922 age 25	RNR Trawler Section
	ANGUS MORRISON Later New Zealand Balaich Mhurchaidh Siar	RNR
33	DONALD MURRAY 'Dolera' m. Mary Macdonald Murray 33 South Dell 5 children Son of Murdo and Catherine Murray South Dell	Drowned in sinking of ship 3 February 1915 age 37 RNR HMS *Clan MacNaughton* Service number 3275C Memorial: Chatham Naval panel 14
34	ANGUS MACLEOD Aonghas Mhurchaidh Phìobair 'An Caolan' Later 36 South Galson d. 1973 age 84 m. Annie Morrison 19 South Dell	RNR Survivor of HMS *Otway*

CROFT	NAME	SERVICE
35	ALLAN GILLIES 'An Candal' Later 28 South Galson d. 1970 age 79 m. Effie Mackenzie 33 Eoropie	RNR
	ANGUS GILLIES	Drowned in sinking of HMY *Iolaire* 1 January 1919 age 30 RNR HMS *Seahorse* Service number 4502A Interred Swainbost St Peter Old Churchyard
	DONALD GILLIES 'Tiomotaidh' Later Park Cottage d. 1969 age 73 m. Mary Morrison 19B South Dell Sons of Alexander and Isabella Gillies 35 South Dell Balaich Alasdair Iain Ghilis	Seaforths Wounded
36	ALEXANDER SMITH 'Sgodaidh' m. Mary Murray, 12 South Dell d. 1970 age 75 Son of Murdo Smith and Margaret Macleod 19 Eoropie	Seaforths Wounded
36b	JOHN SMITH Iain Smit Later 40 North Galson d. 1947 age 62 m. Annie Maclean 30 South Dell John served as a Free Church Missionary at Galson, Carloway and Borve	Royal Garrison Artillery
	ROBERT SMITH Rob Smit d. 1963 age 70 m. Catherine Mackenzie (Lochinver) Robert, like his brother John, was a Free Church Missionary at Stoer, Kinlochewe, Dunbeath and Coigeach Sons of John Smith	Sergeant 1st Seaforths Served in France and Mesopotamia

CROFT	NAME	SERVICE
37	DONALD MACDONALD Dòmhnall Beag Dh'll 'ic Aonghais Bhàin d. 1959 age 85 m. 1. Mary Morrison 26 Habost m. 2. Mary Macleod 7 Lionel	RNR
40	ANGUS MURRAY Aonghas 'Poileas' Tam m. Mary Maclean 30 South Dell	RNR Served in the Dardanelles
42	MURDO MURRAY Murchadh Shiomag m. Johanna Maciver (Tobson Bernera) d. Glasgow Son of James Murray and Peigi Maciver (Back)	Seaforths Wounded four times in France
43	ALEXANDER MURRAY Sandaidh Dh'll Alasdair d. 1969 age 89	RNR
	MURDO MURRAY Murchadh Dh'll Alasdair Died in Australia	Merchant Marine
44	MURDO MACIVER Murchadh na Pàirc d. May 1948 age 75 Murdo found two Bronze Age swords probably made between 700 and 800BC when digging his croft in August 1891 and February 1892. The swords are now in the National Museums of Scotland in Edinburgh	2nd Seaforths Wounded

AIRD DELL

CROFT	NAME	SERVICE
2	ALEXANDER MACDONALD m. Katie Ann Morrison 10 Borve Later emigrated	Gordons Wounded twice in France
	JOHN MACDONALD	Drowned 20 April 1917 age 19 Ship sunk by mine RNR HMT *Othonna* Service number 4949/SD Memorial: Chatham Naval panel 26

CROFT	NAME	SERVICE
	ANGUS MACDONALD d. Canada 1984 age 90 m. Clara from Fife	RNR Trawler Section
	Sons of Murdo and Ann Macdonald Aird Dell Balaich Mhurchaidh Bhàin	
3	**KENNETH GRAHAM** Coinneach Dh'll Ruairidh Son of Donald (18 S. Dell) and Catherine Graham Aird South Dell	Killed in action at the Somme 1 July 1916 age 19 2nd Seaforths Service number 3/7457 Memorial: Thiepval Pier and Face 15 C
5	**ALEXANDER MACLEOD**	3rd Camerons
	NORMAN MACLEOD Later Stornoway d. 1947 age 58	2nd Seaforths Wounded in Flanders then drafted to Scottish Rifles in India
	NORMAN MACLEOD Emigrated to California	Sergeant Australians Wounded twice in France
	Balaich Alasdair Phìobair	
6	**RODERICK MURRAY**	Sergeant 2nd Seaforths Wounded twice in France
	ALEXANDER MURRAY m. Canada d. 1973 age 73	RNR
	Balaich Alasdair Dhuinn	

Roderick Murray 16 South Dell

Alexander Macdonald 2 Aird Dell

ANGUS NORMAN MURRAY

(17 South Dell and Portland, Oregon. 1884 -1918. Killed during the Allied advance at the Battle of Amiens)

*Flour, sugar, butter, cheese among
goods he served in that Oregon store
to regulars and housewives, he might have been forgiven
for growing restless. So that when talk turned to European war,*

*he thought of volunteering, leaving wife and child
behind and returning to the shores
he'd believed for years were way back in the past,
moors and lochs he'd longed for but been long resigned to never
seeing any more.*

*Was it this thought which convinced him
to slip across the border, ask for papers he could sign,
button up his uniform, join a troopship
crossing the Atlantic, stand in the front line ...?*

*And how long did it take for him to pine
once again for Portland, the flour, butter, cheese he served
within that store?
Was it when barbed wire scratched and cut him?
Or when a bullet hit him and he fell,
face down in the mud and gore?*

Donald S Murray (Angus was his great-uncle)

Angus Gillies 20 South Dell

Roderick Murray 24b South Dell

Norman Murray 5 South Dell

Angus Murray 40 South Dell

Alex Macdonald 26 South Dell

Malcolm Murray 23 South Dell

Donald Murray 6a South Dell

Alexander Morrison 19a South Dell

L-R: Allan Gillies 35 South Dell
Norman Gillies 31 South Dell

John MacDonald (Iain Soap) 6 Mid-Borve with sister Annie (Anna Soap) and 1st cousin
Cathy Gillanders, New Zealand (Cathie Dhòmhnaill 'an Bhàin, 6 High Borve).

Am Bail' Àrd
Clàr nan Gaisgeach

Mid-Borve
Roll of Honour

*'John Macdonald, 6 Mid-Borve, joined the Militia
when still of school age; in fact he was only about
13 years old. He was called up at the outbreak
of war and sent to France when he was just 15.
He stoutly and persistently refused to be recalled
home as being under age, and in due time he was
promoted to the rank of Sergeant and awarded
the Military Medal, the due reward of so brave a
soldier.'*

John Mackenzie, Headmaster, Airidhantuim writing in *Loyal Lewis*.

CROFT	NAME	SERVICE
1	**MALCOLM MACKENZIE** Calum Sùileag Calum Chaluim Chaluim Uilleim Son of Malcolm Mackenzie and Annie Macdonald 1 High Borve	Sergeant 6th Camerons Service number 315190 Killed in action France 26 April 1917 age 24 Military Medal for gallantry in France Memorial: Arras Bay 9 One of the champion bombers in his Division
1a	**MALCOLM MACKENZIE** Calum Choinnich Chaluim Uilleim b.1894 m. Màiri Aonghais Tharmoid 10 South Dell	Gordons
	WILLIAM MACKENZIE Uilleam Choinnich Chaluim Uilleim b.1897 Sons of Kenneth and Ann Macdonald Mackenzie 1 High Borve	Killed in action 1 July 1916 age 19 2nd Seaforths Service number 3/7371 Interred Sucrerie Military Cemetery Colincamps IH 27 Had previously been wounded
2	**ANGUS SMITH** Aonghas a' Pheic or `Maigean' Aonghais Aonghais Phàdraig b. 1885 m. Ann Smith 40 Borve Son of Angus Smith and Ann Macleay 2 High Borve	RNR
	GEORGE SMITH Seòras a' Pheic b. July 1895 d. December 1961 m. Magdalene Allan on 30 August 1923 (Aberdeen)	Camerons Severely wounded - left leg amputated
3	**MALCOLM MATHESON** Calum Bhòidse 'Jimmy' Calum Dhòmhnaill Dhòmhnaill Mhòir b.1894 m. Marion Macdonald 38 Borve	Camerons
3a	**MALCOLM MACDONALD** Calum Donn Calum Dhòmhnaill Dhòmhnaill b. 1891 m. Jessie Matheson 6 High Borve	Seaforths Wounded
	JOHN MACDONALD Iain Donn Iain Dhòmhnaill Dhòmhnaill b. 1893 Sons of Donald Macdonald and Kirsty Matheson	Killed in action at Loos 25 September 1915 age 22 Camerons Service number 5365 Had previously been wounded and returned to the trenches about a month before he was killed

CROFT	NAME	SERVICE
4	MALCOLM MACKENZIE Calum Chailein Chaluim Uilleim d. July 1934 age 64 m. Gormelia Macdonald 21 Borve Gormal Dh'll Òig	Petty officer RNR
6	JOHN MACDONALD Iain Soap Iain Uilleim Mhurchadh b.1898 Later New Zealand Grandfather of Sean Lineen Scottish Rugby Player	Sergeant Gordons Military Medal for gallantry in France
6a	DONALD MATHESON Dòmhnall Bran Dòmhnall Dh'll 'an Bhàin b. 1887 Married Kirsty Mackenzie (Coll) Lived later Stornoway	RNR
	MURDO MATHESON Murchadh Cordian Murchadh Dh'll 'an Bhain b. 1884 m. Christina Smith 24 Borve	RNR
8	MURDO MACKAY Murchadh Rob 'ic Mhurchaidh d. 1983 age 88 m. Murdina Morrison 9 High Borve	Seaforths
9	ANGUS MORRISON 'Malt' Aonghas Uilleim Aonghais b. 1872 m. Ann Smith 33 Borve	RNR

CROFT	NAME	SERVICE
10	**ANGUS MACKENZIE** 'Am Bogais' Aonghas Chaluim Aonghais 1898-1966 m. Gormelia Mackenzie (Leurbost)	Listed in *Loyal Lewis* but no war service details Angus was actually Angus Smith – Mac a' Bhuoy - 7 High Borve. He went to sea with Donald Mackenzie's Discharge Book and went through life as Donald Mackenzie! The real Donald Mackenzie, 10 High Borve was Dòmhnall Geàrd (below). [In the early days Seamen's Record Books - 'Discharge' Books - did not bear a photograph of the individual. Identification was recorded by noting any distinguishing marks like a tattoo, moles or birthmarks]
	DONALD MACKENZIE Dòmhnall Geàrd Dòmhnall Uilleim 'an Uilleim b.1892 m. Isabella Maclean 5 High Borve Later New Zealand	Gordons Wounded
	NORMAN MACKENZIE Tarmod Geàrd Tarmod Uilleim 'an Uilleim. b. 1897	Corporal Seaforths Distinguished Conduct Medal "for conspicuous gallantry and devotion to duty in sole charge of his Lewis gun, the remainder of the team having become casualties. When the enemy counter- attacked, he reserved his fire and knocked over many, checking their advance. His company officer was killed while attempting to reach him with Lewis gun magazines, but he retrieved the ammunition and remained firing at his post when many were falling back on both flanks"

John Morrison 19 South Dell
Iain Rochaidh

Norman Mackenzie, 10 Mid Borve

Norman Morrison 10 South Dell

George Munro 22 South Dell

Roderick Murray
6 Aird Dell

Malcolm Maciver 48 Borve

(Standing) Donald Graham 30 Borve
(sitting) William Graham 29 Borve

Murdo Smith 24 Borve

Roderick Graham 30 Borve

MALCOLM SAUNDERS
Calum Sheumais Roib 21 Borve, Petty Officer, RNR
Served in three wars. In the Boer War 1899-1902 he was a Private in the
Seaforths. Awarded Queen's South Africa Medal with clasps and the
King's South Africa Medal with clasps.
In World War 2 served in the Merchant Navy as Boatswain's Mate.

*Borve
Roll of Honour*

In Memory of

Lance Corporal

W McKenzie

7283, 2nd Bn., Seaforth Highlanders who died on 09 June 1915 Age 19

Son of Malcolm and Bella Macdonald McKenzie, of 23, Borve, Barvas, Stornoway.

Remembered with Honour
Bard Cottage Cemetery

**Commemorated in perpetuity by
the Commonwealth War Graves Commission**

Lance Corporal William Mackenzie Seaforth Highlanders, was killed in action at Ypres, 9 June 1915 age 19. Son of Malcolm and Bella Macdonald Mackenzie 23 Borve.

William is buried in the Bard Cottage Cemetery. In the northern Ypres salient, for much of the First World War, the village of Boesinghe (now Boezinge) directly faced the German line across the Yser canal. Bard Cottage was a house a little set back from the line, close to a bridge called Bard's Causeway, and the cemetery was made nearby in a sheltered position under a high bank.

CROFT	NAME	SERVICE
1	**JOHN MACDONALD** Iain Aonghais Cùdhail 'John' b. 1867 m. Margaret Macdonald 20 Borve Later Galson Farm	RNR
	ALEXANDER MACDONALD Alasdair Aonghais Cùdhail b. 1873 m. Effie Nicolson 23 Borve	RNR Distinguished Service Medal 'for long and distinguished service afloat since the beginning of the war'
	DONALD MACDONALD Dòmhnall Aonghais Cudhail 'An Caiptean' b. 1879 Emigrated to New Zealand	Captain Merchant Marine
	Sons of Angus Macdonald and Mary Macleod Balaich Aonghais Cùdhail	
Baile Gearr	**RODERICK GRAHAM** Ruairidh Dhòmhnaill Mìcheil m.1. Caitriona 'an Bringle Macdonald m.2. Oighrig a' Bhoy Smith Later Burnside Borve	Leading Seaman RNR Merchant Navy in WW2 Seaman AB
2	**JOHN MACIVER** Iain a' Phoins b. 1889 m. Gormelia Macdonald 18 Borve An elegy by his widow, Gormal 'O mar chuir mi 'n geamhradh seachad' is at the end of the *Clàr-ama* section	Leading Seaman Drowned when ship sunk by submarine UC-75 near Luce Bay 9 October 1917 age 32 Merchant Marine SS *Main* Service number 3767/A Memorial: Portsmouth Naval Panel 27
	DONALD MACIVER Dòmhnall a' Phoins b. 1896 m. Bess Morrison (North Tolsta)	Camerons Wounded
	Sons of Norman Maciver and Margaret Mackay	

CROFT	NAME	SERVICE
Park Borve	NORMAN G NICOLSON Tarmod 'an Uilleim 1870-1929 Died in Glasgow m. Margaret Graham 9 South Dell Margaret emigrated to Montreal with her 2 children Son of John Nicolson and Ann Graham	Lieutenant 2nd/6th Seaforths
	MURDO NICOLSON 'Murd' Uilleim 1896-1968 New Park Borve Son of William Nicolson and Murdina Maciver	Camerons Gassed
3	JOHN MURRAY Iain Bàn b. 1865 m. Catherine Graham 11 Borve	Seaforths
4	JOHN MORRISON Iain Mhurchaidh Dìleas b. 1894	Died of influenza Inverness 27 February 1919 age 25 Seaforths / Labour Corps Service number 7163 transferred to 528615 Interred Galson Old Churchyard
	RODERICK MORRISON Ruairidh Mhurchaidh Dìleas 1889-1969 m. Margaret Mackay 14 Borve Later 2 Melbost Borve Sons of Murdo Morrison and Catherine Graham	Scots Guards Military Medal
4b	ANDREW MORRISON Anndra Dhòmhnaill Dìleas b. 1894 Emigrated to Australia Son of Donald Morrison and Helen Moore of the Mètis Cree people from An Talamh Fhuar Canada	Camerons Prisoner in Germany 1914 Star
	DONALD MORRISON Dòmhnall Dubh Dh'll Dìleas b. 1896 m. Kirsty Nicolson 25 Borve,	Camerons Prisoner in Germany

CROFT	NAME	SERVICE
	PETER MORRISON Pàdraig Dhòmhnaill Dìleas b. 1884 m. Jessie Maciver 48 Borve	Canadians
5	JOHN GRAHAM 'an Tailleir 1896-1971 m. Ann Maciver 13 Borve	Royal Army Medical Corps
6	MURDO MORRISON Murchadh Aonghais Dìleas b. 1878 Son of Angus Morrison and Mary Morrison 6 Borve	Killed in action in France 12 May 1917 age 38 6th Seaforths Service number 267468 Memorial: Arras Bay 8 Not named in *Loyal Lewis* or on Borve War Memorial
8	JOHN GRAHAM Iain Dhòmhnaill a' Bhìodain b. 1896 m. Ceit Nicolson ni'n a' Chontair Borve Emigrated Wellington New Zealand	Seaforths Wounded
	MURDO GRAHAM Murchadh Dhòmhnaill a' Bhìodain b. 1898 m. Ruth (Perth Scotland) Emigrated to Wellington New Zealand Balaich 'Geubh'	RNR Trawler Section *Iolaire* survivor
9	JAMES MORRISON Seumas Mhurchadh Iain Seumas Làman 'Siomag' b. 1891 m. Catherine Graham 11 Borve Son of Murdo Morrison and Ann Graham	Gordons Wounded 1915
10	MURDO MORRISON Murchadh Aonghais Mhurchaidh Murchadh Mòr b. 1889 m. Ann Mary Saunders Baile Geàrr, Lived in Glasgow	Corporal Canadians

CROFT	NAME	SERVICE
	MALCOLM MORRISON Calum Aonghais Mhurchaidh b. 1894	Died of wounds in France 28 April 1916 age 21 1st Camerons Service number 3/5254 Interred Bethune Town Cemetery grave III H48
	MURDO MORRISON Murchadh Aonghais Mhurchaidh Murchadh Beag b. 1892	Died of wounds in France 17 May 1915 aged 23 2nd Seaforths Service number 3/6579 Interred Bailleul Communal Cemetery extension Nord grave I A 53 Crossed to France 25 August 1914
	Sons of Angus Morrison and Effie Graham 10 Borve Balaich Aonghais Mhurchaidh	
12	NORMAN MACLEOD Tarmod Iain Iain b. 1880 m. in Australia	Sergeant Australians Wounded at Gallipoli
	DONALD MACLEOD Dòmhnall Iain Iain b. 1882 Emigrated to Canada	Canadians Twice wounded
	NEIL MACLEOD Niall Iain Iain b. 1885	Australians
	Sons of John Macleod 1 Upper Barvas and Catherine Graham 12 Borve	
15	MURDO MACDONALD Murchadh Aonghais Cùdhail 'Am Brot' b. 1869 m. Mary Ann Graham 15 Borve, To 46 Galson in 1924	RNR
	MURDO MACDONALD Murchadh a' Bhrot b. 1900 Son of Murdo Macdonald and Mary Ann Graham Màiri Anna Dh'll Ruairidh 15 Borve	Drowned in sinking of HMY *Iolaire* 1 January 1919 age 18 Was never found RNR HMS *Pembroke* Service number 9534/A Memorial: Chatham Naval Panel 32
	Father and son	

CROFT	NAME	SERVICE
16	**MURDO MACLEAN** Murchadh Dhòmhnaill Riabhaich Murchadh Hogg 1888-1970 m. Catherine Smith 24 Borve	RNR At defence of Antwerp Mons Star
17	**NORMAN MACIVER** Tarmod Chaluim Chaluim Tarmod a' Bhocs 'Topsy' b. 1895 Son of Malcolm Maciver and Catherine Smith	Camerons
18	**DONALD MACDONALD** Dòmhnall Tharmoid 'an 'ic Alasdair b. 1894 m. Ann Maclean 5 High Borve Son of Norman Macdonald and Catherine Macdonald Lived in New Zealand	Gordons Severely wounded 14 December 1914 and discharged in consequence
19	**ANGUS NICOLSON** Aonghas Aonghais Aonghais 'Kruger' 1896-c.1948 Son of Angus Nicolson and Mary Macdonald	Seaforths Wounded and almost blinded in Belgium April 1915
	DONALD NICOLSON Dòmhnall Aonghais Aonghais 1893-1976 m. Anna Mackay 14 Borve (ni'n Sheumais 'ic Aoidh) Balaich Aonghais Beag Fiosaich	Seaforths
20	**RODERICK MACDONALD** Ruairidh Chaluim Òig b. 1873 m. Margaret Smith 33 Borve Later 26 Galson	RNR
21	**MALCOLM SAUNDERS** Calum Sheumais Roib ex Baile Geàrr Borve Later at 49 North Galson	Petty officer RNR; served in three wars Boer War 1899-1902 Private Seaforths, Queen's South Africa Medal with clasps, King's South Africa Medal with clasps Merchant Navy WW2 Boatswain's Mate

CROFT	NAME	SERVICE
23	PETER MACKENZIE Pàdraig Uilleim b. 1879 m. Margaret Mackenzie Elm Bank Lochcarron Ross-shire Lived in Glasgow 37 Mansfield Road Partick Son of William Mackenzie and Annie MacIver 23 Borve	Taken prisoner by Turks at Kut-el-Amara 29 April 1916 30 September 1916 presumed died age 37 RNR HMS *Alert* Service number 2586B(Ch) Memorial: Basra Panel 60
	WILLIAM MACKENZIE Uilleam Chaluim Uilleim b. 1896	Killed in action Ypres 9 June 1915 age 19 2nd Seaforths Service number 7283 Interred Bard Cottage Cemetery grave VI C13 Remembered on family memorial in Barvas Cemetery and on Nicolson Institute WW1 panel
	JOHN MACKENZIE Seonaidh Chaluim Uilleim b. 1898 m. Elspeth McWhirter Sydney Lived in Newcastle NSW Sons of Malcolm and Bella Macdonald Mackenzie 23 Borve	RNR Trawler Section
24	DONALD SMITH Dòmhnall Aonghais Aonghais Dòmhnall Seagan b. 1891 Bràthair bean an Adaich agus bean Chaluim Paraidh	Killed in action in France 4 June 1916 age 24 43rd Canadian Infantry Manitoba Regiment Service number 153626 Memorial: Ypres Menin Gate Panel 24 - 26 - 28 – 30
	MURDO SMITH Murchadh Aonghais Aonghais Murchadh Seagan b. 1894 Sons of Angus Smith and Catherine Macdonald 24 Borve	Lance corporal Killed in action 25 September 1915 age 21 1st Camerons Service number 3/5290 Memorial: Loos Panel 119 to 124
25	MURDO NICOLSON Murchadh Dhòmhnaill Alasdair Murchadh a' Chlous b. 1892 m. Ann Macdonald 26 Borve	Gordons Prisoner in Germany

CROFT	NAME	SERVICE
	MALCOLM NICOLSON Calum Dhòmhnaill Alasdair b. 1895 m. Mary Saunders 30 Borve	Royal Air Force Twice wounded while serving with the Seaforths
	RODERICK NICOLSON Ruairidh Dhòmhnaill Alasdair b. 1898 Sons of Donald Nicolson and Mary Graham 25 Borve Balaich a' Chlous	Killed in action in France 6 October 1917 age 19 2nd Seaforths Service number 3/7285 Interred Dozinghem Military Cemetery grave VIII I 17 Gaelic inscription on Roderick's memorial in the cemetery 'Tha sinn an dochas gu bheil e beo ann an Criosd' Had been previously wounded
26	JOHN MACDONALD Iain Mhurchaidh Dhòmhnaill 'Nogaidh' b. 1880 m. Mary Smith 31 Borve	RNR
27	MALCOLM MORRISON Calum Dubh b. 1888	RNR
	ANGUS MORRISON Aonghas Bàn b. 1892	Seaforths Wounded
	DONALD MORRISON Dòmhnall Dubh b. 1883 m. Margaret Graham 8 Borve Balaich Mhurchaidh Ruaidh	Canadians
28	MURDO GRAHAM Murchadh Alasdair Aonghais Murchadh 'Six' 1876-1925 m. Dolina Maclean 8 North Bragar	RNR
29	DONALD GRAHAM Dòmhnall Ruairidh Mhurchaidh 'Marcus' b. 1885	Labour Corps

CROFT	NAME	SERVICE
	WILLIAM GRAHAM Uilleam Ruairidh Mhurchaidh b. 1890	Killed in action in France 19 October 1914 age 23 2nd Gordons Service number 3/6024 Memorial: Le Touret Panel 39 to 41 First battlefield loss Ness to Ballantrushal
	MURDO GRAHAM Murchadh Ruairidh Mhurchaidh b. 1896 m. Isabella Nicolson 19 Borve	Gordons Seriously wounded
	RODERICK GRAHAM Ruairidh Ruairidh Mhurchaidh b. 1900 Sons of Roderick Graham and Gormelia Morrison 21 Upper Shader; Balaich Goraidh Bhìodain	RNR Trawler Section *Iolaire* survivor
30	DONALD GRAHAM Dòmhnall Dhonnchaidh Mhurchaidh b. 1893	Killed in action in France 29 October 1914 age 21 2nd Gordons Service number 3/5591 Memorial: Ypres Menin Gate Panel 38
	RODERICK GRAHAM Ruairidh Dhonnchaidh Mhurchaidh b. 1897 Sons of Duncan Graham and Mary Saunders 30 Borve; Balaich Dhonnchaidh Bhìodain	Killed in action in France 20 August 1917 age 21 8th Seaforths Service number 3/7352 Memorial: Tyne Cot Panel 132 to 135 and 162A
31	NORMAN SMITH Tarmod Tharmoid Phàdraig b. 1888 m. Peggy Graham 29 Borve	RNR
32	ANGUS MACDONALD Aonghas Theàrlaich b. 1890 m. Mary Maciver 50 Borve	RNR *Iolaire* survivor
36	JOHN GRAHAM Iain Chaluim Iain Iain Geur b. 1872 m. Annie Maciver 36 Borve Son of Malcolm Graham and Annie Macdonald	RNR Was invalided home and died there 27 July 1917 age 46

CROFT	NAME	SERVICE
38	**ALEXANDER MACDONALD** Ailig 'an Òig b. 1868 m. Isabella Graham 46 Borve	RNR
41	**DONALD MORRISON** Dòmhnall Aonghais Dhòmhnaill Dòmhnall Mòr an Torra b. 7 February 1869 Fivepenny Borve m. Peggy Maciver 35 Borve Peigi was seriously ill at the time Donald was lost and she died four weeks later leaving six orphans	Died in sinking of ship 3 February 1915 age 46 RNR HMS *Clan MacNaughton* Service number 2395D Memorial: Chatham Naval Panel 14
	ANGUS MORRISON Aonghas Aonghais Dhòmhnaill Aonghas an Torra b. 1887	RNR Took part in defence of Antwerp Mons Star *Iolaire* survivor
	DONALD MORRISON Dòmhnall Aonghais Dhòmhnaill Dòmhnall Beag an Torra b. 1889 m. Kirsty Murray 6 South Dell Sons of Angus Morrison and Marion Smith	RNR
45	**MURDO MACIVER** Murchadh Chaluim Aonghais Murchadh Chròigean b. 1871 m. Murdina Macdonald 45 Borve	RNR
47	**KENNETH SMITH** Coinneach Iain 'an Phàdraig Coinneach Mòr 1884-1931	Scots Guards Prisoner in Germany from 1915 Mons Star

CROFT	NAME	SERVICE
	JOHN SMITH Iain Iain 'an Phàdraig b. 1897 m. Kirsty Morrison 16 Skigersta Lived in Stornoway His granny was one of the Metis Cree people from An Talamh Fhuar Canada Balaich Iain Griasaich	Seaforths
	DONALD MACLEOD	RNR Trawler Section
48	DUGALD MACIVER Dùghall Phàdraig Chaluim b. 1887 m. Mary Morrison 9 High Borve	RNR
	MALCOLM MACIVER Calum Phàdraig Chaluim b. 1896 Sons of Peter Maciver	Killed in action in France 11 April 1917 age 20 2nd Seaforths Service number 3/7153 Called up with 3rd Seaforths to France at outbreak of war Seriously wounded in action in 1915 Interred Brown's Copse Cemetery Roeux grave III E12
	SANDY MACLEOD Alasdair Dhòmhnaill Dhonnchaidh Sandy Doitean b. 1875 m. Catherine Smith 32 Lower Shader Emigrated to Saskatchewan Canada	Canadians
	DONALD C. MACLEOD Dòmhnall Dhòmhnaill Dhonnchaidh Dòmhnall Doitean b. 1881 m.1 Annabella Murray 49 North Tolsta m.2 Elizabeth Norris Canada	Canadians
Fasgadh	DANIEL TAYLOR Originally from Campbeltown 1897-1969 m. Isabella Ann Nicolson Church St Borve	Gunner Royal Garrison Artillery Served Gallipoli 1914-15 RGA Star Interred Galson Old Churchyard

*Peter Mackenzie, R.N.R., 37 Mansfield Rd., Partick (formerly 23 Borve, Barvas); taken prisoner by Turks at Kut-el-Amara, 29th April, 1916; now presumed died 30th Sept., 1916.

Daniel Taylor *Fasgadh* Borve

Peter Morrison 4b Borve

RODERICK MARTIN 33a Lower Shader, one of six brothers on active service. At the start of the war in 1914 Roderick was a widower with 6 children, the youngest, Anne being only five. Five of his brothers and two of his sons were also on active service. Another two men from the household, Donald and Angus Macleay, married to Roderick's sisters, Mary and Catherine Anne, also served in the war

John Macdonald 34 Lower Shader

Balaich òg a' Mhailisidh.
Angus Martin 'An Sgiobair' (left) with Donald Macdonald, Dòmhnall 'an Bringle. Photo probably dates from before the war when they were in the Militia. Angus joined the RNR later and served in the Trawler Section during the Great War, Donald was with the Cameron Highlanders at the Somme.

Siadar Iarach
Clàr nan Gaisgeach

*Lower Shader
Roll of Honour*

*Sheòl i, Sìle nan stuagh,
'S mòran sluaigh innt' air bòrd,
Cuid gu iasgach na Bruaich
'S tuath gu Sealtainn nan òb;
'S cuid a' falbh, mar mo luaidh,
A' chiad uair gu Fort Dheòrs'
A mhailisidh an rìgh.*

Murchadh MacPhàrlain
Bàrd Mhealaboist

CROFT	NAME	SERVICE
1	JOHN MACKAY Iain 'an Saighdeir d. 1950	Seaforths
	LOUIS MACKAY Louis 'an Saighdeir m. Margaret Macdonald 28 Upper Shader Went to 15 Melbost Borve	RNR HMS *Kent*
4	JOHN MACLEOD Seonaidh Pìobair d. 1955 m. Margaret Graham 4 Lower Shader Mairead Iain Aonghais	Seaforths Frostbitten and invalided home 1915
5	LOUIS MACDONALD Louis Mhurchaidh Dh'll Louis Bringle 1880-1941 m. Kirsty Smith 6 Lower Shader, n'n Thearlaich Aonghais Went to 2 Lower Shader	RNR Invalided home 1915
	ANGUS MACDONALD Aonghas Bringle b. 1882	Seaforths Wounded
	DONALD MACDONALD Dòmhnall Bringle 'Tobaidh' 1884-1956 m. Catherine Mackay 3 Ballantrushal Lived at 5 Lower Shader	RNR
6	KENNETH SMITH Coinneach Theàrlaich 1890-1948	RNR HMS *Kent*
7	DONALD MORRISON D'll 'an Alasdair 'Sir' Originally from 4 Cross, a brother of 'An Tìgear' 1871-1948 m. Mary Mackenzie 21 Lower Shader Mairi Aonghais	Sergeant Seaforths Joined voluntarily in 1914

CROFT	NAME	SERVICE
	DONALD MORRISON Dolaidh Sir 1897-1931 m. Dolina Munro Stornoway Lived in Stornoway (Probably the 'Donald Morrison Shader' referred to in the letters of Roderick Murray – Ruairidh Thàididh – 24b South Dell) Father and son	Ross Mountain Battery
	NORMAN MORRISON Tarmod Sir b. 1898 to Canada	RNR Trawler Section
8	RODERICK MARTIN Ruairidh 'an Màrtainn 1868-1949 m. Isabella Martin 15 Lower Shader n'n Aonghais Aonghais	RNR Invalided home
	JOHN MARTIN Iain 'an Màrtainn b. 1871 m. Gormelia Macleod 75 Tolsta Lived in Stornoway	RNR At Battle of the Falklands
	NORMAN MARTIN Tarmod 'an Màrtainn b. 1876 m. Annie Smith 29 Lower Shader Anna Mh'dh Dh'll Òig Widow moved to 11 Ballantrushal Three sons of John and Margaret Martin	Drowned in sinking of HMY *Iolaire* 1 January 1919 age 42 RNR HMS *Victory* Service number 3397/C Interred Barvas St Mary Old Churchyard On active service from 1914
	ANGUS MARTIN 'Sgiobair' 1899-1976 m. Dolina Macdonald Doileag Aonghais Choinnich Moved to 15 Lower Shader	RNR Trawler Section

CROFT	NAME	SERVICE
	MURDO JOHN MARTIN b. 1893	Seaforths
	JESSIE MARTIN Seònaid Ruairidh 'an Mhàrtainn 1898-1995 m. Murdo Macdonald 34 Lower Shader Murchadh 'an Bhàin Moved to 23 South Galson Two sons and daughter of Roderick Martin above	Munitions worker Cardonald
10	DAVID MACDONALD Dàidh Aonghais 1885-1927 m. Ann Morrison 31 Upper Shader n'n Chalum Dh'll	RNR
12	FRANCIS MACRAE Fransaidh 1875-1954	RNR Invalided home in 1915
13	MALCOLM MACLEOD Calum Aonghais Chaluim b. 1884	Killed in action in France 11 April 1917 age 28 2nd Seaforths Service number S/13150 Interred Brown's Copse cemetery Roeux IA 10
	COLIN MACLEOD Cailean Aonghais Chaluim b. 1880 m. Ann Matheson 3 Upper Shader Lived in Glasgow Sons of Angus Macleod	Ship's carpenter Mercantile Marine
14	JOHN MACDONALD Iain Aonghais Mhòir b. 1892	Killed in action in France 23 July 1916 age 24 1st Camerons Service number 3/5093 Interred Caterpillar Valley Cemetery Longueval grave VK17 Was recommended for DCM for exceptional bravery in action
	ANGUS MACDONALD Aonghas Aonghais Mhòir b. 1894	Killed in action 25 June 1916 age 21 2nd Seaforths Service number 7020 Interred Mailly Wood Cemetery Mailly-Maillet grave IA9

CROFT	NAME	SERVICE
	MALCOLM MACDONALD Calum Ruadh Later 45 North Galson 1896-1955 m. Flora Macleod 25 Lower Shader The three sons of Angus and Chirsty Macaulay Macdonald (South Bragar)	Seaforths Twice gassed
15	MURDO MARTIN Murchadh Aonghais Aonghais Iain 'Am Brugan' 1892-1945	RNR Invalided home 1915
18	MURDO MACLEOD Murchadh Paraidh b. 1890 Son of John Macleod 18 Lower Shader	Invalided home and died there 20 January 1919 age 28 RNR HMS *Victory* Service number 4444/A Interred Barvas St Mary Old Churchyard
	MALCOLM MACLEOD Calum Paraidh b. 1892 m. Margaret Smith 24 Borve Peigi Seigean Peigi Aonghais 'ic Aonghais Moved to 5 Melbost Borve	RNR At defence of Antwerp 1914 Star
19	DONALD MORRISON D'll Aonghais Dh'll 'D'll a' Chaiptein' b. 1890 m. Ann Macleod 6 South Bragar n'n Dhonnchaidh Aonghais Òig	RNR
20	MALCOLM MACDONALD 'Calum a' Mhaoir' b. 1895 m. 1. Mary Macdonald 14 Lower Shader Màiri Aonghais Bhig m. 2 Mary Macdonald 26 Lower Shader Màiri Dhànaidh Lived at 22 Lower Shader	2nd Camerons Twice wounded 1914 Star

CROFT	NAME	SERVICE
21	DONALD MACKENZIE D'll Aonghais Ailean b. 1877 m. Isabella Morrison 32 Upper Shader Iseabail 'an Gobha Later 39 Lower Shader	Mercantile Marine
	ALLAN MACKENZIE Ailean Aonghais Ailein b. 1886 Australia	2nd Officer Mercantile Marine
23	MURDO MACASKILL Murchadh Chaluim MhicAsgaill 1889-1960 m. Jessie Graham 8 Borve n'n 'Geibh' Moved to 4 Melbost Borve	RNR Sank a German submarine off Peterhead 5th June 1915 'Bha MacAsgaill innt' à Gabhsann … 'Oran a' Chaiora'
	JOHN MACASKILL Iain Chaluim MhicAsgaill b. 1891	Killed in action in France 22 December 1914 age 23 1st Camerons Service number 3/5066 Memorial: Le Touret Panel 41 and 42
	RODERICK MACASKILL Ruairidh Chaluim MhicAsgaill 1898-1983 m. Catherine Macleod 17 Lower Shader Catriona a' Phost Lived at 23 Lower Shader Sons of Malcolm and Ann Macaskill 23 Lower Shader	RNR Trawler Section
24	MARY MORRISON Màiri Mhòr Aonghais Bhàin b. 1898 Lived at 24 Lower Shader	Munitions Cardonald
25	JOHN MACLEOD mac Iain Dh'll 'Am Post' b. 1872 m. Isabelle Mackenzie 21 Lower Shader n'n Aonghais Ailean	Drowned when ship was sunk by UC-38 Aegean Sea 16 July 1917 age 45 RNR HMS *Newmarket* Service number 2463B Memorial: Chatham panel 26

CROFT	NAME	SERVICE
25a	JOHN MACDONALD 'Speed' Iain Bhàin b. 1886	Drowned in sinking of HMY *Iolaire* 1 January 1919 age 32 RNVR HMD B*oy George III* Service number 19654/DA Interred Barvas St Mary Old Churchyard
	MURDO MACDONALD Murchadh 'an Bhàin b. 1888 m. Jessie Martin 8 Lower Shader moved to 23 South Galson Sons of John and Mary Macdonald 25 Lower Shader	RNR
26	JOHN MACLEOD Iain Choinnich Iain Aonghais 'Iain Ch'ch Riabhaich' 1871-1930 m. Catherine Matheson 9 Upper Shader n'n Iain Uilleam Lived at 27 Lower Shader	RNR
27	DONALD MURRAY D'll Dh'll Aonghais D'll Goistidh 15 South Dell 1869-1936 m. Marion Macdonald 14 North Dell n'n Iain Dh'll Exchanged for 51 North Galson	Petty Officer RNR
28	JOHN MACDONALD Mac Catriona Dh'll Mhòir 'Spider' b. 1885 m. Jessie Smith 15 Ballantrushal Emigrated to New Zealand	New Zealand Contingent
	JOHN MACDONALD Iain Alasdair Mhòir b. 1899 m. Mary Morrison 6 Melbost Borve	RNR Trawler section
29	DONALD SMITH b. 1886 Canada	Corporal 46th Canadian Infantry Saskatchewan Regiment Died of wounds in France 25 June 1917 age 31 Service number 887353 Interred Bruay Communal cemetery extension grave G42

CROFT	NAME	SERVICE
	ANGUS SMITH 'An Cnàmhan' b. 1890	Camerons
	WILLIAM SMITH b. 1893 'An Todalan' m. Kirsty Ann Matheson 4 Upper Shader n'n Alasdair Uilleam Glasgow	Gordons Military Medal for bravery at the Somme July 1916 Mons Star Seriously wounded
	NORMAN SMITH b. 1895	Killed in action at La Bassee 22 December 1914 age 21 1st Gordons Service number 3/5271 Memorial: Le Touret Panel 41 and 42
	JAMES SMITH A' Seumarlan b. 1898 m. Ann Macleay n'n Ruairidh Choinnich Later 14 Ballantrushal	RNR Trawler Section
	The five sons of Murdo and Henrietta Matheson Smith 29 Lower Shader Mic Mhurchaidh Dh'll Òig	
30	KENNETH MACDONALD Coinneach Aonghais Choinnich b. 1884	Canadian Navy
	ALEXANDER MACDONALD Alasdair Aonghais Choinnich b. 1896 m. Mary Macdonald 10 Kyles Scalpay Lived in Kinlochleven	Seaforths Seriously wounded and discharged 1917
31	DONALD MORRISON Dòmhnall Chaluim a' Rothaich 1873-1956 m. Margaret Mackay 3 Ballantrushal n'n Chalum 'an Bhàin	RNR HMS *Kent*

CROFT	NAME	SERVICE
	JOHN MORRISON Iain Chaluim a' Reothaich 'Am Bancair' b. 1874 m. Isabella Mackay 21b Upper Shader Iseabail Mh'dh Bhàin Later 7 Melbost Borve	RNR
	JOHN MORRISON b. 1900 Son of Catherine Morrison, sister of Donald and John	RNR Trawler Section
32	JOHN SMITH b. 1869 Iain Dh'll Òig Son of Donald and Mary Smith 32 Lower Shader	Died in Bellavista Peru 26 December 1915 age 46 RNR HMS *Kent* Service number 2380D
33	NORMAN MARTIN Tarmod 'an Ruairidh b.1870 m. Christina Macleay 7 Upper Shader Cairstiona Tee Later 34 South Galson	RNR
	ANGUS MARTIN Aonghas 'an Ruairidh b. 1872 m. Irish lady Later Glasgow and Canada	RNR
	DONALD MARTIN Dòmhnall 'an Ruairidh 'Seagaidh' 1882-1958 Later 16 Lower Shader m.1. Annie Macfarlane 9 Ballantrushal m.2. Annie Macdonald 21 Ballantrushal	RNR On HMS *Queen Elizabeth* at bombardment of Dardanelles
	MURDO MARTIN Murchadh 'an Ruairidh b.1877 Later New York USA	Canadians

CROFT	NAME	SERVICE
	ALEXANDER MARTIN Alasdair 'an Ruairidh b. 1888 m. Mary Macleod 18 Lower Shader Mairi Paraidh Later 33 Lower Shader	RNR Died in accident 27 November 1918 age 30
33a	RODERICK MARTIN 'Sgodaidh' Ruairidh 'an Ruairidh 1868-1943 m. 1. Annie Macdonald 50 Coll, Back m.2. Annie Macleod 27 Lower Shader Later 22 South Galson	RNR HMS *Rugby* Service number 3059/A Interred Greenock Cemetery grave F Recess 41 RNR
	Six sons of John Martin and Mary Macdonald 33 Lower Shader	
	ALEXANDER MARTIN Ailig 'Sgodaidh' b. c1894 Later Glasgow	Seaforths Twice wounded
	DONALD MARTIN Dòmhnall 'Sgodaidh' 'Dontal' b. 1898 Later Glasgow and Vancouver m. Ruth	RNR Trawler Section Survivor of the *Iolaire*
	Father and two sons	
34	DONALD MACDONALD Dòmhnall Dh'll Ruaidh b. 1890	Leading Seaman Gunner Died of influenza at home a few days after having been demobilised 24 February 1919 age 29 RNR HMS *Mars* Service number 3947/A Interred Barvas St Mary Old Churchyard
	JOHN MACDONALD Iain Dh'll Ruaidh b. 1896	Died of wounds at Loos 25 September 1915 age 19 1st Camerons Service number 3/5365 Interred Gosnay Communal cemetery grave 1
	Sons of Donald and Peggy Macdonald 34 Lower Shader	

CROFT	NAME	SERVICE
35	JOHN MACDONALD Iain Aonghais Choinnich b. 1891	Camerons
38	DONALD MACLEAY Dòmhnall Puth 1877-1960 m. Mary Martin 33 Lower Shader Màiri 'an Ruairidh	RNR Discharged
	ANGUS MACLEAY Aonghas Puth b. 1880 m. Catherine Anne Martin 33 Lower Shader Katie Ann 'an Ruairidh	Drowned in sinking of HMY *Iolaire* 1 January 1919 age 38 RNR HMS *Emperor of India* Service number 3689/A Interred Barvas St Mary Old Churchyard
	JOHN MACLEAY Iain Puth b. 1882 Sons of John and Annie MacLeay Lower Shader	Died in Groningen during internment in Holland 26 August 1915 age 31 Royal Naval Division Collingwood Battalion Service number CH/2588/B Interred Groningen Southern cemetery Holland North-West part Class 4 row 37
39	DONALD MACDONALD Dòmhnall Tharmoid Sona b. 1890	Drowned when ship was sunk by U-39 north of Alexandria Egypt 28 November 1916 age 27 Merchant Marine SS *Moresby* Service number 3825/A Memorial: Chatham Naval panel 18
	ANGUS MACDONALD Aonghas Tharmoid Sona b. 1892 m. Effie Mackenzie 21 Lower Shader Oighrig Aonghais Ailein Later 39 North Galson	RNR At Battle of the Falklands
	NORMAN MACDONALD Tarmod Beag Tharmoid Sona b. 1895 m. Mary Smith 15 Ballantrushal Màiri Bheag 'an Mh'dh Later 43 North Galson Sons of Norman and Chirsty Macdonald Mic Tharmoid Sona 39 Lower Shader	Camerons Twice wounded

CROFT	NAME	SERVICE
PARK	MURDO MACDONALD Murchadh Aonghais Bhig b. 1899	RNR
	DONALD MACDONALD Dol Aonghais Bhig b. 1901 m. Murdina Martin 58 Back n'n Dh'll Alasdair	RNR
	MURDO MACDONALD	RNR Trawler Section
LOCHSIDE	DONALD MACDONALD Dòmhnall 'an Bringle b. 1897 m. Kirsty Ann Macdonald 28 Upper Shader Ciorstaidh Ann Alaig Tharmoid	Camerons Severely wounded on Somme age 18

Donald Martin 33 Lower Shader

Isaac Macdonald 17 Upper Shader, left, and Dòmhnall 'an Bringle Macdonald Lochside Lower Shader, served with the Cameron Highlanders on the Western Front – both wounded

CROFT	NAME	SERVICE
1	**ALLAN MACLEOD** Ailean 'an Deirg or mac Iain Iain b.1880	RNR On HMS *Carmania* at engagement with German cruiser *Cap Trafalgar*
	ALEXANDER MACLEOD Alasdair 'an Deirg or mac Iain Iain b. 1885. m. Catherine Macdonald 22 Baile an Truiseil Lived in Stornoway Sons of John Macleod and Ann Graham	RNR Trawler Section
	FRANK HENRY Mac Chriosaidh 'an Deirg b.1895 Nephew of the above and son of Francis Henry and Kirsty Macleod	Lieutenant
2	**DONALD MORRISON** D'll Màiread Iain mac Dhòmhnaill Dhòmhnaill Bhàin b.1888 m. Ann Morrison 24 Lower Shader Son of Donald Morrison and Margaret Macdonald	Seaforths Wounded in Egypt
3	**MURDO MATHESON** Murchadh 'an Chaluim b. 1890	Sergeant 12th Australian Infantry Killed in action in France 6 April 1917 age 26 Service number 465 Memorial: Villers-Bretonneux Had previously been seriously wounded at Gallipoli
	MALCOLM MATHESON Calum 'an Chaluim b.1899 m. Kate Maclean 5 Baile an Truiseil Lived at 49 Lower Barvas Sons of John Matheson and Mary Macleod 3 Upper Shader	RNR Trawler Section

CROFT	NAME	SERVICE
5	ANGUS MATHESON Aonghas Prince Aonghas Mhurchaidh Aonghais b.1898 m. Mary Saunders 6 Upper Shader Son of Murdo Matheson and Kenina Macleod	2nd Air Mechanic Royal Flying Corps
6	DONALD SAUNDERS Dòmhnall Chaluim Rob b. 1892 m. Mary Macleay 10 Baile an Truiseil	Seaforths Wounded four times Taken prisoner 21 March 1918 Mons Star
	ALEXANDER SAUNDERS Ailig Chaluim Rob b.1895	Died of malaria in Persian Gulf 8 July 1916 age 22 1st Seaforths Service number 317185 Interred Amara War Cemetery grave IID10 Previously wounded twice in France
	RODERICK SAUNDERS Ruairidh Chaluim Rob 'Lòdaig' b.1897 m. Margaret Smith 15 Upper Shader	RNR
	JOHN SAUNDERS Iain Chaluim Rob b.1898 m. Margart Morrison 22 Habost Ness Emigrated to Canada	RNR Trawler Section
	Four sons of Malcolm Saunders and Alexandra Ann Macdonald 6 Upper Shader	
7	DONALD MACLEAY(Sen) 'Dan Tee' or mac Alasdair Dhòmhnaill Chailein b.1877 m(1) Margaret Macdonald 21 Baile an Truiseil m(2) Ann Maclean 4 Baile an Truiseil	RNR Lost right arm and right leg in engagement between HMS *Carmania* and German cruiser *Cap Trafalgar* September 1914

Donald had the honour of unveiling the Lewis War Memorial in August 1924
along with Corporal Donald MacGregor of Tolsta-Chaolais who had been
severely wounded at Beaumont-Hamel July 1916

CROFT	NAME	SERVICE
	DONALD MACLEAY (Jun) 'Dolaidh Tee' or mac Alasdair Dhomhnàill Chailein b.1886 m. Margaret Maclean 4 Baile an Truiseil	RNR On HMS *Carmania* at engagement with German cruiser *Cap Trafalgar*
8	JOHN SMITH (SEN) Iain Mòr Aonghais Iain b.1877 m. Kate Macdonald 34 Lower Shader Lived in Kinlochleven	RNR
	JOHN SMITH (JUN) Iain Beag Aonghais Iain b. 1889 m. Ann Morrison 22 Upper Shader	Royal Naval Division Wounded in France
	CHARLES SMITH Teàrlach Aonghais Iain b.1891 m. Effie Macleay 23 Upper Shader Sons of Angus Smith and Kirsty Macritchie	Seaforths Wounded
9	JOHN MALCOLM MATHESON Iain-Chaluim 'an Uilleim b.1889 m. Dolina Macdonald 22 Lower Shader Son of John Matheson and Ann Macdonald	RNR Prisoner in Germany from fall of Antwerp Mons Star
10	ALEXANDER MATHESON 'Suft' Ailig Chaluim Dhòmhnaill b.1887 m. Mary Mackay 3 Baile an Truiseil	RNR
	MALCOLM MATHESON Calum Chaluim Dhòmhnaill b.1891 Sons of Malcolm Matheson and Catherine Maciver	Drowned in sinking of HMY *Iolaire* 1 January 1919 age 27 RNR HMT *Iceland* Service number 11907/DA Interred Barvas St Mary Old Churchyard Destroyed two Zeppelins in the North Sea while Gunner on HMT *Iceland* In France with Seaforths 1914 Mentioned in Despatches Subsequently served in Mesopotamia Severely wounded and discharged Re-enlisted in RNR

CROFT	NAME	SERVICE
11	JOHN MACLEOD 'Clodaidh' b.1872 m. Ann Morrison 32 Lower Barvas Son of John Macleod and Mary Macritchie	RNR
12	DONALD MACDONALD Dòmhnall Dh'll 'ic Alasdair b.1864 Son of Donald Macdonald and Margaret Macdonald	Seaforths Wounded three times
13	JOHN MACDONALD	Killed in action 22 March 1916 age 24 (Borve Memorial 22.5.1916 age 29) 3rd Canadian Infantry Central Ontario Regiment Service number 438026 Interred Bailleul Communal Cemetery Nord grave II B 14
16	MURDO SMITH 'Moraidh' Murchadh 'an Seònaid 1886-1930 m. Kate Macdonald 26 Upper Shader	Seaforths Permanently disabled by wounds
	ALEXANDER SMITH Ailig 'an Seònaid b.1890 'An Tucsan' m. Effie Macleod 12 Lower Barvas	Canadians Wounded
	DONALD SMITH Dòmhnall 'an Seònaid b.1896 Sons of John and Catherine Smith 16 Upper Shader	Killed in action in France 3 September 1916 age 20 1st Camerons Service number 5363 Memorial: Thiepval Pier and Face 15B
17	ANGUS MACDONALD Aonghas Dh'll Bhig b.1880 Lived in Canada	Corporal Canadians Wounded
	ALEXANDER MACDONALD Alasdair Dh'll Bhig 1889-1962 m. Catherine Macdonald 30 Lower Shader	Seaforths Twice wounded

CROFT	NAME	SERVICE
	ISAAC MACDONALD Isaac Dh'll Bhig b.1892 m. Mary Graham 19b Swainbost Lived in Glasgow	Sergeant Camerons Wounded
	Sons of Donald Macdonald and Kirsty Macdonald	
	Rev. Dr. ISAAC H. MACDONALD mac Dhòmhnaill an Innseanaich b.1863 Uncle of above	Chaplain-Captain Canadians
18	RODERICK MARTIN Ruairidh Dh'll Ruairidh b.1889 Son of Donald Martin and Effie Macdonald	RNR Interned in Holland after fall of Antwerp Mons Star
20	ANGUS MACDONALD Aonghas Mh'dh Dhòmhnaill b.1885 m. Marion Macleod 42 North Bragar	RNR
	DONALD MACDONALD Dòmhnall Mh'dh Dhòmhnaill b.1895	Died of fever France 14 August 1916 age 26 2nd Seaforths Service number S/7139 Interred Etaples Military Cemetery grave IX E 6A
	CHARLES MACDONALD Teàrlach Mh'dh Dhòmhnaill b.1899	RNR Trawler Section
	Sons of Murdo and Henrietta Macdonald 20 Upper Shader	
21a	DONALD MORRISON Dòmhnall Mh'dh Dh'll Mhòir b.1884 Emigrated to Canada	Canadians Twice wounded
21b	DONALD MACKAY Dòmhnall Mhurchaidh Bhàin b.1879	Killed in action in France 11 May 1916 age 36 Royal Engineers Service number 66118 Interred Ecoivres Military Cemetery Mont-St Eloi 1K9 Came from South Africa to enlist

CROFT	NAME	SERVICE
	MURDO MACKAY Murchadh Mh'dh Bhàin 'Murdigan' b.1881 m. Isabella Macleay 7 Upper Shader Later South Galson	RNR
	LOUIS MACKAY Louis Mh'dh Bhàin b.1890 m. ... Macleod, Geshader, Uig Later Australia	Sergeant Major Australians Wounded
	ALEXANDER MACKAY Ailig Mh'dh Bhàin b.1896 Married in Vancouver	RNR
	JOHN MACKAY Iain Mh'dh Bhain 'Sùichean' b.1888 m. Ann Macdonald 12 Baile an Truiseil Sons of Murdo Mackay and Mary Smith	No details available
22	DAVID MORRISON Dàidh Aonghais Dhòmhnaill b. 1874 m. Kirsty Matheson 9 Upper Shader	RNR
	JOHN MORRISON (Nephew of David)	RNR Trawler Section
23	ANGUS MACLEAY Aonghas Chailein Choinnich b. 1897 Son of Colin Macleay and Chirsty Martin	Killed in action in France 22 December 1914 age 17 1st Camerons Service number 3/5550 Memorial: Le Touret panel 41 and 42
24	MURDO SMITH Murchadh Aonghais Seònaid b.1895 Son of Angus Smith and Ann Macleod	Lance Corporal Killed in action in France 12 January 1915 age 19 1st Camerons Service number 3/5289 Memorial: Le Touret panel 41 and 42

CROFT	NAME	SERVICE
24	DONALD COLIN MACLEAY Dòmhnall Chailein Dh'll Chailein b. 1896	Killed in action in France 8 August 1918 age 22 43rd Canadian Infantry Manitoba Regiment Service number 693108 Interred Hourges Orchard Cemetery Domart-sur-la-Luce grave A10
	DUNCAN MACLEAY Donnchadh Chailein Dh'll Chailein b. 1898 d. 1933 m. Haydee D'Arbelles	Canadians
	Sons of Colin Macleay 14 Upper Shader and Annie Macleod 46 Borve who lived in Yorkton Saskatchewan	
25	NORMAN MACDONALD Tarmod Aonghais Tharmoid b 1889 m. Margaret Macdonald 12 Upper Shader	RNR Interned in Holland Mons Star
	MURDO MACDONALD Murchadh Aonghais Tharmoid b. 1883 m (1) Catherine Macmillan 6 Park Barvas m (2) Ann Morrison 1 Baile an Truiseil Lived at 1 Ballantrushal	RNR
26	ALEXANDER MACDONALD Alasdair Aonghais Alasdair b. 1888 m. Margaret Morrison 2 Upper Shader	Sergeant Major Seaforths Wounded in Mesopotamia
	DONALD MALCOLM MACDONALD Dolaidh a' Mhuilleir mac Aonghais Alasdair b.1895 m. Dolina Maclean 5 Baile an Truiseil	6th Camerons Wounded and gassed Joined Lovat Scouts age 17
28	NORMAN MACDONALD Tarmod Ailig Tharmoid b. 1888 m. Mary Mackay 21 Upper Shader Moved to Heatherhill Barvas	RNR Prisoner in Germany from fall of Antwerp Mons Star

CROFT	NAME	SERVICE
	DONALD MACDONALD Dòmhnall Ailig Tharmoid b. 1899	RNR Trawler Section
	Sons of Alexander Macdonald and Kirsty Finlayson	
29	JOHN MARTIN Iain Chaluim Iain 1878-1954 m. Annabella Macleod 38 Lower Barvas	Leading Seaman RNR HMS *Carmania*
29a	DONALD MORRISON Dòmhnall Dh'll Aonghais `Am Bucach' b.1868 m. Kirsty Martin 29 Upper Shader Lived at High Street Ballantrushal	RNR
30	NORMAN MARTIN Tarmod Iain b.1881	Killed in action in France 19 June 1916 age 34 Scots Guards
	RODERICK MARTIN Ruairidh Iain 'An Dotair' b. 1890 m. Kirsty Matheson Ballantrushal	Royal Scots Fusiliers
	Sons of John Martin and Kirsty Macdonald	
31	DONALD MURDO MORRISON Dòmhnall Murdo Chaluim Bhàin b. 1893 m. Kirsty Mackenzie 21 Lower Shader Lived in Canada	Seaforths
	ANGUS MORRISON Aonghas Chaluim Bhàin b. 1898	Drowned in sinking of HMY *Iolaire* 1 January 1919 age 20 RNR HMT St Ayles Service number 12126/DA Interred Barvas St Mary Old Churchyard
	Sons of Malcolm Morrison and Chirsty Macdonald	

CROFT	NAME	SERVICE
33	JOHN MACLEOD Mac Iain an Òrdaig b. 1880	RNR Invalided home in 1915
Encampment	DONALD STEWART Son of Hugh and Henrietta Stewart	Killed in action 2 March 1916 age 30 1st Gordons Service number 3/5398 Memorial: Ypres Menin Gate panel 38

Angus Morrison 31 Upper Shader

Donald Saunders 6 Upper Shader

Donald Macleay 14 Upper Shader

Alexander Saunders 6 Upper Shader

Murdo Smith 24 Upper Shader

Donald Colin Macleay Yorkton, Sask, Canada

Norman Macleay 10 Ballantrushal

Alexander Macleay 10
Ballantrushal

Alexander Young 8 Ballantrushal

John Macdonald 22 Ballantrushal

Alexander Smith
15 Ballantrushal

Alexander Macleay and his wife Nellie (Torrin, Skye)
Corporal Macleay, 10 Ballantrushal was killed in action in
France on 12 October 1917, age 33 whilst serving with the
10th Argyll & Sutherland Highlanders. A brother, Norman,
served with the Canadians at Passchendale in 1917 and was
awarded the Military Medal. Another Brother, Donald, was
also with the Argyll and Sutherland Highlanders.

In Memoriam

CHARLES MACLEOD
b. 1894
Teàrlach 'an Phìobair
Son of John MacLeod and Catherine Smith
(d.1894) 11 Ballantrushal
Killed in action in France 15 November 1914
age 21
Corporal 1st Gordons
Service number 315556
Memorial: Le Touret Panel 39 to 41

Tha sinn duilich, sinn tha duilich;
Tha sinn duilich, O a Theàrlaich!
Tha sinn duilich bho nach do thill thu,
Is ann am Belgium tha do chnàmhan.

Mo ghràdhs' air Teàrlach Iain Phìobair;
Thug mi gràdh dhut thar mo chàirdean.
Ged a chaidh san Fhraing do mharbhadh
Cha b' e cearbaich do chuid làmhan.

'S e d' athair a dh'fhàg thu falamh,
Is fhada bho chaidil do mhàthair
Cha tèid sinn a dh'ionnsaigh d' uaighe;
'S fhada bhuainn thar chuan a tha i.

Chaidh thu chogadh thar nan cuantan;
Thug an luaidhe snuadh a' bhàis ort.
An dòchas gun shaor an t-Uan thu,
Far bheil d' uaigh cha bhris an là air.

'S ann uainn fhèin a dh'fhalbh an gasan
Air a chasan a bha àlainn
Cha robh leithid ann an ceudan
Ri dol sìos air Druim a' Chàrnain.

Fhuair mi do litir Dihaoine,
Agus taobh dhi ann an Gàidhlig;
'S tu ag ràdh na faigheadh tu saorsa
Gu ruigeadh tu tìr do chàirdean.

'S ann againn fhìn a bha an caraid
A bha snasail air na sràidean;
'S ged a dheidhinn gus an dosgaich
Chan fhaic mi gu sìorraidh Teàrlach.

Mo bheannachd air a' chrè a ghiùlain
Ged is ann san ùir a tha i;
Tha mo bheannachd aig a cuideachd,
Bithidh iad duilich airson Theàrlaich.

Tha sinn duilich, sinn tha duilich,
Tha do pheathraichean is do bhràthair;
Chan fhaic iad tuilleadh thu sa chlachan,
Suidhe faisg orr' air an t-Sàbaid.

Sguiridh mi a-nis dha m' òran
Le bhith 'g innse dòchas chàirdean;
Gun èirich thu suas le caithream
Dhan an adhar is Fear do Ghràidh ann.

Tha sinn duilich, sinn tha duilich,
Tha sinn duilich, O a Theàrlaich;
Tha sinn duilich, bho nach till thu
Chum na muinntir rinn thu fhàgail.

CROFT	NAME	SERVICE
NEW PARK	RODERICK MATHESON mac Sheonaidh Uilleim 1882-c1924 Later Glasgow	Royal Garrison Artillery
	DONALD MATHESON mac Sheonaidh Uilleim b. 1889 Later London	RNR
	WILLIAM MATHESON Mac Sheonaidh Uilleim 1891-1975 m. Catherine McKendrick Later Detroit	Shipwright Mercantile Marine
	ANGUS MATHESON Mac Sheonaidh Uilleim 1897-1956 m. Lilias Maciver Later Detriot	Sergeant Seaforths Wounded in France and Mesopotamia
2	JOHN MACDONALD 'An Geàraban' mac Tharmoid Choinnich Bhig b. 1884 m.1 Catherine Matheson 4 Upper Shader m.2 Catherine Ann Mackay 19 South Galson Later Glasgow	Mercantile Marine
	PETER MACDONALD Pete Tharmoid Choinnich Bhig b.1889 m.1 Joan Maciver 36 Coll m.2 Catherine Macleod 32 Swainbost Later 18 South Galson	Royal Scots Fusiliers
	Sons of Norman Macdonald and Catherine Macdonald	

CROFT	NAME	SERVICE
3b	**ALEXANDER MACKAY** Ailig Chaluim 'an Bhàin b. 1893 m. Jessie Macleod 11 Ballantrushal Son of Malcolm Mackay and Effie Morrison	Mercantile Marine
4	**ANGUS MACLEAN** Aonghas Chaluim Aonghais Chaluim Aonghas a' 'Chriocs' b. 1890 Son of Malcolm Maclean and Margaret Macleod	Died of wounds in France 17 April 1917 age 26 2nd Seaforths Service number /6861 Interred Aubigny Communal Cemetery extension grave II E54
	DONALD MACLEAN Dòmhnall a' 'Chriocs' b.1899 m. Mary Macdonald 9 Ballantrushal Son of Malcolm Maclean and Effie Macleay	RNR Trawler Section
4	**ANGUS JOHN MACLEAN** 'Guineasgan'	RNR Trawler Section Was mined and rescued
4b	**ANGUS MACLEAN** Aonghas Steam 1899 – 1989 m. Marion Martin 11 Ballantrushal Later at Heatherhill Barvas	RNR Trawler Section
	JOHN MACLEAN John is thought to have been son of Donald, originally from Bragar, and Annie Maclean recorded as cottars at 4 Ballantrushal.	Seaforths *Loyal Lewis* states that a John Maclean, son of Donald Maclean, 3 Ballantrushal, was 'killed in action in France' The inscription on the Borve Memorial Ballantrushal plate is '3 J. Maclean Seaforths' Age or date of death are not recorded Unable to trace loss in Commonwealth War Graves records
5	**JOHN MACLEAN** Iain Dh'll Mhòir b. 1866 m. Claire Gerochty Lived in Perth	Staff-Sergeant-Major Seaforths Meritorious Service Medal

CROFT	NAME	SERVICE
	ANGUS MACLEAN Aonghas Dh'll Mhòir m. Christina Macritchie ni'n Alasdair 'an 'ic Fhionnlaigh 34 Lower Barvas	RNR Interned in Holland 1914 Star
	MURDO A MACLEAN Murchadh Aonghais Dh'll Mhòir b. 1898 m. Catherine Matheson 3 Upper Shader Later a doctor in Dunvegan Skye	Seaforths Twice wounded
6	JOHN MACRITCHIE (SEN) Iain Dh'll 'ic Risnidh b. 1879 Lived in Stornoway	Seaforths Wounded
	NORMAN MACRITCHIE Tarmod Faidhir b. 1887 m. Kate Nicolson 22 Borve	Camerons Wounded
	JOHN MACRITCHIE Seonaidh Dh'll 'ic Risnidh b. 1892 d. 1941 age 47 m. Caroline Taylor of Ferintosh and lived in Black Isle Catherine died in Inverness in 2008 aged 106 Sons of Donald Macritchie and Catherine Macdonald Seonaidh was a pupil in the Nicolson Institute when he joined the RMB with Donald Mackay, later Head teacher in Lionel	Ross Mountain Battery
7	MURDO MACDONALD Murchadh Iain Dh'll 'ic Dh'll b. 1896 Son of John MacDonald 7 Ballantrushal	Killed in action at La Bassee 22 December 1914 age 18 1st Seaforths Service number 3/5366 Memorial: Le Touret Panel 41 and 42
8	ANGUS YOUNG Aonghas Dhonnchaidh b. 1882 m. Margaret Graham 39 Tolsta Son of Duncan Young and Mary Graham	RNR On HMS *Carmania* at the sinking of the German cruiser *Cap Trafalgar*

CROFT	NAME	SERVICE
	ALEXANDER YOUNG b. 1892 Mac Aonghais Dhonnchaidh Son of Angus Young and Etta Paterson Govan Nephew of Angus Young above	Killed in action in France 29 September 1917 age 25 4th Highland Light Infantry Service No 7159 Interred Coxyde Military Cemetery grave IV C13
10	ALEXANDER MACLEAY Ailig Uilleim Sheòrais b. 1885 m. Nellie Nicolson Torrin Skye and 18 George St Whiteinch Glasgow	Killed in action in France 12 October 1917 age 33 Corporal B Coy. 10th Argyll & Sutherland Highlanders Formerly Piper 4th A&SH Service number 4/8051 Memorial: Tyne Cot Panel 141 to 143 and 162
	NORMAN MACLEAY Tarmod Uilleim Sheòrais b. 1892	Canadians Wounded and gassed Military Medal for bravery at Passchendale Ridge in 1917
	DONALD MACLEAY Dòmhnall Uilleim Sheòrais b. 1890 m. Ann Maclean 'Anna Steam' 4 Ballantrushal Later Heatherhill Barvas Father-in-law of Charles Macleod Shawbost School Sons of William MacLeay and Margaret Macdonald 7 Ballantrushal	Argyll and Sutherland Highlanders
10b	JOHN MACLEAY Mac Màiri Sheòrais 'Sherridh' b. 1875 m. Annie Smith Anna Aonghais Iain 8 Upper Shader Son of Mary Macleay 10 Ballantrushal	Lost when ship torpedoed by UC 64 5 miles outside Seaham 26 April 1918 age 43 RNR SS *Llwyngwair* Service number 1533C Memorial: Chatham Naval Panel 30 Torpedoed 4 times *Loyal Lewis* states he was lost at Malta
11	CHARLES MACLEOD b. 1894 Teàrlach 'an Phìobair Son of John MacLeod and Catherine Smith d.1894 11 Ballantrushal	Killed in action in France 15 November 1914 age 21 Corporal 1st Gordons Service number 315556 Memorial: Le Touret Panel 39 to 41

CROFT	NAME	SERVICE
12	KENNETH MACDONALD Coinneach a' Chuaraidh b. 1894 Later Australia	RNR On HMS *Carmania* at the sinking of *Cap Trafalgar*
	NEIL MACDONALD Niall a' Chuaraidh b.1895 m. Catherine Matheson Catriona 'an Dh'll 19 Lower Barvas	RNR
12	KENNETH MACDONALD Coinneach Choinnich 'an Mhòir b. 1875 m. Effie Morrison 22 Upper Shader	RNR Royal Naval Division Prisoner in Germany from fall of Antwerp Mons Star
13	ALEXANDER MACKENZIE From Aultbea m. Christina Macleod, Ciorstaidh Choinnich Òig Later Glasgow	Royal Engineers
13	ANGUS MACLEOD Aonghas Choinnich Òig 'Bob' b. 1875	RNR
14	RODERICK MACLEAY Ruairidh R'dh Choinnich b. 1894	Killed in action in France 18 May 1915 age 20 2nd Seaforths Service number 3/7049 Memorial: Ypres Menin Gate Panel 38 At front from commencement of hostilities
	LOUIS MACLEAY Louis R'dh Choinnich b. 1898 Sons of Roderick Macleay and Margaret Macdonald 14 Ballantrushal	Died of wounds 9 January 1918 age 19 Corporal B Coy 7th Seaforths Service number 204506 Interred Tincourt New British Cemetery grave IV E10
15	JOHN SMITH Iain 'an Mhurchaidh Dhearg 1883-1965 m. Jessie Macritchie 4 Ardroil to 13 Ardroil	Sergeant-Major Seaforths Severely gassed

CROFT	NAME	SERVICE
	ALEXANDER SMITH Mac Iain Mhurchaidh Dhearg b. 1890	Killed in action 23 March 1918 age 29 Military Medal Company Sergeant Major 7th Seaforths Service No 10065 Memorial: Pozieres Panel 72 and 73
	JOHN SMITH 'Johnnie' b. 1898	Accidentally killed in Australia 25 November 1915 age 17 Merchant Marine
	Sons of John Smith and Isabella Macleod 15 Ballantrushal	
16	DONALD MORRISON Dòmhnall a' Fiadh b. 1886 m. Barbara Macleay 14 Ballantrushal Later 41 North Galson	RNR On HMS *Carmania* at the sinking of *Cap Trafalgar*
	ANGUS MORRISON 'Gròbaidh' b.1889 d.1961 Died in Glasgow	Camerons
	Sons of John Morrison and Jane Macdonald	
18	CHARLES SMITH Teàrlach Dh'll Theàrlaich Iain b. 1887 m. Chirsty Ann Macaulay 3 Breasclete Lived in Dunfermline where he was a head teacher	Lieutenant RFA Wounded
	MURDO SMITH Murchadh Dh'll Theàrlaich Iain b. 1896	Killed in action at Ypres 4 October 1917 age 21 D Coy 2nd Seaforths Service number 3/7272 Interred Cement House Cemetery grave XV A4
	DONALD SMITH Dòmhnall Dh'll Theàrlaich Iain b. 1897	Died of illness Inverness 26 July 1917 age 18 RNR
	Sons of Donald Smith and Ann Macdonald 18 Ballantrushal	

CROFT	NAME	SERVICE
19	ALEXANDER MACLEOD b.1871 m. Chirsty Graham 71 Coll Later in London	RNR
	DONALD MACLEOD b. 1876 London	Lieutenant Royal Garrison Artillery
	JOHN MACLEOD b. 1866	2nd Lieutenant RNR Wireless Telegraph Service
	Sons of Donald Macleod D'll Iain Aonghais Bhàin and Ann Macinnes	
20	JOHN MACIVER Iain 'Froig' b. 1886	RNR Interned in Holland 1914 Star
	KENNETH MACIVER Coinneach 'Froig' b.1888 m. Rhoda Whyte, England Emigrated to Canada	Canadians
	Sons of Murdo Maciver Murchadh Choinnich 'Froig' and Janet Macleay	
21	NEIL MACDONALD Niall Aonghais Nèill b. 1890	Drowned 16 September 1917 age 24 when ship sunk by U-54 210 miles W of Ushant en route to Falmouth RNR SS *Arabis* Service number 3335A Memorial: Chatham Naval Panel 26
	ANGUS MACDONALD Aonghas Aonghais Nèill b. 1896	Killed in action in France 11 April 1917 age 21 2nd Seaforths Service number 3/7138 Interred Brown's Copse Cemetery Roeux grave III F25

CROFT	NAME	SERVICE
	JOHN MACDONALD Iain Aonghais Nèill b. 1899 m. Catherine Maclean 12 Brue	RNR Trawler Section
	Sons of Angus Macdonald and Annie Martin 21 Ballantrushal	
22	JOHN MACDONALD 1867-1923 Iain Louis m. Mary Macdonald 34 Borve d. 1959	RNR Served 1914-1918
	JOHN MACDONALD Iain Mòr 'an Louis 'Am Brag' b. 1895	Royal Scots Wounded in France 1914 and in Palestine 1917 1914 Star
	JOHN MACDONALD Doctair 'an Louis 1897-1966 MB ChB Aberdeen University Doctor in Lancashire m. Elizabeth Donaldson in 1931	Lance-corporal 2nd Camerons Enlisted with the Camerons in 1916 Served 2.5 years in France and Belgium Military Medal for rushing an enemy pill-box in Bulgaria and killing its occupants

L-R: Brothers Neil, Angus and Iain Macdonald 21 Ballantrushal

They shall grow not old as

we that are left grow old;

Age shall not weary them,

nor the years condemn.

At the going down of the sun

and in the morning ...

We will remember them.
